【電子版のご案内】

■タブレット・スマートフォン（iPhone, iPad, Android）向け電子書籍閲覧アプリ
「南江堂テキストビューア」より，本書の電子版をご利用いただけます．

薬系免疫学

改訂第4版 第2刷

シリアル番号：

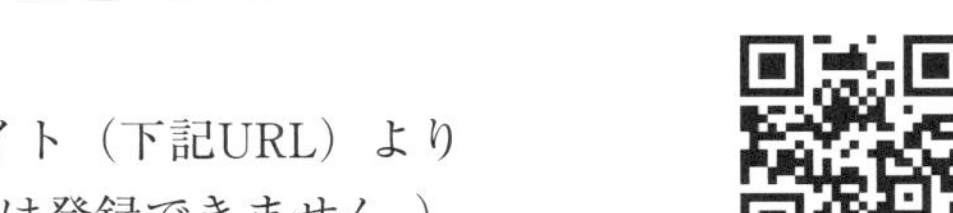

■シリアル番号は南江堂テキストビューア専用サイト（下記URL）より
ログインのうえ，ご登録ください．（アプリからは登録できません．）

https://e-viewer.nankodo.co.jp

※初回ご利用時は会員登録が必要です．登録用サイトよりお手続きください．
詳しい手順は同サイトの「ヘルプ」をご参照ください．

■シリアル番号ご登録後，アプリにて本電子版がご利用いただけます．

■注意事項

・シリアル番号登録・本電子版のダウンロードに伴う通信費などはご自身でご負担ください．

・本電子版の利用は購入者本人に限定いたします．図書館・図書施設など複数人の利用を前提とした利用はできません．

・本電子版は，１つのシリアル番号に対し，１ユーザー・１端末の提供となります．一度登録されたシリアル番号は再登録できません．権利者以外が登録した場合，権利者は登録できなくなります．

・シリアル番号を他人に提供または転売すること，またはこれらに類似する行為を禁止しております．

・南江堂テキストビューアは事前予告なくサービスを終了することがあります．

■本件についてのお問い合わせは南江堂ホームページよりお寄せください．

［薬系 免疫学 改訂第4版 第2刷］

Pharmaceutical Immunology

薬系免疫学

改訂
第4版

[編集]

植田 正
九州大学名誉教授

前仲勝実
北海道大学大学院薬学研究院教授

執筆者一覧

植田　　正	うえだ　ただし	九州大学名誉教授
前仲　勝実	まえなか　かつみ	北海道大学大学院薬学研究院教授
黒木喜美子	くろき　きみこ	北海道大学大学院薬学研究院准教授
梶川　瑞穂	かじかわ　みずほ	昭和薬科大学講師
宗　　孝紀	そう　たかのり	富山大学学術研究部薬学・和漢系教授
水口　峰之	みずぐち　みねゆき	富山大学学術研究部薬学・和漢系教授
松田　　正	まつだ　ただし	北海道大学大学院薬学研究院教授
黒川　昌彦	くろかわ　まさひこ	九州保健福祉大学大学院医療薬学研究科教授
遠城寺宗近	えんじょうじ　むねちか	福岡大学薬学部教授
石橋　大輔	いしばし　だいすけ	福岡大学薬学部教授
渡邉　峰雄	わたなべ　みねお	日本薬科大学教授
赤﨑　健司	あかさき　けんじ	福山大学薬学部教授
阿部　義人	あべ　よしと	国際医療福祉大学福岡薬学部教授
大栗　誉敏	おおくり　たかとし	崇城大学薬学部教授
吉野　　伸	よしの　しん	免疫疾患制御研究所所長
平澤　典保	ひらさわ　のりやす	東北大学大学院薬学研究科教授
津本　浩平	つもと　こうへい	東京大学大学院工学系研究科教授
工藤　千恵	くどう　ちえ	国立がん研究センター研究所ユニット長

（執筆順）

改訂第４版のまえがき

初版（2007年10月）が出版されて15年が経過する．出版当初，不治の病であったエイズは，人智により開発された数々の薬により慢性疾患と位置付けられるまでになった．がん細胞の免疫系からの逃避機構を解明し開発された免疫チェックポイント阻害抗体は，長年提唱されていた「がん免疫監視機構」でのキラーT細胞の役割を明確にし，がん患者の福音となった．2019年から流行が始まった新型コロナウイルス感染症（COVID-19）のパンデミックは，市販されたことのないタイプの「mRNAワクチン」の使用を容認する状況をつくった．これらは，初版から改訂第4版発行までに起こった身近な免疫学に関連するエポックメーキングなイベントである．本書は，約5年に一度改訂版を発行する機会があり，これらの免疫学のイベントに対応してきた．また，改訂第4版の発行にあたり，初版からの執筆者の勇退により，複数の章で新たな執筆者にご担当いただくこととなった．この機会に初版発行から15年経過した免疫学研究の進捗や構造生物学の動向を踏まえて，内容を大幅にアップデートした．とくに，刻々と変わる予防接種や抗体医薬品の上市に関する情報は巻末に掲載し，増刷の際に容易に更新できるようにした．

改訂第4版は多くの新しい情報が加わったが，「薬学生にとって必要なミニマムエッセンスを抽出する」という本書の当初からの指針は維持している．すなわち，免疫学領域では，次々と新しい研究成果が報告されているが，ほぼ定説として認知された内容で，薬学で学ぶべき内容を絞り込み加筆している．また，重要な内容は各章で繰り返し記載し，前版より図表なども改良し，本文の内容の理解を促すようにした．

Nature, Cell, Scienceとその姉妹誌などには，免疫学に関する新しい研究成果が次々に報告されている．そのため，本書の内容が免疫学的事実に即さなくなった部分については，引き続き読者からのご指摘をいただければ幸いである．

改訂第4版の出版にあたり，株式会社南江堂に謝意を表するとともに，ご担当くださった諸氏に厚く御礼申し上げる．

2022年10月

植田　　正
前仲　勝実

初版のまえがき

本書は，将来薬剤師または創薬に携わる研究者として活躍する薬学生を対象とした，要点を効果的かつ簡潔に押さえながら学ぶことのできる免疫学のテキストである．薬剤師を志望する学生は，生命システムの一翼を担う免疫学を理解することが必要であることは言うには及ばないが，創薬に携わる学生にとっても，免疫系を利用あるいは制御する多くの薬が存在すること，またほとんどの薬がヒトにとって異物であることを踏まえれば，創薬研究を進める上で免疫学の知識は必須となる．

これまで刊行されている免疫学のテキスト（翻訳本を含む）は，免疫の専門家を目指す学生や研究者向けのものが多く，それらのなかには名著と呼ばれるものも少なくない．これらを目の当たりにして，必ずしも免疫学を専門としない薬学生は，膨大な内容のどこまでを理解すればよいのか判断に窮しているのが現状であろう．

本書は，薬学生にとって必要なミニマムエッセンスを含み，体系的でわかりやすいテキストを目指して，各担当者が執筆を行った．まず「薬学でなぜ免疫を学ぶ必要があるか」について記述した．続いて，第1部では「免疫学への招待」と題して，免疫学の基盤的な内容を学ぶ．この部分を理解すれば，今日の免疫学の体系の大筋を理解したと考えてよい．第2部では，感染や病気にかかわる免疫学や免疫学的実験法について学ぶ．第3部は，応用的な内容となり，免疫治療薬の解説や最先端の免疫学領域の話題を記述した．

本書では，読者の理解の助けになるように，図表や用語解説を多用していることは一つの特徴である．重要な事項については，他章を参照しなくてもすむようにくり返し記述している．

最近，薬学部6年制に向けて，薬学教育モデル・コアカリキュラムが作成された．本書は，そのカリキュラム中の生物系薬学の生体防御の項目の学習到達目標に対応しており，本文の該当する見出しに学習到達目標を併記した．したがって，本書を薬剤師国家試験対策として，生物系薬学の生体防御の項目を学ぶ際は，該当する学習到達目標に対応した第2部までの内容を中心に勉強を進めればよい．本文より一歩踏み込んだ内容については，囲み記事を設け記載している．

本書は，薬学生に免疫学を理解させることを目指したが，比較的平易な内容なので，免疫学に興味のある大学生，一般の方への免疫学の入門書となり得ると考えている．免疫学は研究が活発に行われている領域である．本書は免疫学の基盤的な内容を多く含むものであるが，新たな研究により，記述の変更が必要な箇所は，読者からご指摘いただければ幸いである．

最後に，本書出版の機会を与えていただいた，南江堂に厚く謝意を表するとともに，出版にご尽力いただいた星野仙氏，野村真希子氏に感謝する．

2007年8月

植田　　正
前仲　勝実

目 次

なぜ免疫学を学ぶのか，薬学とのつながり 植田 正・前仲 勝実 1

第1部 免疫学への招待

0 免疫のしくみ 植田 正・前仲 勝実 7

1 免疫に関する器官と細胞 植田 正 13

1 免疫担当器官 13
- A 中枢リンパ組織 13
- B 末梢リンパ組織 14

2 免疫担当細胞 16
- A 白血球の組成 16
- B リンパ球系細胞 17
- C 抗原提示細胞 18
- D 顆粒球 19
- E 肥満細胞 20

2 抗原・抗体・補体 植田 正 21

1 抗原と抗体 21
- A 抗 原 21
- B 抗 体 22

2 抗原抗体反応 28
- A 抗原抗体反応の理論 28
- B 沈降反応 28
- C 凝集反応 28
- D 中和反応 30

3 補 体 31
- A 補体の活性化と制御 32
- B 補体の生理作用 34

3 免疫反応機構 黒木 喜美子 37

1 自然免疫と獲得免疫 37

2 自然免疫 39
- A 物理的，生理的，化学的バリアーおよび非特異的可溶性因子 39
- B 食細胞（貪食細胞） 41
- C ナチュラルキラー（NK）細胞 43
- D パターン認識受容体（PRRs） 45
- E 自然リンパ球（ILC）による免疫制御機構 47

3 獲得免疫 49
- A 獲得免疫における抗原認識 49
- B 獲得免疫の成立 49
- C 免疫学的記憶 52
- D 体液性免疫 53
- E 細胞性免疫 55
- F 細胞内寄生細菌 57

4 主要組織適合遺伝子複合体（MHC）　前仲 勝実　59

1 **MHC とは** …… 59
Ａ MHC クラスⅠの構造 …… 60
Ｂ MHC クラスⅡの構造 …… 60
Ｃ MHC の遺伝子座 …… 61
2 **MHC クラスⅠの抗原提示** …… 62
3 **MHC クラスⅡの抗原提示** …… 65
4 **T 細胞，B 細胞，NK 細胞の抗原認識の違い** …… 65
5 **T 細胞のシグナル伝達** …… 66
6 **CD 抗原** …… 68

5 リンパ球の分化と成熟　梶川 瑞穂　69

1 **T 細胞の分化** …… 69
Ａ T 細胞は胸腺で分化する …… 69
Ｂ ダブルネガティブ T 細胞 …… 70
Ｃ TCR 遺伝子の再構成 …… 71
Ｄ ポジティブセレクションとネガティブセレクション …… 72
Ｅ ナイーブ T 細胞の末梢リンパ組織での成熟 …… 73
Ｆ 記憶 T 細胞 …… 74
Ｇ $\gamma\delta$ 型 T 細胞 …… 75
2 **B 細胞の分化** …… 75
Ａ B 細胞は骨髄で分化する …… 75
Ｂ 自己抗原応答性の選抜とナイーブ B 細胞への分化 …… 75
Ｃ 形質細胞への成熟と記憶 B 細胞 …… 76
3 **リンパ球の循環** …… 78
Ａ リンパ球は循環する …… 78
Ｂ リンパ球ホーミングと接着分子 …… 78

6 多様性獲得機構　宗 孝紀　81

1 **B 細胞の多様性獲得機構** …… 81
Ａ B 細胞抗原受容体（BCR），B 細胞エピトープ …… 81
Ｂ BCR の多様性を生み出す機構 …… 82
Ｃ クローン選択説 …… 86
Ｄ 抗体のクラススイッチ …… 87
2 **T 細胞の多様性獲得機構** …… 88
Ａ T 細胞抗原受容体（TCR） …… 88
Ｂ TCR の多様性を生み出す機構 …… 90

第 1 部のポイント　前仲 勝実　95

第 2 部　身近な免疫学

7 サイトカインとシグナル伝達　101

1 **サイトカイン** …… 水口 峰之　101
Ａ 病原体に対する免疫応答とサイトカイン …… 102
Ｂ アレルギー反応とサイトカイン …… 104
Ｃ ヘルパー T 細胞の分化とサイトカイン …… 104
Ｄ 造血系のサイトカイン …… 105
2 **ケモカイン** …… 108
3 **炎　症** …… 109

A 炎症性サイトカイン…… 110
B 炎症伝達物質…… 111
4 **シグナル伝達**…… 松田 正 112
A サイトカインのシグナル伝達系—JAK-STAT シグナル伝達系— …… 113
B サイトカインのトランスシグナル機構… 116
C サイトカインシグナル伝達系の制御…… 116

8 アレルギー　黒川 昌彦 119

1 **I型アレルギー** …… 121
A I型アレルギー反応機構…… 122
B I型アレルギー疾患…… 124
2 **II型アレルギー** …… 126
A II型アレルギー反応機構…… 126
B V型アレルギー反応…… 127
C II型アレルギー疾患…… 128
3 **III型アレルギー** …… 129
A III型アレルギー反応機構…… 129
B III型アレルギー疾患…… 130
4 **IV型アレルギー** …… 131
A IV型アレルギー反応機構…… 131
B IV型アレルギー疾患…… 131

9 免疫と病気（成因と機序） 133

1 **自己免疫疾患**…… 遠城寺 宗近 133
A 自己免疫疾患の成因…… 134
B 自己免疫疾患の種類と治療…… 136
2 **移植と拒絶反応** …… 136
A 移植抗原…… 138
B 移植における免疫応答機構…… 139
C 拒絶反応の分類…… 141
D 拒絶反応抑制のための免疫抑制薬…… 142
3 **免疫不全**…… 石橋 大輔 143
A 原発性（先天性）免疫不全症候群…… 144
B 免疫不全症における免疫学的検査法…… 144
C 続発性免疫不全症候群…… 145
D 後天性免疫不全症候群（エイズ，AIDS）…… 147
E HIV の感染機序…… 148
4 **がん（悪性腫瘍）** …… 148
A 腫瘍抗原の種類…… 149
B 腫瘍細胞に対する免疫応答と排除（免疫監視機構）…… 150
C 腫瘍細胞の免疫系からの逸脱機構…… 152
D 腫瘍の免疫学的検出…… 152
E 腫瘍（がん）免疫療法…… 153

10 感染に関する免疫のしくみ　渡邉 峰雄 159

1 **感染防御免疫とは** …… 159
A 自然免疫…… 159
B 獲得免疫…… 162
C 粘膜免疫…… 164
2 **感染症に対する生体防御** …… 170
A 細菌に対する免疫応答…… 170
B ウイルスに対する免疫応答…… 173
C 真菌に対する免疫応答…… 175
D 寄生虫に対する免疫応答…… 175
E 再興感染症…… 177
F 新興感染症…… 177

11 免疫応答の調整 —— 赤﨑 健司 181

1 ワクチンと予防接種 …… 181
A 予防接種の歴史 …… 181
B 予防接種の目的と原理 …… 182
C ワクチンとしての抗原 …… 183
D 予防接種に用いられるワクチン …… 185
2 免疫賦活化療法 …… 191
A 代表的な免疫賦活化療法 …… 192

12 免疫と妊娠，老化 —— 阿部 義人 197

1 免疫と妊娠 …… 197
A なぜ拒絶反応が起こらないのか …… 197
B 母子免疫 …… 199
C 免疫系の発達 …… 201
2 免疫系の老化 …… 202
A 胸腺機能の変化 …… 202
B T 細胞の変化 …… 203
C 自己反応抗体の増加 …… 204

13 免疫学的分析法 —— 大栗 誉敏 205

1 抗体の調製法 …… 205
A モノクローナル抗体とポリクローナル抗体 …… 205
B ポリクローナル抗体のつくりかた …… 206
C モノクローナル抗体のつくりかた …… 206
D 抗体の精製法 …… 207
E モノクローナル抗体とポリクローナル抗体の応用 …… 209
2 免疫学的分析法 …… 210
A イムノアッセイ（抗原抗体反応を利用した代表的な検査方法） …… 210
B その他の抗原抗体反応を利用した代表的な免疫学的分析法 …… 212
C 細胞性免疫の測定法 …… 214
D 免疫学的臨床検査 …… 216

第 3 部　免疫と医療

14 免疫関連医薬品——詳細な理解をめざして —— 225

1 免疫抑制薬 …… 吉野 伸 226
A 代謝拮抗薬 …… 226
B アルキル化薬 …… 227
C 特異的免疫抑制薬 …… 227
D 生物学的製剤（抗体医薬品） …… 228
E JAK（ヤヌスキナーゼ）阻害薬 …… 229
2 抗リウマチ薬（DMARDs） …… 229
A 免疫調節薬 …… 230
B 生物学的製剤 …… 231
C 免疫抑制薬 …… 233
3 ステロイド性抗炎症薬（ステロイド） …… 234
A 薬理作用・副作用 …… 234
B 作用機序 …… 235
C 適応疾患 …… 236
4 非ステロイド性抗炎症薬（NSAIDs） …… 236
A 酸性 NSAIDs …… 236
B 塩基性 NSAIDs …… 237
5 アレルギー治療薬 …… 平澤 典保 238
A サイトカイン産生阻害薬・作用抑制薬 …… 239
B 抗 IgE 抗体 …… 240

C 化学伝達物質遊離抑制薬…………………… 240
D 化学伝達物質の作用発現を抑制する薬物 …………………………………………… 240
E 減感作療法……………………………… 242
6 気管支拡張薬・気管支喘息治療薬 ……… 242
A アドレナリン β_2 受容体刺激薬 ………… 243
B キサンチン類…………………………… 243
C 抗コリン薬(ムスカリン受容体拮抗薬)… 243
D ステロイド性抗炎症薬…………………… 244
E 抗アレルギー薬………………………… 244
7 免疫学的製剤(抗毒素,抗血清など) …… 244
A 抗毒素…………………………………… 244
B 免疫グロブリン製剤……………………… 245
C モノクローナル抗体製剤………………… 245
8 HIV 感染症(エイズ,AIDS)治療薬 … 245
A 逆転写酵素阻害薬………………………… 246
B インテグラーゼ阻害薬…………………… 246
C HIV プロテアーゼ阻害薬………………… 247
D ケモカイン受容体拮抗薬………………… 247
E 抗生物質………………………………… 247
9 C 型肝炎治療薬………………… 吉野 伸 247

15 先端免疫学——創薬と医療をめざして 253

1 構造生物学と免疫学 …………………… 前仲 勝実・津本 浩平 253
A タンパク質の立体構造解析……………… 253
B X 線結晶構造解析 ……………………… 254
C NMR 解析(核磁気共鳴解析)…………… 255
D 電子顕微鏡解析………………………… 255
E 立体構造解析の生命科学への寄与……… 256
F 構造免疫学—抗体が抗原を見分けるしくみ—…………………………………… 257
G 構造生物学の展望………………………… 260
2 抗体医薬品……………………… 津本 浩平 262
A 抗体医薬品:背景と歴史………………… 262
B 抗体医薬品の現状………………………… 264
C 抗体医薬品の展望………………………… 264
3 免疫寛容…………………………… 宗 孝紀 265
A 免疫寛容とは何か………………………… 265
B 免疫寛容のメカニズム…………………… 266
C 免疫寛容と治療…………………………… 269
4 がんの免疫療法 ……………… 工藤 千恵 273
A 免疫療法とは……………………………… 273
B 樹状細胞(DC)療法 …………………… 273
C リンパ球療法……………………………… 276
D 免疫抑制解除法…………………………… 278
E 今後の課題と展望………………………… 279

付 録 283

付録 1 定期の予防接種 …………… 赤﨑 健司 283
付録 2 日欧米における既承認抗体医薬品 ……………………………… 津本 浩平 284

本書における薬学教育モデル・コアカリキュラム対応一覧 287

索 引 289

囲み記事

濾胞性 T 細胞(T_{FH}) ………………………17
NKT 細胞 ………………………………………18
抗体の糖鎖の役割 ………………………………24
Fab 医薬品 ……………………………………25
IgG4 の構造と機能 ……………………………26
IgD の機能 ……………………………………27

HER2 遺伝子……28
感染症と補体の欠損……34
呼吸バースト……42
マクロファージと樹状細胞……42
マクロファージと NK 細胞の相互作用……44
創薬ターゲットとしての ILC2……48
抗原原罪……53
B7 ファミリー……57
対立遺伝子排除……61
ハプロタイプ……61
疾患感受性と MHC の多型性……64
B 細胞エピトープの多様性……66
胸腺をもたないマウス……69
機能的再構成……71
ダブルポジティブ T 細胞の運命決定……72
免疫記憶の成立機構……75
受容体編集……75
造血幹細胞ニッシェ（ニッチ）……75
造血幹細胞から未熟 B 細胞まで……77
リンパ球の維持……80
脂質および神経伝達物質によるリンパ節脱出の制御……80
スプライシング……83
結合部多様性……85
体細胞高頻度突然変異……86
T_{FH} とサイトカイン……105
エリスロポエチン（EPO）による貧血治療……107
がん治療とサイトカイン……107
後遅延型反応と気管支喘息……125
薬物アレルギー……126
食物アレルギー……126
アレルギーと自己免疫疾患の違い……128
腫瘍抗原と免疫機構……149, 150
予防医学での新しい腫瘍マーカー……150
拒絶反応を利用した白血病治療法（ミニ移植）……157
記憶 T 細胞の種類……163
粘膜免疫における T 細胞……166
結核ワクチン開発の難しさ……173
C 型肝炎に対する IFN フリー療法……174
マラリアワクチンの開発……176
COVID-19 の抗原変異とワクチン……179
アジュバントと抗原性……184
薬剤耐性インフルエンザウイルス……186
風疹ワクチンの歴史……189
スギ花粉症の舌下免疫療法……191
妊娠と T 細胞……197
HLA-G の構造と機能……198
新生児期免疫寛容……201
新型コロナウイルス感染症（COVID-19）と年齢……203
T 細胞老化マーカー PD-1 について……204
抗原の投与方法と免疫惹起……207
モノクローナル抗体の作製法……208
ELISA，ウエスタンブロッティングの操作法……218
生物学的製剤の免疫原性……228
アレルギーのマスタースイッチ：TSLP……243
注目の革新的技術：クライオ電子顕微鏡……255
バイオマーカーに基づいた層別化医療の現状……280
がん免疫療法の最新情報……281

サイトカイン・CD 等一覧

表 4-1　代表的な CD 抗原……68
表 7-1　主なサイトカイン（インターロイキン，インターフェロン，腫瘍壊死因子）の産生細胞と機能……103
表 7-2　主な造血系サイトカインの産生細胞・組織と機能……107
表 7-3　主なケモカインの産生細胞と機能……108

なぜ免疫学を学ぶのか，薬学とのつながり

「早寝早起きしなさい」といわれた記憶はありませんか．規則正しい生活をするとなぜ，健康によいといわれるのでしょう．あなたが受験の年に，家族みんなでインフルエンザの予防接種を受けたという経験はありませんか．インフルエンザ以外にもはしかなどの多くの予防接種の名前を耳にしますが，なぜ予防できるのでしょう．また，春になると，目のかゆみ，鼻水や咳が止まらなくなるスギ花粉症のつらい時期になりますが，なぜこのような症状がでるのか，疑問に思ったことはありませんか．これらの事柄は免疫システムが関与して起きることです．また，これらと一見まったく関係のないようにみえる事象にも深く免疫のシステムが関与しています．たとえば，臓器移植する場合に患者に合った臓器をみつけなければいけないこと，エイズ患者が健康な人ならかからないような病気になること，体のなかで発生したがん細胞が除去されず増え続けてしまうこと，などです．

免疫 immunity とは，生体にとって対象物が異物かどうかを見分け，排除あるいは許容するシステムです．つまり，ヒトの場合，ヒトを構成するもの（自分自身の臓器，細胞，タンパク質など）に対しては反応を示しませんが，これ以外のもの（病原菌，ウイルスやがん細胞など）に対しては，しばしば排除しようと免疫応答を引き起こします．これは，「自己-非自己の認識」と呼ばれる免疫学のなかで最も重要なもので，この機構によりわれわれの体は自分自身であるという状態（恒常性と呼びます）を維持できるのです．

われわれが住む世界には，何千万種類の生物（細菌など）が存在し，その生物のなかには，われわれの体内に侵入することで病気を引き起こすものもあります．それらの生物はしばしば病原体と呼ばれます．しかし，同じ病原体が体内に侵入しても，病気になる人とならない人がいます．病気にならない人は，病原体に対して抵抗性をもっている人で，この抵抗性を生体防御と呼びます．免疫はそのなかで中心的な役割を果たすシステムです．また，非自己である病原体などは多様であり，これに対応できる巧妙なしくみが免疫には必要です．これに重要なパーツとなる抗体については，1987 年にノーベル生理学・医学賞を受賞したマサチューセッツ工科大学の利根川進先生が多様な抗原に対応できる抗体遺伝子の組換え機構を発見しました．他方，T 細胞については MHC 遺伝子による免疫制御機構がツィンカーナーゲル Zinkernagel とドハーティー Doherty ら（1996 年ノーベル生理学・医学賞）によって明らかにされました．その大まかな免疫のしくみについては 0 章「免疫のしくみ」（p7）で簡単に説明します（詳しくは 3 章「免疫反応機構」（p37）参照）．一方，「一度かかった病気には二度かからない」というのが免疫であると理解している人もいるでしょう．われわれは一度体内に侵入してきた病原体を記憶（免疫学的

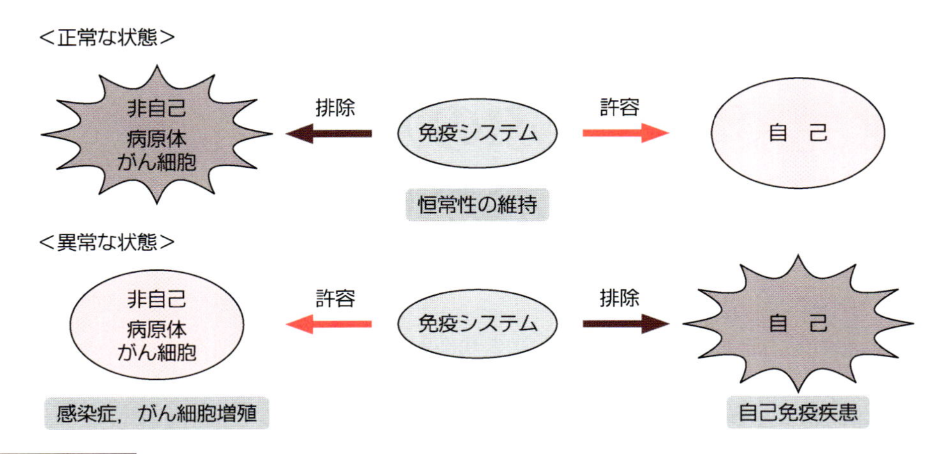

図 1　免疫システムにおける自己-非自己認識

記憶）しており，再度の侵入に際しては，病原体を排除する免疫担当細胞を速やかに増殖させ，病気の発症を防ぎます．さらに，免疫はわれわれの体の維持管理にも役立っています．たとえば，がん細胞はわれわれの体内で常に産生されていますが，これが体内で増えないように，未然にがん細胞を破壊する免疫機構が備わっています．このように免疫とは，われわれの体内に侵入してくる病原体などの異物に対する抵抗性，特異的な異物の排除や体の恒常性の維持に重要な役割を果たしています．

また，免疫機能はわれわれの体にとって，よい面と悪い面をもっています．たとえば，免疫機能が正常に働けば，ウイルス感染やがん細胞に対する免疫応答が強くなることで抵抗性を保ち，恒常性を維持できます．しかし，誤って自己に対する免疫応答が過剰になれば，自己の細胞を破壊する自己免疫疾患になります．したがって，健康なヒトでは自己と非自己に対する反応性のバランスが上手にとれているわけです（**図 1**）．

免疫機能はとてもダイナミックな側面をもち，変化するものです．たとえば，アレルギー症状が前触れもなく突然現れることもあれば，逆に減感作療法のように少量のアレルギーを誘発するもの（アレルゲン）を徐々に投与することによりアレルギーを軽減あるいは完治できる治療法もあります．また，養子免疫療法と呼ばれる治療では，本来ヒトがもつ免疫機能を向上させることにより，がんや感染症に対する抵抗性をあげることができます．最近では，免疫細胞の表面にある受容体や抗原に対する抗体医薬品が注目され，“免疫チェックポイント”抗体と呼ばれています．2018 年，PD-1 分子を標的にした画期的ながん免疫療法への貢献に対して，京都大学の本庶佑先生にノーベル生理学・医学賞が授与されました（アリソン先生との共同受賞）．これは，免疫細胞受容体の 1 つ PD-1 分子に対する抗体をがん患者さんに投与するもので，劇的な効果を示す場合が出てきています．これらは免疫機能の必要な部分をうまく取り出すことにより治療へ生かしています．当然ながら，薬にはこの免疫システムを利用あるいは補うことにより病気の進行を食い止める役割を果たしているものが多くあります．他方，現在市販されている薬のほとんどは，ヒトを構成するものではありませんので，ヒトにとっては異物となります．薬が異物と判断され，薬物アレルギーなどに代表される薬の副作用が生じる場合にも，免疫システムが関与しています．

本書の主な対象である，薬学部に在籍また薬剤師を志す諸君は，免疫の基本的な体系はもとより，アレルギー全般に関する知識，種々の感染に関する免疫応答，ワクチンに関する知識，免疫がかかわる病気（成因と機序を含めて），免疫療法などを学んでおくことが必要でしょう．また，最近では生命現象をより詳細に解析することもできるようになり，原子のレベルで免疫システムを理解することができるようになっています．これらは治療の面でも，副作用の面でも，薬の作用の理解の基本となります．また，免疫システムを理解した上での創薬にも役立ちます．免疫チェックポイント抗体を利用して，免疫システムを調整し悪性な皮膚がんや肺がんなどの治療が実際に行われています．免疫学を学ぶことにより，上述のようなわれわれの体に関する身近な疑問に対する答えがわかると同時に，「こんなことにも免疫が関係していたのか」というような発見もあるでしょう．免疫学は日進月歩の領域です．この本で免疫学の基本と現状を学んでおくことが，将来臨床や薬学研究の現場で直面する問題に免疫学の観点から考察できる礎となるはずです．

第 1 部

免疫学への招待

0 免疫のしくみ

1章からの免疫の各論に入る前に，免疫の大まかなしくみについて病原体の感染を例として解説する（**表 1**，**図 1**）．ここでは，免疫関連用語が頻出するが，感染を通して免疫の大まかな流れを理解することが目的なので，用語にとらわれずに図をながめながら，読み進めていただきたい．免疫関連用語については，以下の章（とくに3章「免疫反応機構」（p37）と10章「感染に関する免疫のしくみ」（p159））に解説している．

一般に感染のスタートとなる，ウイルスや細菌などの微生物が生体に付着する場所は，皮膚と，呼吸器系や消化器系の粘膜である．皮膚には**ケラチン** keratin からなる角質層があり，微生物の侵入は妨げられる．また，皮膚の表面へ汗腺から汗が，皮脂腺から分泌物が供給される．これらの分泌物には殺菌作用（**リゾチーム** lysozyme◆，**ラクトフェリン** lactoferrin◆などによる）がある．呼吸器系や消化器系には，空気，飲食物とともに侵入することができる．しかし，呼吸器系である気道の粘膜層は粘液におおわれており，その粘液で捕えられ，気道の線毛により口腔咽頭部に向けて押し出される．

この段階が突破されると，体液中に存在する抗体や補体，リンパ球の1種であるナチュラルキラー（NK）細胞などが侵入してきた微生物やウイルス感染細胞に結合して破壊する．血液中の**好中球**◆や**好酸球**◆などの白血球が動員され，組織の**マクロファージ**◆とともに食作用によって微生物を殺傷する．これは，続いて炎症反応

◆**リゾチーム**　細菌の細胞壁を構成する多糖類を加水分解する酵素である．

◆**ラクトフェリン**　タンパク質の1種．乳や涙，唾液などの粘膜からの分泌液に多く含まれる．ブドウ球菌や大腸菌から鉄分を奪い，菌の繁殖を抑制する効果がある．

◆**好中球**　白血球の1種である顆粒球の1つ．末梢血中の白血球のなかで最も数が多い．白血球の40～60%を占める．

◆**好酸球**　白血球の1種である顆粒球の1つである．アレルギー反応の制御を行う．Ⅰ型アレルギーで増加し，ヒスタミンを不活性化する．弱い貪食能をもつ．

表 1　免疫のしくみ

自然免疫	• 皮膚や粘膜がウイルスや細菌などの微生物の侵入を防ぐ．この段階が突破されると第2段階が発動される	非特異的な対象に対して働く免疫機能の最前線の防御機構
	• 体液中に存在する補体や抗体（IgM），ナチュラルキラー（NK）細胞などが侵入してきた微生物やウイルス感染細胞に結合して破壊する	
	• 血液中の好中球や好酸球などの白血球が動員され，組織のマクロファージとともに食作用によって微生物を殺傷する • 樹状細胞やマクロファージがヘルパーT細胞に，細菌侵入・異物の発見の信号を送る	
⇧	樹状細胞が自然免疫系と獲得免疫系をリンクする重要な役目を担い，高い抗原提示能（抗原をT細胞が認識できるよう部分的に加工，T細胞内に情報を伝達）を発揮する	⇩
獲得免疫	• マクロファージとヘルパーT細胞が共同でサイトカインを放出する • ヘルパーT細胞の指令により，サイトカインで活性化したキラーT細胞，B細胞などが細菌を攻撃殺傷する • B細胞が抗体を大量生産する．一部のB細胞などに攻撃対象の記憶が残り，免疫を獲得する	対象を確定してから活性化され，特異的な攻撃と記憶によって発揮される抵抗性

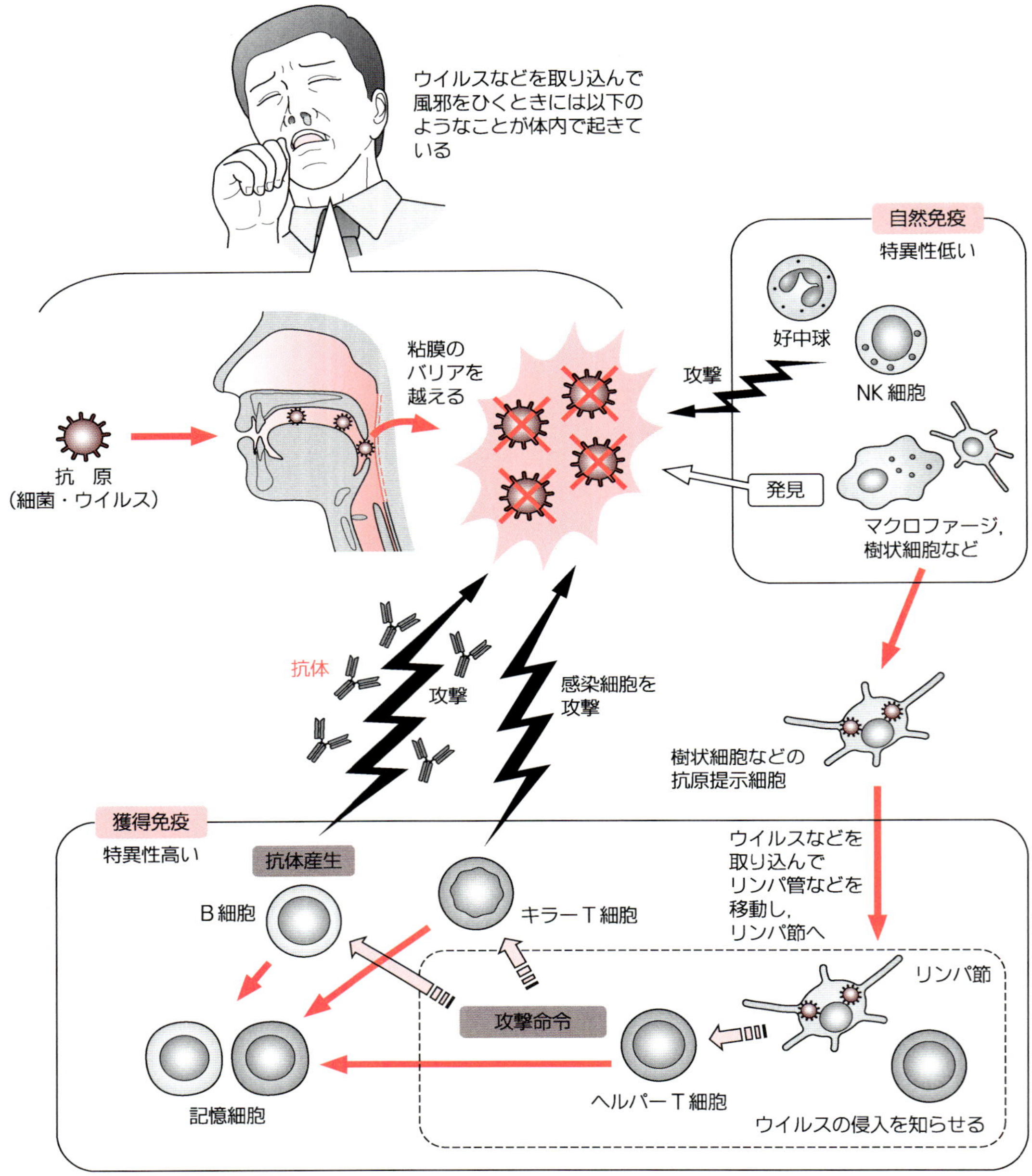

図1　感染を例とする免疫のしくみ

を引き起こし，補体成分を含む血清タンパク質と貪食能をもつ好中球の感染部位への集積をもたらす．ここまでの防御システムは自然免疫と呼ばれ，直接病原体と戦ったり，接触することによりすぐに作用するもので，一度戦ったことのある病原体でも，はじめて戦う病原体でも，その対応は普遍である．つまり，自然免疫を担うマクロファージや樹状細胞などは，病原体の共通構造を識別し，各病原体特異的な認識はしないのである．いいかえれば，自然免疫は免疫機能の最前線で戦う特異性の

◆マクロファージ　白血球の1種．免疫システムの一部を担う細胞で，生体内に侵入した細菌，ウイルス，または死んだ細胞を捕食し消化する．

低い防御機構である．

病原体は自然免疫から逃れたり，それに打ち勝つような方策をもち，そのためにときには局所に感染巣が形成され，そこから感染が全身に蔓延するようなことがある．このような場合には自然免疫がまず働くが，この防御システムを突破した場合には，特異性の高い個別対応型のリンパ球（T 細胞や B 細胞）による獲得免疫が誘導される．しかし，獲得免疫の成立には少なくとも数日程度かかるので，有効な防御機構とはならず，自然免疫との協調が必要となる．当然ながら薬学の観点からはここで病原体に合わせて抗ウイルス薬や抗生物質を用い，増殖を防ぐ処置が考えられる．

獲得免疫が誘導される過程を T 細胞で考えると，**図 2** のように，まずもととなる細胞（造血幹細胞と呼ばれる）が遺伝子再構成により膨大な種類の細胞へと分化し，そのなかから胸腺で教育を受けて，自己に反応しないが非自己と戦うことのできるナイーブ（未感作）T 細胞へと成長する．ナイーブ T 細胞は血流にのってリンパ節へと移行する．他方，感染局所で病原体を発見した抗原提示細胞はリンパ管を介して近くのリンパ節（所属リンパ節）へと移動し，この病原体特異的なナイーブ T 細胞と出合い，これを活性化する．樹状細胞療法はこの過程を利用し，抗原を感作させた樹状細胞を導入することにより抗原特異的な免疫応答を誘導する（15 章-4. Ⓑ「樹状細胞療法」（p273）参照）．活性化されたナイーブ T 細胞は数日のうちにクローン増殖，分化を経て，エフェクター T 細胞（ヘルパー T 細胞とキラー T 細胞など）になり，最終的には病原体をみつけて殺す（**図 2**）．同様に B 細胞においては抗体産生を行う形質細胞へと分化し，病原体を特異的に排除する．また，T 細胞と B 細胞はともに長期間生体内で記憶細胞として存続でき，同じ病原体の感染には即座に対応できる（獲得免疫の成立期間は不要）．これを利用したものがワクチンである．このように，獲得免疫は，高い特異性および免疫記憶といった利点を有している．

さらに，T 細胞は，産生するサイトカインが異なる複数のヘルパー T 細胞へと分化する．インターロイキン 2（IL-2）やインターフェロン γ（IFN-γ）を産生する 1 型ヘルパー T 細胞（Th1）は，主として，細菌，ウイルスの除去にかかわる**細胞性免疫**に，IL-4 などを産生する 2 型ヘルパー T 細胞（Th2）は，寄生虫の除去やアレルギーにかかわる**体液性免疫**に関与する（**図 3**）．すなわち，このヘルパー T 細胞の分化方向の決定は病原体に応じた適切な生体防御機構を確立するために重要であり，サイトカイン自体を利用した治療法もある．たとえば，アレルギーでは IgE 抗体による抗原特異的な肥満細胞などの過剰な反応が原因であるため，一般的には，直接肥満細胞などを抗アレルギー薬により抑制する治療がある．また，ヘルパー T 細胞が極端に少なくなったのが後天性免疫不全症候群（**エイズ**◆，AIDS）患者である．**ヒト免疫不全ウイルス**（HIV）はヘルパー T 細胞に感染し破壊するので，免疫系統が完全に破綻し，健常人が排除できる菌でも重い感染症を起こすことになる．

◆**エイズ**　ヒト免疫不全ウイルスの感染によるウイルス感染症で，免疫不全を起こし，日和見感染症や悪性腫瘍などを発症する症候群を指す．

免疫系の機能は体内にあるものを「自己」あるいは「非自己」として識別し非自己のものを排除することにある．これを達成するために，ヒトを含む高等動物は，今までに述べた自然免疫と獲得免疫とを協調させることにより，病原性微生物に対

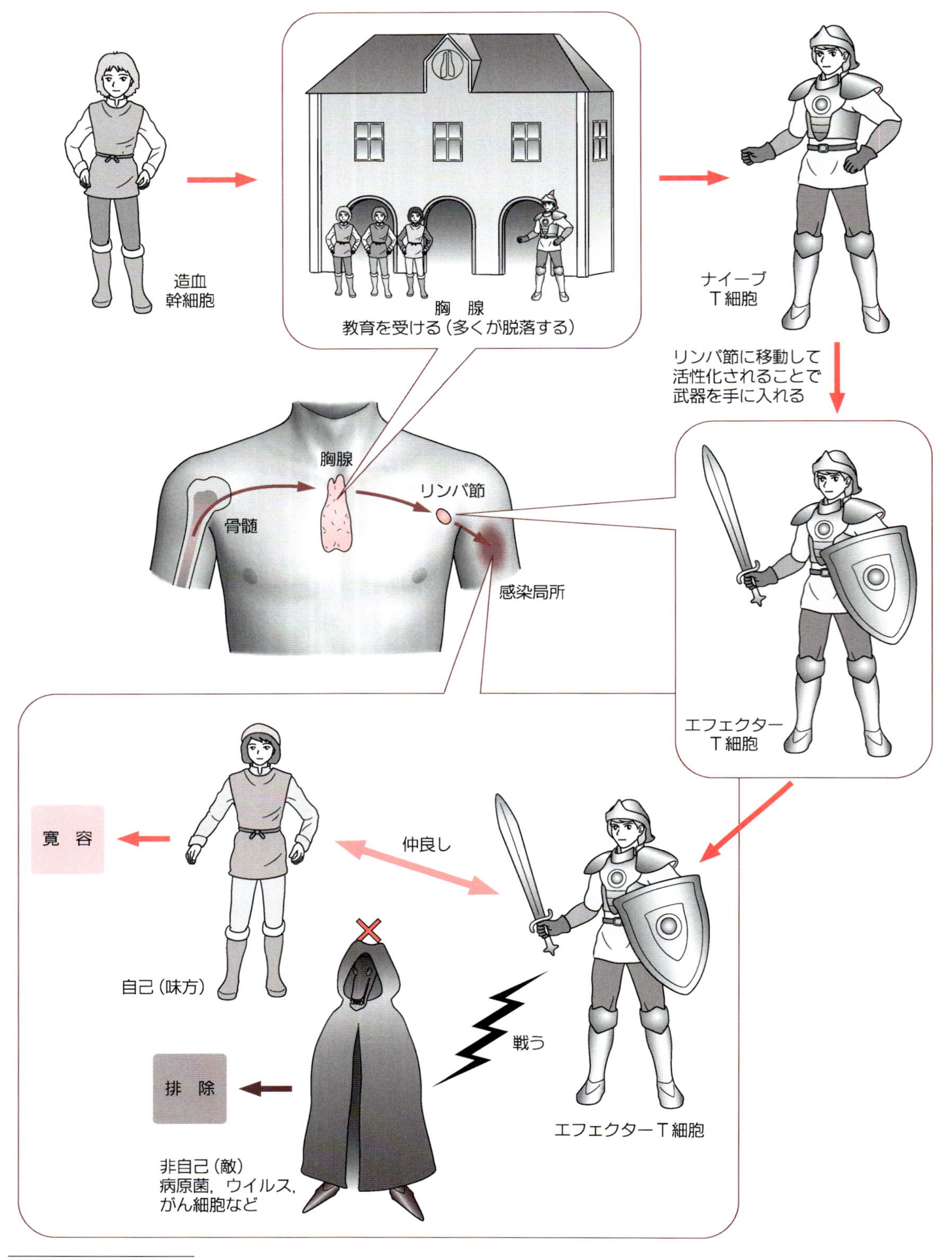

図2　T細胞の選択と働き

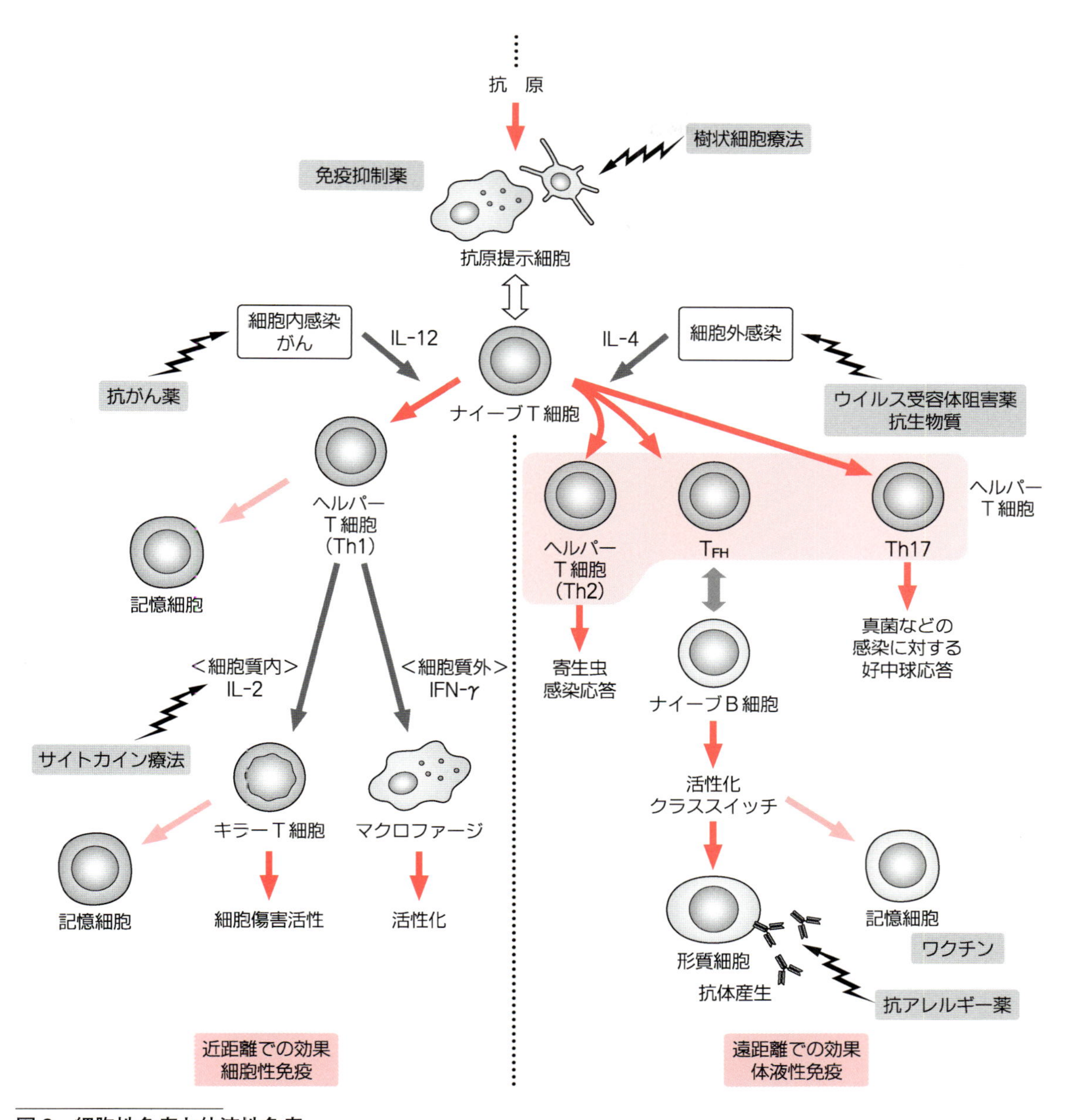

図 3　細胞性免疫と体液性免疫

上記以外に濾胞性 T 細胞（T_{FH}），Th17, iTreg などの細胞への分化もある．

処する．他方，免疫系が自己に対して過剰に反応し，病気（自己免疫疾患）を引き起こすこともあるため，免疫系を調節するシステム（制御性 T 細胞などの関与）があり，絶妙なバランスで生体での恒常性を維持している．また，臓器移植や骨髄移植などの場合には，免疫を積極的に抑制する必要があり，これには各段階での免疫抑制の効果を有する免疫抑制薬が用いられる．

1 免疫に関する器官と細胞

1. 免疫担当器官

コアカリ到達目標
- 免疫に関与する組織を列挙し，その役割を説明できる．

生体内には数多くの器官や細胞が存在する．まず最初に免疫システムに関与する器官や細胞にはどのようなものがあるかを述べる．

血液には白血球と分類される細胞群がある．それらは，顆粒球，リンパ球，単球と呼ばれる．顆粒球は好中球，好酸球，好塩基球からなる．リンパ球はB細胞，T細胞，NK細胞からなる．単球はさまざまな場所へ移動でき，マクロファージへと分化する．単球と同じ前駆細胞から樹状細胞が分化する．これらの細胞は造血幹細胞から種々の前駆細胞を経て分化することによってそれぞれの機能をもつようになる（5章「リンパ球の分化と成熟」(p69)，7章「サイトカインとシグナル伝達」(p101)参照）．リンパ球（本章-2.「免疫担当細胞」(p16) 参照）は成熟する場所が異なる（T細胞は胸腺，B細胞は骨髄）．したがって，まず胸腺や骨髄で，できたての細胞が成熟するので，これらの免疫担当器官を中枢リンパ組織（**一次リンパ器官**ともいう）と呼ぶ．この組織では，リンパ球が抗原（病原体）などに反応可能な段階まで分化する．

次に，リンパ球が集合した器官（リンパ節，脾臓，粘膜関連リンパ組織）を末梢リンパ組織（**二次リンパ器官**ともいう）と呼ぶ．

A 中枢リンパ組織

1) 骨 髄

骨の内部には**骨髄**が存在する（**図1-1**）．骨髄は，哺乳類ですべての血液細胞に分化する源となる造血幹細胞が産生される場所である．したがって，胸腺で分化・成熟するT細胞の供給源でもある．骨髄はB細胞の機能に重要な役割をしているので，B細胞のBは骨髄 bone marrow の頭文字がついている．B細胞の分化・成熟については5章-2.「B細胞の分化」(p75) で詳しく述べる．免疫担当細胞の体内循環は**図1-2**に図示する．

2) 胸 腺

胸腺は心臓の近くにある免疫担当器官である（**図1-1**）．胸腺はT細胞の機能に重要な役割をしているので，T細胞のTは**胸腺** thymus の頭文字がついている．胸腺組織は外側の皮質と内側の髄質から構成されている．分化の途中にあるT細胞は，血管から胸腺に入り，まず**胸腺皮質**に集合し，そこで，分化・成熟が起こる．成熟

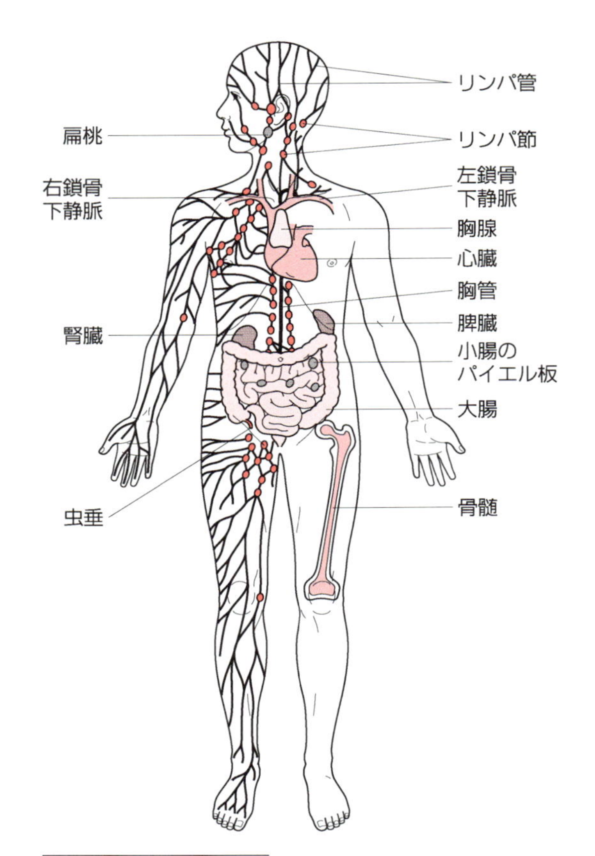

図 1-1　リンパ組織の分布図

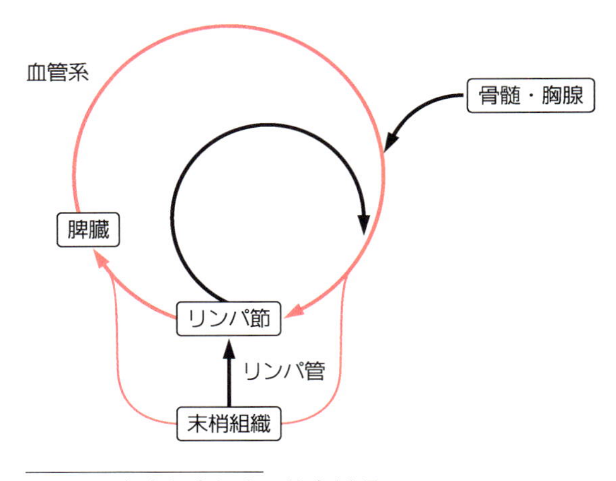

図 1-2　免疫担当細胞の体内循環

した T 細胞は**胸腺髄質**に移動し，その後，血管に入り胸腺外へ出ていく（**図 1-3**）．胸腺は年齢とともに大きさが変わることが知られており，思春期が最も大きく，その後退化し脂肪組織に変化するが，いくら年齢を重ねても完全に消滅することはない．T 細胞の分化･成熟については 5 章-1.「T 細胞の分化」(p69) で詳しく述べる．

B　末梢リンパ組織

1)　リンパ節

リンパ管は全身を巡っており，それらに連結するようにリンパ節が分布している（**図 1-1**）．リンパ節ではリンパ管内に侵入した抗原の提示，それに伴う B 細胞の分化・成熟・増殖，また，リンパ管内に侵入した抗原の貪食などが行われる．

リンパ液（リンパ管を流れる液体．毛細血管から浸出した血漿成分からなる）は輸入リンパ管から入り，リンパ節の内部を流れ，輸出リンパ管から出る．リンパ節の構造は，皮質，傍皮質，髄質（髄索と髄洞からなる）の 3 つからなる（**図 1-4**）．リンパ節は全身の結合組織において血管から漏出したリンパ液に含まれる血漿成分と抗原，高内皮細静脈の免疫担当細胞や抗原が出合う場所である．皮質には濾胞があり，そこにリンパ球が集合する．抗原に曝露された B 細胞は一次リンパ濾胞を

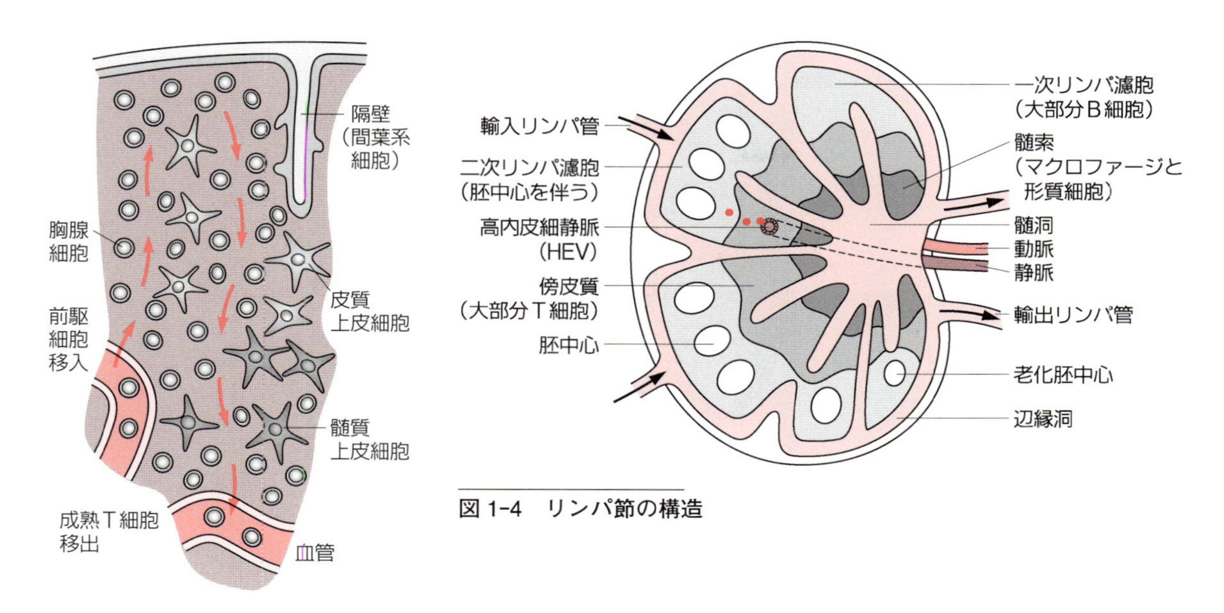

図 1-3　胸腺での T 細胞の分化・成熟

図 1-4　リンパ節の構造

形成し，抗原刺激が繰り返されると，胚中心（二次リンパ濾胞ともいう）が形成される．すなわち**胚中心**とは，抗原刺激によりB細胞が分化・成熟する場を指す．傍皮質は，主としてT細胞を多く含んでいる．また，この部位には高内皮細静脈が存在し，この場所で血管からリンパ節にリンパ球が流入する．リンパ球はリンパ節に浸透した後，輸出リンパ管から血管系へ移行する（リンパ球循環の詳細は，5章に記載している）．髄質にはマクロファージが存在し，異物を貪食，排除する．血液中のリンパ球はリンパ節内で抗原刺激を受けると**抗体産生細胞**，**キラーT細胞**（細胞傷害性T細胞：CTL），**ヘルパーT細胞**へ分化する（次頁2.「免疫担当細胞」参照）．

2） 脾　臓

リンパ節とは異なり，血管系の途中に存在する（**図 1-2**）．リンパ節のみで抗原（病原体など）に対応できない場合，抗原は血中に侵入するので，血管系で免疫応答を行う．脾臓の構造は赤脾髄と白脾髄に分けられる（**図 1-5**）．赤脾髄は血液の濾過装置であり，大量の赤血球を含んでいるので赤くみえる．ここで，血液中の異物や古くなった赤血球がマクロファージによって排除される．白脾髄は，T細胞を多く含む領域（動脈リンパ鞘）やB細胞を多く含む領域（リンパ濾胞：抗原刺激時に胚中心となる）からなる．血液中のリンパ球は脾臓内でも抗原刺激を受けると**抗体産生細胞**，**キラーT細胞**（細胞傷害性T細胞：CTL），**ヘルパーT細胞**へ分化する（次頁2.「免疫担当細胞」参照）．

3） 粘膜関連リンパ組織（MALT）

リンパ節や脾臓は皮膜を有するリンパ組織であるが，**粘膜関連リンパ組織** muco-

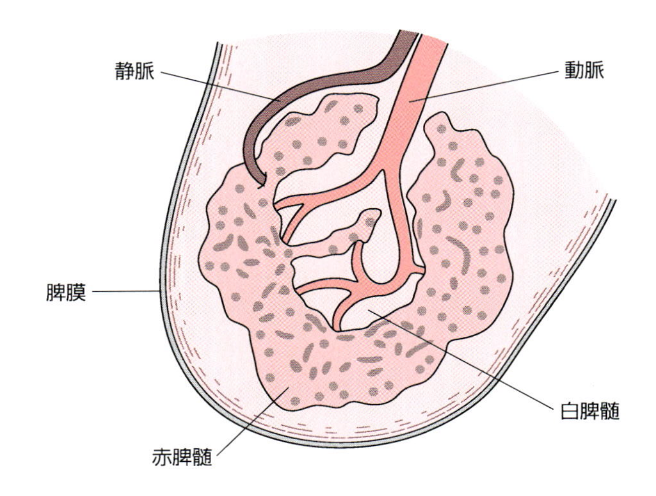

図 1-5　脾臓の構造

表 1-1　免疫担当細胞の機能

顆粒球	好中球 好酸球 好塩基球	顆粒球の約 90%，食作用 IL-5 で増殖，アレルギーに関与 IgE と結合，アレルギーに関与
リンパ球	T 細胞	骨髄で生成，胸腺で分化・成熟，異物の認識に重要な役割 • ヘルパー T 細胞（CD4 分子をもつ，異物を認識しサイトカインを放出） • キラー T 細胞（CD8 分子をもつ，標的細胞を破壊） • 制御性 T 細胞（Treg）（CD4 分子，CD25 分子をもつ，免疫反応を制御）
	NK 細胞	腫瘍細胞やウイルス感染細胞を破壊
	B 細胞	骨髄で生成，分化・成熟，形質細胞へ変化し抗体を産生．抗原提示細胞
抗原提示細胞	マクロファージ 樹状細胞	単球に分類される．食作用，モノカインを産生 樹状の形状をもつ．異物の排除に大きく関与

sa-associated lymphoid tissue（MALT）は皮膜を有さないリンパ組織である．腸管（パイエル板，虫垂），気道（扁桃），鼻腔，泌尿器の粘膜に存在するので，このような名称で呼ばれる．主として粘膜から侵入した抗原に応答する．IgA 陽性 B 細胞（IgA^{+}B 細胞）の分化・増殖に主要な役割を果たしている（10 章-1. Ⓒ「粘膜免疫」（p164）参照）．

2.　免疫担当細胞

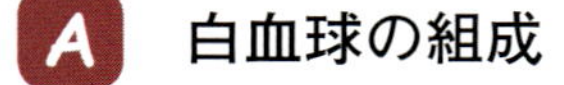

A　白血球の組成

血液 1 mm^3 中には白血球は 5,000～8,000 個含まれている．そのうち約 60%が顆粒球，約 35%がリンパ球，約 5%が単球である．これらの割合は，男女差，日内変動，季節変動などがある．また，ウイルス，細菌の感染によっても割合は変動するので，感染源の検査に利用される．免疫担当細胞の機能を**表 1-1** に示す．

コアカリ到達目標
▪ 免疫担当細胞の種類と役割を説明できる．

B リンパ球系細胞

1) B細胞

骨髄で成熟する．さらに，抗原の刺激を受けて分化・成熟し，抗体を産生する形質細胞に変化する．成熟B細胞の表面には，B細胞抗原受容体（BCR，膜型免疫グロブリン）が多数存在しており，この部分で抗原と結合する．抗原はBCRと結合し細胞内に取り込まれる．その後，断片化された抗原由来のペプチドは，B細胞表面にある主要組織適合遺伝子複合体（MHC）と複合体として提示される．したがってB細胞は抗原提示細胞である．1つのB細胞に発現されている受容体は均一であり，その結果，1つのB細胞は1種類の抗原にだけ反応する．形質細胞が産生する抗体はこの受容体と同一の構造をもっている．また，個々のB細胞は，それぞれ異なった受容体をもっている．したがって，生体内には多数のB細胞が存在し，生体はあらゆるタイプの抗原に対応できるようになっている．

2) T細胞

成熟T細胞はいくつかのタイプに分類される．細胞表面に**CD4分子**を発現しているT細胞はCD4エフェクターT細胞という括りで呼ばれる．なかでも**ヘルパーT細胞**は多彩な役割があり，抗原の認識に重要な役割を担う（3章-3.「獲得免疫」(p49) 参照）．CD4エフェクターT細胞はナイーブT細胞から分化され，分化を誘導するサイトカインや産生するサイトカインなどの違いで，機能的クラス（機能的亜群）に分類されるようになった．

Th1細胞は，主としてIL-12によりナイーブT細胞から分化する．Th1細胞は，IFN-γなどを産生し，マクロファージの活性化を誘導する．その結果，活性化マクロファージ内の細胞内寄生細菌排除にかかわる．IFN-γを産生することから，抗ウイルス応答や抗腫瘍応答に関与する．

Th2細胞は，IL-4によりナイーブT細胞から分化する．Th2細胞は，IL-4, IL-5などを産生し，寄生虫感染に応答する好酸球，肥満細胞，B細胞に作用する．

Th17細胞は，IL-6, TGF-βによりナイーブT細胞から分化する．Th17細胞はIL-17などを産生し，好中球の活性化にかかわる．細胞外で増殖する細菌に対して機能を発揮する．また粘膜免疫においても重要な役割をもつ．

CD4エフェクターT細胞のなかで，CD25分子を同時に発現しているT細胞を選択的に除去すると自己免疫疾患（15章-3. B「免疫寛容のメカニズム」(p266) 参照）が発症する．したがって，これらの分子を同時に発現しているT細胞は，生体にとって不都合な免疫応答を抑制している働きをもっており，このT細胞は**制御性T細胞** regulatory T cell（Treg）と呼ばれている．制御性T細胞は，TGF-βなどによりナイーブT細胞から分化する．TGF-βやIL-10を産生し，免疫系を抑制する．これらCD4エフェクターT細胞の生体内での詳細な機能は次章以降に記述する．

一方，細胞表面にCD8分子を発現しているT細胞を**キラーT細胞**（細胞傷害性T細胞：CTL）という．キラーT細胞はCD8ナイーブ細胞から抗原提示とサイトカイン（IL-2など）により分化するが，いったん活性化されると強い細胞殺生能

濾胞性T細胞（T_{FH}） ナイーブT細胞からIL-6などにより分化する．ヘルパーT細胞の機能的クラスである．ナイーブB細胞の抗体産生細胞への分化および免疫グロブリン（IgG）のクラススイッチなどに関与する．

力をもつため，活性化は高度に調整されている．キラーT細胞も正常細胞と標的細胞（ウイルスが感染したり，腫瘍化した細胞）を見分けるしくみを備えており（3章-3. Ｅ「細胞性免疫」（p55）参照），ウイルス感染細胞や腫瘍細胞などを殺傷する能力をもっているので，細胞傷害性T細胞 cytotoxic T lymphocyte（CTL）と呼ばれる．キラーT細胞からパーフォリン perforin◆やグランザイム granzyme◆などのサイトトキシンが産生され，これらの標的細胞を破壊する．

◆パーフォリン　糖タンパク質で標的細胞表面に筒状の重合体をつくり，細胞膜を貫通させる．

◆グランザイム　セリンプロテアーゼに属し，パーフォリンと細胞傷害性細胞から放出され，標的細胞の細胞質で種々の機構により標的細胞の細胞死を誘導する．

3）ナチュラルキラー（NK）細胞

B細胞やT細胞が抗原特異性をもつのに対し，ナチュラルキラー natural killer（NK）細胞は抗原特異性をもたない．自然免疫系のエフェクター細胞であるNK細胞はB細胞やT細胞よりはやや大型の細胞である．NK細胞は表面に受容体（FcγR）をもつ．NK細胞は抗原刺激を受けなくてもウイルス感染細胞や腫瘍細胞に対して細胞傷害活性をもっており，自然免疫（3章-2. Ｃ「ナチュラルキラー（NK）細胞」（p43）参照）の中心的な役割を担っている．IFN-αやIFN-βによって増殖・分化し，ウイルス感染細胞を殺傷する．一方，サイトカインであるIFN-γを産生し，マクロファージを活性化し，マクロファージの殺菌作用を高めることで，生体防御に寄与している．

NKT細胞　NK細胞と同様な表面マーカーをもったT細胞である．特殊な糖脂質によるNKT細胞上のT細胞抗原受容体（TCR）の活性化により，IL-4やIFN-γを産生する．抗腫瘍活性やアレルギー調節など多様な作用をもつ．

C　抗原提示細胞

外部から侵入したタンパク質に対しては免疫応答が起こるが，そのタンパク質を捕え，細胞内でペプチドまで分解し，細胞表面に提示する細胞群を**抗原提示細胞** antigen presenting cell（**APC**）と呼ぶ．代表的なものとして，B細胞，マクロファージ，樹状細胞がある．B細胞については上述しているので，ここでは，マクロファージと樹状細胞について記載する．

1）マクロファージ

食細胞の1つである．血中を循環している単球が，血液から組織に移動し，そこで定住したものがマクロファージ macrophage である．抗原特異性はなく自然免疫に寄与する．マクロファージの機能は，感染組織などで死細胞や細菌などを貪食し組織から取り除くこと，異物や細菌などの抗原タンパク質を貪食（または貪飲）・消化することによりある程度の大きさのペプチドまで断片化し，ヘルパーT細胞に対し抗原提示すること（3章-3.「獲得免疫」（p49）参照），細菌の貪食に伴い，IL-1やTNF-α, IL-6, IL-12などの炎症性サイトカイン（**モノカイン** monokine◆）やCXCL8などの細胞遊走性をもつサイトカイン（ケモカイン）を産生し，感染部位に炎症を引き起こすことである．マクロファージ表面にはIgG抗体のFc部分や補体のC3bに結合する受容体が存在しており，それらを介して細菌や抗原抗体複合体を効率的に細胞内に取り込むことで，細菌などの排除を促進させているので，IgG抗体や補体のC3bのことをオプソニン（2章-3.「補体」（p31）参照）と呼ぶ．

◆モノカイン　サイトカインのなかで，とくに，単球（マクロファージなど）により産生されるものをモノカインという．IL-1やTNF-αなどが相当する．

2） 樹状細胞

脳を除く生体内の組織に安住している樹枝状の形態をとる細胞群である．マクロファージに類似した機能をもっているが，末梢組織で未熟樹状細胞表面の Toll 様受容体（TLR）やその他の経路で抗原を取り込むとリンパ管をとおりリンパ節に速やかに移動する．そこで成熟樹状細胞となり，表面に抗原を提示するとともに，ナイーブ T 細胞の活性化に必要な補助刺激分子も細胞表面に発現し，獲得免疫系を活性化する抗原提示能が非常に高い．このように樹状細胞は自然免疫と獲得免疫に関与しており，多種類の病原体などの処理にかかわっている．NK 細胞とも相互作用があり，樹状細胞と NK 細胞の数が自然免疫と獲得免疫の調節に関与していると考えられている．皮膚のランゲルハンス細胞は，近年樹状細胞に分類されるようになっている．

D 顆粒球

1） 好中球

食細胞の 1 つである．顆粒球のうちほとんどが好中球 neutrophil である．多形核白血球と呼ぶこともある．血中のみならず，脾臓や肝臓，骨髄にも多数存在する．好中球は顆粒球をギムザ染色◆すると中間色に染まる．マクロファージ同様に抗原特異性がなく，自然免疫に寄与する．さらに，IgG 抗体の Fc 領域や補体の C3b の受容体をもち，IgG 抗体の Fc 領域や補体の C3b（オプソニン）を介して細菌や抗原抗体複合体を細胞内に効率よく取り込む．貪食された異物は**アズール顆粒**（一次顆粒：ミエロペルオキシダーゼ，ディフェンシンを含む）や**特殊顆粒**（ラクトフェリン，リゾチームを含む）内の酵素，活性酸素，次亜塩素酸により，消化・殺菌される．また，好中球は**接着分子**（セレクチン，インテグリン）をもっており，炎症性サイトカインにより，炎症局所に発現するこれらの接着分子と相互作用することにより血管内から炎症部位に局在するようになり，そこで食作用や殺菌作用の主たる役割を担う．マクロファージに比べ，好中球の殺菌作用は強いが，寿命は短い．

◆ギムザ染色　ギムザ液（メチレンブルー（青紫），エオシン（赤），アズール B（青紫））の混合液で染色し細胞（顆粒球など）を分類する方法．好中球は中間色の赤紫に染まる．

2） 好酸球

顆粒球のうち酸性色素エオシンに染まるものを好酸球 eosinophil という．末梢血の白血球の数％を占める．好酸球は細胞傷害活性を有する好酸球ペルオキシダーゼ eosinophil peroxidase（EPO）や主要塩基性タンパク質 major basic protein（MBP）などが含まれているが，好中球に比べ貪食能は弱い．好酸球は寄生虫感染症やアレルギー疾患において増加する．I 型アレルギー（8 章-1.「I 型アレルギー」（p121）参照）における中心的炎症細胞として機能している．

3） 好塩基球

顆粒球のうち血中にあり塩基性色素（アズール B など）で染まるものを好塩基球 basophil◆という．末梢血の白血球の約 0.2％を占める．細胞表面には IgE 抗体の受容体が存在している．好塩基球には貪食能はほとんどない．

◆好塩基球の機能　アレルギー皮膚炎などの慢性アレルギー疾患の発症に関与し，症状の増悪に関与するという報告がある．

E 肥満細胞

マスト細胞とも呼ばれる．血液中にはなく，皮膚や粘膜などの結合組織に多く定住している細胞で，好塩基球のような顆粒をもっているが同一のものではない．細胞表面にはIgE抗体の受容体が存在しており，細胞内の顆粒にはヒスタミンなどが含まれている．Ⅰ型アレルギー反応に関与する（8章-1.「Ⅰ型アレルギー」（p121）参照）．

2 抗原・抗体・補体

1. 抗原と抗体

われわれの体内にヒトを構成する成分以外の物質を投与すると免疫反応が起きる．たとえば，毒素タンパク質を産生する細菌が生体内に侵入し，毒素タンパク質が自然免疫システムで排除されない場合は，毒素タンパク質を排除するシステムが作動する．すなわち，毒素タンパク質，**抗原** antigen に対して，選択的かつ強い結合力で結合する**抗体** antibody が産生される．抗原はタンパク質以外にも合成ペプチド，多糖類，脂質，核酸などがある．薬も抗原になりうる．

コアカリ到達目標
- 抗体分子の基本構造，種類，役割を説明できる．

A 抗　原

抗原のなかで，生体内に入り，抗体を誘導し，産生された抗体に結合する2つの性質をもちあわせているものを**完全抗原**という．一方，生体内に入り，抗体の産生は誘導できないが，産生された抗体に結合する性質をもつものを不完全抗原という．**不完全抗原**は**ハプテン** hapten とも呼ばれる．低分子である薬はハプテンとして働くことがある．抗体の産生を誘導する性質を免疫原性 immunogenic（抗原性として用いられることもある），抗体や感作リンパ球（免疫原により刺激を受けたリンパ球）と結合する性質を免疫反応性という（**表 2-1**）．ハプテンは不完全抗原なので，ハプテン自体は抗体の産生を誘導する性質はもたないが，生体内のタンパク質に共有結合することによって，免疫原性を獲得し抗体の産生を誘導することができるようになる．すなわち，薬の多くは低分子なので，通常抗体の産生を誘導することはないが，たとえば薬が反応性の高い官能基をもっている場合は，生体内のタンパク質と共有結合して，免疫原性を引き起こすことがある．その結果，薬の継続的な投与が困難になる場合がある．ハプテンが共有結合したタンパク質は**キャリアータンパク質** carrier protein と呼ばれる．

抗原が抗体に結合する際の抗原側の結合部位のことを**エピトープ** epitope◆（**抗原決定基**）という．エピトープの形によって結合する抗体が異なる．エピトープは抗原

◆エピトープ　抗体が結合する抗原部位を指す．B細胞エピトープともいう．免疫学ではT細胞エピトープ（MHCが結合する抗原のペプチド領域）という言葉が出てくるが，単にエピトープと記述している場合は，B細胞エピトープのことを意味する．

表 2-1　抗原の種類

	免疫原性	免疫反応性	備　考
完全抗原	あり	あり	タンパク質
不完全抗原（ハプテン）	なし	あり	生体内でタンパク質と共有結合することで抗原性を獲得 低分子化合物（薬など）

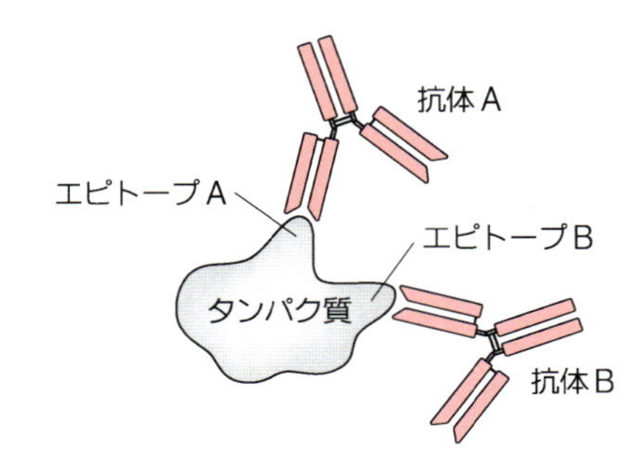

図 2-1　タンパク質抗原への抗体の結合の概念図

のなかにいくつも存在する場合が多い（**図 2-1**）．薬学領域において，エピトープを同定することは有意義である．なぜなら，エピトープに関する情報はワクチンの創製の際に利用することができるからである（11章「免疫応答の調整」(p181) 参照）．

B 抗　体

1)　抗体とは

抗原は体内に侵入するといくつかのステップを経て抗体を産生する（3章-3.「獲得免疫」(p49) 参照）．抗体の特徴は，産生の引き金となった抗原と特異的に結合することである．**抗体の特異性** antibody specificity というのは，抗体の抗原と結合する部位にベストフィットするような形や大きさの抗原と結合するということである．

抗原が体内に侵入して産生される抗体は，糖タンパク質であり，**血清**◆内に存在する．抗体を含む血清はとくに抗血清という．多くのタンパク質は分子表面に電荷をもつアミノ酸が分布しているので，電気的な性質をもっている．したがって，電気泳動装置という，タンパク質の電気的な性質を利用して分離する装置で血清タンパク質を分析すると，抗体は最も陰極側の γ（ガンマ）グロブリン分画に移動する（**図 2-2**）．すなわち，抗体はグロブリンのなかで最も正電荷をもっていることになる．抗体は**免疫グロブリン** immunoglobulin（Ig）と呼ばれる．

2)　抗体医薬品の機能

抗体医薬品の主な機能は，①中和作用（抗原に抗体医薬品がサイトカインなどと競合的に結合することにより，サイトカインなどの受容体への結合を阻害する），②抗原に結合した後，補体系（本章-3.「補体」(p31) 参照）を活性化し，抗原を排除する機能（complement-dependent cytotoxicity（CDC）活性），③抗原に結合した後，免疫関連細胞（NK 細胞など）が抗原を排除する機能（抗体依存性細胞傷害作用（ADCC）活性）がある（**図 2-3**）．たとえば，NK 細胞表面の FcγR は抗体の Fc 領域と結合することで ADCC 活性を発揮する．

◆血清　血液から血球細胞および血漿フィブリノーゲンを除いたもので，血液を遠心分離した上澄みを放置しておくと凝固が起こる．この際の上澄みを血清という．

◆抗体医薬品　抗原に対して強く結合する均一な抗体を多量に産生させることができるようになった．これらの抗体のなかで，細胞表面のタンパク質に結合し，生理活性を発揮する抗体は，医薬品として使用されている．たとえば，IL-6 は，関節リウマチなどの炎症性疾患の病態にかかわっていることが知られている．わが国で開発された IL-6 受容体に対する抗体（トシリズマブ）は，IL-6 の IL-6 受容体への結合を阻害することにより，IL-6 の作用を抑える働きを有しており，関節リウマチなどの疾患に対する治療効果がある．このような生理活性をもつ抗体を総称して抗体医薬品と呼ぶ（15章-2.「抗体医薬品」(p262) 参照）．

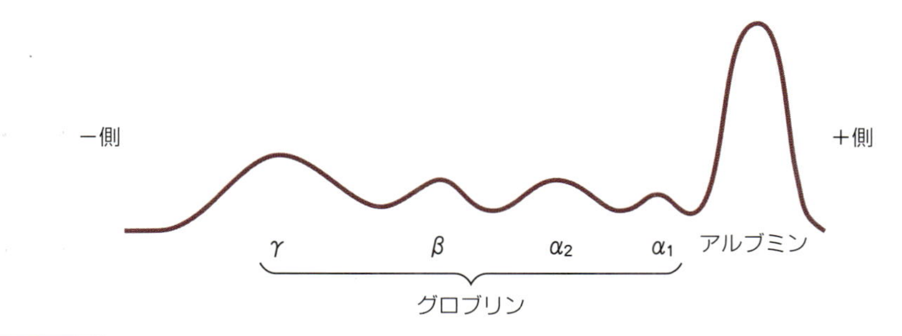

図 2-2　血清タンパク質の電気泳動

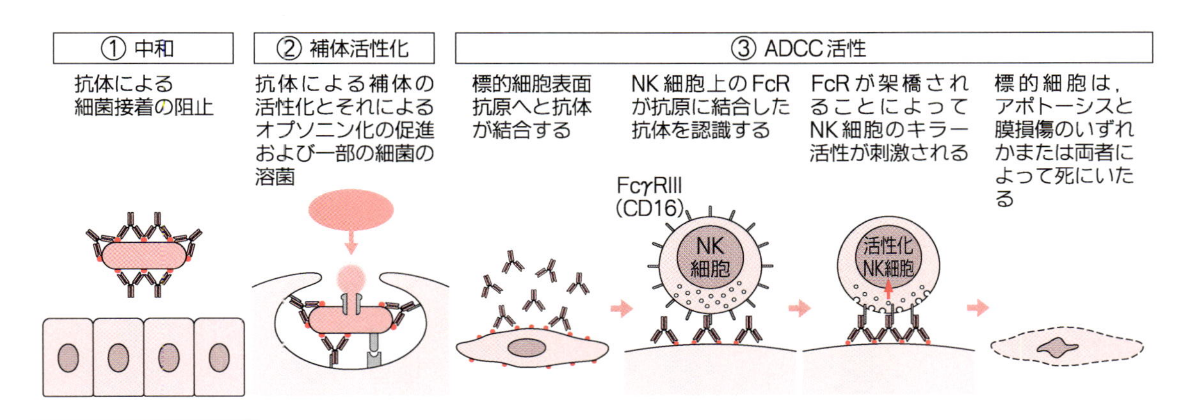

図 2-3　抗体医薬品の機能

③：［笹月健彦・吉開泰信（監訳）：免疫生物学原書第 9 版，p.436，南江堂より許諾を得て転載］

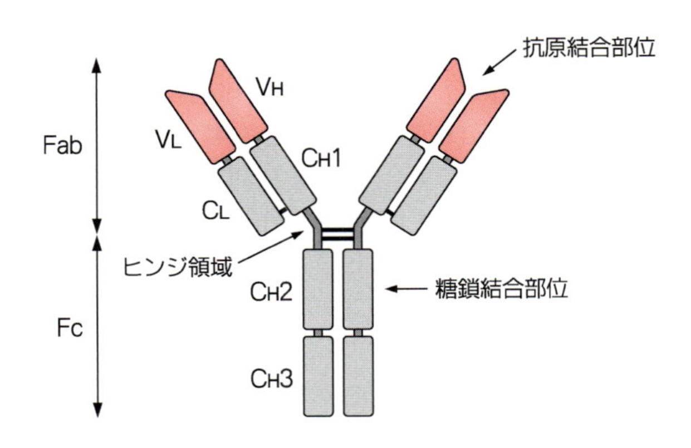

図 2-4　免疫グロブリン G（IgG）の基本構造

H 鎖（重鎖）とは VH, CH1, CH2 および CH3 ドメインが連結したものを指す．L 鎖（軽鎖）とは VL および CL ドメインが連結したものを指す．

3)　抗体の基本構造

抗体のなかでも血清中に最も多く，臨床検査や薬（**抗体医薬品**◆）として利用されている**免疫グロブリン G**（**IgG**）の基本構造を**図 2-4** に示す．

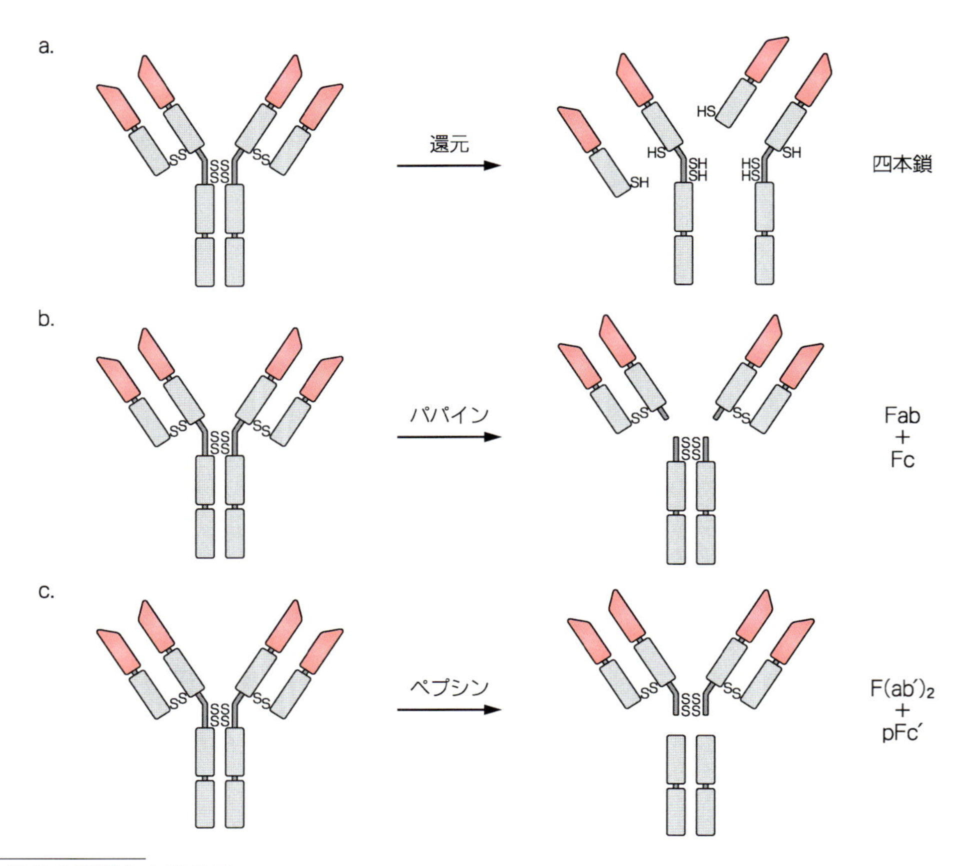

図 2-5　抗体の解離または分解

この図ではH鎖同士が2つのS-S結合で連結しているが，IgGのサブクラスによってH鎖間のS-S結合の数は異なる．そのため抗体のサブクラスによっては限定分解が起こらない．ここではIgG1を例にとりパパイン，ペプシンの限定分解を説明している．

2本のH鎖（heavy chain，重鎖とも呼ぶ）と2本のL鎖（light chain，軽鎖とも呼ぶ）で構成され，四本鎖構造をもつ．それぞれのH鎖とL鎖の間およびH鎖とH鎖の間はジスルフィド結合（S-S結合）で結合しており，IgGを還元すると4つのポリペプチドに分割される（**図 2-5a**）．H鎖には4つ，L鎖には2つのタンパク質のかたまりがあり，そのかたまりを**ドメイン** domain◆と呼ぶ．通常タンパク質にはアミノ（N）末端（NH_2基）とカルボキシル（C）末端（COOH基）があるが，IgGのN末端側のドメインは，個々の抗原に対してアミノ酸配列が異なっているので，**可変部**（V_HとV_L）またはV領域（Vはvariableの頭文字）と呼ぶ．可変部のアミノ酸配列は多数の種類があり，自然界のあらゆる抗原に対応した抗体が存在する（6章「多様性獲得機構」（p81）参照）．可変部内には抗体間でアミノ酸配列が著しく異なっている領域がV_HおよびV_Lにそれぞれ3ヵ所あり超可変部位という．この部位が主に抗原との結合にかかわるので相補性決定領域 complementarity determining region（**CDR**）（15章-1. Ⓕ「構造免疫学」（p257）参照）とも呼ばれる．IgGは1つの分子内に2つの可変部をもつので，同時に同一の2つの抗原と結合することができる．可変部以外のドメインは**不変部**（**定常部**）またはC領域（Cはconstantの頭文字）と呼ばれる．H鎖の不変部はC_H1, C_H2, C_H3と表され，L鎖の

◆**ドメイン**　タンパク質はポリペプチド鎖からできていて，それが折り畳まれて高次構造を形成するが，高次構造のなかにいくつかのペプチドのかたまりができる．このかたまりをドメインと呼ぶ．しばしば，タンパク質はドメイン単位で機能を発揮することがある．免疫グロブリンのV_HやC_H1などもそれぞれドメインである．

抗体の糖鎖の役割　抗体の糖鎖はIgGの立体構造を保持する機能をもち，抗体医薬品の糖鎖配列の調節が抗体医薬品の生理活性を格段に向上させる．

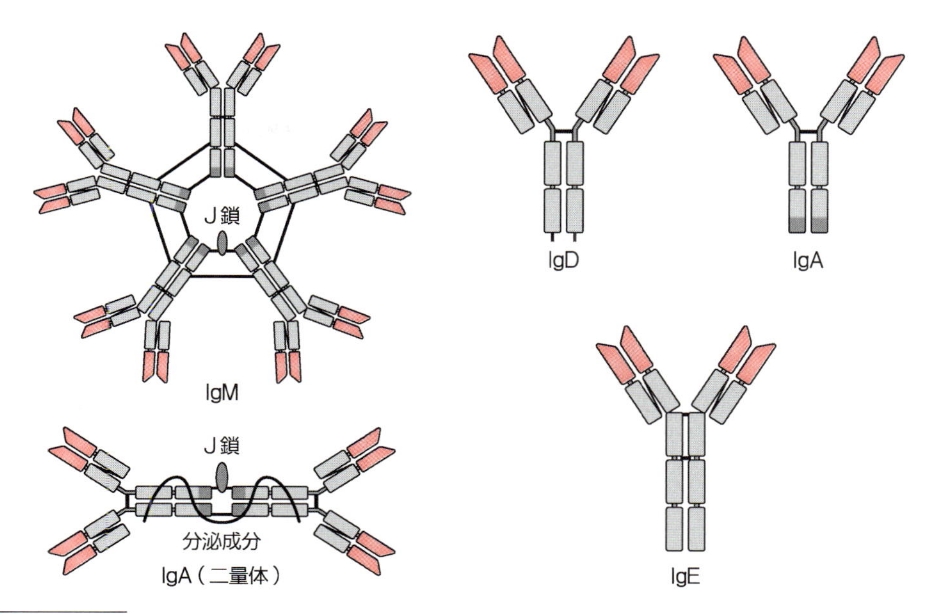

図 2-6　IgG 以外の抗体の基本構造
赤の部分は可変部.

不変部は C_L と表す. IgG は糖タンパク質であるが, 糖鎖は C_H2 部位に共有結合している. H 鎖と L 鎖を連結する分子間 S-S 結合は, C_H1 と C_L 間に存在する（**図 2-4**）.

C_H1 と C_H2 の間には, 柔軟性のあるアミノ酸領域がある. これはヒンジ（蝶つがい）部と呼ばれる（**図 2-4**）. この部分はプロテアーゼ（タンパク質分解酵素）により容易に分解される. パパインで IgG を**限定分解**◆すると 2 つの Fab 部分と 1 つの Fc 部分に分割される（**図 2-5b**）. また, ペプシンで IgG を限定分解すると 2 つの Fab が S-S 結合で連結した F（ab′）$_2$ と pFc′ に分割される（**図 2-5c**）. これらの限定分解は抗体の機能の解析や抗体工学に利用されている.

免疫グロブリンは H 鎖の C 領域のアミノ酸配列により, 5 つのクラスに分類される. それぞれ, IgA（C 領域が α 鎖からなる）, IgD（C 領域が δ 鎖からなる）, IgE（C 領域が ε 鎖からなる）, IgG（C 領域が γ 鎖からなる）, IgM（C 領域が μ 鎖からなる）である. 一方, L 鎖は C 領域のアミノ酸配列により, κ 鎖と λ 鎖の 2 つの種類がある.

◆限定分解　限定分解とは生体内でのタンパク質の活性化（たとえば, トリプシノーゲンからトリプシンへの活性化）などの際に, タンパク質の立体構造を保ちながら, 露出度が高く, 運動性の高いペプチド領域が, 局所的に分解されることをいう.

Fab 医薬品　IgG 分子のなかで Fab は抗原に結合する部分である. ラニビズマブは血管内皮増殖因子に特異的に結合する Fab 医薬品で, 加齢黄斑変性症の治療に使用されている. Fab は IgG 分子に比べ分子量が小さく, 一般に血中からの消失速度が速い. そこで, ラニビズマブは加齢黄斑変性症を発症した患者への硝子体内注射として投与される.

4)　免疫グロブリンの種類と性質

免疫グロブリンの各クラスの基本構造を**図 2-6** に, 性質について**表 2-2** にまとめた.

a.　IgG

分子量は約 15 万である. 正常ヒトでは, 血清中の免疫グロブリンの 80%を占め, 抗体の 5 つのクラスのなかで最も多い. 半減期が長く, 現在ほとんどの抗体医薬品として使用されるクラスは IgG である. 4 つのサブクラスをもつ（ヒトでは H 鎖の γ 鎖が $\gamma1$, $\gamma2$, $\gamma3$, $\gamma4$ と 4 種類存在する）. 異なったサブクラスの IgG では, H 鎖

表 2-2　免疫グロブリンの性質

	IgG	IgM	IgA	IgE	IgD
分子量	約15万	約90万	約16万	約19万	約18〜19万
サブクラス	IgG1, IgG2, IgG3, IgG4		IgAα_1, IgAα_2		
抗原結合部位数	2	10	2(4)	2	2
補体結合性[1]	あり	あり	なし	なし	なし
胎盤通過性[1]	あり	なし	なし	なし	なし
オプソニン作用[1]	あり	なし	なし	なし	なし
正常血中濃度	8〜15 mg/ml	約1.5 mg/ml	約3 mg/ml	約0.0003 mg/ml	0.02〜0.04 mg/ml
特　徴	• 血中半減期が長い • 二次免疫応答で大量に産生される	• 五量体 • 凝集能大 • 一次免疫応答で重要	• 腸管には分泌型（二量体），粘膜免疫に寄与	• 肥満細胞，好塩基球への結合能があり，アレルギー発症に関与 • 寄生虫感染で増加	• 機能未知

[1] 作用や特性が強いものを「あり」，弱いもしくはないものを「なし」と表現している．

同士あるいはH鎖とL鎖を結ぶS-S結合の数や位置に違いがある．その結果，ヒンジ部分の柔軟性やプロテアーゼに対する抵抗性も大きく異なっている．また，ヒンジの柔軟性はIgGクラス抗体の機能と関係があることもわかっている．抗原が体内に侵入した際，まず，IgMクラス抗体が発現する理由は，H鎖を形成する遺伝子配列の最上流にIgMを形成する遺伝子配列が存在するからである（6章-1. D「抗体のクラススイッチ」(p87) 参照）．IgGは二度目に抗原が体内に侵入した際に生じる顕著な免疫応答（二次免疫応答という：3章-3. C「免疫学的記憶」(p52) 参照）の際に，最も効果的に働く．また，ヒトでは抗体のクラスのなかで唯一，胎盤通過性がある（4つのサブクラスのうちIgG1, IgG3のみ）ので，妊娠中に母親から胎児へ移行し，胎児の免疫応答にかかわり，新生児が免疫能を獲得するまでの生体防御を担う．さらに，細菌抗原と結合したIgGは補体系（本章-3.「補体」(p31) 参照）を活性化する（IgG1, IgG3は補体結合性が強い）．IgGのFc領域が単球（1章-2. C 1)「マクロファージ」(p18) 参照）のFc受容体（FcR）に結合し，細菌の貪食が促進される．この作用を**オプソニン** opsonin **作用**と呼ぶ．

IgG4の構造と機能　IgG4は2つの異なる抗体がヒンジ領域のH鎖間のS-S結合を介して1分子として生体内で機能することが報告されている．すなわち異なる抗原結合をもつ1分子のIgG4抗体が生体内には存在する．抗体医薬品でIgG4のサブクラスをもつものが市販されているが，胎盤通過性の機能が示唆されているものもある．

b. IgM

IgMのH鎖はμ鎖であり，分子量は約90万の糖タンパク質である．正常ヒトでは，血清中の免疫グロブリンの約5%を占める．通常五量体で存在し，Fc部分は**J鎖** joining chainにより連結されている．Fab単位で1つの抗原と結合するので，IgMは10個の同一の抗原に同時に結合することができる．多様な抗原に対して結合するためFabの結合力（親和性/アフィニティ affinity）は低いが，Fabを10個もっているので繰り返し同じような構造をもつ抗原に対しては複数箇所結合することができる（アビディティ avidity 効果）．すなわち，Fab単位では低い特異性で類似した形の抗原と結合しながらも，アビディティ効果によるIgM全体では抗原へ強く結合することができる．IgMは多くの抗原結合部位をもつので，IgGに比較して，細菌凝集能や赤血球凝集能が高い．また，強い補体結合能をもつ．IgM は最初に抗原が体内に侵入した際に生じる免疫応答において産生される抗体のクラスである．

c. IgA

IgA の H 鎖は α 鎖であり，2 つのサブクラス（α_1, α_2）がある糖タンパク質である．IgA は血液中では，**血清型 IgA**（単量体）として存在するが，分泌液中では J 鎖および分泌成分 secretory component（SC）と呼ばれるポリペプチド鎖と結合して**分泌型 IgA**（二量体）を形成している．血清型 IgA の分子量は約 16 万である．正常ヒトでは，血清型 IgA は免疫グロブリンの 5〜10％を占める．分泌型 IgA は外分泌液中（唾液，涙，気管支分泌液，腸管分泌液，母乳など）に含まれており，呼吸器や腸管粘膜で感染防御に有益で，局所免疫の役割を担っている．また，ヒトでは IgA は胎盤通過性がなく，母乳により乳児の感染防御を担っている．分泌成分は，分泌液中に多く含まれるプロテアーゼに対して分泌型 IgA の抵抗性を上げている．分泌型は二量体であり，4 つの Fab 単位をもつので，4 つの同一抗原と同時に結合することができる．

d. IgE

IgE の H 鎖は ε 鎖であり，Fc 部分が長く，5 つのドメインからなっている．IgE の分子量は約 19 万の糖タンパク質である．血液中にはごく微量にしか含まれず（0.002〜0.004％），5 つのクラスのなかでも最も少ないが，IgE は，その Fc 領域で肥満細胞や好塩基球と強く結合するので，即時型アレルギーの発症に関与する（8 章-1. Ⓐ「I 型アレルギー反応機構」（p122）参照）．また，アトピーや寄生虫感染の際に増加する．IgE は補体結合性がない．

e. IgD

IgD は分子量約 18〜19 万の糖タンパク質である．血液中にはごく微量にしか含まれない．B 細胞形成時に B 細胞の表面に発現することは知られているが，その機能はよくわかっていない．IgD は補体結合性がない．

> **IgD の機能**　上気道感染の際に好塩基球が活性化し，免疫細胞から抗菌物質やサイトカインを産生し，感染病原体を除去するという報告がある．

5) 免疫グロブリンのアロタイプ，イソタイプ，イデオタイプ

a. アロタイプ

免疫グロブリン G（IgG）の基本構造は**図 2-4** に示したが，免疫グロブリンの定常部の一次配列は個体間でまったく同一というわけではない．定常部の一部に 1〜数個の一次配列の違い（変異）がみられ，ほかの個体に対しては，抗体産生刺激原となる．この一次配列の違い（抗原決定基）を**アロタイプ** allotype という．

b. イソタイプ

免疫グロブリンには，クラス，サブクラスがあることはすでに述べたが，これらは，同種（たとえばヒト同士，マウス同士）間では抗体産生刺激原とはならないが，たとえばヒトの抗体はマウスでは抗体産生を誘導する．**イソタイプ** isotype とは同種内では抗体産生刺激原とならないが，ほかの種では抗体産生刺激原となる共通の

抗体構造のことを指す.

c. イデオタイプ

イデオタイプ idiotype とは免疫グロブリンの可変部が形成する構造のことを指す. 免疫グロブリンの可変部は1つひとつ異なるアミノ酸の配列をもつ. したがって, これらは異なるイデオタイプをもっていることになる. 生体内でイデオタイプが抗原となり, それに対する抗体を産生させて, 多様な抗体群の恒常性を保っているという説もある.

2. 抗原抗体反応

A 抗原抗体反応の理論

ある種の乳がんの細胞の表面には, human epidermal growth factor receptor 2 (HER2) というタンパク質受容体がたくさんある. HER2 が存在することにより, がん細胞の異常な増殖が起こる. この HER2 を「標的」とした抗体医薬品（トラスツズマブ）はほかの受容体には結合せず, HER2 とだけ結合する. その結果, がん細胞の増殖は抑制される. このように特定の立体構造をもった抗原に結合する性質を抗体の特異性と呼ぶ. これまで行われた抗原タンパク質と抗体（Fab）との X 線結晶構造解析の結果から, 抗体と抗原タンパク質は広い領域で多様な非共有結合（静電相互作用, 疎水相互作用, 水素結合, ファンデルワールス van der Waals 力）をしている. 複数の非共有結合が関与することで, 抗体は強い力で抗原と結合することができる. 抗原抗体反応は, 抗原と抗体との強い相互作用が基盤となっている（15 章–1.「構造生物学と免疫学」（p253）参照）.

> **HER2 遺伝子**
> HER2 は乳がんのバイオマーカーとして知られているが, ある種の胃がんのバイオマーカーとして同定された. HER2 を過剰発現した進行・再発胃がん患者にはトラスツズマブが投与されている.

B 沈降反応

可溶性抗原に抗体を反応させると不溶性の免疫複合体が形成し, 抗原と抗体の濃度比が適度（平衡域という）なところで溶解度が低下し, 沈殿物が生じる. これを**沈降反応**という. 抗原の濃度が過剰であったり, 抗体の濃度が過剰であったりすると沈殿物は生じない. このことは**図 2-7** に示すように格子説として説明されている. 通常, 抗原には複数のエピトープが存在する. また, 抗体は複数の結合部位（IgG は 2 価, IgM は 10 価）をもつ. 抗原, 抗体とも十分な溶解度をもっている場合でも, **図 2-7b** に示すように, 抗原と抗体は巨大な免疫複合体を形成することにより溶解度が低下し, 沈殿物が生じる. 一方, 抗体が過剰な場合（**図 2-7a**）, 抗原が過剰な場合（**図 2-7c**）は, さほど大きな免疫複合体を形成することができず, 形成した複合体がある程度の溶解度をもつので, 沈殿は生じない.

C 凝集反応

細菌や赤血球などの抗原に結合する抗体と反応させると凝集塊が形成される. こ

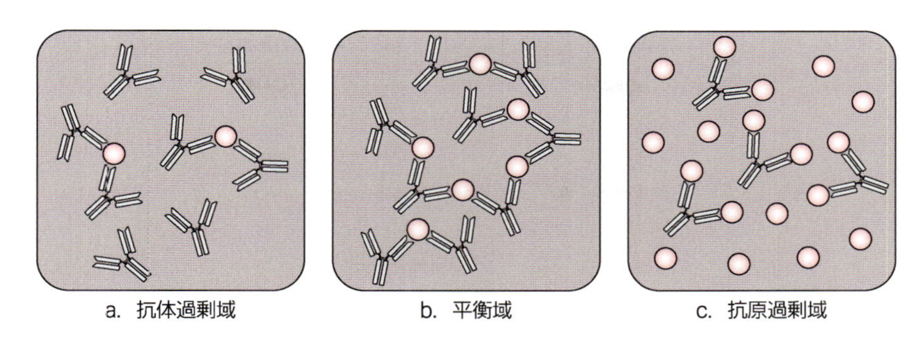

図 2-7 格子説の模式図

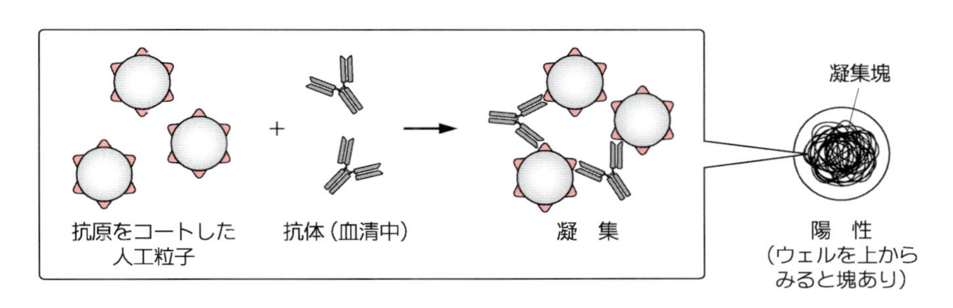

図 2-8 受身凝集反応

れを**凝集反応**という．この場合の抗原を凝集原，抗体を凝集素と呼ぶ．凝集に必要な抗原と抗体の量は，沈降反応の量よりも少ない．すなわち，凝集反応のほうが沈殿を形成しやすい．凝集反応は種々の検査に利用される．

1) 受身凝集反応

人工粒子の表面に抗原を付着させ，抗原に対する抗体を結合させると凝集反応が起こる．この反応をプラスチック製のマイクロプレートのウェル内で行うと凝集塊は全体に広がる（**図 2-8**）．抗原に抗体が結合しない場合は，粒子は底に沈み小さい点のようになる．この違いにより，目的の試料内に抗原に結合する抗体が存在するかどうかを判断する．人工粒子の代わりに赤血球を用いることもある．この場合，とくに，受身赤血球凝集反応と呼ぶ．この方法は，血清中のリウマトイド因子（多くのリウマチ患者に存在する IgG の Fc 領域に結合する抗体）の検出などに用いられる．

2) 赤血球凝集反応

赤血球を抗原として免疫反応を行うと，赤血球に対する抗体を含む抗血清が得られる．抗血清に赤血球を加えると凝集反応が起こる．これを利用した方法として ABO 式の血液型の判定方法がある．血液型が A 型のヒトは赤血球表面に A のような糖鎖が付加している．同様に B 型は B，O 型は H である．AB 型のヒトは A と B の両方の糖鎖をもっている（**図 2-9**）．微生物感染により，凝集原が生体内に侵入

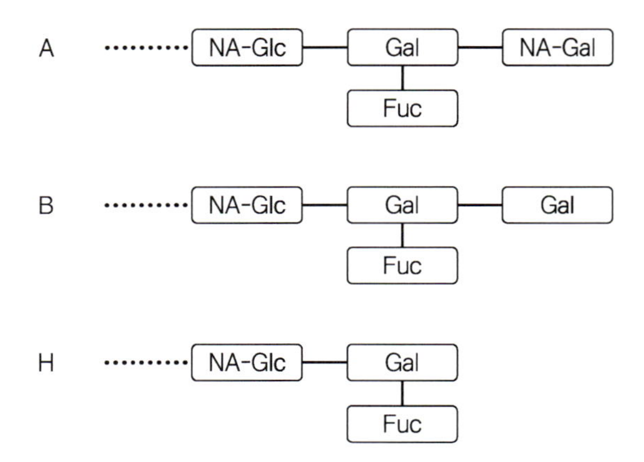

図 2-9　A, B, H 凝集原の糖鎖構造の違い
NA-Glc：*N*-アセチルグルコサミン，Gal：ガラクトース，Fuc：フコース，NA-Gal：*N*-アセチルガラクトサミン

表 2-3　ABO 式血液型

血液型	糖鎖の型（凝集原）	判　定
A	A	抗 A 抗体と凝集反応を起こす
B	B	抗 B 抗体と凝集反応を起こす
O	H	抗 A 抗体，抗 B 抗体のいずれとも凝集反応を起こさない
AB	A と B	抗 A 抗体，抗 B 抗体のいずれとも凝集反応を起こす

してくるが，一般に自分の構成成分に対しては免疫応答が起きず抗体が産生されないので血液型が A 型のヒトは B に対する抗体をもち，B 型のヒトは A に対する抗体をもっている．O 型のヒトは両方の抗体をもっており，AB 型のヒトは両方の抗体をもっていない．A, B に対する抗体をあらかじめ準備しておき，それぞれに血清を添加して，凝集反応が起きるかどうかを評価すればABO 式の血液型が判定できる（**表 2-3**）．A, B, H の糖鎖に対して産生する抗体のクラスは IgM である．

D　中和反応

ウイルスや細菌および細菌が産生する毒素などが体内に侵入すると，これを抗原とみなし抗体が産生される．ある種の抗体はウイルスに結合して，ウイルスの働きを抑えたり，毒素に結合してその活性をなくしたりすることがある．このような役割をもつ抗体を，それぞれ**ウイルス中和抗体**，**毒素中和抗体**（とくに抗毒素）と呼ぶ（**図 2-10**，3 章-3. D「体液性免疫」（p53）参照）．

ジフテリア菌，ヘビ，ボツリヌス菌，破傷風菌由来の毒素を異種動物に投与して得られる抗血清または感染症等に罹患した回復期患者の免疫グロブリンを，治療または予防する目的で使用することがある．これを**血清療法**と呼ぶ．抗体医薬品は中和反応を利用して機能を発揮している．

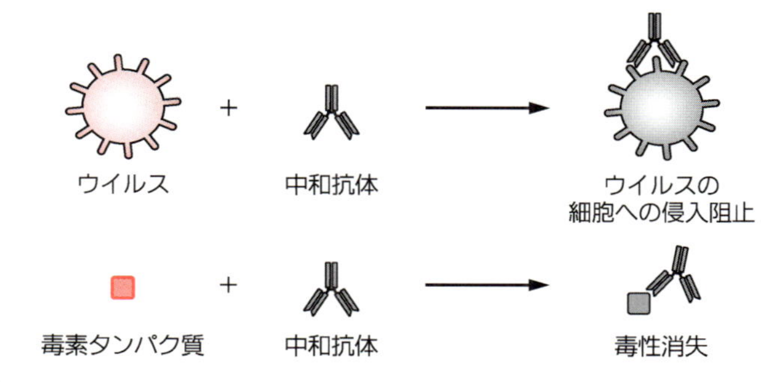

図 2-10　中和抗体の働きの概念図

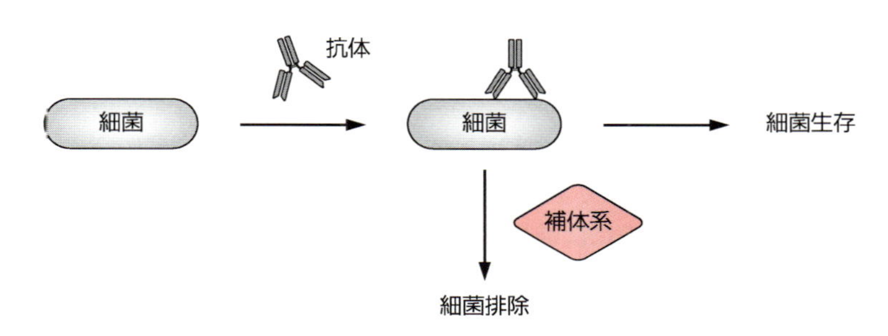

図 2-11　補体系の役割

3. 補　体

> コアカリ到達目標
> ▪ 異物の侵入に対する物理的，生理的，化学的バリアー，および補体の役割について説明できる．

抗体は体内に侵入してきた抗原（たとえば，細菌）に結合するだけで，細菌の機能を抑制できない場合がある．したがって，抗体とともに細菌などを破壊する因子が必要である（**図 2-11**）．補体は，脊椎動物の血清中に存在し，ヒトでは約 20 種類の成分からなっている．その成分は熱に不安定なタンパク質で，そのままでは生理活性をもたない状態で血清中に存在している．補体は，**古典的経路**，**第二経路**，**レクチン経路**のいずれかを経て活性化され（**表 2-4**），種々の生理活性を発揮し，細菌などを排除する．一方，補体系成分タンパク質の集合反応で**膜侵襲複合体** membrane attack complex（MAC）を形成して細菌などの破壊を行う（10 章-1. A「自然免疫」（p159）参照）．病原体など抗原が体内に侵入すると，マクロファージに取り込まれる．その際に，マクロファージからモノカイン（IL-1, TNF-α）などが産生されることで，肝臓から急性期タンパク質（C 反応性タンパク質，マンノース結合レクチン mannose binding lectin（MBL））が産生される．生体防御にはまず自然免疫が関与するため，抗原の排除に関しては 3 つの補体系のうち，まず第二経路やレクチン経路が働き，その後古典的経路が働くと考えられている．その過程で，炎症細胞の動員，オプソニン化による抗原（病原体など）の食細胞への取り込みの促進，抗原（病原体など）の細胞膜表面に膜侵襲複合体（MAC）を形成し，膜貫通孔を形成することで溶菌などを導き，抗原（病原体など）を排除する．本書では，補体系経路が発見された順に解説する．

表 2-4　補体系の活性化

	初発反応	特　徴
古典的経路	細菌などに結合した • 抗体への C1q の結合 • C 反応性タンパク質への C1 の結合	• C1 の結合には細菌などへ結合した IgG 分子 2 つ以上が関与 • C1〜C9 までの補体成分が必要
第二経路（代替経路）	細菌などへの C3b の結合	• 細菌などの表面成分（多糖類など）が関与 • 補体成分の C1, C2, C4 は不要
レクチン経路	マンノース結合レクチン（MBL）の細菌などへの結合	• 細菌などの表面に規則的に並んだ糖（マンノースなど）が関与 • 補体成分の C1 は不要

A 補体の活性化と制御

3 つの補体の活性化について，**表 2-4** にまとめた．

1)　古典的経路

細菌表面に存在する抗原に抗体が結合すると抗体分子の分子運動が制限され，その結果，補体成分の C1q が抗体に結合できるようになる．このしくみにより，血清中で抗原と結合していない抗体分子には補体系が働かない．また，C1q の結合には，2 分子以上の IgG が近接していることも必要である．IgM では 1 分子に C1q が結合できる．補体成分である C1q が結合できる部位は IgG では C_H2 ドメインで，IgM では C_H3 と C_H4 ドメインの境界である．C1q が抗体に結合した後の活性化の経路は**図 2-12** に示す．C1q が抗体に結合した後, C2〜C9 までの補体成分が関与し，細菌を排除する．その過程で，アナフィラトキシンやオプソニン作用（本章-3.Ⓑ 2)「オプソニン化」(p34) 参照）を有するタンパク質が産生され，各種細胞の遊走やオプソニン化された細菌の食細胞による取り込みが活性化される．細菌表面のホスホリルコリンに C 反応性タンパク質が結合し，補体成分 C1 と結合することで，この経路が始動することも最近わかってきた．

2)　第二経路

古典的経路は，最初に見出された補体系で，抗原に結合した抗体に C1 成分が結合するところから開始する．その後，補体の活性化は，必ずしも抗体の介在を必要としない経路が発見された．この経路のことを古典的経路と対比して第二経路（代替経路）という（**図 2-13**）．第二経路の活性化は，C3 内には不安定な化学結合が存在しているので，それが水によって分解され，B 因子の一部とともに C3bBb として多糖類や細菌の膜成分に結合し，安定化される．このプロテアーゼ protease◆ は C3 を分解するので C3 転換酵素と呼ばれる．一方，C3 転換酵素はその後の反応の引き金となる．C5b が生じた後の逐次的な反応は古典的経路と同一である．もし，多糖類や細菌が存在しないと，C3bBb は生成後速やかに不活性化するので，第二経路は発動しない．

◆プロテアーゼ　タンパク質分解酵素と訳され，タンパク質主鎖のペプチド結合を加水分解するタンパク質の総称である．多くのプロテアーゼは特定のアミノ酸残基やアミノ酸配列を認識してタンパク質主鎖のペプチド結合を加水分解する．

3)　レクチン経路

3 番目に見出された古典的経路，第二経路と異なる補体系の活性化経路が，レク

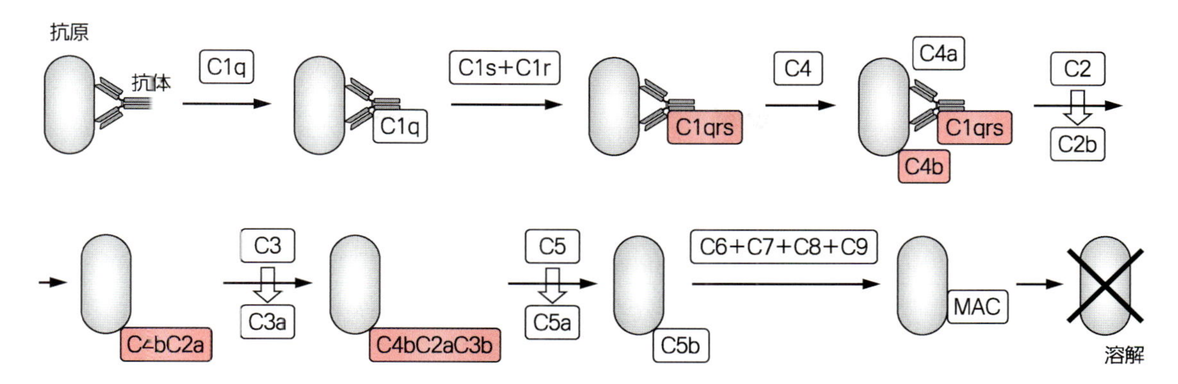

図 2-12 補体系の活性化（古典的経路）

抗原に結合した抗体に C1q が結合した後，C1q の近傍に C1r が結合する．C1r は自己触媒的に活性化され，C1q の近傍に存在する C1s を活性化する．C1s は C4 をプロテアーゼの作用により限定分解し，C4 を 2 つの成分 C4a と C4b に分割する．C4b には反応性の高い官能基があるので，周辺に存在する細菌の膜表面に共有結合する．次に，C2 は活性化されたプロテアーゼ C1qrs により，2 つの成分 C2a と C2b に限定分解される．C2a は C4b と複合体を形成することによりプロテアーゼ活性をもち，C3 を 2 つの成分 C3a と C3b に限定分解する．C4b と C2a 複合体は，C3 を分解する活性をもつことから **C3 転換酵素**と呼ばれる．C3b は C4b と同様に反応性の高い官能基をもつので，近接する C4b と C2a 複合体に共有結合する．その結果，C4b と C2a 複合体は C3 に作用しなくなり，C5 を C5a と C5b に限定分解するようになる．C4bC2aC3b 複合体は **C5 転換酵素**と呼ばれる．C5b も反応性の高い官能基をもつので，周辺に存在する細菌膜表面に共有結合する．その後，膜に結合した C5b に C6 が結合すると安定な複合体を形成する．その複合体に C7, C8, C9 が結合し，筒状の膜侵襲複合体（MAC）を形成する．その結果，細菌の細胞は破壊される（酵素学的に活性化したタンパク質は赤で示している）．

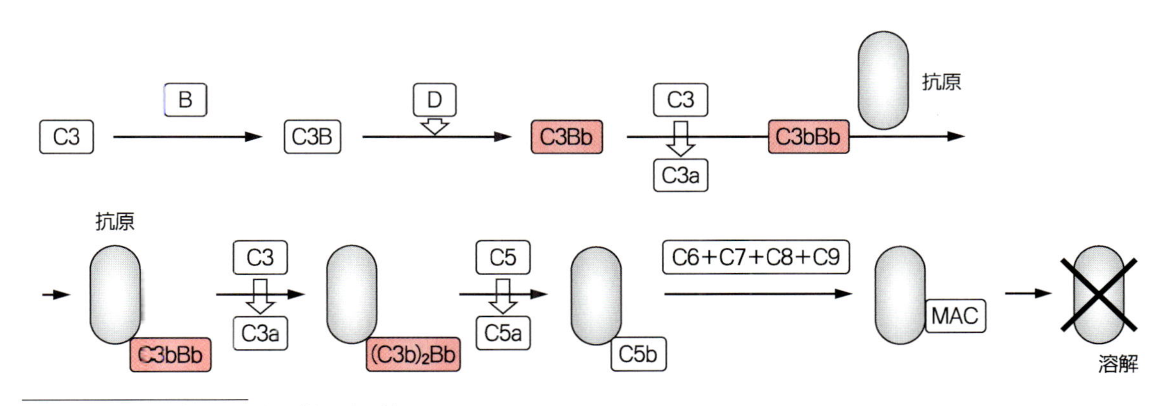

図 2-13 補体系の活性化（第二経路）

C3 は分子内に不安定な化学構造をもち，自動的に加水分解される．その結果，反応性の高い官能基が生成し，B 因子と結合できるようになる．C3 に結合した C3 プロアクチベーター（B 因子）は D 因子の限定分解を受け，B 因子の一部（Ba）が切り出され，C3Bb が生じる．この複合体はプロテアーゼ活性をもち，C3 を 2 つの成分 C3a と C3b に限定分解することができる．この複合体のことを **C3 転換酵素**と呼ぶ．C3 より生じる C3b は，反応性の高い官能基をもっており，多糖類，細菌や細胞膜の成分（抗原と記す）が存在すると，それらと共有結合し安定な C3bBb 複合体を形成する．その結果，C3 転換酵素は次々と C3 を酵素分解し，C3b を産生する．C3bBb に結合した C3b は C5 転換酵素（$(C3b)_2Bb$）として，C5 を C5a と C5b に限定分解する．C5b が生じた後の一連の反応は古典的経路と同一である（酵素学的に活性化したタンパク質は赤で示している）．

チン経路である．マンノース結合レクチン（MBL）が細菌など異物表面にある整列したマンノースやマンナンに特異的に結合し，異物を排除する機構である．古典的経路の C1 の活性化機構と類似している．すなわち，MBL と MBL 結合セリンプロテアーゼ MBL-associated serine protease（MASP）◆の複合体がセリンプロテアーゼ◆活性をもち，C4 と C2 が限定分解され，C3 転換酵素（C4bC2a）が生成する．C5 転換酵素が C5 を限定分解し，C5b が生じた後の逐次的な反応は古典的経路と同

◆ MASP　MASP は古典的経路の C1r/C1s 類似プロテアーゼである．ヒトでは 3 種類の MASP がプロテアーゼ活性に関与する．

表 2-5　補体制御に関係する主なタンパク質と役割

タンパク質	役　割
C1 インヒビター	C1r および C1s に結合してプロテアーゼ活性の阻害
H 因子，I 因子	まず H 因子が C3b に結合する．C3b・H 因子複合体に I 因子が結合し，C3b は不活性化する
C4b 結合タンパク質	C3 転換酵素を C4b と C2a に解離させ，失活
DAF	C3 転換酵素を C4b と C2a に解離させ，失活．C3bBb も解離させ，失活
HRP CD59（プロテクチン protectin）	細胞膜上の C5b678 に結合して C9 の付加を阻害

DAF：decay accelerating factor，HRP：homologous restriction protein

感染症と補体の欠損　C5～C9 の補体成分は，淋病や一般的な細菌性髄膜炎などを引き起こす．病原体のナイセリア属菌に対して，感染と関係している．日本人の 40 人に 1 人は C9 のヘテロ欠損である．

◆セリンプロテアーゼ　セリン残基がタンパク質主鎖のペプチド結合の加水分解に直接関与するプロテアーゼの総称．

一である（図 2-12）．

4)　補体の制御

補体系は活性化されると強い生理活性があるので，細胞に傷害を与えることがある．したがって，必要なタイミングや必要な部位での活性化が起こることが望ましい．そのため，いくつかのステップでその活性化は制御されている．補体の制御に関係するタンパク質とその働きを**表 2-5** にまとめた．

B　補体の生理作用

活性化された補体は種々の生理活性を示す．それらを以下にまとめた．

1)　細胞溶解

3 つの経路のいずれも，後半の反応で細菌などの細胞膜上で膜侵襲複合体（MAC）を形成する．この複合体が形成されることにより，標的細胞（病原体など）に筒状の穴があく．その結果，細菌の場合は溶菌し無毒化され，赤血球の場合は溶血する．

2)　オプソニン化（オプソニン作用）

細菌や異物などの表面に結合することで，食細胞による食作用を格段に受けやすくする血清因子をオプソニンと呼ぶ．IgG 抗体の Fc 部分や補体系で生じる C3b は代表的なオプソニンである．たとえば，細菌表面に C3b が結合するとマクロファージや好中球（1 章-2. D「顆粒球」（p19）参照）による貪食が促進される．この理由は，これらの食細胞の表面に C3b 受容体が存在しているからである（3 章-3. D「体液性免疫」（p53）参照）．オプソニンは免疫複合体の除去にも関与している．

3)　炎症の誘導と食細胞の動員

C3a, C5a はペプチド性の炎症伝達物質で，**アナフィラトキシン** anaphylatoxin と呼ばれる．血管内皮細胞，肥満細胞，好塩基球（1 章-2. E「肥満細胞」（p20）参照）に作用し，平滑筋の収縮，肥満細胞，好塩基球の脱顆粒を誘導し，炎症性の化学伝達物質（ケミカルメディエーター：ヒスタミンなど）を放出させる．その結果，ヒスタミンの薬理作用である，血管透過性の向上により補体活性化部位への炎症が誘導される．また，好中球，単球に直接作用し，血管壁への接着を増加させ，補体活性化部位への動員と食細胞の活性化にかかわる．C5a は C3a より安定かつ強力である．

3 免疫反応機構

1章で免疫に関与する細胞や組織の種類，特徴について簡単に取り上げ，さらに2章では免疫を実際に担っている成分として最初に見出された抗体とその反応について取り上げてきた．本章では，これらの免疫担当細胞による免疫反応がどのように発動され，効果的に異物の排除や自己の恒常性の維持に重要な役割を果たしているのかについて述べていくことにする．

1. 自然免疫と獲得免疫

私たちの身体は常に外界と接しており，**宿主**◆（ヒト）にとって異物（細菌，ウイルス，寄生虫など）にさらされている状態である．また，外界からの異物のみでなく，自己体内に生じる腫瘍などの異常細胞の認識・排除も同時に行わなければならない．多くの場合，異物は効果的に宿主のもつ皮膚や粘膜などの外界とのバリアーにより侵入を阻止されている．また，たとえ侵入したとしても宿主のもつ生体防御機構により速やかに排除されるためになんの症状も現れないか，わずかな症状を示した後，すぐに治癒してしまう．この過程で異物認識，排除に働いている機構を，先天的にもっている免疫という意味から**自然免疫**（**自然抵抗性，自然耐性**）という．

コアカリ到達目標
- 自然免疫と獲得免疫，および両者の関係を説明できる．

◆宿主　細菌，ウイルス，寄生虫などが感染または寄生する相手となる生物．また，移植時における移植を受ける側（レシピエント）を指す．

一方，一部の病原性微生物は自然免疫機構を超えて生体内に侵入後増殖し，宿主に重篤な症状を起こす．しかし，しばらくすると，宿主はより効果的な抗原特異的な防御機構によって，速やかに病原性微生物を体内から排除することができる．この機構を，自然免疫に対して，後天的に抗原と出合うことによって獲得する免疫という意味から**獲得免疫**（**適応免疫**）という．以上の免疫システムの各段階と機能する細胞を**図3-1**にまとめた．この図からわかるように，自然免疫系のマクロファージ・樹状細胞が病原体を認識し，抗原として提示することが獲得免疫のT細胞およびB細胞の活性化につながる．つまり，自然免疫が機能してはじめて獲得免疫の誘導が起こる．

自然免疫において重要な働きを担っているのは，**食細胞**（**貪食細胞**）や**ナチュラルキラー**（**NK**）**細胞**である．しかし，これらの細胞による異物認識機構は抗原に対して特異性が低く，免疫学的記憶（本章-3. Ⓒ「免疫学的記憶」（p52）参照）をもたない．一方，獲得免疫は特異性の高い反応である．これは，抗原特異的な受容体を細胞表面にもつ**リンパ球**（**B細胞，T細胞**）が主として機能しているからである．また，獲得免疫は免疫学的記憶をもち，同一の病原性微生物の繰り返し感染に対して免疫力はより速く，強く発揮される．このように，自然免疫と獲得免疫は多くの異なる特徴をもっているが（**表3-1**），機構としてはまったく別のものでは

表 3-1　自然免疫と獲得免疫

	自然免疫	獲得免疫
反応開始時間	即時（数時間単位）	数日～数週間単位
反応の強さ	+	++
受容体	パターン認識受容体（PRRs）	T 細胞抗原受容体（TCR） B 細胞抗原受容体（BCR） 抗体（免疫グロブリン）
受容体の認識分子	病原体固有の共通構造	抗原提示細胞に提示された個々の病原体固有のペプチド断片
抗原特異性	低い	きわめて高い
免疫学的記憶	なし	あり
反応の増幅	なし	あり
主要な細胞	食細胞，NK 細胞	リンパ球

迅速で抗原特異性の低い自然免疫と，抗原特異性がきわめて高く，免疫学的記憶も獲得する獲得免疫が協調して生体防御を担っている．

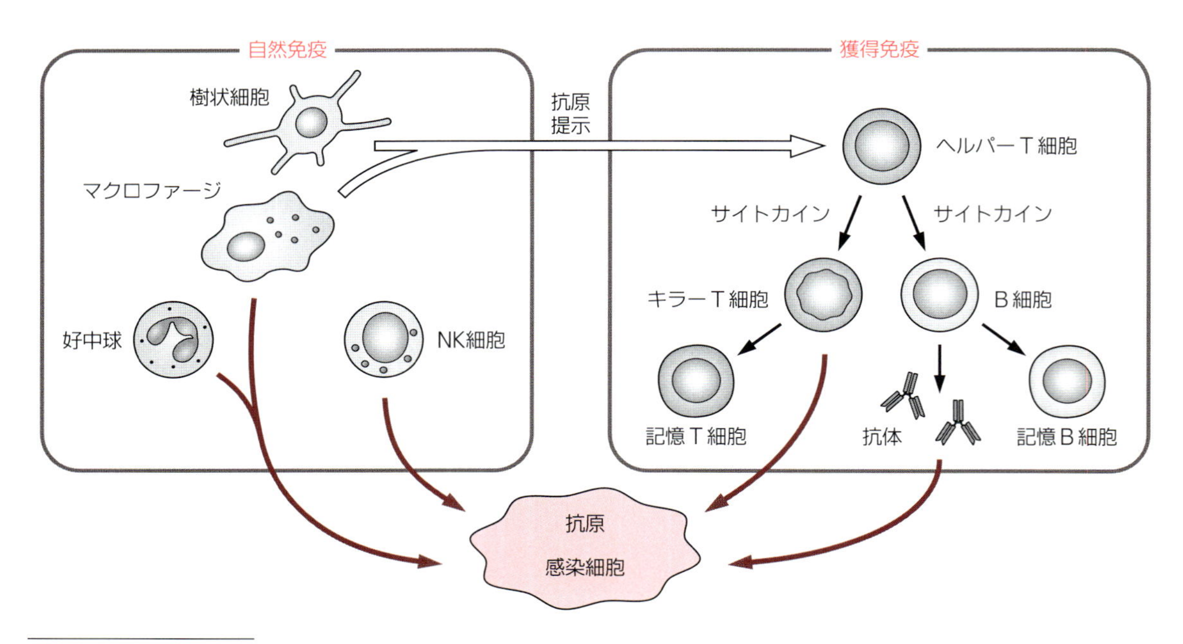

図 3-1　自然免疫と獲得免疫

抗原または感染細胞に対して，まず食細胞や NK 細胞などが認識・活性化することで自然免疫を発動させるとともに，抗原提示細胞としてマクロファージや樹状細胞が獲得免疫系の T 細胞，B 細胞を活性化する．一部の T 細胞と B 細胞は記憶細胞として体内に残り，同一病原性微生物による再感染時に速やかに活性化される．

なく，相互に関連し，影響しあっている（**図 3-1**，0 章「免疫のしくみ」（p7）参照）．

さらに，近年，自然免疫と獲得免疫の中間的性質をもつ細胞群として，B 細胞，T 細胞とは異なる**自然リンパ球** innate lymphoid cell（**ILC**）と呼ばれる新たなリンパ球が定義され，注目されている．ILC は各組織に広く存在するリンパ球であるが，抗原特異的受容体をもたず，速やかに各種サイトカインを産生する．ILC の発見に伴って，すでに知られていたNKT細胞，γδT細胞，B1細胞などの受容体可変性が限られているリンパ球を含めた，自然免疫と獲得免疫をつなぐ免疫機構の研究が盛んに進められている（本章-2. Ｅ「自然リンパ球による免疫制御機構」(p47) 参照）.

2.　自然免疫

異物を排除する免疫機構の第1段階として，異物侵入初期に，即時的に働くのが自然免疫である．自然免疫は補体，**マクロファージ**や**好中球**などの食細胞や，細胞傷害活性をもつ**NK細胞**を中心とする免疫反応で，異物に対して特異性は低く，持続期間は短い．この免疫反応は，ヒトやマウスなどの哺乳類だけでなく，リンパ球をもたないハエや植物にも進化上保存されており，また出生時から先天的に備わっている原始的な免疫機構である．

> コアカリ到達目標
> ▪ 自然免疫および獲得免疫における異物の認識を比較して説明できる．

A　物理的，生理的，化学的バリアーおよび非特異的可溶性因子

自然免疫では，まず外界と接している皮膚や粘膜に何種類ものバリアーが存在し，異物に対する防御壁を形成している（**図3-2**）．それらは，物理的，生理的，化学的バリアーに分類され，自然免疫の重要な担い手となっている（**表3-2**）．

> コアカリ到達目標
> ▪ 異物の侵入に対する物理的，生理的，化学的バリアー，および補体の役割について説明できる．

1）　物理的バリアー

異物の体内侵入を阻止する機構として，まず存在するのが**物理的バリアー**である．私たちの身体表面をおおっている皮膚表面にはケラチンを主とする角質層が存在し，微生物の侵入を阻止している．実際にやけどや切り傷などの外傷で皮膚を失うと感染防御は大変困難になることからも，その存在の重要性がわかる．また，気道表面は粘液によっておおわれており，空気や飲食物を介して侵入しようとする異物は粘液によって捕えられ，気道にある線毛の動きにより体外へ向かって押し出される．腸管の粘液によって捕えた微生物は蠕動運動により異常増殖が阻害されている．

2）　生理的バリアー

腸管や泌尿器に共生している通常無害な常在細菌叢は，バクテリオシン bacteriocin と呼ばれるタンパク質性抗菌物質や酸の産生により病原性微生物の感染を阻害している．また，侵入に成功したとしても，共通の栄養を奪い合うことで，病原性微生物の増殖を拮抗的に阻害することができる．これらを**生理的バリアー**と呼ぶ．

3）　化学的バリアー，非特異的可溶性因子

さまざまな粘膜上皮から分泌される成分もバリアーとして機能しており，**化学的バリアー**と呼ばれる．たとえば，皮脂腺から分泌される脂肪酸，汗のなかの乳酸，胃粘膜から分泌される胃酸などは抗菌活性を示し，汗の塩分は細菌の増殖を抑制している．唾液，鼻汁，涙などの上皮分泌液中および血清，体液中に含まれるリゾチームはグラム陽性菌の細胞壁ペプチドグリカン層を破壊する塩基性酵素で，殺菌作用を示す．ラクトフェリンは哺乳類の乳，涙，唾液，胆汁などに含まれ，細菌の成長

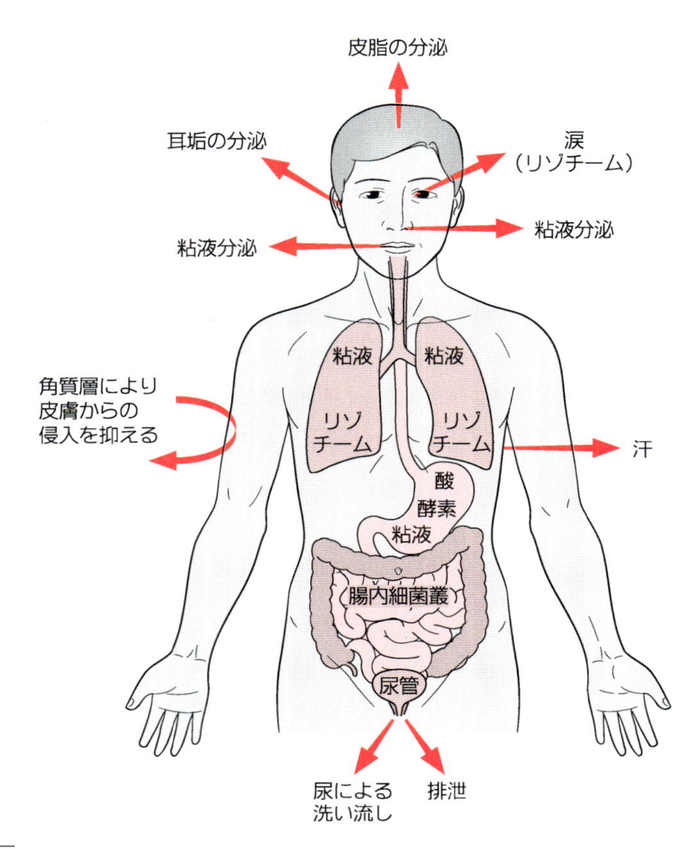

図 3-2　自然免疫におけるバリアー

異物の侵入を避けるために，さまざまなバリアーが存在する．皮膚や粘膜から分泌される体液や粘液は上皮細胞への付着を防ぐ．また，胃酸による pH 低下は細菌の生存を妨げる．

表 3-2　感染に対するバリアー

物理的	密着結合した上皮細胞による侵入阻害 上皮の長軸方向の空気の流れ，体液の流れによる排除 線毛上皮による粘液の移動
生理的	常在細菌が結合部位，栄養面で拮抗阻害し，抗菌物質も産生
化学的	脂肪酸（皮膚） 酵素・リゾチーム（唾液，汗，涙） ペプシン（胃） 抗菌ペプチド：ディフェンシン◆（皮膚，腸管），リプチジン（腸管）

多くの異物はさまざまなバリアーによって生体内への侵入を阻まれているが，一方で宿主はさまざまな微生物を常在細菌として獲得することで，病原性微生物と拮抗させ，結果として侵入を防いでいる一面もある．

◆ディフェンシン　α ディフェンシンは腸管で，β ディフェンシンは皮膚で発現している．

に必要な鉄を奪い合うことで静菌作用を示すとともに，グラム陰性菌の細胞壁成分であるリポ多糖 lipopolysaccharide（LPS）を遊離させ，細胞壁を破壊する．

また，2 章-3.「補体」（p31）で述べたように，血液中の**補体**タンパク質も自然免疫で重要な役割を果たす可溶性因子であり，バリアーを超えて侵入してきた異物に対しては，まず補体系が働く．異物を認識し，補体が活性化されると，その過程で抗原のオプソニン化，走化性因子産生による炎症誘導，膜侵襲複合体（MAC）

による異物の破壊が起こる．さらに，病原性微生物が感染した種々の細胞が産生するサイトカイン（7 章-1.「サイトカイン」（p101）参照），ケモカイン（7 章-2.「ケモカイン」（p108）参照）も自然免疫で重要な役割を果たす可溶性因子である．

B　食細胞（貪食細胞）

異物がさまざまな障壁を乗り越えて宿主体内に侵入したとしても，ただちに食細胞によって認識され，破壊される．食細胞としては，単核細胞のマクロファージと多形核細胞の好中球が存在する．まず，組織中でマクロファージが異物を認識すると，**ケモカイン** chemokine◆を産生し，血液中の好中球や単球を感染局所に動員する．この際の**細胞遊走**◆の機構については 5 章-3.「リンパ球の循環」（p78）で詳しく述べる．このように，食細胞は抗原の侵入時に局所に浸潤して作用するために，局所の血管拡張，体液成分の血管外組織への滲み出しと同時に産生されるサイトカインなどによって**炎症**◆状態をつくり出す炎症細胞でもある（7 章-1. B「アレルギー反応とサイトカイン」（p104）参照）．

マクロファージは，血液中に存在する単球が，異物が侵入した局所に移行し，成熟したものである．あらかじめ異物侵入が想定される組織に定住しているものもあり，定住性マクロファージと呼ばれる．それらは定着した各組織により異なる名称をもち，肝臓ではクッパー Kupffer 細胞，骨組織では破骨細胞，脳ではミクログリア microglia 細胞などと呼ばれる．

もう 1 つの食細胞である好中球は，細胞質に大きな顆粒をもつ顆粒球の 1 つで，細菌の侵入の際に単球よりも早く局所に動員され，急性炎症反応に関与する．細胞の寿命は短く，**アポトーシス** apoptosis◆によって血流中で死んでしまう．死滅した好中球は，マクロファージに貪食される．

食細胞による非特異的な抗原認識は細胞表面上に発現しているパターン認識受容体（本章-2. D「パターン認識受容体」（p45）参照）を介して始まる．**食作用**（**ファゴサイトーシス**）は複数のステップからなり，細胞表面受容体による異物の認識，**エンドサイトーシス** endocytosis◆による貪食，細胞内での消化により最終的に微生物を殺す（**図 3-3**）．具体的には，まず，細胞表面に存在するマンノース受容体などのパターン認識受容体や補体受容体 complement receptor（CR）および IgG に対する Fc 受容体（FcR）が異物を認識し，結合する．補体受容体や Fc 受容体は，それぞれ補体成分や抗体によってオプソニン化（2 章-3. B「補体の生理作用」（p34）を参照）された微生物を効率よく貪食することができる．これらの受容体が結合した異物はエンドサイトーシスにより細胞内に取り込まれ，**ファゴソーム** phagosome を形成する．ファゴソーム内では，活性酸素が生成され，異物が殺菌される．このときの食細胞内には多くの食胞（リソソーム）が存在し，特殊顆粒とアズール顆粒に分けられる．特殊顆粒内にはリゾチームなどが含まれており，異物の殺菌，消化に働く．アズール顆粒内に存在するミエロペルオキシダーゼ（MPO）は，過酸化水素（H_2O_2）および異物の殺菌，消化に必要な次亜塩素酸（HClO）を生成する．ファゴソームとリソソームが融合してファゴリソソームを形成すると，ここで異物の殺菌消化が行われる．ファゴリソソーム膜に集合しているマルチサブユニット酵素ニ

◆**ケモカイン**　白血球などの組織への細胞遊走および活性化に関与するサイトカイン一群の総称．炎症反応の中心的役割を果たす．

◆**細胞遊走**　白血球やリンパ球が組織内を移動すること．

◆**炎症**　細菌などの微生物感染に反応して，局所的に起こる免疫反応．特徴としては，血流の増加，血管透過性の亢進により発赤，腫脹，疼痛，発熱などを起こす．

◆**アポトーシス**　プログラム細胞死ともいう．ネクローシス（壊死）とは異なり，細胞内のプログラムが活性化されることにより起こる細胞死．核 DNA の分解，細胞の残遺物の貪食などを特徴とし，すべての組織で比較的一定の頻度で起こっている．

◆**エンドサイトーシス**　細胞膜の一部が陥入して細胞内小胞を形成することによって，細胞が細胞外のものを内側に取り込む機構．

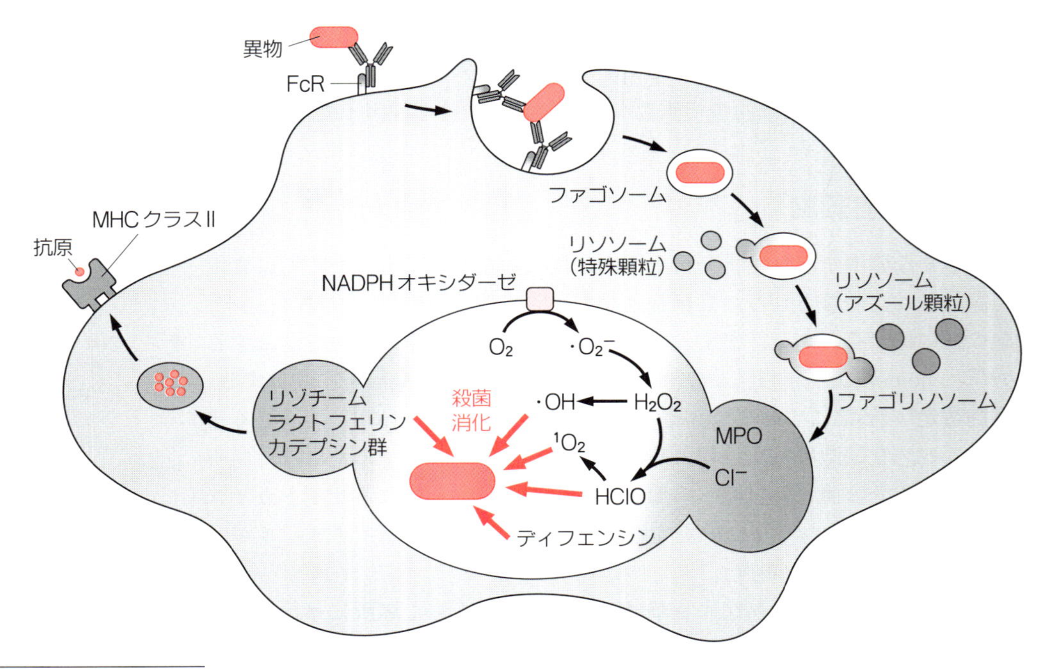

図 3-3　食細胞の消化，殺菌過程

細菌などの異物は，食細胞によって取り込まれてファゴソームを形成後，抗菌物質類の注入により酸性化する．さまざまな顆粒をもつリソソームはファゴソームと融合し，ファゴリソソームとなり，酵素により消化する．最終的にファゴリソソーム膜は破壊され，抗原はペプチドとして細胞表面に提示されるとともに，サイトカインなどの可溶性因子の分泌が誘導される．同時に，マクロファージでは抗原の提示も起こっている．

表 3-3　食細胞によって産生・放出される抗菌物質類

有毒酸素代謝産物	スーパーオキシド（$\cdot O_2^-$），過酸化水素（H_2O_2），一重項酸素（$^1O_2$），水酸化ラジカル（$\cdot OH$），次亜塩素酸（HClO）
有毒酸化窒素類	一酸化窒素（NO），二酸化窒素（NO_2）
抗菌ペプチド	ディフェンシン，陽性荷電タンパク質
酵　素	リゾチーム，酸性加水分解酵素 カテプシン群，プロテアーゼ 3，アズロサイジン
拮抗因子	ラクトフェリン

活性酸素中間体，活性窒素中間体および顆粒内の抗菌性ペプチドや酵素が関与する．これらの多くはマクロファージ，好中球に共通して認められる．

コチンアミドアデニンジヌクレオチドリン酸（NADPH）オキシダーゼは，還元型NADPH と協働して酸素分子をスーパーオキシドなどの活性酸素種に還元し，さらにスーパーオキシドは有毒酸素代謝産物を生成する（**図 3-3**）．NADPH オキシダーゼ機能異常は，活性酸素を産生できないために重篤な感染症を繰り返すことからも，その重要性が示唆される．さらに，**表 3-3** に示すような抗菌物質類によって消化された異物は，抗原提示細胞として機能するマクロファージにおいては，ペプチド断片として MHC クラスⅡに結合し，T 細胞に提示される（**図 3-3**）．

呼吸バースト　好中球内での異物への攻撃は，一過的な酸素消費の増加によって，真菌のみならずグラム陽性菌とグラム陰性菌を殺傷する．この際に，細胞外にも活性酸素種が漏出する．宿主細胞に傷害を与えるため，カタラーゼなどの酵素が活性酸素種を不活性化する．

マクロファージと樹状細胞　マクロファージは，単球が成熟したものである．抗原提示を行うが，貪食能をもち，分解物を処理する役割を担う．一方，樹状細胞は未成熟な段階で貪食能をもつが，成熟すると獲得免疫系を効率よく活性化する．

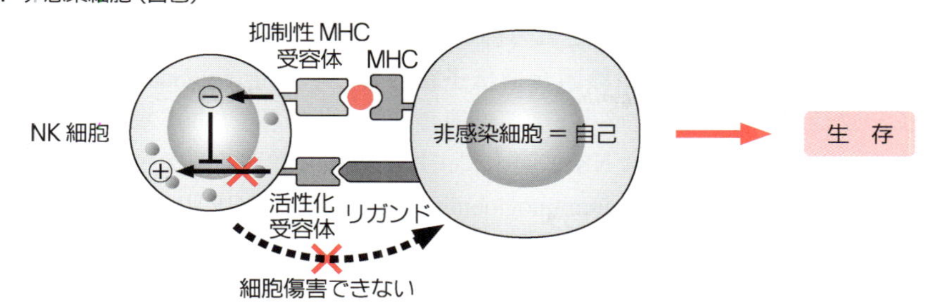

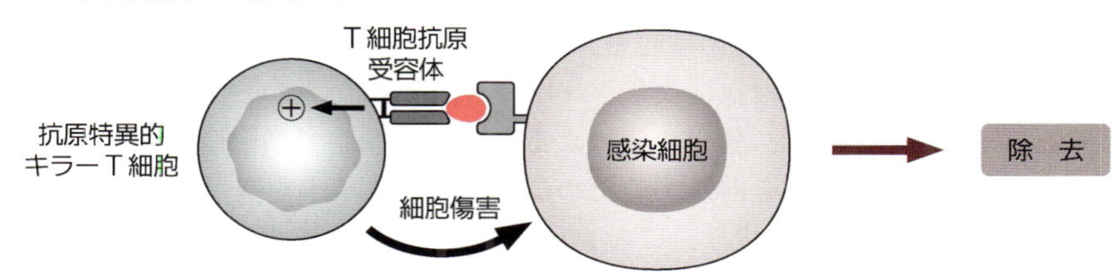

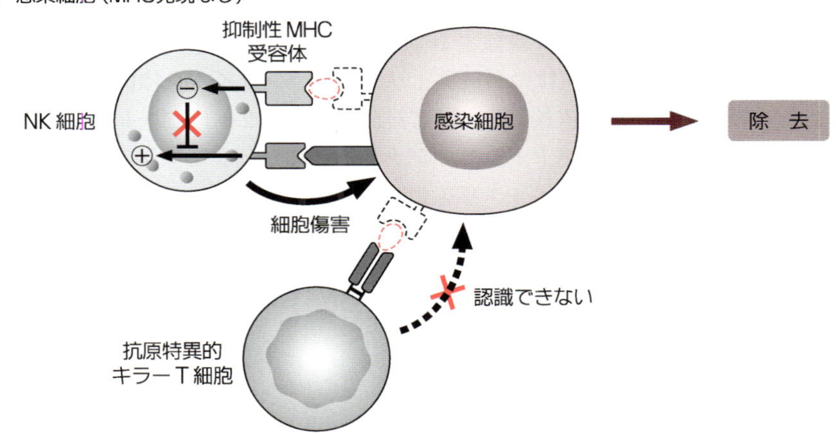

図 3-4　ミッシングセルフ機構

a. 非感染の自己細胞に対して，NK 細胞上の抑制性 MHC 受容体が自己 MHC に結合するため，NK 細胞は活性化されず，傷害されることはない．抑制性 MHC 受容体には MHC のペプチド部分を認識するものとそうでないものが存在する．

b. 感染細胞は，自己 MHC 上に提示された非自己ペプチドを抗原特異的キラー T 細胞が T 細胞抗原受容体を介して認識することで，キラー T 細胞によって傷害される．

c. 感染細胞はウイルスの宿主免疫回避機構によって，MHC 発現量が低下する．その場合，キラー T 細胞による傷害は逃れるが，NK 細胞上の抑制性 MHC 受容体を介するシグナルが欠如するために，NK 細胞が活性化し，傷害する．

C　ナチュラルキラー（NK）細胞

ウイルス感染やがん細胞発生の初期段階で重要な働きをするのが **NK 細胞**である．NK 細胞表面上には抗原を特異的に認識する受容体は存在していないため，異物の除去機構に抗原特異性をもたない．そのために NK 細胞は，**ミッシングセルフ missing self 機構**（**図 3-4**）を有する．これは自己細胞を認識して無視し，正常細胞を攻撃することなく，感染やがん化により自己ではなくなった標的細胞のみを直接攻撃するものである．この機構で認識されるのは，正常な自己細胞表面に存在する「自己」という標識，つまり**主要組織適合遺伝子複合体** major histocompatibility complex（**MHC**）**クラスⅠ**である（4章「主要組織適合遺伝子複合体」（p59）参照）．

MHCクラスⅠを認識する受容体はNK細胞上に主に2種類存在する．免疫グロブリンファミリーに属する killer cell immunoglobulin-like receptor（KIR）/leukocyte immunoglobulin-like receptor（LILR）ファミリー（**図4-6**（p63）参照）とC型レクチンファミリーに属するCD94/NKG2ファミリーである．通常は，NK細胞上のMHCクラスⅠ受容体が自己細胞上のMHCクラスⅠと結合することによって，NK細胞活性を抑制するシグナル，つまり，自己の細胞を「攻撃しないシグナル」が伝達されているために，自己の細胞はNK細胞に攻撃されない（**図3-4**）．しかし，ある種のウイルス感染細胞やがん細胞は，獲得免疫によるキラーT細胞（細胞傷害性T細胞：CTL）の抗原特異的な攻撃を回避するために，抗原ペプチドを提示するMHCクラスⅠの発現を低下させてしまう．このMHCクラスⅠの発現を失った標的細胞はキラーT細胞の攻撃を回避することができるが，NK細胞受容体の「攻撃しないシグナル」を送ることができないために，NK細胞の攻撃を受けるようになる（**図3-4**）．このように，キラーT細胞による排除を逃れた細胞をNK細胞が攻撃することで，異常細胞の増殖を抑え，排除することができる．

NK細胞の殺傷の機構は，細胞内顆粒の**パーフォリン**，**グランザイム**を標的細胞に向かって放出し，標的細胞表面に直接穴をあけて排除する方法と，細胞表面の受容体シグナルを介して標的細胞にアポトーシスシグナルを伝達し，破壊する2通りの方法がある（**図3-5**）．NK細胞はウイルス感染細胞から産生されるインターフェロンによって細胞機能が高められる．またNK細胞は抗体のFc領域と結合する受容体（FcγR）をもつ．

📖 **マクロファージとNK細胞の相互作用**　ウイルス感染によりマクロファージは，モノカインやケモカインを分泌し，NK細胞を動員する．その後，活性化マクロファージはIL-12などにより，NK細胞を活性化し，NK細胞の増殖とIFN-γの分泌を促す．IFN-γは細胞がウイルス感染を防ぐ役割をする．

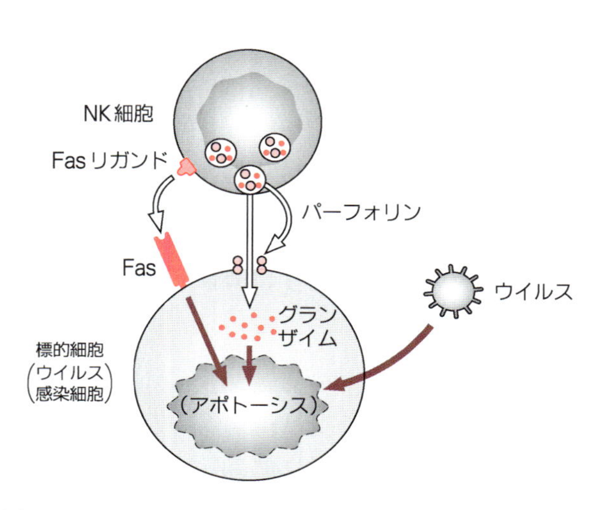

図3-5　NK細胞の細胞傷害作用

NK細胞によるウイルス感染細胞の傷害機構には2通りある．パーフォリン/グランザイム経路では，NK細胞から放出されたパーフォリンが標的細胞上に重合してできた膜貫通チャネルからグランザイムが流入し，アポトーシスを誘導する．Fas/Fasリガンド経路では，カスパーゼという酵素が関与したアポトーシスを誘導する．

D パターン認識受容体（PRRs）

宿主にとって異物として認識される微生物はきわめて多数存在し，さらに，しばしば変異を繰り返すことによって宿主の免疫機構から回避しようとする．ゲノムプロジェクトの結果，ヒトの遺伝子数は約2〜3万個と予想されており，自然免疫において，それら多様な微生物それぞれに対応する受容体をもつことは不可能である．そのため，膨大な種類の微生物に対して有効に機能するために，自然免疫機構は，病原性微生物に共通して存在し，かつ，宿主には存在しない特有な分子構造 pathogen-associated molecular patterns（**PAMPS**）（**図3-6**）を認識することにより，幅広く異物を攻撃することができる．PAMPSには，グラム陰性菌のリポ多糖，細胞壁のペプチドグリカンやマンノース，細菌に特有に存在するヌクレオチド配列（CpG DNA◆），ウイルスの二本鎖RNAなどが含まれる．**パターン認識受容体** pattern recognition receptors（**PRRs**）は食細胞を含む種々の細胞表面上，血液中，

◆ CpG DNA　メチル化されていない細菌やウイルスのDNAモチーフ．哺乳類ではメチル化されており，非メチル化CpG DNAは異物として認識される．

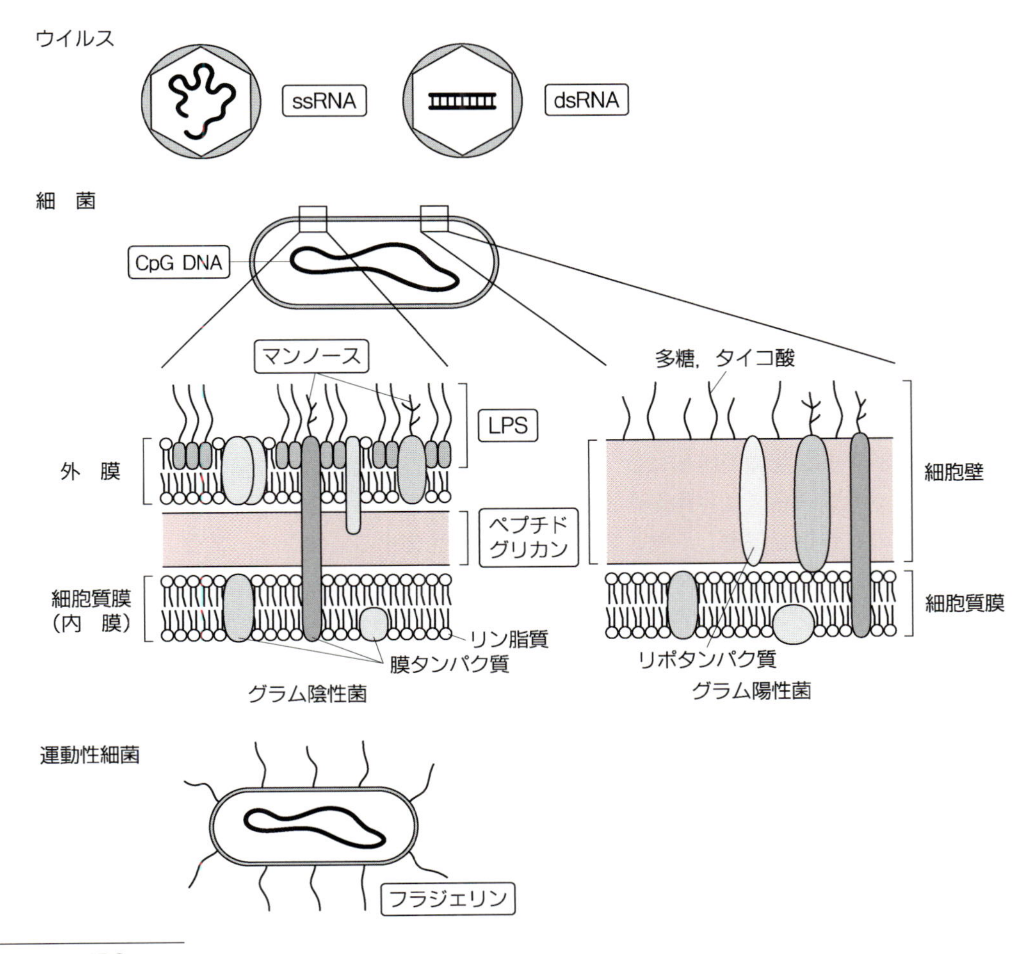

図3-6　PAMPS
病原性微生物の共通構造を示す．さまざまな病原菌に対して感染を防御するために，さまざまな免疫機構が進化し，各成分に対する受容体が存在する．

表 3-4　パターン認識受容体（PRRs）

種　類	受容体	機　能
分泌型	マンノース結合レクチン（MBL） リポ多糖体結合タンパク 補体	補体系の活性化 リポ多糖（LPS）の運搬 補体系の活性化
食作用関連型	補体受容体 マンノース受容体 スカベンジャー受容体（CD36, LOX-1 など） C 型レクチン（DC-SIGN，Dectin-1 など）	食作用の亢進 食作用の亢進 食作用の亢進 食作用の亢進，細胞の活性化
細胞表面受容体型	Toll 様受容体（TLR1，2，4，5，6） CD14	細胞の活性化 細胞の活性化
細胞質型	NOD 様受容体（NLR）（NOD1，2 など） RIG 様受容体（RIG-I） Toll 様受容体（TLR3，7，8，9）	細胞内シグナル伝達 細胞内シグナル伝達 細胞内シグナル伝達

PRRs には，病原体を補足して細胞内に取り込むためのもの，シグナルを伝達して細胞活性化に関与するものが存在し，それぞれが病原体の排除に機能している．

組織液中に存在し，膨大な種類の病原性微生物に対して限られた数しか存在しない．パターン認識機構を異物認識に用いることで，たとえば，多種類のグラム陰性菌全体に対して LPS を認識する 1 種類の受容体で，ウイルス全体に対して二本鎖 RNA を認識する 1 種類の受容体で効率よく認識し，排除することができる．このように 1 つのパターン認識受容体が複数の微生物などを認識することから，自然免疫における受容体は特異性が低いといわれる．

パターン認識受容体には，機能的に，分泌型，食作用関連型，細胞表面受容体型，細胞質型の 4 種類が存在する（**表 3-4**）．

分泌型パターン認識受容体には，グラム陽性菌，グラム陰性菌や酵母のマンナンやマンノースに結合し，補体を活性化するマンノース結合レクチン（MBL）がある．MBL は補体系を活性化し，その結果，溶菌を起こしたり，補体受容体を介したオプソニン作用による食作用を促進したりする．

食作用に関するパターン認識受容体には，マクロファージの細胞表面上に発現している補体受容体やマンノース受容体が含まれる．補体受容体は補体成分でオプソニン化された異物の食作用を促進し，マクロファージを活性化する．マンノース受容体も，細菌，真菌，原虫表面上のマンノースに結合し，食作用を促進する．

細胞表面受容体型パターン認識受容体の 1 種である **Toll 様受容体** Toll-like receptor（**TLR**）は，マクロファージ，樹状細胞，B 細胞などの多くの細胞種の細胞表面に存在する．それぞれの TLR（TLR1, 2, 4, 5, 6）は**図 3-7** に示すような対応をする PAMPS リガンドと結合すると，細胞内シグナル伝達を誘起し，自然免疫反応を発動する．

また，細胞質型パターン認識受容体には，エンドソーム膜に存在する TLR（TLR3, 7, 8, 9）のほかに，**NOD**（nucleotide binding domain）**様受容体** NOD-like receptor（**NLR**）◆や **RIG**（retinoic acid-inducible gene）**様受容体** RIG-like receptor（**RLR**）などの細胞質中に存在するものが含まれる．細胞質型の受容体は，細胞により貪食された微生物の核酸や細胞質において微生物感染を検出するために進化したものである．

◆ **NOD 様受容体（NLR）**　細胞質型パターン認識受容体の 1 つ．NLR は細胞質の PAMPS を検出して，炎症を促進する．そのサブファミリーの 1 つ，NLRP は微生物感染を検知すると，インフラマソーム inflammasome 複合体というシグナル伝達複合体を形成し，IL-1 ファミリーを活性型に成熟させて炎症反応を誘導する．

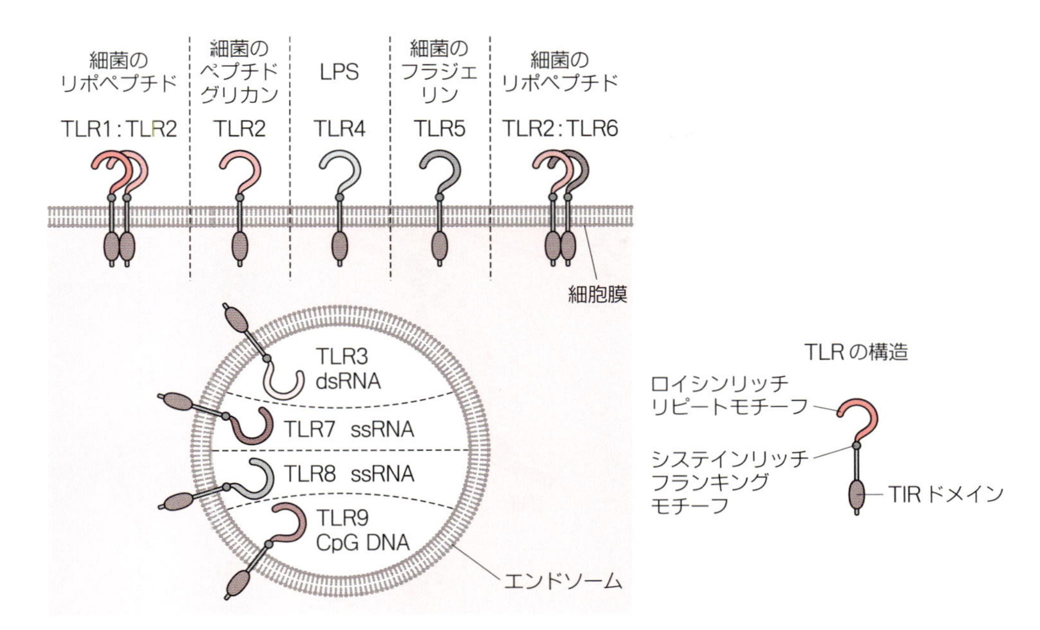

図 3-7　TLR の構造と特異性

TLR は馬蹄形のリガンド結合ドメインをもち，細胞外およびエンドソーム膜に局在することによって，あらゆる状態の病原性微生物への対応が可能となっている．

［Abul Abbas et al: Cellular and Molecular Immunology 7th Ed. ELSEVIER, 2012 をもとに作成］

このように，パターン認識受容体は，さまざまな種類として存在することで，あらゆる宿主内に存在する病原性微生物に対する応答が可能となっている．そのなかでも TLR は前述のとおり幅広い特異性をもつ受容体群であり，哺乳類以外でも鳥類，両生類，魚類，線虫などで見出されている．それぞれの TLR は細菌，ウイルス由来の多様性に富んだリガンドを認識し，シグナル伝達を開始する（**図 3-8**）．TLR1, 2, 5, 6 は一部ヘテロ二量体化することによって細胞外環境の PAMPS を認識し，アダプタータンパク質 MYD88 と会合することによってシグナル伝達を開始し，転写因子 NFκB を活性化する．その結果，炎症性サイトカイン（TNF, IL-1, IL-6）の産生を誘導し，炎症反応を誘起する．一方で，抗原提示細胞においては，T 細胞への抗原提示過程に必要な補助因子である CD80, CD86（**図 3-15** 参照）の発現を誘導し，獲得免疫発動にも関与している．一方，TLR3 は TRIF と会合してシグナル伝達を開始し，転写因子 IRF3, IRF7 を活性化することによって I 型インターフェロン（IFN-α, IFN-β）を産生し，抗ウイルス応答を誘導する．TLR4 は MYD88, TRIF 両方と会合するため両方の経路を，TLR7, 8, 9 は MYD88 と会合するだけで，2 つの経路分子（NF-κB と IRF7）を活性化する（**図 3-8**）．

E　自然リンパ球（ILC）による免疫制御機構

前述のように，近年自然免疫と獲得免疫のかけはしとなるような細胞集団である自然リンパ球（**ILC**）が発見され，注目されている．ILC はリンパ球であるにもかかわらず，B 細胞抗原受容体（BCR），T 細胞抗原受容体（TCR）に相当する抗原

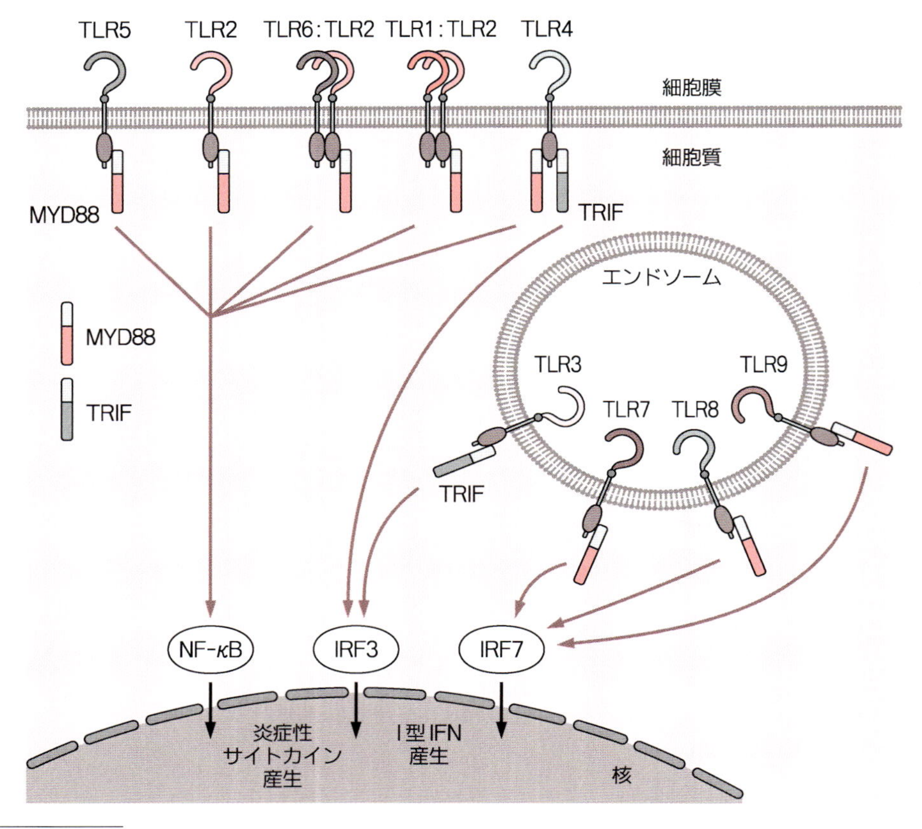

図 3-8　TLR のシグナル伝達
それぞれの TLR はリガンド認識後，アダプタータンパク質と結合することによって，シグナルを開始する．シグナル下流において活性化される転写因子の種類によって，炎症性サイトカインを産生し，急性炎症や適応免疫誘導に関与するものと，I 型 IFN を産生し，抗ウイルス応答に関与するものがある．
［James Q. Wang et al: Toll-like receptors and cancer: MYD88 mutation and inflammation, Front. Immunol 31, 2014 をもとに作成］

受容体をもたない．そのために，活性化機構が異なっており，リンパ球が抗原受容体への抗原結合によって活性化するのに対して，ILC はほかの細胞が産生したサイトカインが細胞表面のサイトカイン受容体に結合することによって迅速に活性化する．現在，産生するサイトカインの種類により ILC1〜3 に分類され，それぞれは共通の前駆細胞から分化することがわかっている．ILC1 は IFN-γ を産生し細胞傷害活性をもち，ILC2 は IL-5 や IL-13 を産生し，アレルギー応答に関与，ILC3 は IL-17 や IL-22 を産生し，粘膜免疫における重要性が示唆されている．

ILC は自然免疫応答から獲得免疫の誘導の間のかけはしとなる細胞群として，発見からこれまでに精力的に研究がすすめられ，多数の成果が報告されてきた．しかし，いまだ不明な点も多く，今後の研究によりヒト免疫における機能の理解が進むことが期待される．

創薬ターゲットとしての ILC2　ILC2 は気管支で IL-5 や IL-13 を産生することから，気管支喘息の治療ターゲットとして注目されている．

3. 獲得免疫

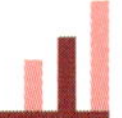

コアカリ到達目標
- 体液性免疫と細胞性免疫について説明できる.
- 自然免疫および獲得免疫における異物の認識を比較して説明できる.

大部分の異物は非特異的な自然免疫によって排除されるが，強い病原性をもつ微生物は自然免疫を逃れて体内に侵入，増殖を始める．これら病原性微生物の排除に働くのが**獲得免疫機構**である．中心となる細胞は，マクロファージ，樹状細胞などの**抗原提示細胞**と，抗原特異的に異物を認識し，攻撃する**リンパ球**（**B細胞**と**T細胞**）である．獲得免疫のうち，B細胞が産生する抗体が主役を担うものを**体液性免疫**，リンパ球（T細胞）自身が主役を担うものを**細胞性免疫**と呼ぶ．進化的に植物から哺乳類まで広く保存されている自然免疫に対して，獲得免疫は脊椎動物（哺乳類，鳥類，一部の両生類，爬虫類，硬骨魚類，軟骨魚類）にしか存在しない免疫機構である．また，直接の免疫反応に加えて，**免疫学的記憶**を誘導し，二度目以降の感染に対してより効果的に機能することができる．さらに，個々の抗原への特異性，あらゆる抗原に対応するための多様性を高めるために，抗原認識受容体の遺伝子再構成（6章「多様性獲得機構」(p81) 参照）が起こる点が自然免疫とは異なる．

A 獲得免疫における抗原認識

獲得免疫におけるT細胞の自己，非自己の認識は，抗原提示細胞上でペプチドを提示したMHC分子とリンパ球上の抗原受容体との相互作用に依存している．ペプチドを提示するMHCには，クラスⅠとクラスⅡがある．MHCクラスⅠは一部を除くほぼすべての体細胞に発現しており，主に内在性抗原を提示して**キラーT細胞**に認識される．キラーT細胞は，自己のMHCクラスⅠに提示された抗原のみを認識し，標的細胞を破壊することができる．MHCクラスⅡはマクロファージ，樹状細胞，B細胞などの抗原提示細胞上に発現している．抗原提示細胞は体内に侵入した微生物や異物を取り込み，消化した後に，リンパ節において外来ペプチドとして**ヘルパーT細胞**に提示する（**図3-9**）．ヘルパーT細胞は，自己のMHCクラスⅡに提示された抗原のみを認識することができる．これらのペプチド-MHC複合体をT細胞上で抗原特異的に認識するのが**T細胞抗原受容体** T cell antigen receptor（**TCR**）である．TCRによる自己，非自己の認識がMHC分子に依存していることから，T細胞による抗原認識はMHC拘束性であるという．

一方，B細胞上の**B細胞抗原受容体** B cell antigen receptor（**BCR**）は，直接抗原を認識し，ヘルパーT細胞の助けを受けて**抗体産生細胞**（**形質細胞**）へと分化し，抗体を産生する．BCRは免疫グロブリンともいい，B細胞から産生される分泌型の免疫グロブリンが抗体である．

B 獲得免疫の成立

獲得免疫の成立は，抗原が抗原提示細胞に取り込まれT細胞に提示されること，またはB細胞が直接抗原を認識することから始まり，その後エフェクター機能が発揮されるまでを指す．この過程には多くのサイトカインが関与している（**図3-10**）．抗原提示細胞のうち，マクロファージと樹状細胞が非特異的に抗原を貪食

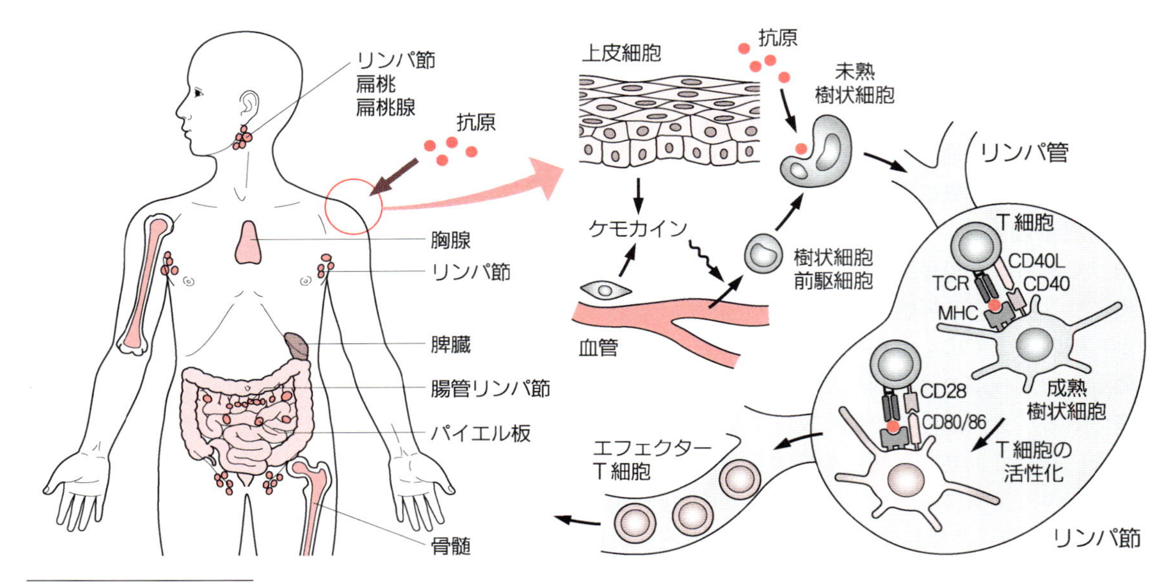

図 3-9　リンパ節における抗原提示

皮膚や気道のバリアーを超えて生体内に侵入した病原性微生物は，局所に存在する抗原提示細胞によって捕捉され，消化した抗原提示細胞によって所属リンパ節に運ばれる．そこで，抗原提示細胞は細胞表面の MHC クラスⅡに結合した病原性微生物由来のペプチドを T 細胞に提示する．成熟した樹状細胞は補助刺激分子を発現するとともにナイーブ T 細胞を活性化することができる．

するのに対して，B 細胞は表面に発現している BCR と特異的に結合する抗原のみを取り込み，提示する．

抗原提示細胞上で MHC クラスⅡとともに提示されたペプチドは，ナイーブ T 細胞（Th0）上の TCR に特異的に認識され，分化・増殖シグナルを伝達する．分化したヘルパー T 細胞は産生するサイトカインの種類によって，サブセットに分けられる（**表 3-5**）．

分化後の **Th1 細胞**は IFN-γ や IL-2 を分泌し，マクロファージなどの食細胞の活性化を高め，一般的にキラー T 細胞を分化・増殖させるために細胞性免疫の成立に関与しているといわれる．キラー T 細胞は，細胞上の MHC クラスⅠ-ペプチド複合体をキラー T 前駆細胞の TCR が認識し，サイトカインの作用を受けて細胞傷害活性をもつ細胞へと分化・増殖したものである（**図 3-10**）．（**図 4-5**（p63）も参照のこと）．

一方，**Th2 細胞**は IL-4, IL-5, IL-13 などを分泌し，抗原刺激を受けた B 細胞の抗体産生細胞への分化，抗体産生を誘導するため，体液性免疫の成立に関与しているといわれる（**図 3-10**）．

また，Th1，Th2 とは別系列で，IL-17 を産生する $CD4^+$T 細胞の新たなサブセットとして **Th17** および免疫を制御する機能をもつ**制御性 T 細胞**（**Treg**）の存在が明らかになった．Th17 は IL-17 を産生することによって好中球を動員・増殖・活性化し，炎症反応を誘導する．そのため，細菌感染時の病原体排除や自己免疫疾患における炎症維持において重要である．一方，Treg は複数のサブセットが存在し，まだ不明な点が多いが，IL-10 などの抑制性サイトカインを産生することにより T 細胞の免疫反応を抑制する（15 章-3. Ⓒ「免疫寛容と治療」（p269）参照）．その

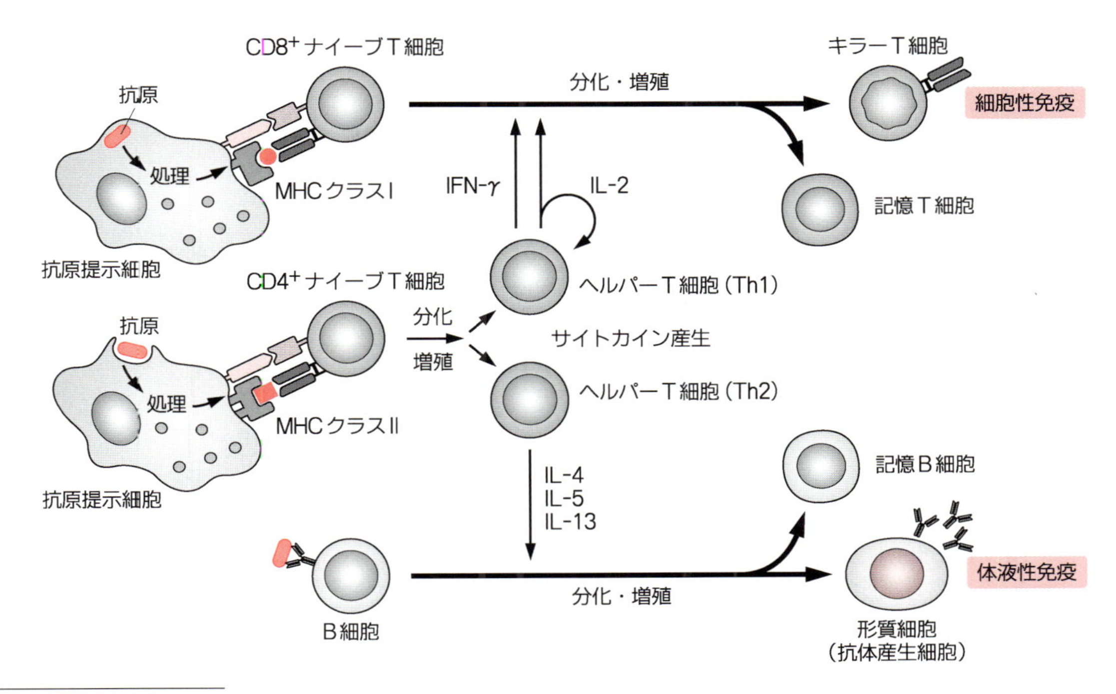

図 3-10　獲得免疫の成立

抗原提示細胞を含む有核細胞上の MHC クラス I は特異的なキラー T 前駆細胞の分化・増殖を促し，細胞性免疫を活性化する．一方，抗原提示細胞に取り込まれた外来抗原はプロセシング後 MHC クラス II に提示され，B 細胞を主体とした体液性免疫を活性化する．それぞれの免疫の活性化にはヘルパー T 細胞との接触が必要である．

表 3-5　ヘルパー T 細胞サブセット

	分化誘導サイトカイン	産生サイトカイン	機　能
Th1	IL12，IFN-γ	IFN-γ	マクロファージ・NK 細胞活性化，キラー T 細胞増殖・活性化誘導
Th2	IL-4	IL4，IL-5，IL-6，IL-10，IL-13	B 細胞活性化・増殖・分化誘導
Th17	IL-6，TGF-β	IL-17	炎症反応誘導，好中球遊走
Treg	TGF-β	TGF-β，IL-10	免疫抑制
T_{FH}	IL-6，IL-21	IL-21	リンパ濾胞における B 細胞補助

ため，自己寛容の維持に重要である．さらに，Th2 細胞が体液性免疫において重要な機能をもつというこれまでの知見に加え，近年特殊な T 細胞として**濾胞性 T 細胞**（T_{FH}）サブセットの存在が報告され，IL-4 や IFN-γ を産生し，IgG クラススイッチを誘導すると考えられている．このことにより，体液性免疫を担う細胞種としてこれまでの Th2 のみではなく T_{FH} 細胞が非常に注目されており，今後の研究が期待される．

これらの T 細胞は産生するサイトカインによって，互いの機能を制御しており，そのサイトカインのバランスによって免疫応答を調節している（**図 3-11**）．IFN-γ は Th2 細胞の増殖を抑制する一方，Th2 細胞由来の IL-4 や IL-10 はマクロファージや T 細胞に働き，Th1 細胞の分化を抑制する．Th1 が優位になると細胞性免疫が，Th2 が優位になると体液性免疫が優位になるが，いずれが優位になるかを決定して

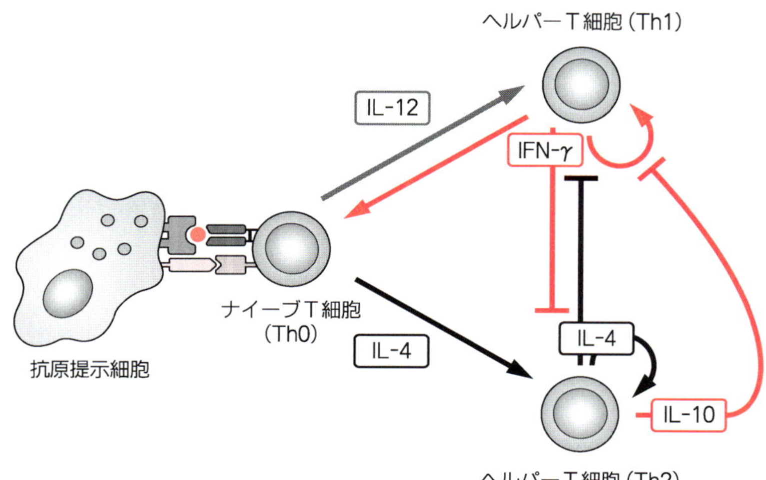

図 3-11　Th1, Th2 サイトカインの免疫調節

Th1, Th2 サブセットへの分化はその後の免疫活性化に重要であるが，高親和性 IL-12 受容体は Th1 細胞に発現するので，Th1 細胞の分化・活性化を促進する．Th1 細胞が産生する IFN-γ は IL-12 受容体の発現を促進するが，IL-4 によって阻害される．一方，IL-4 は Th2 細胞の分化を促進する．

いるメカニズムの詳細はまだ解明されていない．おそらく，抗原の種類，抗原量，抗原提示細胞の種類，宿主の遺伝的背景などが関与していると考えられる．

抗原を認識し，さらにヘルパーT細胞の産生するサイトカインにより分化・増殖して免疫応答機能を発揮するようになったB細胞またはT細胞をともに**エフェクター細胞**という．エフェクター細胞は抗原を排除した後に，次第に消滅し，免疫応答は収束する．

獲得免疫の抗原受容体による異物認識の特異性は非常に高い．自然免疫における受容体分子は個体の成熟過程において不変であるが，獲得免疫における BCR, TCR 分子はともに分化の過程で元来の遺伝子構成をもとに遺伝子再構成を行い，多様な抗原特異性を獲得している．さらに BCR は B 細胞の活性化後も体細胞変異を起こすことによって，より高い親和性で抗原を認識できるようになる（6 章「多様性獲得機構」（p81）参照）．また，抗原提示細胞は自己のT細胞のみに抗原を提示でき，非自己のT細胞には提示できない．同様に，キラーT細胞も自己の感染細胞は破壊できるが，非自己の感染細胞は破壊できない．このように，獲得免疫は，自然免疫と比較して，特異性の高い防御機構である．

C　免疫学的記憶

リンパ球が担う獲得免疫は，抗原を特異的に見分けて作用している．そのため，一度反応した抗原が再度体内に侵入した場合には，一度目（**一次免疫応答**）よりも即時的に，より強力な免疫反応（**二次免疫応答**）が誘導される．これは，一度目の抗原刺激により，その抗原を特異的に免疫機構が記憶するためであり，繰り返し感染をより有効的に回避することができる．このように，同一抗原が再度侵入した場

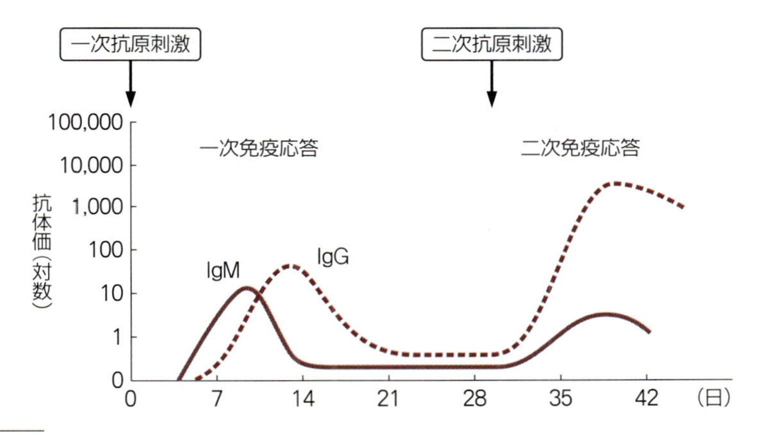

図 3-12　一次免疫応答と二次免疫応答における抗体産生
一次免疫応答初期では IgM が主体で，その後 IgG 主体となる．その後二次抗原刺激によって誘導される IgG 主体の二次免疫応答は，より迅速で，長期にわたって持続する．

合，初回よりも強い免疫応答を起こすことを**免疫学的記憶**という．これは，初回の抗原刺激で分化・増殖したリンパ球のうち一部が，数ヵ月から数年と寿命の長い記憶細胞に分化することによる（**図 3-10**）．記憶細胞には記憶 B 細胞と記憶 T 細胞があり，ともに二次免疫応答では速やかに増殖し，エフェクター細胞になることができる．B 細胞の場合，一次免疫応答では，主として IgM が産生され，IgG は遅れて産生されてくるが，二次免疫応答では主として IgG が大量に産生されるために，より効果的であると考えられる（**図 3-12**）．予防接種はこの免疫学的記憶を利用して行われている．この記憶の機構は，抗原を特異的に認識できる獲得免疫にのみ存在し，非特異的な自然免疫には存在しない．

抗原原罪 original antigenic sin　あるウイルスに感染し，免疫学的記憶が成立した後に，同一だが別の抗原ももつウイルスに感染した場合，最初の感染の抗原に対する免疫応答は起こるが，新しい抗原に対する免疫応答が抑えられる現象のこと．

D 体液性免疫

抗原に対して特異的な抗体が産生され，抗体反応によって効果的に抗原除去が行われる機構を**体液性免疫**という．そのため，体液性免疫は，抗血清を注射することによりほかの個体に免疫をうつすことができる．このことを**受動免疫**という．体液性免疫は毒素などの高分子抗原や組織細胞外の細菌感染において顕著に起こる．

抗体を産生するのは B 細胞である．B 細胞が細胞表面上の BCR を介して抗原を特異的に認識すると，Th2 細胞が分泌する IL-4, IL-5, IL-13 の刺激を受けて抗体産生細胞へと分化・増殖し，抗体を産生する．B 細胞を活性化する抗原には，ヘルパー T 細胞（Th2）の助けを必要とする抗原（**T 細胞依存性抗原**）と，単独でシグナルを伝達できる抗原（**T 細胞非依存性抗原**）の 2 種類が存在する．これらの抗原はともに, BCR シグナル単独（第 1 のシグナル）では B 細胞を活性化することができず，第 2 の補助刺激シグナルが必要である（**図 3-13**）．T 細胞依存性抗原の補助刺激シグナルは Th2 細胞上の CD40 リガンド（CD40L）と B 細胞上の CD40 を介するシグナルであり，このシグナルがないと，抗原を結合した B 細胞も抗体産生細胞に分化することができない．そのため，B 細胞は MHC クラス II 分子に結合したペプ

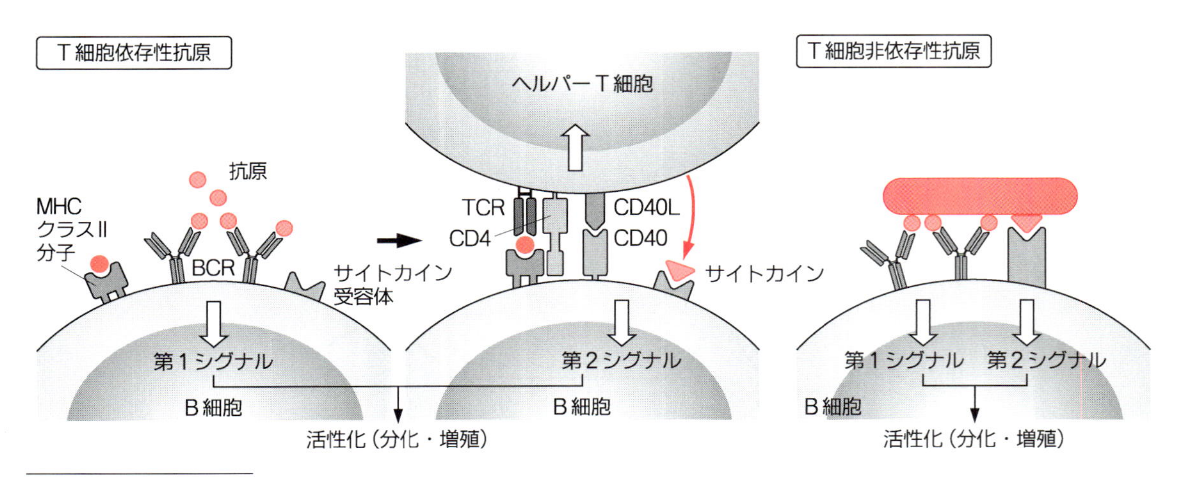

図 3-13　B 細胞活性化に必要なシグナル

T 細胞依存性抗原の場合，B 細胞の活性化には，BCR シグナルとともに抗原特異的ヘルパー T 細胞による CD40L-CD40 シグナルが必要である．同じ抗原エピトープを多数繰り返してもっている T 細胞非依存性抗原の場合，BCR は強く架橋されることによって活性化される．補体シグナルが第 2 シグナルとして働くことがある．また，細菌由来の抗原の場合は，パターン認識受容体を介するシグナルも入る．

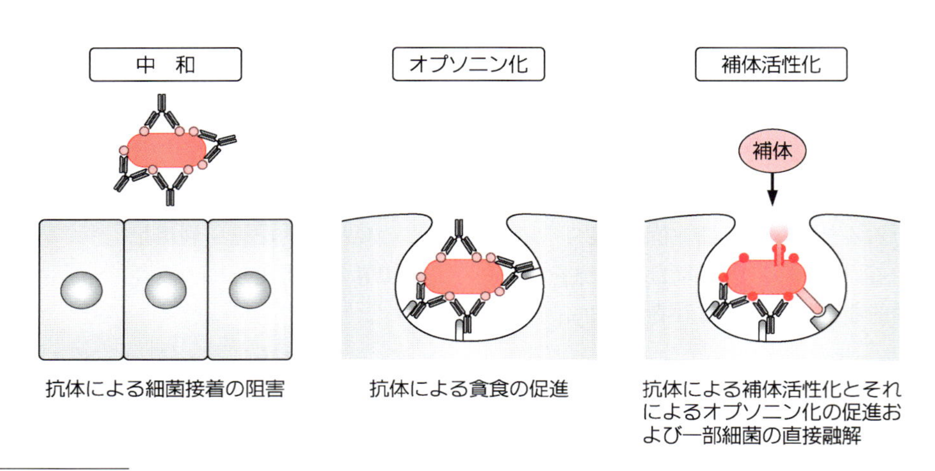

図 3-14　抗体による体液性免疫

抗体が抗原に結合することによって細胞内への取り込みを阻害することを中和，IgG 分子におおわれることによって Fc 受容体（FcR）を介して食細胞に取り込まれ，消化できるようにすることをオプソニン化という．オプソニン化によって補体系を活性化することもできる．補体活性化については 2 章を参照のこと．

チドとして抗原を提示し，抗原特異的な T 細胞の補助を受ける．T 細胞依存性抗原特異的な B 細胞は CD40L-CD40 シグナルおよび，Th2 細胞から産生されるサイトカインが B 細胞の分化・増殖，クラススイッチの誘導に必須である．T 細胞非依存性抗原は，直接 B 細胞を刺激して抗体産生を誘導するために，反復した抗原決定基をもつ多価抗原であり，効果的に BCR を架橋して B 細胞を活性化する．細菌由来のものが多く，Th2 細胞からの補助がないために，サイトカインが分泌されず，クラススイッチが起こらず，IgM クラスの抗体産生が起こる（**図 6-6**（p89）参照）．

抗体による抗原除去のエフェクター機構にはいくつかの方法がある（**図 3-14**）．まず，病原性微生物や毒素から生体を防御する最も簡単な方法は，それらに結合し，細胞への接近を防ぐことで，感染や傷害を阻止することである．これは**中和**と呼ばれ，感染・傷害を防ぐとともに，免疫複合体を形成し，食細胞による Fc 受容体（FcR）を介する食作用を促進する．具体的には，外毒素性疾患（破傷風，ジフテリア，ガス壊疽，ボツリヌス症）では毒素に対する IgG を中心とした中和抗体が毒素の生理活性部位に結合すると，毒性は減弱または消失する．また，感染細胞から遊離してきたウイルス（ポリオウイルス，日本脳炎ウイルス，肝炎ウイルス，麻疹ウイルス）は中和抗体と結合することにより，増殖が阻止される．IgA は粘膜や母乳中に局在し，微生物が侵入した局所（気道，消化管）で免疫を担当し，インフルエンザウイルス，ポリオウイルス，風疹ウイルス，ムンプスウイルスの中和による粘膜への付着を阻害し，感染防御に有効である．

次に，細胞外で増殖する細菌や食細胞により直接認識されにくい多くの細菌に対しては，抗体が結合するだけでは分裂を十分抑制できないため，抗体が結合することにより，補体と同様に食細胞に貪食されやすくする．この作用を**オプソニン化**という．好中球，マクロファージはともに FcγR や補体受容体を細胞表面上に発現しているので，抗体や補体 C3b と結合した抗原を選択的に捕え，殺菌・消化する．ブドウ球菌，レンサ球菌，インフルエンザ菌，緑膿菌などは主に好中球によって処理される．

第 3 の抗体の機能は，**補体活性化**することによって細菌を破壊させる作用である．細菌に結合した抗体が補体系の第 1 成分 C1 に認識され，最終的に細菌の細胞膜に穴があいて直接細菌を傷害する．この場合，細菌表面で IgM は五量体を形成しているため，IgG 単量体よりも補体活性化を効率よく行うことができる．

また，抗体は抗原と結合して補体を活性化し，その結果生じた走化因子により好中球を細菌侵入部位に呼び寄せ，炎症反応を誘導する機能をもつ．

さらに，細胞表面に結合した抗体が FcγR を介して NK 細胞に認識されると，NK 細胞はパーフォリン，グランザイムなどの細胞傷害物質（サイトトキシン）を放出し，標的細胞を破壊する．この作用を**抗体依存性細胞傷害作用** antibody-dependent cellular cytotoxicity（**ADCC**）◆という．細菌やウイルス感染防御における ADCC の役割については明らかではないが，本来抗原特異性をもたない NK 細胞に抗原特異的な攻撃を起こさせる例である．

IgE は肥満細胞や好塩基球に FcεR を介して結合すると，細胞が炎症性伝達物質を全身で放出するため，アナフィラキシー様過敏症を起こす．

◆**抗体依存性細胞傷害作用（ADCC）** NK 細胞は細胞表面の受容体を介して抗原非特異的に異常細胞を認識し，傷害するが，抗体分子の定常部に対する受容体（FcγR）を用いて IgG 抗体でおおわれた標的細胞を傷害することができる．標的細胞上の IgG により FcγR が架橋され，NK 細胞が活性化，アポトーシスを強力に誘導するが，生体内での役割については明らかではない．抗体医薬品では生理機能の発現に関与するものもある．

E 細胞性免疫

リンパ球（T 細胞）が MHC と提示されたペプチドの複合体を認識し，排除する機構を**細胞性免疫**という．リンパ球自身が主体のため，抗血清によってこの免疫をほかの個体に移入することはできないが，リンパ球を注射すれば，移入できる．しかし，この際にリンパ球の型が一致していないと**移植片対宿主反応**（**GVHR**）が起こる（9 章-2.「移植と拒絶反応」(p136) 参照）．GVHR は輸血や骨髄移植時に成熟 T 細胞がレシピエント（宿主）の組織を異物と認識することによって免疫反応を起こすことをいう．ヒトでは**移植片対宿主病**（**GVHD**）の原因となる．

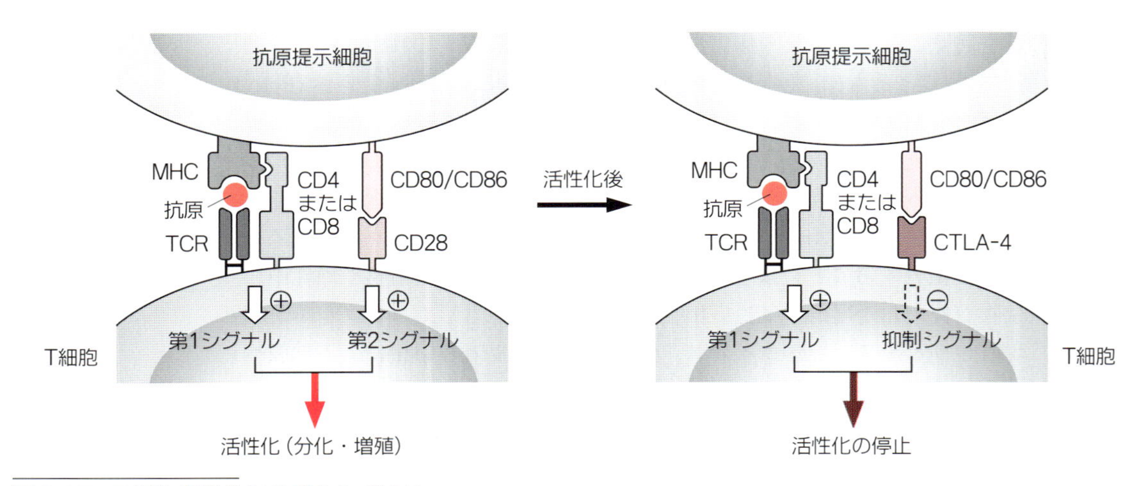

図 3-15　T 細胞活性化に必要なシグナル

T 細胞の活性化には，TCR を介したシグナルとともに，CD80/CD86-CD28 を介する第 2 シグナルが必要であるが，過剰な活性化を防ぐために，活性化後の T 細胞上には抑制性受容体 CTLA-4 の発現量が増加し，CD28 に代わり CD80/CD86 に結合することによって，活性化を収束させる．

細胞性免疫は，T 細胞と T 細胞が認識する抗原をもつ細胞との直接的な相互作用に依存している．最も直接的に作用するのは細胞表面に CD8 を発現しているキラー T 細胞で，ウイルス感染細胞がウイルスを放出する前に認識し，破壊してしまう．その方法は，NK 細胞に類似しており，リンホトキシン，パーフォリン，グランザイムなどの細胞傷害物質を放出することによって，標的細胞（ウイルス感染細胞）を破壊する．この際，キラー T 細胞は標的細胞上の MHC クラス I に提示されたウイルスタンパク質由来の抗原ペプチドを特異的に認識する．

T 細胞の活性化には，B 細胞と同様に 2 種類の独立したシグナルが必要で，抗原特異的な TCR シグナル（第 1 シグナル）に加え，抗原提示細胞上の CD80, CD86（それぞれ B7.1, B7.2 とも呼ばれる．**図 15-11**（p267）参照）と T 細胞上の CD28 の第 2 の補助刺激シグナルが同時に伝達されると，T 細胞は分化･増殖を開始する．また，キラー T 細胞は Th1 細胞が産生する IL-2 によって増殖し，細胞傷害活性を増強している．さらに T 細胞は活性化後に，CD28 に非常によく似たアミノ酸配列をもつ抑制性の細胞表面受容体 CTLA-4 の発現を増強することで，拮抗的に CD28 を介する活性化シグナルの代わりに CTLA-4 を介する抑制シグナルを伝達し，T 細胞の過剰な活性化を停止する機構をもっている（**図 3-15**）．

上記のように，個々の細胞の活性化は，受容体を介する活性化/抑制化のシグナルバランスによって厳密に制御されている（**図 3-15**）が，個体内では，さらに細胞レベルで免疫反応が調整されている．最近存在が明らかとなった Treg は抗原に対する反応性が低く，ほかの T 細胞の増殖・免疫応答を抑制する．通常は活性化 T 細胞と制御性 T 細胞のバランスが適切に調節されているために，非自己に対する免疫応答および自己に対する自己寛容が維持されているが，一度バランスが崩壊すると，自己免疫疾患など病気を引き起こしやすくなる．

F 細胞内寄生細菌

細胞内寄生細菌とは宿主細胞内で増殖し，慢性感染するような細菌である．本来，細菌感染においては，液性因子である抗体が作用できないため，**図3-3**に示すように，食細胞が貪食し，速やかに消化・殺菌される．しかし，一部の細胞内寄生細菌は，免疫回避機構を獲得しており，結核菌やレジオネラ・ニューモフィラはファゴリソソーム形成を阻害する．また，らい菌は活性酸素などの不活性化，リステリア菌はファゴソーム膜破壊による細胞質への回避によって食細胞による殺菌から逃れる．この場合，まずPRRsであるTLRやNLRが細菌成分を認識し，食細胞を活性化するが，完全に細菌を排除することはできない．そこで，ヘルパーT細胞を主とする獲得免疫が作用し，細菌の処理を行う．Th1細胞は，IFN-γなどのサイトカインを産生して，マクロファージを活性化し，活性酸素など殺菌性物質の産生を促進することによって，リソソームと細菌の存在する小胞の融合・殺菌能を誘導する（**図3-16**）．この機構により，食細胞の処理できない細胞内寄生細菌や真菌（カンジダ）を処理できるようになる．また，ファゴソームから細胞質に逃れる細菌については，細菌成分がキラーT細胞を活性化し，感染細胞を傷害する．このように，Th1はマクロファージを活性化し，細菌を消化することによって，キラーT細胞は感染細胞を傷害することによって，協調して細胞内寄生細菌に対して防御している．

B7ファミリー

T細胞活性化を促進または抑制するシグナル伝達を行う抗原提示細胞上の補助刺激分子群．B7.1（CD80）やB7.2（CD86）はT細胞上のCD28ファミリーメンバーであるCD28に結合して活性化促進シグナルを，CTLA-4に結合して活性化抑制シグナルを伝達する．ほかにもB7ファミリーには，近年腫瘍免疫において注目されているB7-H1（PD-L1），B7-DC（PD-L2）も含まれ，T細胞上のPD-1に結合して活性化抑制シグナルを伝達する．

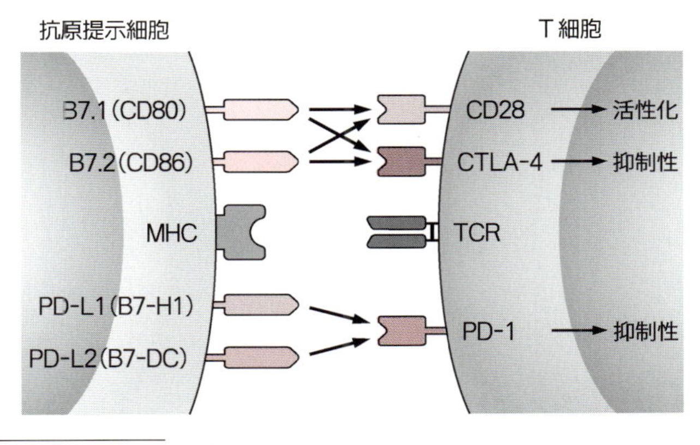

B7ファミリーとその受容体

［Sharpe AH and Freeman GJ: The B7-CD28 superfamily. Nature Reviews Immunology **2**, 116-126, 2002をもとに作成］

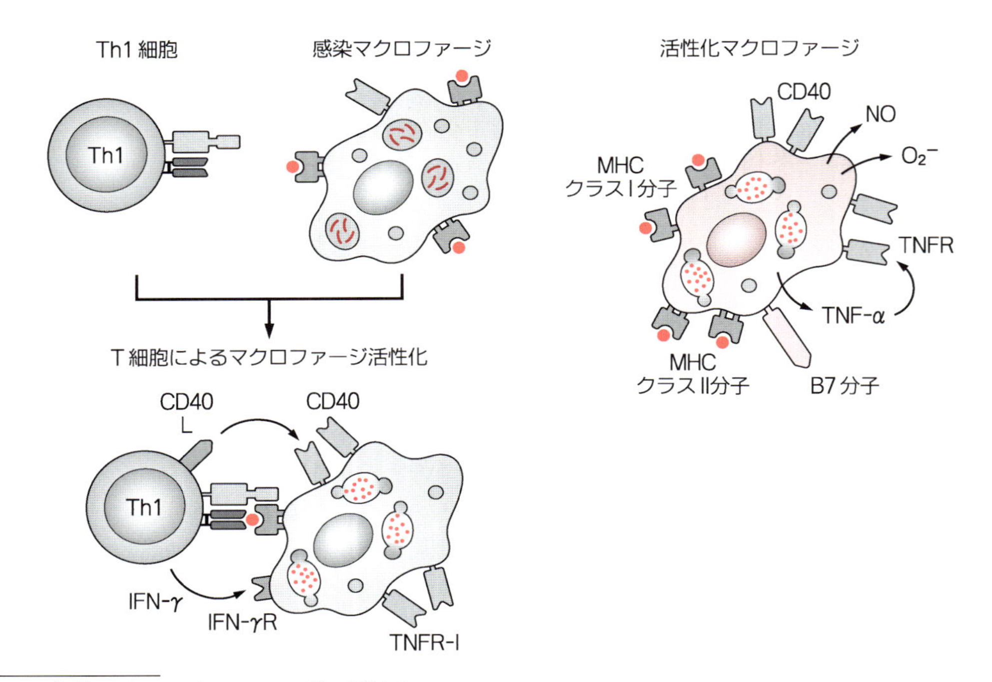

図 3-16　T 細胞によるマクロファージの活性化

マクロファージは，Th1 細胞が分泌する IFN-γ 刺激および CD40L-CD40 刺激を受けることで，さまざまな転写因子活性化を介して細胞内寄生細菌殺菌能を高め，活性化マクロファージとなる．

［笹月健彦（監訳）：免疫生物学原書第 7 版，p.369-370，南江堂，2010 をもとに作成］

4　主要組織適合遺伝子複合体(MHC)

1.　MHCとは

✎ コアカリ到達目標
- MHC抗原の構造と機能および抗原提示での役割について説明できる.

輸血の際には赤血球のABO型を一致させて行う必要があるように，臓器移植や骨髄移植の場合には白血球の型を一致させなければ，強い**移植片拒絶反応**が起きる．この拒絶反応を決定する白血球の型にあたる標的抗原が主要組織適合遺伝子複合体（MHC）の産物であるMHC抗原（MHC antigen）である．MHC抗原の種類が異なる細胞であれば，自分自身ではない（非自己）と判断し，除去する（**図4-1**）．逆に同じ種類のMHC抗原であれば，自己と判断し，許容する．すなわち，MHC抗原は，免疫の基本原則である「自己-非自己の識別（自分自身の細胞であるか，そうでないかを見分ける）」を決定する中心的な分子であり，高等生物の**恒常性**（**ホメオスタシス**）を維持するために重要な免疫応答を制御する．ヒトでは**HLA**（human leukocyte antigen　マウスではH-2抗原）と呼ばれる．

MHC抗原は機能と構造の違いから，MHCクラスⅠとMHCクラスⅡに分けることができる．MHC抗原は2つのポリペプチド鎖からなるヘテロ二量体の膜結合型

a.

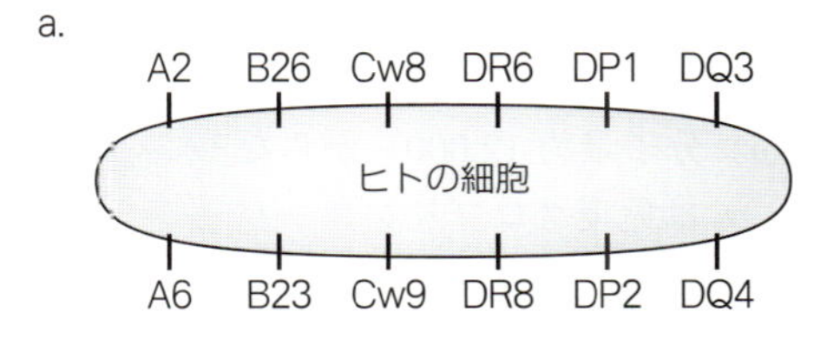

12〜14種類のHLAを発現する
(クラスⅠ 3種類 (A, B, C) と
クラスⅡ 3または4種類* (DP, DQ, DR)
について，各々2つずつ発現する)

b.

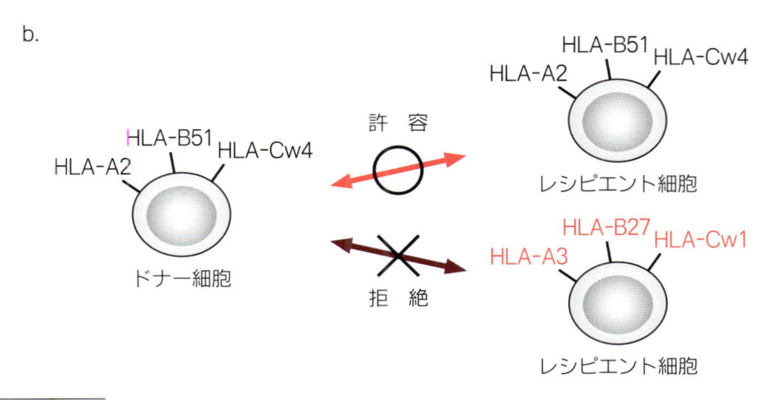

図4-1　MHCの型と免疫応答

a. は実際のHLA発現の例，b. はHLAの一部を取り出して簡略化したもの.
* DRのβ鎖が2種類ある場合がある.

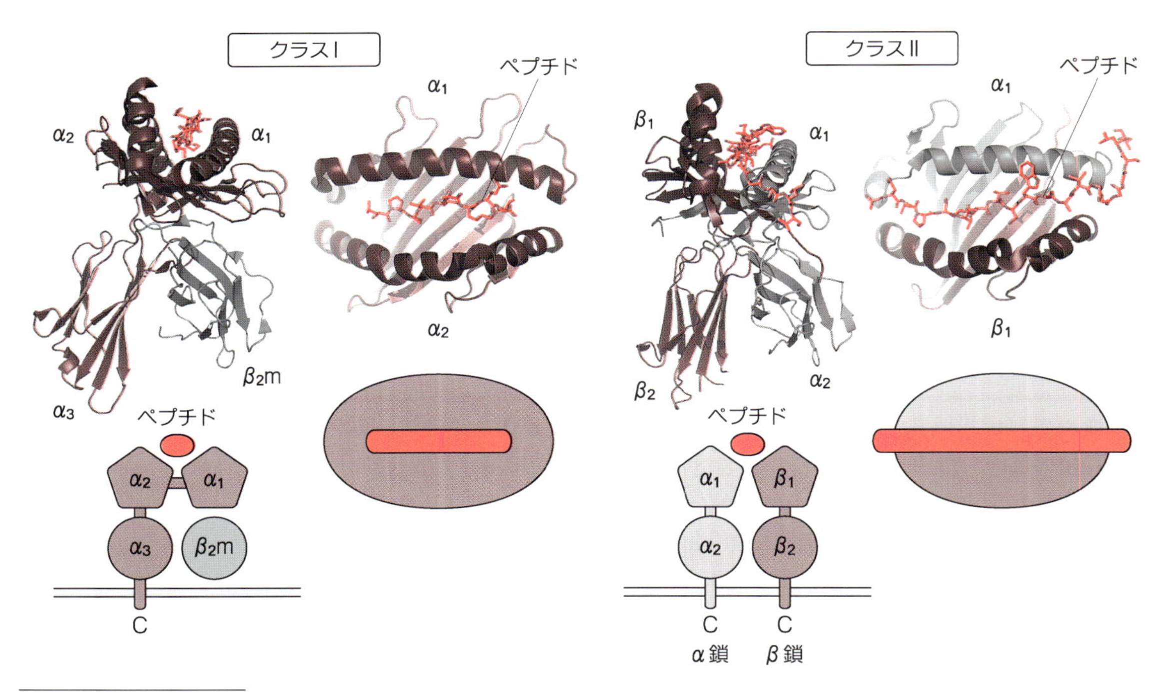

図 4-2　MHC クラスⅠと MHC クラスⅡの構造

糖タンパク質である．

A　MHC クラスⅠの構造

MHC クラスⅠは，すべての有核細胞と血小板に発現する．MHC クラスⅠは α 鎖（分子量約 45,000）と，β_2 ミクログロブリン（β_2m：分子量約 12,000）からなる（**図 4-2**）．α 鎖は α_1〜α_3 の 3 つのドメインからなり，α_3 は免疫グロブリンスーパーファミリー◆に属する．β_2 ミクログロブリンも同じく免疫グロブリンスーパーファミリーに属する．他方，α_1〜α_2 は**図 4-2** のように，2 本の α ヘリックス（らせん）により溝が形成され，その溝に多様なペプチドが入る．これをホットドッグのパンとソーセージにたとえると，MHC クラスⅠがパンに，ペプチドがソーセージにあたる．この溝は両端が閉じており，約 8〜10 アミノ酸程度の短いペプチドしか結合することができない．このペプチドの種類により，自己と非自己が識別される．識別する T 細胞は **CD8 抗原**を発現する**キラー T 細胞**（細胞傷害性 T 細胞：CTL）である．

◆**免疫グロブリンスーパーファミリー**　免疫グロブリンに特徴的な β サンドイッチ構造を有する最もメンバーが多いスーパーファミリーの 1 つ．T 細胞抗原受容体などがこれに含まれる．

B　MHC クラスⅡの構造

MHC クラスⅡは MHC クラスⅠと異なり，マクロファージ，樹状細胞，B 細胞などの**抗原提示細胞**にのみ発現する．MHC クラスⅡは α 鎖（分子量約 35,000）と，β 鎖（分子量約 27,000）からなる（**図 4-2**）．ドメイン構造は大きく異なるにもか

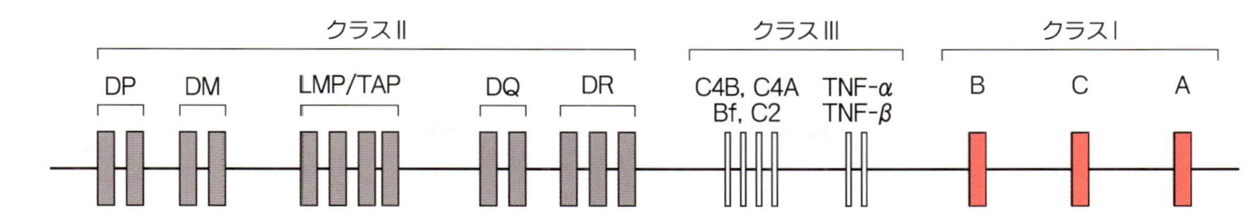

図 4-3　ヒト MHC の遺伝子地図

かわらず，MHC クラスⅠと大変よく似た立体構造を有する．MHC クラスⅠの免疫グロブリンスーパーファミリーに属する α_3 ドメインと β_2 ミクログロブリンに対応するのが α_2 と β_2 ドメインである．α_1 と β_1 が 2 本の α ヘリックスを形成し，ペプチドを結合する溝ができる．この溝は MHC クラスⅠと異なり，両端が開き，10 アミノ酸以上のペプチドの提示を可能としている．これを認識する T 細胞は，**CD4 抗原**を発現する**ヘルパー T 細胞**である．

C　MHC の遺伝子座◆

MHC 遺伝子群はヒトで第 6 染色体，マウスで第 17 染色体に局在する．MHC クラスⅠはヒトの場合 *HLA-A*，*HLA-B*，*HLA-C* の 3 種類の遺伝子座があり（マウスの場合 *H-2K*，*H-2D*，*H-2L* の遺伝子座が存在する．*H-2L* を発現しないマウスも存在する）（**図 4-3**），他方，MHC クラスⅡはヒトで *HLA-DP*，*HLA-DQ*，*HLA-DR* の 3 種類の遺伝子座（マウスで *H-2A*（*I-A*），*H-2E*（*I-E*）の 2 種類の遺伝子座）が存在する．この遺伝子領域には，MHC 抗原以外にも，補体成分や腫瘍壊死因子（TNF）などの遺伝子が局在する MHC クラスⅢ領域がある．ヒトでは，MHC クラスⅠと MHC クラスⅡの 6 種類が対立遺伝子として存在し，これらを両親から 1 つずつ得る．MHC 抗原は**対立遺伝子**◆が両方とも発現する**共優性**◆を示すため，合計 12 種類の遺伝子すべての MHC 抗原が発現することになる．他方，MHC には異なるアミノ酸配列を有する多くの種類が存在する．たとえば HLA-A で 28 種類，HLA-B で 62 種類，HLA-C で 10 種類，HLA-DP で 6 種類，HLA-DQ で 9 種類，HLA-DR で 24 種類が報告されており，これを多型性と呼ぶ（遺伝子レベルではさらに多様である*）．**図 4-4** に具体的な MHC クラスⅠの例を示す．MHC の**多型性**から生ずる種類（HLA-A では HLA-A2 と HLA-A3 などにあたる）と対立遺伝子による**多重性**から生ずる種類（HLA-A，HLA-B，HLA-C にあたる）の組み合わせにより，非常に多くの種類の MHC のパターンをもちうる．そのため，同じパターンの MHC をもつ人を探すことは大変難しい．これは MHC の型を合わせなければならない骨髄移植の提供者をみつけることは容易ではないことにつながる．

ハプロタイプ
多様な MHC 遺伝子が存在する遺伝子座の数万ともいわれる父母由来の 1 対の組み合わせを表す（p197 も参照）．

◆**遺伝子座**　遺伝子の染色体上に占める位置をいう．複数ある MHC の遺伝子座は局所に集まっている．

◆**対立遺伝子**　同じ遺伝子座を占める複数の変異遺伝子を指し，それぞれの遺伝子が対立する形質に対応する．

対立遺伝子排除
allelic exclusion　T 細胞や B 細胞がもつ受容体（TCR，抗体）の遺伝子が再構成される際に，父あるいは母由来のどちらか一方のみの染色体上で起きる．これより，1 つの T（B）細胞が 1 つの TCR（抗体）をもつことになる．

◆**共優性**　対立遺伝子同士が影響しあわずに両方とも独立に発現すること．

* 遺伝子レベルで，*HLA-A* は 7,354 種類，*HLA-B* は 8,756 種類，*HLA-C* は 7,307 種類，*HLA-DPa* は 378 種類，*HLA-DPb* は 1,915 種類，*HLA-DQa* は 423 種類，*HLA-DQb* は 2,193 種類，*HLA-DRa* は 32 種類，*HLA-DRb* は 3,902 種類が報告されている（2022 年 3 月現在）．

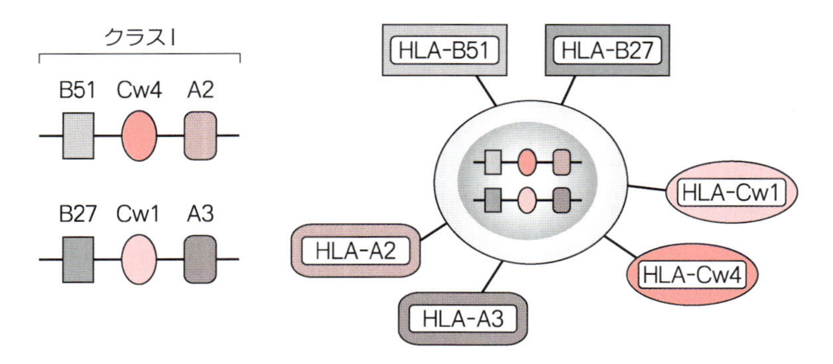

図 4-4　MHC の多型性，多重性

2. MHC クラスⅠの抗原提示

細胞質にあるタンパク質は一部**プロテアソーム** proteasome◆などにより分解され，短いペプチドになる．これが **TAP**（transporter associated with antigen processing）と呼ばれる小胞体膜タンパク質により，小胞体内に輸送される（**図 4-5**）．MHC クラスⅠは小胞体で高次構造を形成し，輸送されたペプチドは TAP に付随するいろいろな分子との共同作業により，MHC クラスⅠのペプチド結合部位に収まる．その後，ゴルジ体を介して，細胞表面にペプチド-MHC クラスⅠ複合体として発現するようになる．この過程を**抗原提示**と呼ぶ．ここで重要な点は細胞内のタンパク質の情報がプロセシングを受けたペプチドの形で細胞表面に提示され，細胞内情報を T 細胞に知らせることができることである．ウイルス感染の場合には，細胞質に通常存在しないウイルス由来のタンパク質が合成され，これらがプロセシングを受けることにより，ウイルス由来のペプチドが MHC クラスⅠに会合した形で細胞表面に提示され，**細胞内の異常を知らせる**ことができる．この非自己を知らせ，T 細胞を活性化するペプチドを **T 細胞エピトープ**と呼ぶ．

◆プロテアソーム　ユビキチンと呼ばれるタンパク質が修飾されたタンパク質を選択的に分解する ATP 依存型のプロテアーゼである．免疫応答に応じて生産されるインターフェロンなどにより，プロテアソームはドメインの構成を変え，MHC クラスⅠに効率的に提示されやすいペプチドに分解する形態に変わる（免疫プロテアソームなど）．

T 細胞は細胞表面に **TCR** を発現し，これがペプチド-MHC クラスⅠ複合体を特異的に認識する（**図 4-6**，6 章-2.「T 細胞の多様性獲得機構」（p88）参照，立体構造などの詳細は15 章-1. Ⓐ「タンパク質の立体構造解析」（p253）参照）．TCR の可変部位が MHC とペプチドの両方を認識し，この複合体が自己であるか否かを判断する．ペプチドだけではなく，MHC が異なることも非自己であるとの判断につながることから前述の **MHC 拘束性**が達成される．TCR–MHC 認識の結果，CD3 分子や補助受容体 co-receptor である CD8 分子がシグナルを伝達し，活性化される（MHC クラスⅡも同様であり，シグナル伝達には CD4 分子がかかわる）．MHC クラスⅠにより活性化されるのは**キラー T 細胞**（**細胞傷害性 T 細胞**：CTL）であり，ウイルス感染細胞を直接パーフォリンやグランザイムなどを用いて，あるいは Fas の経路を利用して破壊する．

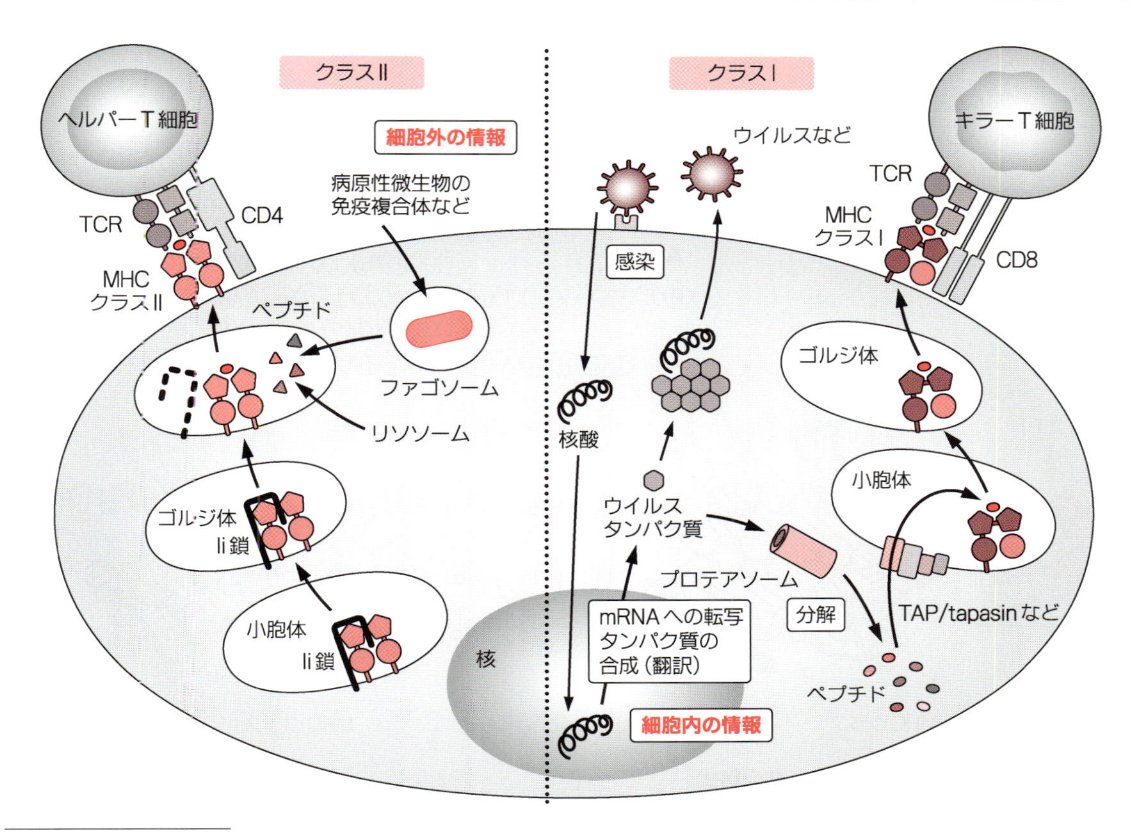

図 4-5　MHC の抗原提示経路の概略

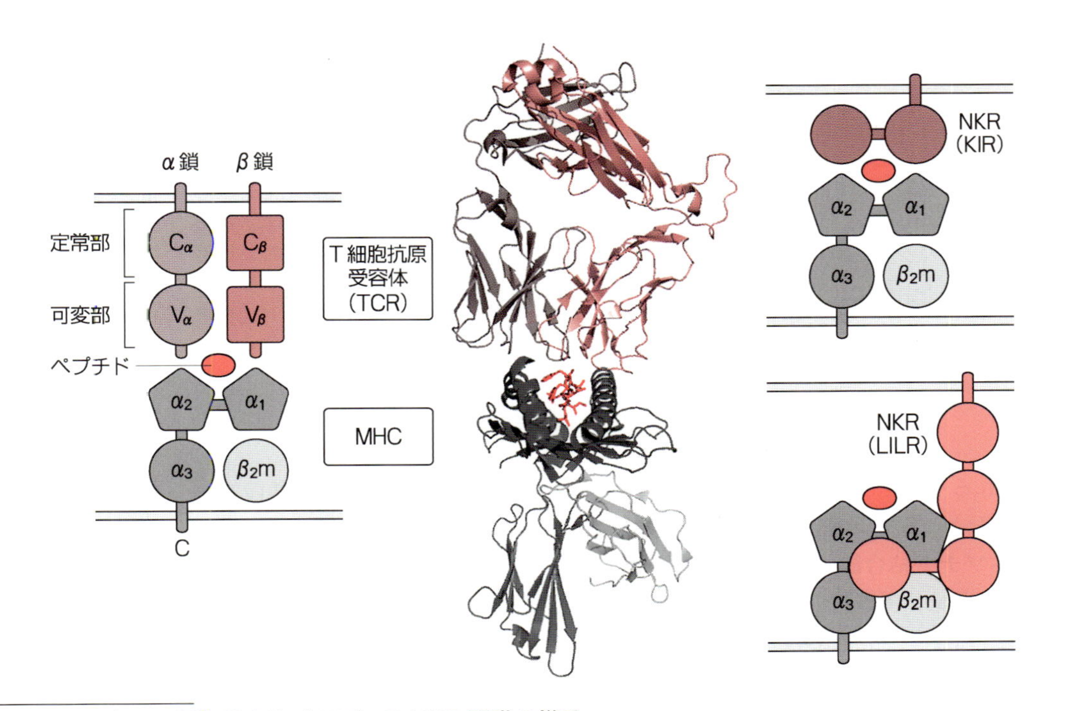

図 4-6　TCR と NK 細胞受容体（NKR）の MHC 認識の様子

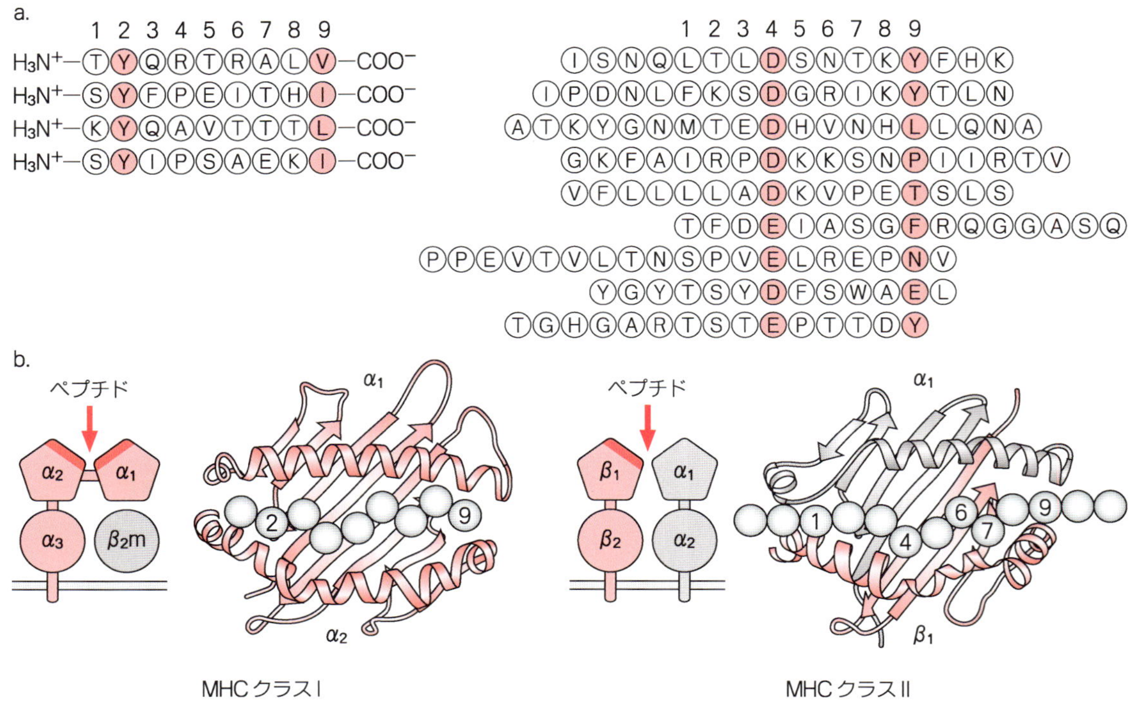

図 4-7　MHC に結合するペプチド結合様式

a.　左は MHC クラス I に，右は MHC クラス II に結合するペプチドの例（色のついている部分はアンカー残基）.
b.　MHC の変異位置（とくに色の濃い部分）とペプチド結合の様式（数字は a. のアミノ酸番号と一致する）.

疾患感受性と MHC の多型性

9 章-1.「自己免疫疾患」（p133）で取り上げるが，MHC との関連が強くみられる疾患について少し触れる．ヒトの MHC クラス I の 1 つ HLA-B27 は自己免疫疾患の 1 つである強直性脊椎炎と非常に強い相関を示し（症例のほぼ 90%），MHC 診断が行われるほどである．その作用機序については諸説あるものの，結論は出ていない．ほかに MHC との相関が明らかになっている例として，突然の睡魔に襲われたり，日中に居眠りを頻発するナルコレプシーと呼ばれる睡眠異常があり，これは HLA-DR2/DRB1*1501, DQ1/DQB1*0602 陽性の人にみられる．

提示されるペプチドは 8〜10 アミノ酸程度であり，2〜4 ヵ所にアミノ酸の好みがみられる．これらは**アンカー** anchor **残基**と呼ばれ，各アミノ酸が収納される MHC のペプチド結合溝のポケットの性質に依存してアミノ酸の好みが生ずる（**図 4-7**）．このため，ペプチド結合溝のアミノ酸置換は提示されるペプチドの種類を変えることになり，免疫応答の違いに結びつく．すなわち，ヒトはそれぞれ種類が異なる MHC 抗原を有するため，同じ微生物やウイルスに感染しても，免疫応答が異なるので，病気の進行や完治に個人差が出るのである．これは次に紹介する

MHC クラスⅡにおいても同様である．これまでに報告されている MHC 抗原のアミノ酸置換の多くはペプチド結合部位に集中している．これはペプチド提示の違いが疾患感受性に関連するため，さまざまな疾患を乗り越えるために多様なアミノ酸置換の獲得へと圧力がかかった結果と考えられる．また最近では，小胞体アミノペプチダーゼ endoplasmic reticulum aminopeptidase（ERAP1）の多型性と HLA クラスⅠが疾患に直接関与することが報告され，新しい抗原提示として興味深い．

3. MHC クラスⅡの抗原提示

MHC クラスⅡは**インバリアント鎖** invariant chain（Ii 鎖，分子量 31,000）がペプチド結合部位を塞ぎ，この形を維持したまま小胞体から，ゴルジ体，初期リソソームと融合する場まで進み，そこではじめて細胞外抗原由来のペプチドと出合う（**図 4-5**）．他方，細胞外の抗原は，抗体におおわれた複合体の形（免疫複合体）で特異的受容体を介して，あるいは直接貪食されるなどにより，マクロファージなど抗原提示細胞内に取り込まれる．この後，抗原は**エンドソーム**◆から**カテプシン群**◆などのプロテアーゼを多く含むリソソームと融合する場まで進んだときに，**抗原プロセシング**を受け，短いペプチドへと分解される．同時に MHC クラスⅡ側もリソソームと融合した際に Ii 鎖が分解され，空となったペプチド結合溝に細胞外抗原由来のペプチドが入ることとなる．その際にはプロテアソームなどの MHC クラスⅠの抗原提示でみられたペプチドの長さを調整するような機構はなく，長いままのペプチドが生成され，これが MHC クラスⅡに結合する．この事実は前述の MHC クラスⅡのペプチド結合溝が開いた構造をとることの生理的な意義を示すものである．すなわち MHC クラスⅡは MHC クラスⅠと異なり，細胞外抗原由来の 10 アミノ酸以上のペプチドを提示することができる．また，MHC クラスⅠと同様に提示できるペプチド分子には**アンカー残基**が存在する．このように，MHC クラスⅡの場合は，抗原提示細胞周辺の**細胞外の情報**をペプチドの形で**ヘルパー T 細胞**に知らせることができるのである．

◆**エンドソーム**　細胞外の物質を取り込むエンドサイトーシスにより形成される小胞．

◆**カテプシン群**　主にリソソームに分布し酸性 pH で働くプロテアーゼ群．

実は，これには例外があり，**クロスプレゼンテーション**という抗原提示の経路が樹状細胞などに存在する．細胞外抗原がプロテアソームなどによる分解を経て，MHC クラスⅠにより提示されるものである．さらに最近では，細胞内タンパク質が正しく構造を取れない状況（ミスフォールド）で分解されずに MHC クラスⅡ分子と結合し，そのまま自己反応性 B 細胞へと抗原提示されることがわかってきた．自己免疫に関与する機構として注目されている．

4. T 細胞，B 細胞，NK 細胞の抗原認識の違い

コアカリ到達目標
- 自然免疫および獲得免疫における異物の認識を比較して説明できる．

T 細胞が認識する抗原と B 細胞が認識する抗原の種類はまったく異なる．B 細胞はその細胞表面受容体および抗体分子が直接抗原を認識するのに対して，T 細胞では細胞内で抗原プロセシングを受けたペプチドとそれが会合する MHC 抗原を認識する．B 細胞の場合，B 細胞抗原受容体（BCR）あるいは B 細胞が産生する抗体分子が抗原そのものを直接認識し，立体構造に依存した認識を行う場合もある（その

抗原の認識部位を**B細胞エピトープ**と呼ぶ，6章-1. Ⓐ「B細胞抗原受容体，B細胞エピトープ」（p81）参照）．対照的に，T細胞は前述のように抗原プロセシングを受けたペプチドを**T細胞エピトープ**として認識するため，まったく抗原の立体構造にかかわりのないものとなる．

他方，自然免疫を司るNK細胞もMHCクラスⅠを認識して，自己と非自己を識別することが最近わかってきた（**図4-6**，3章-2. Ⓒ「ナチュラルキラー細胞」（p43）参照）．NK細胞表面にはMHCクラスⅠを認識して細胞の活性化を阻害する抑制型NK細胞受容体が存在する*．通常の有核細胞ではMHCクラスⅠが発現するので，上記の受容体群からの阻害シグナルが伝達され，NK細胞に対する感受性はない．しかし，ウイルス感染細胞や腫瘍細胞ではしばしばMHCクラスⅠの発現低下がみられる．この場合，MHCクラスⅠが細胞表面に存在しないため，T細胞による免疫応答が誘導されない．しかし，NK細胞に対してはMHCクラスⅠを認識するNK細胞受容体からの阻害シグナルが伝達されないために，NK細胞が活性化される．このようにNK細胞とT細胞は異なるMHC抗原認識システムを用いて相補的な役割を担っている．

B細胞エピトープの多様性　抗体がタンパク質抗原に結合する部位は，連続したアミノ酸により形成される場合（線状エピトープliner epitope）と空間的に近接しているが一次配列上遠く離れたアミノ酸により形成される場合（不連続エピトープdiscontinuous epitope）がある．

*ヒトではKIR（CD158），LILR（CD85）など（**図4-6**），マウスではLy49があげられる．

5. T細胞のシグナル伝達

ここでは，T細胞がMHCを認識した後，その情報がいかに細胞内，核内まで伝達されるかを取り上げる（この機構はB細胞においても，おおよそ共通（あるいは共通の機能をもつ）の分子群が働いている）．TCRはMHCを直接認識するα鎖，β鎖以外に（TCRの構造などの詳細は6章-2.「T細胞の多様性獲得機構」（p88）参照），細胞内にシグナルを伝達するサブユニットとしてζ鎖，CD3γ，CD3ε，CD3δがあり，TCR-CD3複合体として働く．さらに補助受容体であるCD8あるいはCD4が会合する（**図4-8**，15章-3. Ⓑ「免疫寛容のメカニズム」（p266）参照）．細胞内シグナルを伝達する経路の詳細についてはほかの教科書に譲るが，ここで重要となるイベントはタンパク質がリン酸化，あるいは脱リン酸化されることによりシグナル伝達にかかわるタンパク質が活性化されることである．これらの反応を触媒するのがキナーゼ（リン酸化）とホスファターゼ（脱リン酸化）と呼ばれる酵素群である．これらの酵素群により細胞外の情報が細胞内，さらに核内へと伝わり，T細胞の分化・増殖にかかわる遺伝子の発現へとつながる．ここではヘルパーT細胞を例として概略を記述する．TCRがMHCに結合することによりプロテインキナーゼ（TCR-CD3複合体やCD4に結合しているFynやLck）の活性化が起き，CD3の細胞内ドメインがリン酸化される．これにキナーゼであるZAP-70が呼び寄せられ，活性化し，LATとSLP-76がリン酸化され，以下にあげるシグナル伝達経路が働く（**図4-8**）．

①ホスホリパーゼphospholipase C-γを介するホスファチジルイノシトール経路の活性化（Ca^{2+}の流入やプロテインキナーゼCの活性化）による遺伝子発現誘導．

② Rasを介したMAPキナーゼ経路の活性化による遺伝子発現誘導．

③ SLP-76を介した細胞骨格を調整するアクチンフィラメントの再配置．

③は，細胞全体の形，動きに大きく影響する動的な再配置につながり，免疫シナ

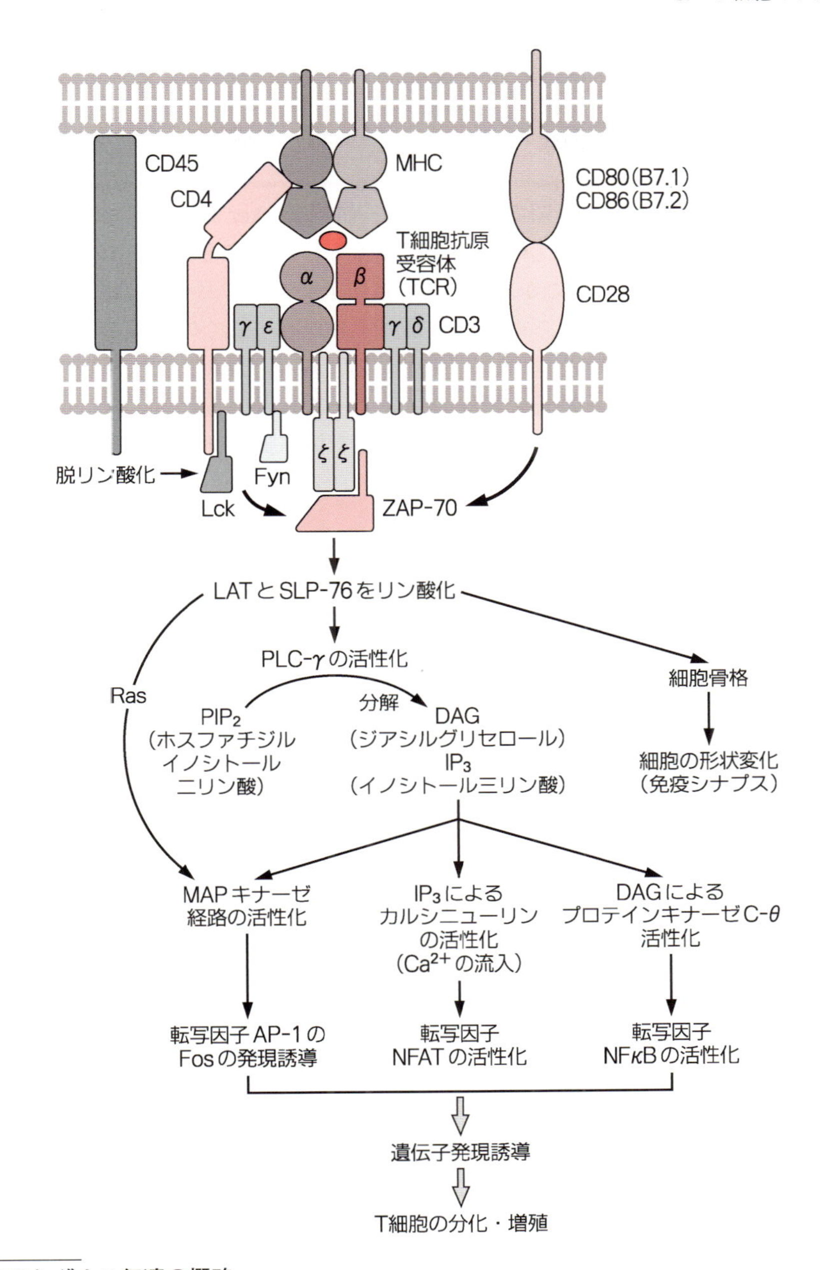

図 4-8　T 細胞のシグナル伝達の概略

プス（15 章-1. Ⓖ「構造生物学の展望」（p260）参照）と呼ばれる構造体を形成し，最終的には細胞の分化・増殖へと進む．

T 細胞シグナル伝達を混乱させる**スーパー抗原**と呼ばれる分子がある．スーパー抗原は TCR の V_β 領域と MHC クラスⅡの α 鎖を認識し，抗原ペプチドの種類にかかわらず TCR と MHC を架橋してしまうことにより，常時 T 細胞を活性化するものである．これにより抗原非特異的にサイトカイン産生が進み，過剰な炎症反応を引き起こす．スーパー抗原には黄色ブドウ球菌が産生するトキシックショック症候群毒素（TSST-1）やA群溶血性レンサ球菌が産生するSpeAなどがある．

6. CD抗原

白血球表面にはその機能を識別し，分類できる**マーカー抗原** marker antigen（マーカー分子 marker molecule）が多く存在している．従来はそれらの抗原が特異的なモノクローナル抗体から同定されてきたが，最近では遺伝子解析などから直接同定されるケースも多くなってきた．これらの抗原を整理するため，多くの抗原には**CD**（cluster of differentiation）**番号**が割り当てられている．現在300以上のCD抗原が認定され，またこれらは白血球以外の細胞のマーカーにも用いられるようになってきている．ここではとくに重要と思われるT細胞や抗原提示細胞に発現するCD抗原をあげ，その機能や構造を**表4-1**にまとめる．

表4-1　代表的なCD抗原

CD3	TCRと複合体を形成し，TCRとMHCとの特異的な反応に伴い，細胞内にシグナルを伝達し，T細胞を活性化することができる
CD4	ヘルパーT細胞表面に発現し，TCRとともにMHCクラスIIと結合し，シグナル伝達を司りT細胞の活性化に関与する．HIVの受容体でもある
CD8	キラー（細胞傷害性）T細胞表面に発現し，TCRとともにMHCクラスIと結合し，シグナル伝達を司りT細胞の活性化に関与する
CD16	抗体IgGのFc部位（定常部）を認識する細胞表面受容体．マクロファージ，単球，好中球，NK細胞に発現する
CD25	IL-2受容体のα鎖．活性化T細胞に発現する．調節性$CD4^+CD25^+$T細胞のマーカー抗原である
CD32	抗体IgGのFc部位を認識する細胞表面受容体．マクロファージ，単球，B細胞，顆粒球に発現する
CD28 CD80 CD86	CD28はT細胞の補助刺激分子として発現し，抗原提示細胞上のCD80あるいはCD86と結合し，T細胞を活性化する．この刺激がないと，T細胞は適切に応答できず，機能不全の状態（アナジー）となる．CD80とCD86はB7.1とB7.2とも呼ばれる．
CD40	TNFR（腫瘍壊死因子受容体）スーパーファミリーに属し，主に抗原提示細胞に発現し，T細胞上のリガンドCD154（CD40L）と結合することで免疫応答を促進させる．ほかにB細胞の抗体クラススイッチ，胚中心形成などに関与する．
CD85/LILR	広く免疫細胞に発現．HLAクラスI分子を認識し，制御する（図4-6参照）．
CD94/NKG2	主にNK細胞，T細胞にも発現．非古典的HLAであるHLA-Eを認識し，機能制御を行う．
CD158/KIR	主にNK細胞，T細胞の一部に発現．HLAクラスIをアリル特異的に認識し，制御する（図4-6参照）．
CD279/ PD-1/PDCD-1	リガンドPD-L1/PD-L2を認識し，T細胞機能を抑制する．抗PD-1抗体はがん細胞除去に顕著な効果をもたらすことがわかり，免疫チェックポイント抗体の代表格となっている．
CD134/OX40 CD252/OX40L	CD134/OX40はTNFRスーパーファミリーに属し，活性化T細胞に発現し，樹状細胞，活性化B細胞や内皮細胞などに発現するリガンドCD252/OX40Lと結合することでヘルパーT細胞の分化を促す．
CD284：TLR4	TLR4は細菌のリポ多糖（LPS）などを認識し，免疫応答を惹起する（3章参照）．

5 リンパ球の分化と成熟

T 細胞も B 細胞も，そのもとになる細胞は**骨髄**でつくられる**造血幹細胞**である．造血幹細胞は未成熟な細胞であり，いろいろな血球に分化することができる（**図 5-1**）．分化の方向性は周囲から受けるシグナルの種類や成熟の場所によって左右される．本章ではこの造血幹細胞が T 細胞と B 細胞に分化し，抗原に出合って成熟する様子について解説する．

コアカリ到達目標
- 免疫反応の特徴（自己と非自己の識別，特異性，多様性，クローン性，記憶，寛容）を説明できる．

1. T 細胞の分化

A T 細胞は胸腺で分化する

T 細胞は造血幹細胞のうち，骨髄を出て**胸腺**で分化したものである（最終的なエフェクター T 細胞への成熟は末梢リンパ組織で行われる）．造血幹細胞から T 細胞への分化には，①抗原認識の多様性を生み出す **TCR** 遺伝子の再構成，②自己の MHC 分子に反応できる T 細胞のみを選択する**ポジティブセレクション**（**正の選択**），およびそのなかでも自己反応性の強すぎる T 細胞を除く**ネガティブセレクション**

胸腺をもたないマウス　免疫学の研究に頻繁に使われるヌードマウスは，胸腺が欠損している突然変異体であり，T 細胞をもたない．このことからも胸腺が T 細胞の分化に必須であることがわかる．

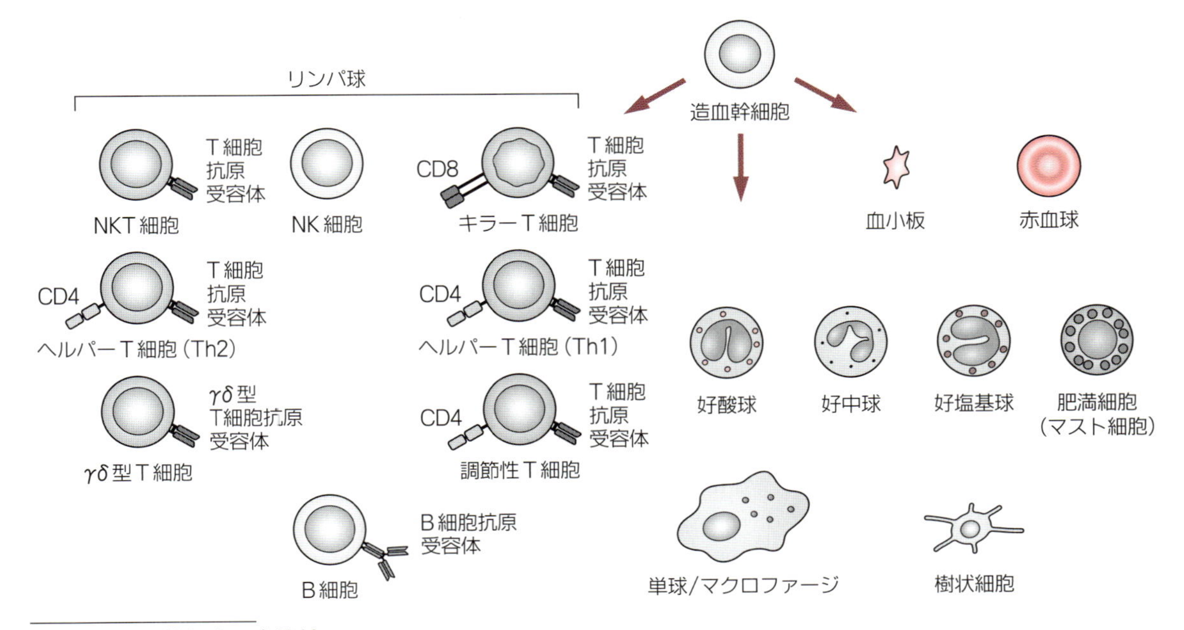

図 5-1　造血幹細胞の多能性

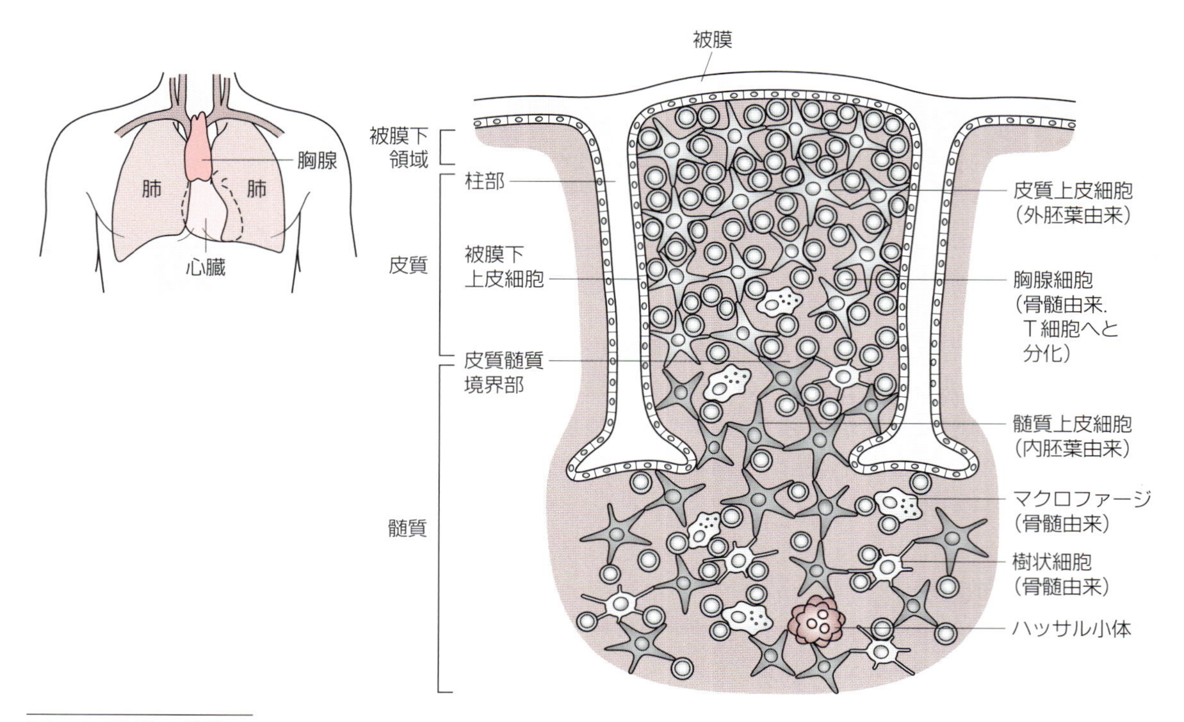

図 5-2　胸腺の構造

（**負の選択**），というステップが必要であり，胸腺で進行する（**図 5-2**）．これらすべてが正しく完了したT細胞は，遺伝子再構成のためにそれぞれが異なる特定の抗原にのみ反応し，かつ自己抗原には反応しない．このように生み出された個々のT細胞は，集団として非常に多様な外来抗原に対応できるシステムの一員として機能する．

B　ダブルネガティブT細胞

造血幹細胞のうち，骨髄を出て胸腺に入ったものがT細胞への分化を始める．まずは胸腺の胸腺被膜下領域において，造血幹細胞はT細胞の前駆細胞として活発に増殖する．この細胞は抗原認識に重要な役割を果たすCD4およびCD8を発現していないことから**ダブルネガティブT細胞**（**CD4$^-$CD8$^-$T細胞**）と呼ばれる．ほかのCD3やTCRといったT細胞の機能に必須な分子の発現もまだ認められない．

ダブルネガティブT細胞の多くは$\alpha\beta$型TCRを発現する**$\alpha\beta$型T細胞**（いわゆるT細胞）へと分化していくが，一部の集団は$\gamma\delta$型TCRを発現する**$\gamma\delta$型T細胞**や**NKT細胞**などの特殊なT細胞へと分化する．ここでは主に$\alpha\beta$型T細胞の分化・成熟について話を進め，本章-1. Ⓖ「$\gamma\delta$型T細胞」（p75）で$\gamma\delta$型T細胞について簡単に触れる．以後，とくに断らない場合はTCR，T細胞はそれぞれ，$\alpha\beta$型TCRおよび$\alpha\beta$型T細胞を指す．

C TCR 遺伝子の再構成

胸腺皮膜下領域で十分に増殖したダブルネガティブ T 細胞は，CD44 および c-kit, CD25 などのマーカー分子を発現するようになる．そして TCR の β 鎖について遺伝子の再構成が始まる．再構成の機構についての詳細は6 章-2.「T 細胞の多様性獲得機構」（p88）を参照してほしい．ランダムな再構成の結果，翻訳可能な TCRβ 鎖ができた場合（**機能的再構成**），T 細胞は次の分化段階に進むことになるが，翻訳不可能な TCRβ 鎖遺伝子しか構成できない場合（**非機能的再構成**），その T 細胞は除去される．

ダブルネガティブ T 細胞では再構成された TCRβ 鎖が**代替 α 鎖**◆（**プレ TCRα 鎖**）

◆**代替 α 鎖**　この時点では TCRα 鎖の再構成および転写が行われていないため，その代わりとして代替 α 鎖が使用される．

機能的再構成

TCR 遺伝子の再構成は，まずダブルネガティブ T 細胞において β 鎖を構成する D_β 鎖および J_β 鎖の再構成（D_β-J_β 再構成）が起き，それに続いて V_β 鎖と DJ_β 鎖の再構成（V_β-DJ_β 再構成）が起きる（6 章参照）．ランダムな遺伝子再構成の結果，翻訳可能な TCRβ 鎖ができた場合（機能的再構成），それは代替 α 鎖と結合してプレ TCR となり，T 細胞の分化が進む．その一方で，読み枠がずれるなどして機能的な遺伝子産物を発現することができない翻訳不可能な再構成を起こした場合，その T 細胞は除去される．TCRα 鎖の再構成においても，翻訳可能な TCRα 鎖のみが，すでに再構成された TCRβ 鎖と結合し，機能的な TCR として細胞表面に発現する．このような翻訳可否による機能的な再構成は，BCR の遺伝子再構成においても重要である．

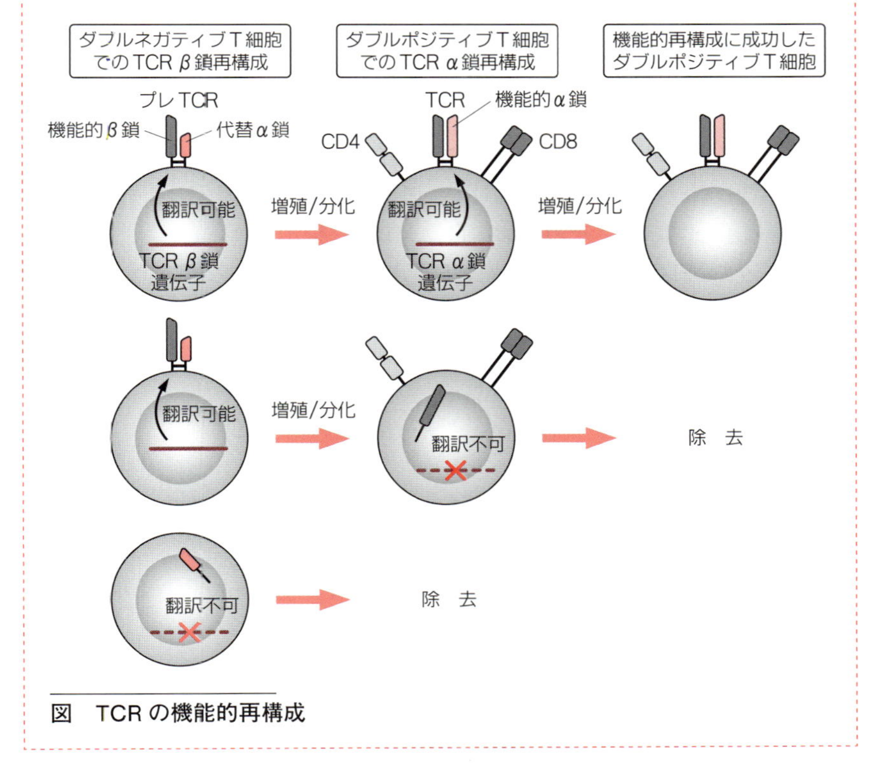

図　TCR の機能的再構成

と複合体を形成し，プレ TCR として細胞表面に発現するようになる．そして T 細胞の補助受容体である CD3 の発現が始まる．CD3 とプレ TCR が細胞表面に発現することで，TCRβ 鎖の再構成が完了する．さらに MHC 分子と TCR の相互作用における補助受容体分子である CD4 および CD8 の両方を発現するようになる．このため，この時期の T 細胞は**ダブルポジティブ T 細胞**（**$CD4^+CD8^+$T 細胞**）と呼ばれる．ダブルポジティブ T 細胞は胸腺皮膜下領域から胸腺皮質（**図 5-3**）に移動する．

ダブルポジティブ T 細胞では，TCR を構成するもう 1 つの要素である TCRα 鎖において再構成が起きる．機能的に再構成された TCRα 鎖はすでに再構成ずみの TCRβ 鎖と複合体を形成し，**TCR** として細胞表面に発現するようになる．

D ポジティブセレクションとネガティブセレクション

TCR 遺伝子の再構成の結果，ダブルポジティブ T 細胞の表面に発現する TCR は，細胞ごとに TCRα 鎖および TCRβ 鎖の可変部領域のアミノ酸配列が異なっている．この多様性こそが，T 細胞が集団として多様な抗原に対応できる理由である．しかし，ただ TCR を細胞表面に発現できるだけでは T 細胞として正しく働くことができない．

T 細胞は胸腺内において，上皮細胞との相互作用によって自己 MHC との相互作用の有無を試される．これにより，多様な TCR をもつ T 細胞集団のなかから，自己 MHC に結合できるものが選択される．TCR は抗原ペプチドと同時に MHC も認識することから（4 章-2.「MHC クラス I の抗原提示」（p62）参照），自己 MHC にまったく結合できない TCR をもつ T 細胞は正しい働きができないため，アポトーシス誘導により除去される．これは「自己 MHC に結合できるものが残る」という**ポジティブセレクション**である（**図 5-3**）．

生体内で T 細胞が活性化する必要があるのは，自己 MHC に提示された非自己由来のペプチドを発見した場合である．しかし通常発現している自己 MHC のほとんどは，自己由来のペプチドを提示している．そのため，自己 MHC に提示される自己由来のペプチドと過剰に反応する TCR をもつ T 細胞は自己に対して反応する有害なものであるため排除される．これは「自己ペプチドへの強い反応性をもたないものが残る」という，**ネガティブセレクション**であり，上皮細胞および樹状細胞と

ダブルポジティブ T 細胞の運命決定

ポジティブセレクションを通過したダブルポジティブ T 細胞は，CD4 もしくは CD8 のうちどちらか一方のみを発現するシングルポジティブ T 細胞へと分化する．この運命決定を担っているのは Th-POK 転写因子である．すなわち Th-POK 転写因子を発現するダブルポジティブ T 細胞は $CD4^+$T 細胞へ分化し，逆に Th-POK 発現が抑制されたものは $CD8^+$T 細胞へと分化することがわかっている．シングルポジティブ化は TCR の MHC 拘束性と相関するが，これが Th-POK の発現調節を司ることで，シングルポジティブ T 細胞に分化すると考えられている．

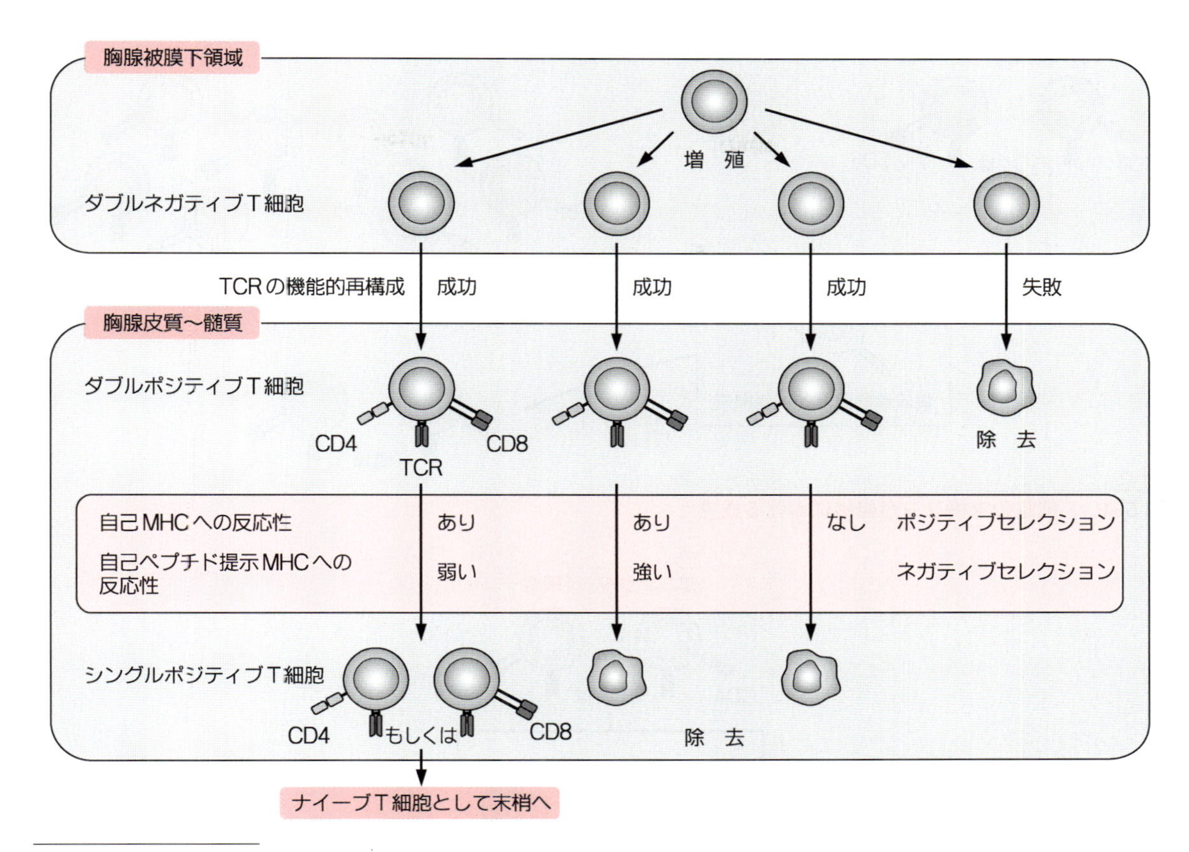

図 5-3　胸腺での選択

の相互作用により選択される（**図 5-3**）．

自己MHCと自己ペプチドの複合体を弱く（適切に）認識できるTCRを発現するダブルポジティブT細胞のみが胸腺で生き残る．この選択で生き残ったダブルポジティブT細胞ではCD4もしくはCD8のうちどちらか一方の発現が抑制されており，**シングルポジティブT細胞**と呼ばれる．**MHCクラスⅠ**と相互作用するTCRを再構成したものは**CD8$^+$T細胞**となり，**MHCクラスⅡ**と相互作用するTCRを再構成した場合は**CD4$^+$T細胞**になる．

E ナイーブT細胞の末梢リンパ組織での成熟

機能的再構成を完了し，自己のMHC分子に結合できるが自己由来ペプチドには強く応答しないTCRを発現するごく一部のT細胞集団のみが髄質を通過し，胸腺での分化を終えた未成熟な**ナイーブT細胞**として末梢へと移動できる（**図 5-3**）（**図 1-3** 参照）．ナイーブT細胞は血流に乗って末梢リンパ組織へと移動し（リンパ球の循環については本章-3.「リンパ球の循環」（p78）参照），そこで外来抗原と出合うことでエフェクター細胞へと成熟していく（**図 5-4**）．末梢リンパ組織では樹状細胞が非自己由来のペプチドを提示している．ナイーブCD8$^+$T細胞は樹状細胞上

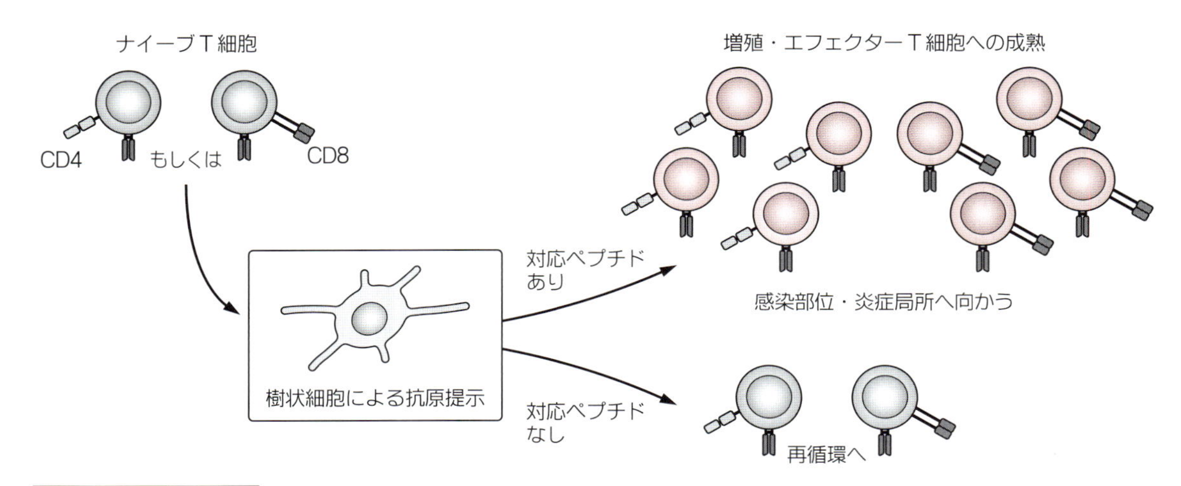

図 5-4　T 細胞の末梢リンパ組織における成熟

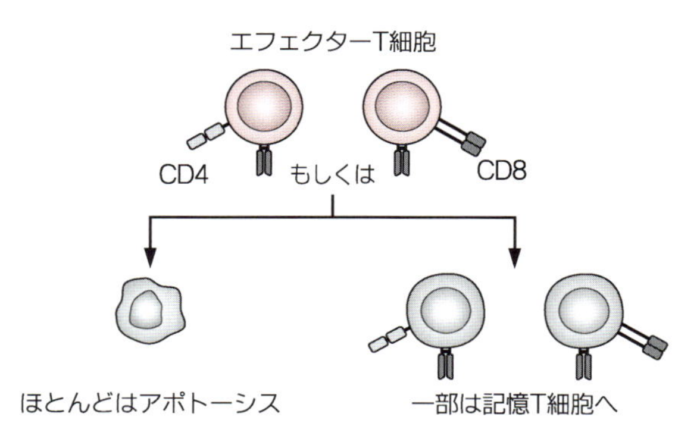

図 5-5　記憶 T 細胞への分化

の MHC クラスⅠ-ペプチド複合体を認識し，ナイーブ $CD4^+$T 細胞は MHC クラスⅡ-ペプチド複合体を認識する．自身の TCR に強く結合できる MHC-ペプチド複合体に出合って抗原提示を受けたナイーブ T 細胞には活性化刺激が入り，増殖して**エフェクター T 細胞**へと成熟する．$CD4^+$ナイーブ T 細胞は**ヘルパー T 細胞**（**Th1** および **Th2**）へ，$CD8^+$ナイーブ T 細胞は**キラー T 細胞**（**細胞傷害性 T 細胞**：CTL）へと成熟することで，それぞれ T 細胞としての獲得免疫における役割を果たす．一方で，TCR が認識できるペプチドとの出合いがなかったナイーブ T 細胞は，エフェクター細胞化することなく末梢リンパ組織を出て再循環する．

F　記憶 T 細胞

エフェクター T 細胞は，その働きが終わった後はアポトーシスにより除去される．しかし一部が**記憶 T 細胞**として長期にわたって生き残り，次に同一の抗原と出合うときに迅速に対応する**二次免疫応答**（3 章-3. Ⓒ「免疫学的記憶」（p52）参照）を担う（**図 5-5**）．

免疫記憶の成立機構
記憶細胞の成立については，近年精力的な研究が続けられている．記憶 T 細胞の場合，炎症局所に向かって行くエフェクター記憶 T 細胞と，CCR7 を発現するリンパ節指向性のセントラル記憶 T 細胞が存在することがわかり，おそらく後者が次回感染時の免疫応答に重要であると考えられている．また，T 細胞の活性化には，抗原提示に加えて CD28 などによる補助刺激が必要であるが（**図 3-15** 参照），補助刺激分子は CD28 以外にも多数報告されている．そのうちの 1 つである OX40 を介して受ける刺激が，ヘルパー記憶 T 細胞の分化と維持に重要であることもわかってきた．

G　γδ 型 T 細胞

胸腺での分化過程において，ダブルネガティブ T 細胞は αβ 型 TCR の再構成と同時に，γδ 型の TCR の遺伝子再構成も行っている．TCRγ 鎖および TCRδ 鎖の機能的再構成による **γδ 型 TCR** の発現が起きたダブルネガティブ T 細胞では，β 鎖の発現が止まり αβ 型のプレ TCR の発現が起こらなくなる．そのようなダブルネガティブ T 細胞は **γδ 型 T 細胞**へと分化・成熟していくが，その詳しい分化機構や役割の詳細は不明である．多くのダブルネガティブ T 細胞では，これとは逆にプレ TCR からのシグナルを受けて，TCRγ 鎖および TCRδ 鎖の発現が停止し，αβ 型 T 細胞へと分化していく．

2.　B 細胞の分化

A　B 細胞は骨髄で分化する

B 細胞は造血幹細胞がそのまま**骨髄**で分化したものである（最終的な成熟は末梢リンパ組織で行われる）．B 細胞の骨髄での分化は大きく分けて，骨髄における B 細胞抗原受容体（BCR，免疫グロブリン遺伝子）の再構成，末梢リンパ組織における抗原認識による活性化，という 2 段階で構成されていると考えることができる．

受容体編集　消失しなかった自己反応性 B 細胞のうち，多価の自己抗原などによる強い刺激を受けた場合は，L 鎖の再構成が再度起こることが知られている．

B　自己抗原応答性の選抜とナイーブ B 細胞への分化

B 細胞として働くには，機能的 BCR の発現だけではなく，自己に反応しないことが重要である．そこで，機能的 BCR の再構成に成功した未熟 B 細胞は，自己認識の有無による選抜にかけられる．

未熟 B 細胞は分化後に骨髄を出て末梢リンパ組織に向かうまで，骨髄細胞や末梢可溶性タンパク質など，さまざまな自己抗原に出合う．自己反応性を示す BCR を発現する未熟 B 細胞は，それらと反応することでアポトーシスが誘導されて除去されるか（**クローン排除**），抗原不応答の不活性（アナジー）の細胞となる（**図 5-6**）．結果的に自己反応性をもたない**ナイーブ B 細胞**が分化する．

造血幹細胞ニッシェ（ニッチ）　造血幹細胞が自己複製能を維持するためには，骨髄中において造血幹細胞とそれを支持するほかの細胞群（CAR 細胞など）による微小環境が重要であると考えられている．これを造血幹細胞ニッシェ（ニッチ）という．

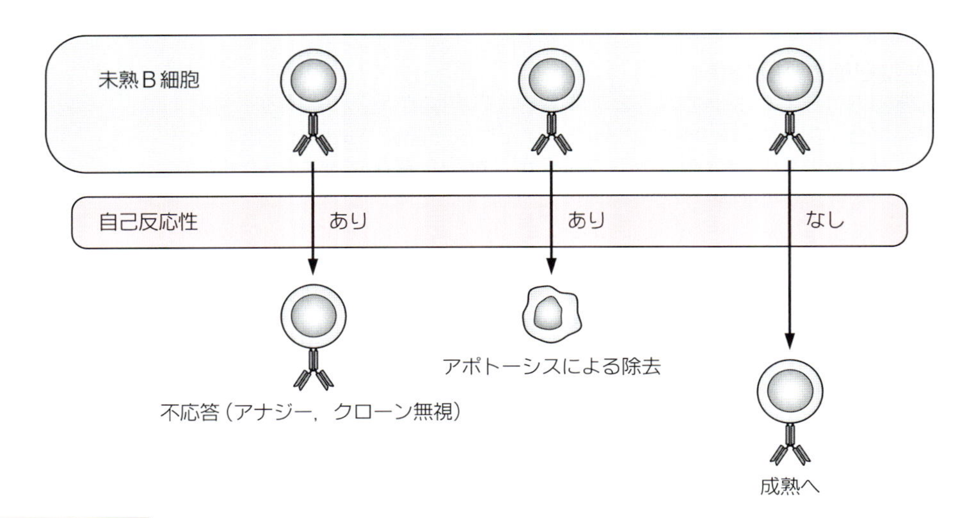

図 5-6　B 細胞の自己反応性の除去

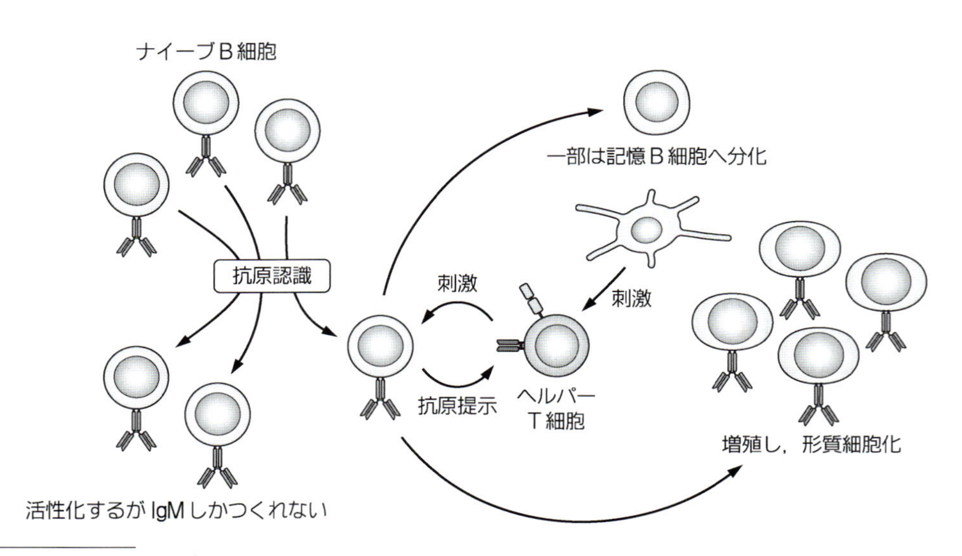

図 5-7　B 細胞の末梢リンパ組織における成熟

C　形質細胞への成熟と記憶 B 細胞

骨髄を出て**末梢リンパ組織**に誘導されたナイーブB細胞は，ここで外来抗原と接触する．自身のBCRが反応する外来抗原を，BCRを介して取り込み，それに由来するペプチドをMHCクラスⅡに提示する．樹状細胞により活性化された，同じペプチドを認識できるTCRをもつヘルパーT細胞の刺激を受けることにより，ナイーブB細胞は増殖し，活性化して**形質細胞**へと分化する（**図 5-7**）．

形質細胞になると，自身に特異的な外来抗原に反応する可溶型の**IgG 抗体**の産生を行うことが可能になり，獲得免疫系で重要な働きを担う（抗体の働きについては2章-1. Ⓑ「抗体」（p22）参照）．また，**体細胞高頻度突然変異**により，免疫グ

造血幹細胞から未熟 B 細胞まで

造血幹細胞の骨髄における B 細胞への分化は，骨髄内の間質細胞（ストロマ細胞）と相互作用した状態で行われる．ストロマ細胞から幹細胞に増殖および分化を誘導するシグナルが入ることで，造血幹細胞はプロ B 細胞となり，BCR（免疫グロブリン遺伝子）の再構成が行われる（6 章-1.「B 細胞の多様性獲得機構」（p81）参照）．最初に H 鎖が再構成され，機能的再構成に成功した H 鎖は代替 L 鎖と複合体を形成しプレ BCR として細胞表面に発現するようになり，プレ B 細胞へと分化する．プレ B 細胞では L 鎖の再構成が行われる．機能的再構成に成功した L 鎖は H 鎖とともに BCR を形成し，機能的な BCR をもつプレ B 細胞のみが未熟 B 細胞として骨髄外に移動する．未熟 B 細胞のもつ BCR は，それぞれの細胞ごとのランダムな遺伝子再構成の結果であるため，個々の未熟 B 細胞はそれぞれに特徴の異なる BCR を有するためそれぞれに特異的な抗原認識能を有し，集団として多様な抗原に応答することが可能となっている．

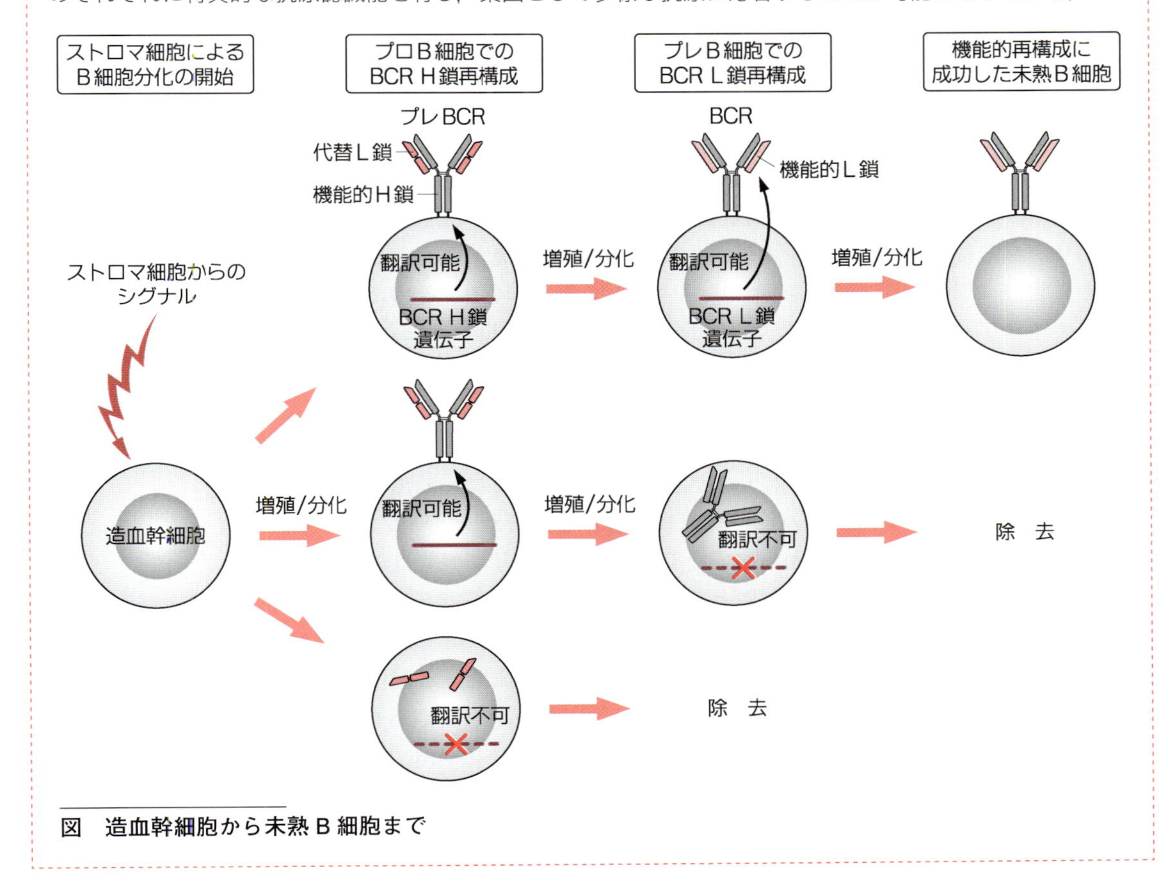

図　造血幹細胞から未熟 B 細胞まで

ロブリン H 鎖および L 鎖の可変部遺伝子に点突然変異が入り，抗原に対してより強い親和性をもつ抗体の産生が可能になる．なお，ヘルパー T 細胞の抗原提示を受けなくとも抗体産生できる場合があるが，IgM をつくることしかできない（3 章-3. D「体液性免疫」（p53）参照）

BCR が認識できる抗原との出合いがなかったナイーブ B 細胞は，形質細胞へと成熟することなく末梢リンパ組織を出ていく．

活性化および増殖後の形質細胞ではアポトーシスが誘導され，除去されるが，一部は**記憶B細胞**へと分化する（**図5-7**）．記憶B細胞は長期にわたって個体のなかに生存し続け，次に同一の抗原による刺激を受けたときの速やかな反応（**二次免疫応答**）を可能にしている（3章-3. Ⓒ「免疫学的記憶」（p52）参照）．

3. リンパ球の循環

A リンパ球は循環する

胸腺で分化したナイーブT細胞や，骨髄で分化したナイーブB細胞は血流に入り，体内を循環する．しかし，個々のリンパ球はそれぞれが異なる抗原を認識するように分化しているため，自身が反応できる抗原に出合う可能性が高くない．そこでリンパ球は循環の途中でリンパ節などの末梢リンパ組織に集まることで，その確率を上げる（**図5-8**）．血流に入って全身を循環しているナイーブリンパ球は，リンパ節を通る高内皮細静脈 high endothelial venule（HEV）の血管壁を通過してリンパ節内に入る．一方，抗原提示細胞である樹状細胞は末梢において抗原を取り込むと，近くのリンパ管に入り，輸入リンパ管からリンパ組織に入る．また，血中を流れる抗原や異物の一部も，リンパ管を経てリンパ節に集まってくる．そのため，リンパ節ではナイーブリンパ球が効率よく異物や抗原提示細胞と出合うことができる（1章-1. Ⓑ「末梢リンパ組織」（p14）参照）．リンパ節内で自身が認識できる抗原を提示する樹状細胞に出合ったナイーブT細胞は活性化してエフェクターT細胞となる．また，抗原を補捉したB細胞は，活性化して増殖したヘルパーT細胞による働きで形質細胞となる．このようにして活性化したリンパ球は，輸出リンパ管を出て血中へと向かう．一方，リンパ節で抗原に出合わなかったナイーブリンパ球は，数日の後，やはり輸出リンパ管から出ていく．右上半身のリンパ管は最終的にすべて右リンパ本幹を経由し，右内頸静脈と右鎖骨下静脈の接合部である右静脈角より血管へと戻る．一方，左上半身および左右下半身のリンパ管はすべて胸管へ流入し，左内頸静脈と左鎖骨下静脈の接合部である左静脈角より血管へと戻る（**図5-8**）．そしてエフェクター細胞は感染部位や炎症局所へと向かい，一方でナイーブリンパ球は再び血流により体内を循環して，いずれまたリンパ節へと入る．このように，リンパ球が体内を循環し，また再びリンパ節へと戻る現象を，リンパ球ホーミングと呼ぶ．粘膜関連リンパ組織（MALT）においては，微生物などに由来する抗原感作を受けた樹状細胞により活性化したヘルパーT細胞の働きで，B細胞ではIgMからIgAへのクラススイッチが起きる．IgA^+B細胞は，いったん粘膜外に移動して血中を循環し，再び粘膜組織に戻ってくる．これもホーミングの1例である．

B リンパ球ホーミングと接着分子

リンパ球ホーミングは，特定の細胞が特定の場所に到達するという特異性の必要な現象である．これを可能にしているのは，リンパ球表面の細胞接着分子と，血管内皮細胞表面の細胞接着分子との，特異的な相互作用である．高内皮細静脈からリンパ節に入るナイーブT細胞の例を**図5-9**に示した．まずナイーブT細胞上のL-

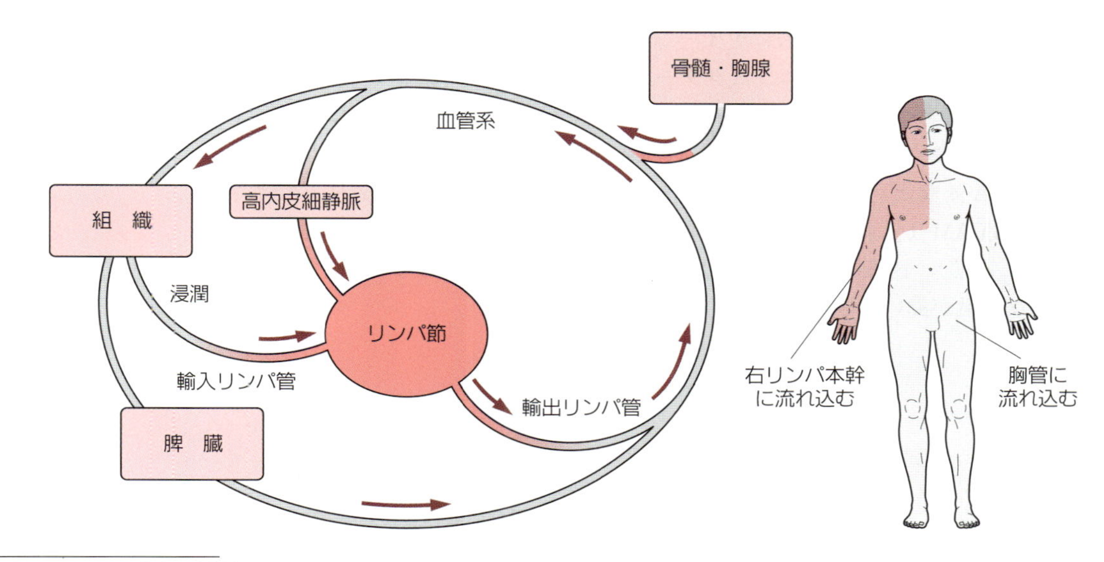

図 5-8　リンパ球の循環

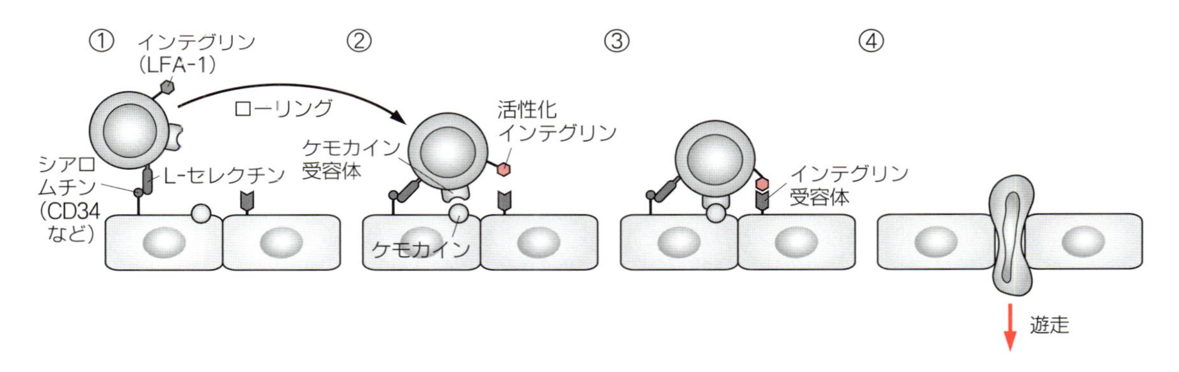

図 5-9　炎症部位での接着分子によるホーミングと T 細胞の血管外遊走

表 5-1　セレクチン発現細胞と相互作用分子

	発現細胞	相互作用分子
L-セレクチン	ほとんどすべての白血球	高内皮細静脈の CD34 など
E-セレクチン	活性化した血管内皮細胞	白血球の PSGL-1 など
P-セレクチン	血小板・血管内皮細胞	

セレクチンが，血管内皮細胞上にある CD34 などのシアロムチンを修飾する硫酸化糖鎖(シアリル 6-スルホルイスX)に結合する(**表 5-1**)．このセレクチンファミリーと糖鎖との結合により，ナイーブ T リンパ球は血管内皮細胞上で転がるように減速する（ローリング）．次に，内皮細胞上に結合しているケモカインがナイーブ T 細胞上のケモカイン受容体（CCR7）に結合することで，ナイーブ T 細胞上のインテグリン（LFA-1）が活性化する．これが内皮細胞上のインテグリン受容体（ICAM-1）

との強固な結合を生じ，最終的にナイーブT細胞は血管内皮細胞の間を通過してリンパ節へ移動する．一方，エフェクターT細胞はL-セレクチンやCCR7を発現せずHEVを素通りするが，炎症局所に発現するP-セレクチンやE-セレクチンに硫酸化糖鎖で修飾された糖タンパク質（PSGL-1など）が結合してローリングし，LFA-4やVLA-4などのインテグリンが血管壁に発現するインテグリン受容体ICAM-1やVCAM-1と結合することで血管外に出て遊走する（第1部のポイント**図3**（p97）参照）．B細胞のホーミングはT細胞ほど明らかではないが，おそらく似たような機構が働いていると考えられている．

リンパ球の維持

末梢でのリンパ球はどのように維持されているのだろうか．循環のなかでTCRやBCRを介した刺激を受け続けることが，リンパ球の生存に必須であることがわかりつつある．たとえばナイーブリンパ球は末梢リンパ組織に到達し，そこで抗原認識による刺激を受ける．到達できなかったり，自身の抗原に出合わなかったりしたナイーブリンパ球は，数日しか生きることができずにアポトーシスにより除去される．他方，刺激を受けることができたリンパ球は，再循環の過程においても末梢リンパ組織での刺激を受け続け，生存が延長していると考えられている．

脂質および神経伝達物質によるリンパ節脱出の制御

近年，リンパ組織からのリンパ球脱出を司る2つのメカニズムがわかってきた．1つはスフィンゴシン1-リン酸（S1P）濃度勾配によるコントロールである．T細胞上にはS1P受容体が発現しており，この受容体はS1Pと結合することで細胞表面から消えて内在化することが知られている．S1Pが高濃度に存在する血管中およびリンパ管中では，S1P受容体の多くがS1Pと結合した状態で細胞内に存在している．一方，胸腺や末梢リンパ組織においてはS1P濃度が低く保たれており，ここではT細胞におけるS1P受容体の細胞表面発現が回復する．その結果，T細胞は高濃度のS1Pが存在するリンパ節外へと，濃度勾配依存的に遊走する．多発性硬化症の治療薬であるフィンゴリモド塩酸塩はS1P受容体の機能的アンタゴニストであり，S1Pよりも強力にS1P受容体に結合することで内在化を引き起こす．するとT細胞が胸腺や末梢リンパ組織から出られなくなり，体内を循環するT細胞が減るために，免疫抑制機能を発揮すると考えられている．

もう1つは，リンパ節に伸びている交感神経によるコントロールである．交感神経からリンパ節内に放出されたノルアドレナリンはリンパ球のアドレナリン受容体に結合するが，アドレナリン受容体とケモカイン受容体CCR7およびCXCR4がリンパ球表面において複合体を形成しているため，同時にケモカイン受容体も刺激される（免疫系と神経系のクロストーク）．ケモカイン感受性が高まったリンパ球は，リンパ節内での保持が促進される．

6 多様性獲得機構

体の外にある無数の異物（抗原）の侵入に対してわれわれの免疫システムはどのように対応しているのだろうか．免疫応答の重要な特徴の1つとして，その特異性があげられる．免疫システムは抗原に結合できる受容体を用意しており，異なる免疫担当細胞（1章-2.「免疫担当細胞」（p16）参照）がそれぞれ特別な受容体を細胞表面に発現し，将来に出合う抗原を待ち構えている．抗原受容体は2種類あり，① BCR，② TCR，に分類できる．この2つの抗原受容体は多様性に富んでいる．膨大な種類の抗原に反応できる受容体のレパートリーが，抗原に出合う前にすでに整っている．

では，B細胞やT細胞はどのようにしてそのような多様性をもつ抗原受容体をつくるのだろうか．本章では，B細胞やT細胞のなかで起こる多様性を獲得するための特別な機構，すなわちBCR（抗体）遺伝子やTCR遺伝子の再構成のしくみを説明する．

コアカリ到達目標
- T細胞とB細胞による抗原認識の多様性（遺伝子再構成）と活性化について説明できる．

1. B細胞の多様性獲得機構

A B細胞抗原受容体（BCR），B細胞エピトープ

造血幹細胞から分化することで誕生するB細胞の表面には，**H鎖**と**L鎖**（**κ鎖**と**λ鎖**の2種類がある）という2種類の大きさの違うタンパク質で構成される抗原受容体が発現する（**図6-1**）．成熟B細胞の表面には，2つのH鎖と2つのL鎖が会合してIgM型あるいはIgD型の**B細胞抗原受容体**（BCR）が発現する．IgMは通常五量体構造をとっているがそのうちの単量体部分にあたる構造（2章-1. B「抗体」(p22) 参照）をBCRとして細胞表面に発現し，H鎖のC末端側は細胞膜に埋もれている．H鎖とL鎖それぞれは**可変部** variable region と**定常部** constant region の2つの構造領域に分類され，H鎖およびL鎖の可変部はそれぞれV_H，V_L，定常部はC_H，C_Lと略されることがある．このうちN末端側の可変部（V_HとV_L）が抗原との結合に関与する（**図6-1**）．鍵と鍵穴のたとえにあげられるような，抗原と結合するための立体的な構造はこの可変部から形成され，1つのBCRに2ヵ所存在する．可変部によって認識される抗原側の構造部分のことを**B細胞エピトープ**と呼ぶ（**図6-1**）．

では，抗原側に表現される多種多様なB細胞エピトープを認識するために，B細胞はどのようにして多くのバリエーションのBCRの可変部を用意するのだろうか．

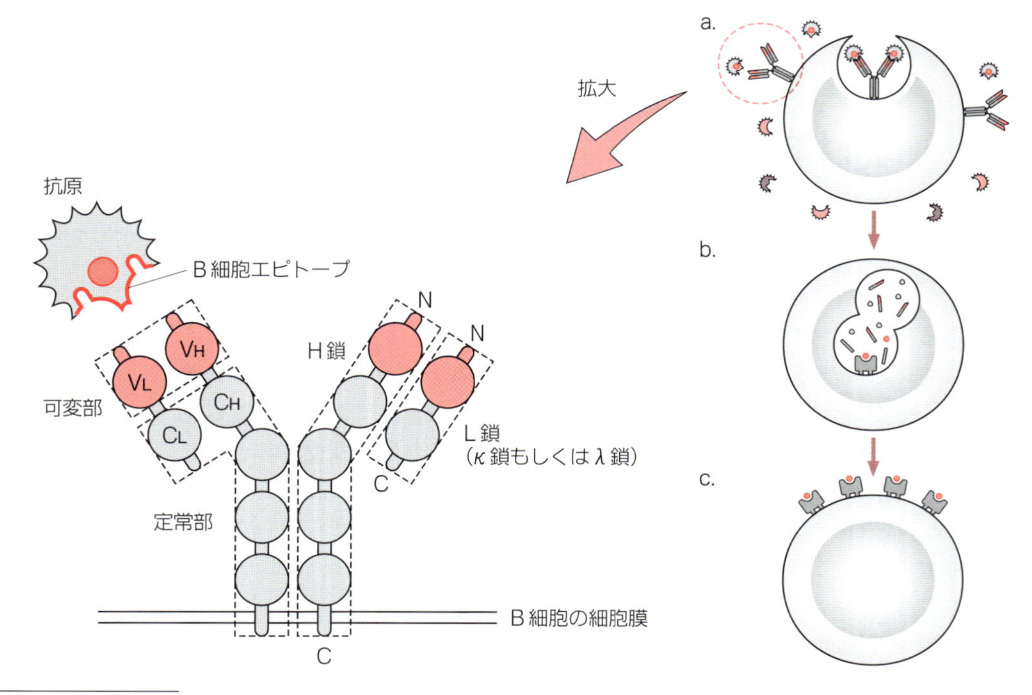

図6-1　BCRの構造とB細胞エピトープ

BCRは膜結合型の抗体であり，先端部にある可変部領域が抗原との結合の役割を担っている．この可変部領域とぴったりフィットする抗原側の構造領域（抗原のなかの色がついている部分）のことをB細胞エピトープという．BCRに抗原が結合することでB細胞は分裂・増殖して分泌型のBCR，すなわち抗体を産生するようになる．図にはIgM型BCRを示す．

B細胞は，BCRを介して抗原と特異的に結合し，BCRごと細胞内へ取り込む．細胞内へ取り込まれた抗原は，細胞内小胞で分解され，MHCクラスII分子のペプチド収容溝に結合できる抗原ペプチドが細胞表面へ運ばれる．

a. BCRが抗原を特異的に結合し細胞内へ取り込む．
b. BCRに特異的な抗原が選択的に取り込まれ細胞内の小胞で分解される．
c. MHCクラスII分子に生成した抗原ペプチドが結合し，細胞表面に提示される．

B　BCRの多様性を生み出す機構

未分化なB細胞はBCRを発現しておらず，その成熟過程でBCRを発現するようになる．重要なことは，この分化過程でB細胞はBCRをコードする遺伝子群の再構成を行うことである．この遺伝子の再構成◆によって，無限に近いB細胞エピトープに対応するBCRの多様性が生み出される．

BCRのアミノ酸配列は，**H鎖遺伝子**と**L鎖遺伝子**（κ鎖遺伝子とλ鎖遺伝子の2つからなる）によってコードされる．H鎖遺伝子は可変部と定常部をコードする遺伝子に分かれるが，さらに可変部遺伝子は***V***（variable）**遺伝子断片**，***D***（diversity）**遺伝子断片**，***J***（joining）**遺伝子断片**から構成される（**図6-2**）．L鎖遺伝子も同様に可変部と定常部をコードする遺伝子からなるが，可変部遺伝子は2種類の*V*遺伝子および*J*遺伝子から構成される（**図6-3**）．すなわち，それぞれH鎖およびL鎖タンパク質の可変部をコードする遺伝子は1種類ではなく複数の遺伝子群より構成される．そして，それぞれの遺伝子は異なったアミノ酸配列をコードしている．ここで重要なことは，未分化なB細胞内で可変部の遺伝子をつくる際に，これらの遺伝子の構成要素である遺伝子断片をランダムに組み合わせて1つの可変部遺伝子が

◆ **遺伝子の再構成**
BCRやTCRの可変部をコードする遺伝子は，*V*遺伝子群，*D*遺伝子群，*J*遺伝子群に由来し，それぞれは染色体上の離れた領域に存在している．機能的な可変部遺伝子が生じるには，それぞれの遺伝子群からランダムに選択された遺伝子断片が1つずつ遺伝子組換えによって結合される必要があり，この過程を遺伝子の再構成という．

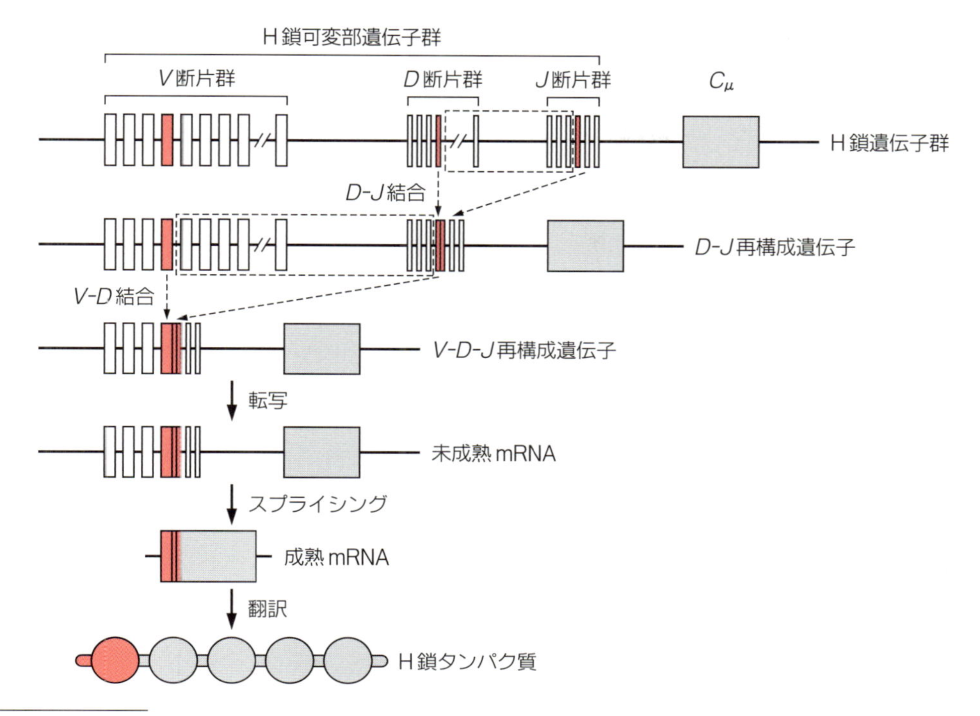

図 6-2　BCR の H 鎖可変部に多様性を生み出す，遺伝子再構成のしくみ

H 鎖遺伝子は，ヒト第 14 染色体に位置する．可変部をコードする遺伝子は 3 つの遺伝子領域，*V*, *D*, *J* 遺伝子群に由来し，それぞれは複数の短い遺伝子断片の集合からなっている．B 細胞の分化過程において，*V* 遺伝子断片群（約 40 個）のなかから 1 つ，*D* 遺伝子断片群（約 23 個）のなかから 1 つ，*J* 遺伝子断片群（6 個）のなかから 1 つの断片がランダムに選び出されて結合する．それぞれの遺伝子断片は染色体上の離れた位置に存在し，遺伝子断片間の結合は，その間の DNA（図中点線で囲んだ部分）が特別な機構によって切り取られることで成立する（**図 6-4** 参照）．こうして，再構成した *V-D-J* 遺伝子は *J* 遺伝子の下流に位置する定常部をコードする C_μ 遺伝子（IgM の H 鎖定常部遺伝子）とともに mRNA に転写され，最終的に H 鎖タンパク質へと翻訳される．

できあがることである（**図 6-2**）．これを，**組み合わせによる多様性**という．組み合わされた遺伝子それぞれは，異なった DNA 配列となり，結果としてそれぞれ異なったアミノ酸配列からなるタンパク質ができあがる．可変部に生じたこのアミノ酸配列の違いは，タンパク質レベルでの異なった立体構造の形成につながり，これによって異なる B 細胞エピトープを認識する．ここで抗原認識の多様性が生まれる．

より具体的な例をあげると，ヒトの H 鎖可変部では約 40 個の *V* 断片，約 23 個の *D* 断片，6 個の *J* 断片が存在する（遺伝子構造の多様性のため，その数はヒトの個体間で異なり，また動物種間によっても異なる）．その組み合わせを単純計算すると 40×23×6＝5,520 になる．κ 型 L 鎖可変部では，約 35 個の *V* 断片，5 個の *J* 断片で，35×5＝175 になる（**図 6-2, 6-3**）．H 鎖と L 鎖から 1 つの BCR の可変部がつくられるので，5,520×175＝966,000，およそ 10^6 のバリエーションをもつ可変部が生成されることになる．さらに，H 鎖が λ 型の L 鎖ともペアを組むことを考えると可変部の多様性はさらに増大する．

この BCR 可変部遺伝子の再構成は，未熟な分化段階の B 細胞のなかで DNA が切れてつながることによって達成される（**図 6-4**）．H 鎖ではまず *D* 遺伝子群と *J* 遺伝子群のなかから任意に選択された 1 つずつの遺伝子が連結する．その際に，*D* 遺伝子と *J* 遺伝子の間の DNA 配列は特別な機構によって削除される．次に同様な

スプライシング
転写によって生じた mRNA には，タンパク質へと翻訳される部分（エキソン）とそうでない部分（イントロン）の両方が含まれる．翻訳に不必要なイントロンを取り除き，前後のエキソンを結合して完全なタンパク質をコードする成熟 mRNA がつくられる，RNA の切断・再結合の過程．

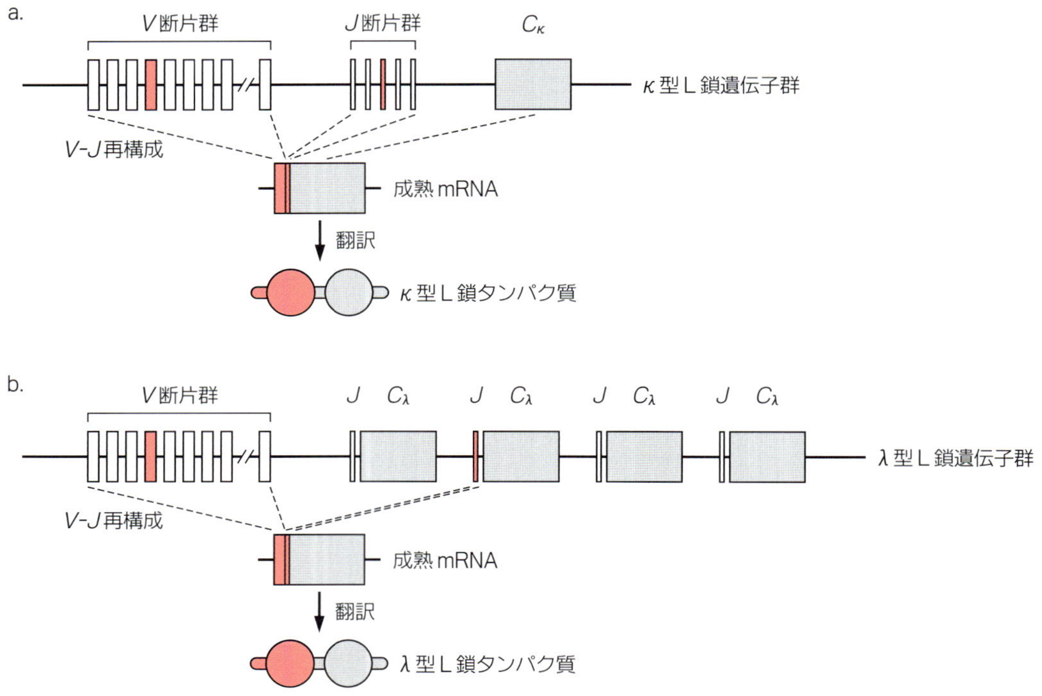

図 6-3　BCR のL鎖可変部に多様性を生み出す，遺伝子再構成のしくみ

κ 鎖遺伝子（a）は，ヒト第2染色体に位置する．κ 鎖では，可変部をコードする遺伝子は2つの遺伝子領域，*V*, *J* 遺伝子群に由来する．*V* 遺伝子断片群（約35個）のなかから1つ，*J* 遺伝子断片群（5個）のなかから1つの断片がランダムに選び出されて結合する．再構成した *V*-*J* 遺伝子は *J* 遺伝子の下流に位置する定常部をコードする C_κ 遺伝子とともに mRNA に転写，κ 鎖タンパク質へと翻訳される．λ 鎖遺伝子（b）は，ヒト第22染色体に位置する．λ 鎖でも同じく，*V* 遺伝子断片群（約30個）のなかから1つ，*J* 遺伝子断片群（4個）のなかから1つの断片がランダムに選び出されて結合することで *V*-*J* 遺伝子の再構成が起こる．定常部遺伝子 C_λ は複数（4個）あるため1つが選択される．

過程で，この *D*-*J* 遺伝子に選択された *V* 遺伝子が連結する（**図 6-2**）．この2段階のランダムな DNA の再構成の過程を経てH鎖の可変部をコードする *V*-*D*-*J* 遺伝子ができあがる．L鎖においてもほぼ同様に，*V* 遺伝子と *J* 遺伝子間の連結の後，*V*-*J* 遺伝子が再構成される（**図 6-3**）．

BCR の多様性は，組み合わせによる多様性以外の機構によってさらに増す．*V*-*D*, *D*-*J*, *V*-*J* 遺伝子間の結合時に，それらの間に存在するヌクレオチド◆が削除されたり，新しいヌクレオチドが添加される（**図 6-4**）．これらランダムな過程によって生じた連結部における多様性を，**結合部多様性**という．

◆**ヌクレオチド**　DNA，RNA を構成する単位．五炭糖（デオキシリボースもしくはリボース），プリン残基もしくはピリミジン塩基，リン酸基が結合した物質．

再構成された可変部遺伝子は，H鎖では定常部をコードする C_μ 遺伝子とともに，L鎖では C_κ もしくは C_λ 遺伝子とともに mRNA に転写され，最終的にH鎖，L鎖タンパク質ができる（**図 6-2, 6-3**）．このような遺伝子群の組換えは，抗原受容体を発現する前の未分化なB細胞やT細胞などリンパ球に限って起こり，生体内のほかの正常細胞ではみられない特別な現象である．

遺伝子の再構成は100％の効率で起こらず，そのなかには失敗するものが多数生じる．その理由は，DNA の再構成の結果，H鎖やL鎖をコードする遺伝子の配列のなかにタンパク質への翻訳が途中で停止してしまうような配列が生じ，これによ

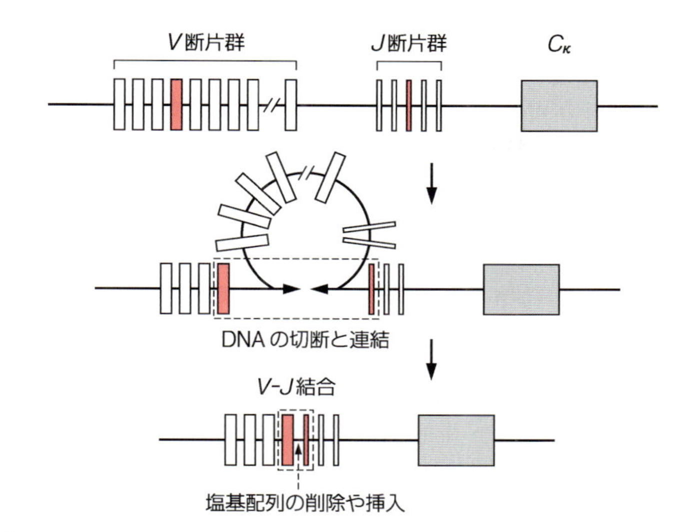

図 6-4 可変部遺伝子における DNA の組換えの様子

κ 鎖可変部遺伝子における，V, J 遺伝子間に起こる再構成を例にしている．同様の組換え機構は，λ 鎖可変部 V-J 遺伝子間，H 鎖可変部 V-D, D-J 遺伝子間においても成立する．遺伝子間の結合時に，もとからあった塩基配列が取り除かれたり，もとの塩基配列になかった塩基が挿入される．これには，各遺伝子断片の前後に存在する特別な塩基配列同士の相補的な結合が重要であり，DNA の切断には RAG（recombination-activating gene）という特別な酵素が関与することが知られている．

り最終的に正常な大きさのタンパク質の合成に失敗する頻度が高くなるためである．可変部の再構成は H 鎖でまず起こり，H 鎖タンパク質が発現するようになると，次に L 鎖側に起こる．まず H 鎖では，父親もしくは母親どちらかに由来する H 鎖可変部遺伝子の再構成が起こる．もし，H 鎖タンパク質の合成に失敗すると，もう一方の H 鎖可変部遺伝子の再構成が始まる．それでもなお失敗した B 細胞は死滅する．H 鎖タンパク質の合成に成功した B 細胞は，次に父親もしくは母親どちらかの遺伝子から κ 型 L 鎖の再構成を始める．両方の遺伝子を用いてもなおかつ再構成に失敗した B 細胞は，次に λ 型 L 鎖遺伝子の再構成を始める．このようにして，H 鎖と L 鎖の両方の再構成に成功した B 細胞だけが生き残る．最終的に，遺伝子の再構成に成功して免疫反応にかかわることのできる B 細胞はごくわずかで，およそ 90〜95％の細胞がその分化過程でアポトーシスを経て死滅する．

上述した H 鎖および L 鎖の再構成の結果，1 個の B 細胞は 1 つの特異性をもつ BCR を発現するようになる．父親あるいは母親どちらかの遺伝子に由来する H 鎖タンパク質は，L 鎖に似ているが多様性のない代替 L 鎖（サロゲート L 鎖）と複合体を形成することでプレ BCR を形成する．プレ BCR の発現により，細胞内にもう片方の H 鎖遺伝子の再構成を停止させるシグナルが誘導される．この機構により，父親あるいは母親に由来する H 鎖の片方のみだけが発現し（もう片方の H 鎖遺伝子発現が排除され），単一の特異性をもつ BCR の発現が可能になる．このしくみは，対立遺伝子排除と呼ばれる．対立遺伝子排除は，L 鎖遺伝子や TCRβ 遺伝子の再構成の過程にも同様に起こる．

BCR の多様性は，成熟後の B 細胞に起こる可変部遺伝子の突然変異によってさらに増大する．BCR を発現した B 細胞が外来からの抗原刺激を受けると，可変部遺伝子に集中して高頻度の DNA 変異が起こる．これを，**体細胞高頻度突然変異**と

> **結合部多様性**
> V, D, J 遺伝子断片を組み合わせる過程で，断片が切断された末端に任意の数の P-ヌクレオチドや N-ヌクレオチドと呼ばれるヌクレオチドが新たに付加されたり，これとは逆に，末端にもとからあった DNA 塩基配列が削除されることにより生み出される多様性．遺伝子断片間に不正確かつランダムな結合が起こることにより，機能的に重要な多様性が生まれる．

体細胞高頻度突然変異

機能的な遺伝子再構成が完了した後に，末梢のリンパ組織において，抗原で活性化されたB細胞のH鎖およびL鎖可変部遺伝子に導入される点突然変異．活性化誘導シチジンデアミナーゼ activation-induced cytidine deaminase（AID）という酵素がこの変異にかかわる．これにより，可変部に新しい抗原特異性が導入されるとともに，抗原により強く結合できるようになったBCRを発現するB細胞クローンが優先的に選択され，成熟して抗体産生細胞へ分化することが可能となる．胚中心で，活性化T細胞からの活性化刺激と，BCRに特異的な抗原刺激の両者を受け取ったB細胞に観察される．これらの変異は体細胞に限って起こり，生殖細胞を通して遺伝されることはない．

いう．この変異はBCRの可変部遺伝子に集局し，通常の遺伝子に起こる変異率に比べて100万倍から1,000万倍も高い頻度で起こる．この突然変異の結果，抗原に対してより高い結合力をもったB細胞が選択される．結果として，抗原により親和性をもった抗体がそのB細胞によって産生され，親和性の高い抗体が抗原に結合することで抗原が効率的に排除される．

以上のように，可変部遺伝子領域の組み合わせによる多様性，結合部多様性により膨大な種類のBCRが生み出される．それに加えて，成熟後に起こる体細胞高頻度突然変異の結果，ほぼ無限に近い抗原の種類に対応できるBCRのバリエーションができあがる．

C　クローン選択説

成熟したそれぞれのB細胞は1種類のBCRを発現する．上述のように，B細胞は幹細胞からのその分化過程で可変部遺伝子の再構成を行った後，BCRを細胞表面に発現する．BCRを構成するH鎖およびL鎖の遺伝子は父親と母親由来の両方が存在するが，両方の遺伝子に由来するH鎖とL鎖が同時に細胞表面に発現することはない．H鎖，L鎖ともに可変部遺伝子の再構成を終えてできあがったどちらかのタンパク質は，先に細胞表面へ発現して，他方の遺伝子の再構成が起こらないように調節する機構，すなわち，対立遺伝子排除が存在する．その結果，B細胞上のBCRは1種類のタンパク質で構成され，そのB細胞の抗原特異性を決定している．

それぞれの個体に存在する成熟B細胞は，めいめいが固有のBCRを発現してクローンを形成している．クローンとは，ギリシャ語の「小枝」に由来する言葉であるが，遺伝的に同一である個体や細胞の集団を指す生物学の用語である．すなわち，それぞれの成熟B細胞は，遺伝的に同一な幹細胞を源として増殖，分化，成熟し，最終的に推定10^7～10^9種類の異なるBCRを発現するクローンを形成する．

バーネット Burnetは，1950年代に**クローン選択説**と呼ばれる重要な概念を発表した（**図6-5**）．その基本的な考え方は，①B細胞のクローンは，前駆細胞（幹細胞）から生じ，外来からの抗原の侵入に先駆けて用意されていること，②抗原と出合うことで，その抗原のB細胞エピトープに特異的なBCRをもつB細胞が活性化されること，③抗原特異的に選択されたB細胞は，その後増殖，分化して抗体産生細胞になり，刺激を受けた抗原に特異的な抗体を分泌するようになることである．

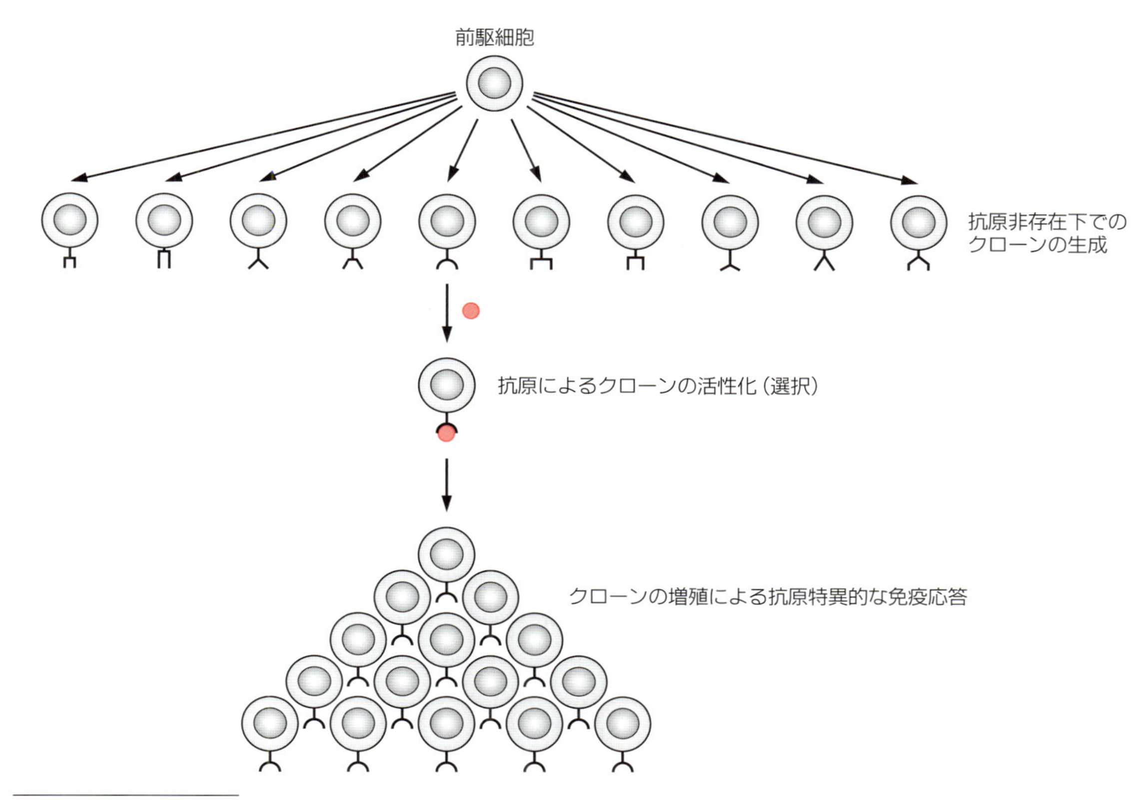

図 6-5 クローン選択説

B 細胞のクローンの形成は，ランダムな可変部遺伝子の再構成の過程を経て起こるため，その過程で自己の抗原に反応する B 細胞が出現する危険性が存在する．このような自己反応性の B 細胞は，抗原受容体を発現したばかりの分化の未熟な段階で，自己抗原と反応して死滅する．しかし，自己反応性 B 細胞の除去は完全でないため，残った自己反応性細胞は別の機構で自己の抗原に反応できないように不活性化されている（15 章-3.「免疫寛容」（p265）参照）．

クローン選択説が発表された当時，リンパ球の機能や抗原受容体に関する知識はなかった．どのようにして免疫システムがあまりに莫大な数，かつ多種多様な抗原に反応できるのかを説明する仮説がほかにもいくつか発表されていた．その後，多くの実験結果が基本的にクローン選択説の正しさを証明し，今では免疫学の基本的な概念となっている．クローン選択説は B 細胞において説明されたものであるが，後に説明する T 細胞においても同様に成立する．

D 抗体のクラススイッチ

可変部の遺伝子再構成を終えた B 細胞はまず IgM の BCR を発現する．さらに分化が進むと，膜表面には IgM と IgD の両方の BCR が現れる．外来からの抗原刺激が加わると，B 細胞は抗体産生細胞に変化して分泌型の BCR，すなわち抗体を産生するようになる．活性化B細胞はまずIgMを産生するが，その後可変部の遺伝子をそのまま保持して，H鎖定常部の遺伝子をほかのクラス（IgG, IgE, IgA）の遺伝子へと組換える．その結果，同じB細胞エピトープを認識する別のクラスの抗体が産生されるようになる．このH鎖定常部遺伝子の組換えを，**クラススイッチ**という（**図6-6**）．

胚中心で活性化されたB細胞は，ヘルパーT細胞から産生されるサイトカインの刺激によりクラススイッチを起こし，サイトカインの種類により異なるクラスの抗体を産生するようになる．ヘルパーT細胞に発現するCD40Lと，B細胞に発現するCD40との相互作用に共役して，サイトカインによるB細胞の刺激がクラススイッチを誘導する．たとえば，IL-4はIgE，IL-5はIgAへのクラススイッチを誘導する．CD40Lの遺伝子欠損によりクラススイッチが起こらなくなり，血中のIgM濃度が異常な高値を示すようになる場合がある．この高IgM症候群と呼ばれる疾患患者では，IgM以外の抗体が産出されず反復する細菌感染を起こす．

前述したように，H鎖およびL鎖の可変部遺伝子の再構成はB細胞の分化の初期に起こり，成熟B細胞においてはもはや起こらない．対照的に，成熟B細胞が抗原刺激を受け，さらにヘルパーT細胞との細胞間相互作用，それによって産生されるサイトカインに曝されると，H鎖定常部の遺伝子の再構成を起こす．可変部遺伝子の場合とは異なり，RAG酵素は関与しない．クラススイッチでは，AID酵素が関与し，常に機能的な抗体がつくられる．AID酵素がスイッチ領域（**図6-6**）に変異を導入することで，この部位のDNAの二本鎖に切れ目（ニック）が入る．このニックが，スイッチ領域間の組換えを促進する．スイッチ領域間でDNAの二本鎖が結合し，可変部*VDJ*遺伝子の下流にたとえば$C_{\gamma1}$遺伝子が位置するようにH鎖定常部遺伝子が再構成される（**図6-6**）．スイッチ領域間のDNAは環状DNAになって切り出され，削除される．クラススイッチは，μスイッチ領域（**図6-6**のS_{μ}）とほかのいずれかのスイッチ領域（**図6-6**の$S_{\gamma3}$, $S_{\gamma1}$, $S_{\alpha1}$, $S_{\gamma2}$, $S_{\gamma4}$, S_{ε}あるいは$S_{\alpha2}$）との間で起こる．S_{μ}と$\mathrm{S}_{\gamma1}$, $\mathrm{S}_{\gamma1}$と$\mathrm{S}_{\alpha1}$などの連続的なスイッチ領域間の組換えも起こる．

まとめると，クラススイッチは，B細胞が抗原刺激を受けた後に起こり，どのクラスへスイッチするかはT細胞から産生されるサイトカインによるシグナルにより決定される．クラススイッチにより可変部の抗原特異性は変化しないが，H鎖定常部遺伝子が入れ替わることでIgMからIgG, IgA, IgEが産生され，抗体の機能的な多様性が増加する．

2. T細胞の多様性獲得機構

A T細胞抗原受容体（TCR）

T細胞はB細胞と同じように造血幹細胞から分化し，成熟する．その後，B細胞と同じように細胞表面に1種類の**T細胞抗原受容体**（**TCR**）を発現するようになる．TCRには，4種類の異なるタンパク質，**α, β, γ, δ鎖**があり，α鎖とβ鎖，γ鎖とδ鎖のどちらかの1組のペアでT細胞表面に発現している．したがって，$\alpha\beta$型の

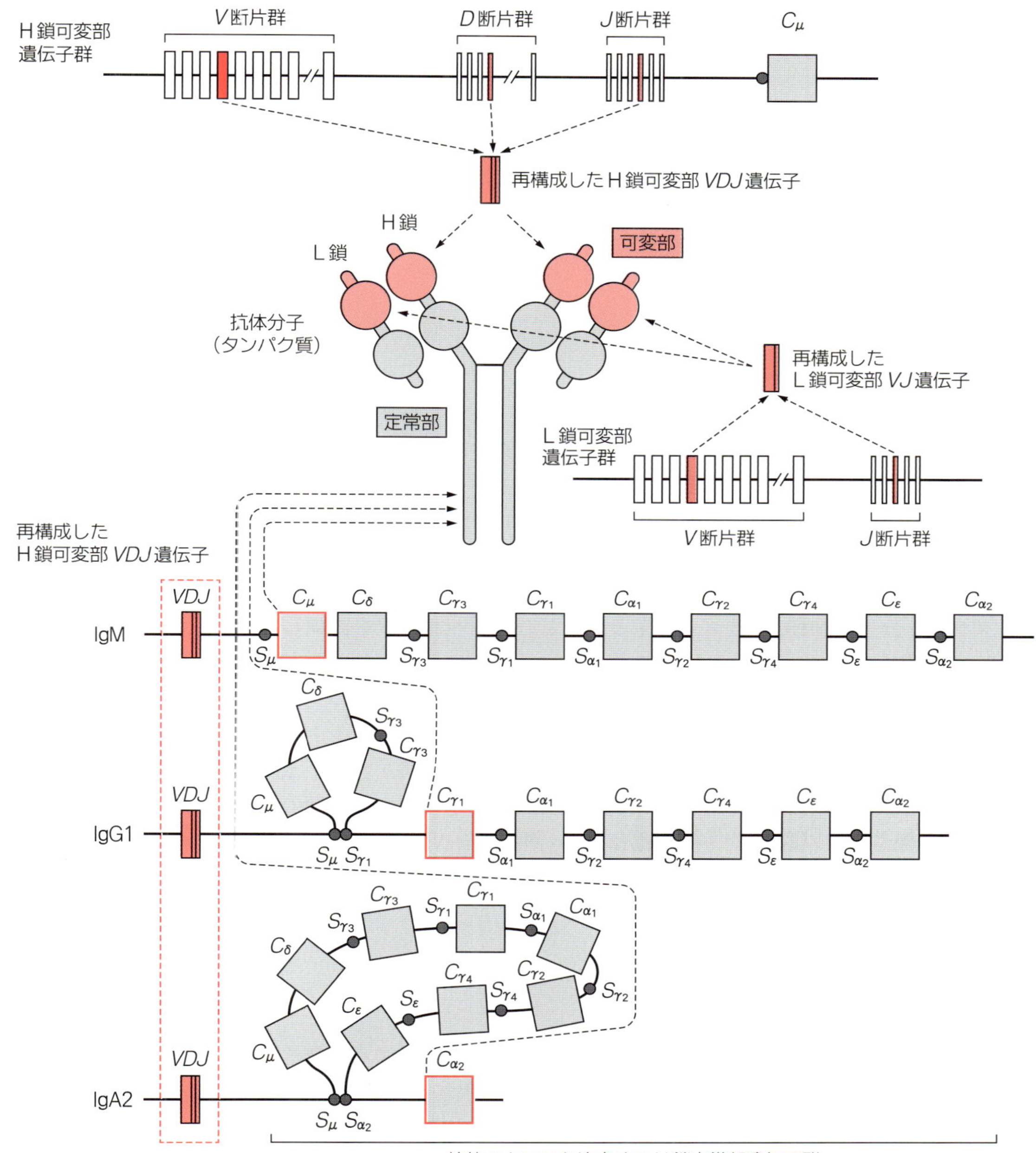

図 6-6　クラススイッチによって生み出される H 鎖の異なる抗体

ヒトの H 鎖定常部遺伝子群には，異なる抗体のクラス，サブクラスをコードする遺伝子が存在する．IgM, IgG1, IgA2 へのクラススイッチを例にして説明する．抗原刺激を受けた B 細胞は，再構成を終えた可変部遺伝子とその下流に位置する定常部 C_μ 遺伝子から IgM の H 鎖をつくり，H 鎖は別に合成された L 鎖と会合して，IgM が細胞外へ分泌される．さらに，抗原とヘルパー T 細胞の刺激が続くと，可変部遺伝子と $C_{\gamma1}$ 遺伝子との間の領域が切断され，可変部遺伝子の下流に $C_{\gamma1}$ 遺伝子が位置するように H 鎖遺伝子が再構成される．その結果，IgG1 の H 鎖がつくられ，最終的に IgG1 の抗体が分泌される．同様の機構で，IgA2 やほかのクラスやサブクラスの異なる抗体が B 細胞によってつくられるが，このクラススイッチは，ヘルパー T 細胞の種類や産生されるサイトカインによって厳密に制御されている．各 H 鎖遺伝子の上流にはスイッチ領域（図中の S_μ, $S_{\gamma3}$, $S_{\gamma1}$, $S_{\alpha1}$, $S_{\gamma2}$, $S_{\gamma4}$, S_ε, $S_{\alpha2}$）と呼ばれる特別な DNA 塩基配列が存在し，この領域間の結合により特異的な組換えが行われる．

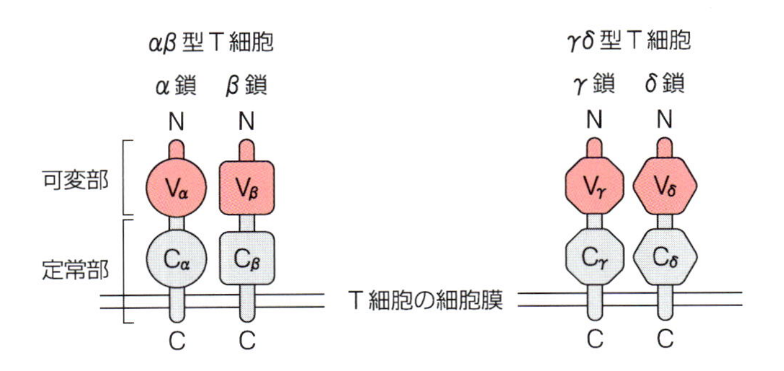

図 6-7　TCR の構造

T細胞と $\gamma\delta$ 型のT細胞の2種類が存在する．分化後，TCR を発現するT細胞のほとんどは $\alpha\beta$ 型の TCR を発現し，$\gamma\delta$ 型を発現するT細胞は全体の5％に満たない．また，$\alpha\beta$ 型T細胞が MHC に結合した抗原由来のペプチドを認識するのに対して（4章-5.「T細胞のシグナル伝達」（p66）参照），$\gamma\delta$ 型T細胞は抗原の認識に際して MHC を必要としない．すなわち，$\gamma\delta$ 型 TCR は，$\alpha\beta$ 型 TCR と比較して可変部の多様性に乏しく，限定された種々の抗原構造を直接認識する（$\alpha\beta$ 型 TCR と異なり，MHC クラスⅠ分子や MHC クラスⅡ分子と結合した抗原ペプチドを認識しない点で MHC の拘束性を受けない．$\gamma\delta$ 型 TCR が認識する抗原に関しては不明な部分が多いが，多様な非ペプチド性のリガンドを認識することが知られている．たとえば MHC クラスⅠ様分子 CD1 に提示される脂質関連分子や，感染やストレスにより誘導される EPCR（endothelial protein C receptor）などを認識する）．BCR と同様に TCR は，抗原との結合に関与するN末端側の**可変部**，C末端側の**定常部**の2つの構造領域に分類される（**図 6-7**）．可変部はV（α鎖の場合 V_α），定常部はC（α鎖の場合 C_α）と略されることがある．TCR は BCR と異なり，常に膜結合型で存在し，細胞外へ分泌されることはない．

B　TCR の多様性を生み出す機構

T細胞もB細胞と基本的に同じ機構で，TCR 可変部をコードする遺伝子群の再構成を行う．α鎖とγ鎖の可変部は2種類の *V* および *J* 断片をコードする遺伝子群，β鎖とδ鎖の可変部は3種類の *V*, *D*, *J* の遺伝子断片群に由来する（**図 6-8**）．未分化なT細胞内ではこれらの可変部の遺伝子群を再構成することによって，1つの可変部遺伝子ができあがる（**図 6-9**）．

B細胞の場合と同様に，TCR 可変部遺伝子が再構成によって多様性を獲得する例をあげる．α鎖の可変部遺伝子では70個の *V* 断片，61個のJ断片から，$70 \times 61 = 4{,}270$ の組み合わせができる（BCR の可変部遺伝子と同様に，各遺伝子断片の数は個体間，種間において差が認められる）．β鎖の可変部遺伝子では，52個の *V* 断片，2個の *D* 断片，13個の *J* 断片から，$52 \times 2 \times 13 = 1{,}352$ となる．α鎖とβ鎖とのペアの組み合わせは $4{,}270 \times 1{,}352 = 5{,}773{,}040$ となり，10^6 以上の多様性が生まれる．γ鎖とδ鎖においても同様のランダムな組み合わせが成立する．したがって，TCR

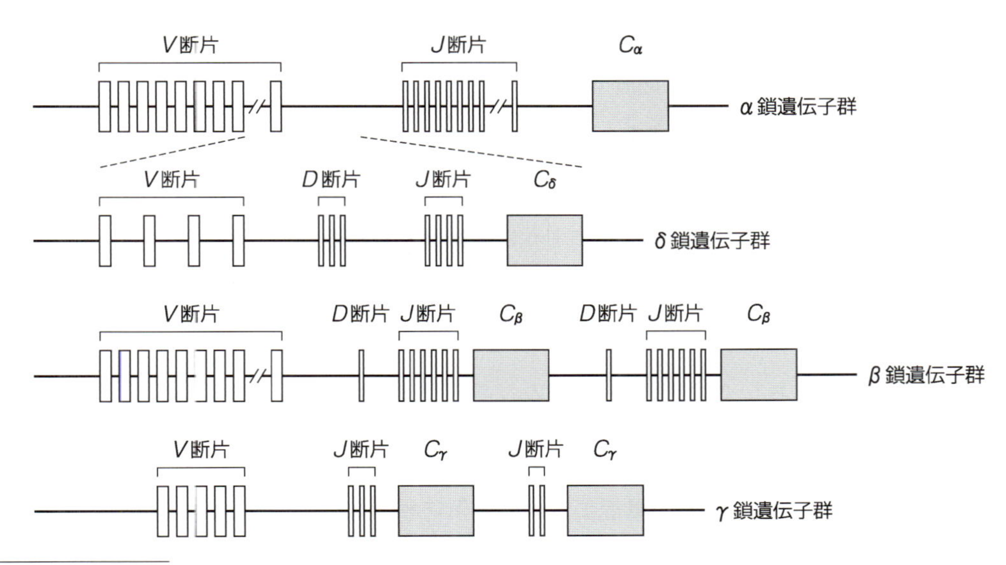

図6-8　TCR遺伝子の構成

未分化なT細胞内では，遺伝子再構成を起こす前のα鎖（第14染色体），β鎖（第7染色体），γ鎖（第7染色体），δ鎖（α鎖遺伝子内の*V*と*J*遺伝子の間）遺伝子がそれぞれの場所に異なった構成で存在する．α鎖遺伝子は，可変部をコードする2つの遺伝子領域，*V*遺伝子（約70個）と*J*遺伝子（61個）と定常部をコードする1つのC_α遺伝子から構成される．β鎖遺伝子は，可変部*V*遺伝子（52個），*D*遺伝子（2個），*J*遺伝子（13個）と定常部をコードする2つのC_β遺伝子から構成される．δ鎖遺伝子は，可変部*V*遺伝子（8個），*D*遺伝子（3個），*J*遺伝子（4個）と定常部をコードする1つのC_δ遺伝子から構成される．γ鎖遺伝子は，可変部*V*遺伝子（12個），*J*遺伝子（5個）と定常部をコードする2つのC_γ遺伝子から構成される．これら遺伝子の再構成は，基本的にH鎖およびL鎖と同様の機構により行われる．

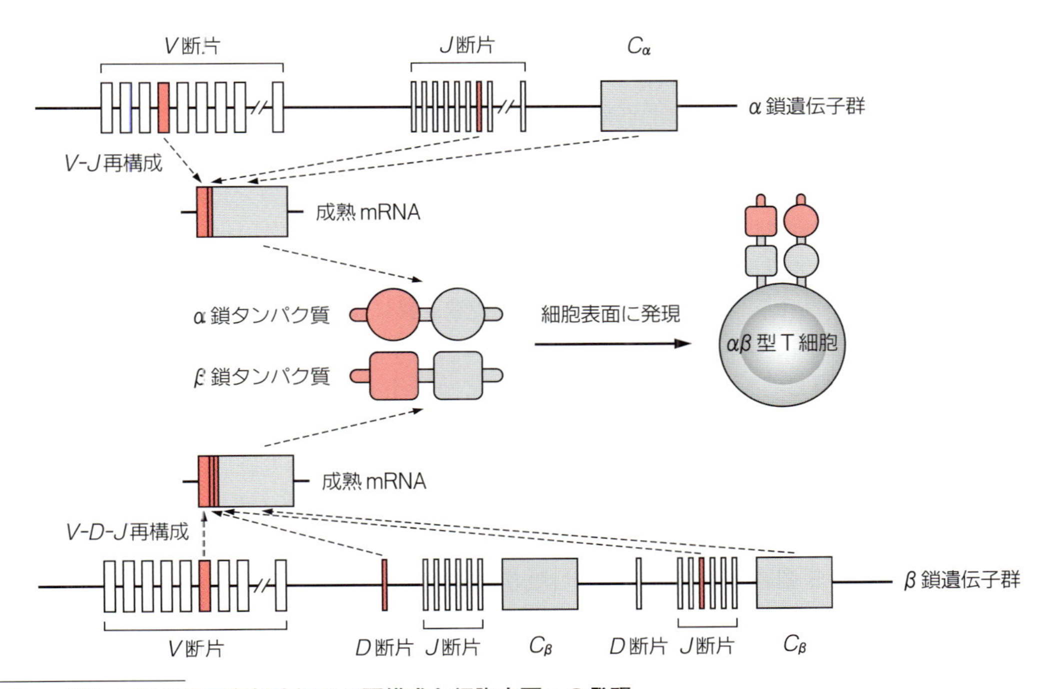

図6-9　α鎖およびβ鎖可変部遺伝子の再構成と細胞表面への発現

未熟なT細胞内では，β鎖可変部遺伝子領域において*V*断片群のなかから1つ，*D*断片群のなかから1つ，*J*断片群のなかから1つ選択されたものが結合し，*V-D-J*再構成遺伝子が生成する．定常部遺伝子C_βとともにmRNAへ転写された後，β鎖タンパク質に翻訳される．β鎖の合成に引き続いてα鎖可変部遺伝子領域では，*V*断片群のなかから1つ，*J*断片群のなかから1つ選択されたものが結合し，*V-J*再構成遺伝子が生成する．定常部遺伝子C_αとともにmRNAへ転写された後，α鎖タンパク質へ翻訳される．α鎖タンパク質とβ鎖タンパク質は会合して細胞表面へ発現する．

はBCRと同じく**可変部遺伝子の組み合わせ**により多様性を獲得している．

前述したTCR遺伝子の再構成は，**図6-4**においてBCRのκ鎖可変部遺伝子を例に説明したように，DNAの組換えによって達成される．α鎖やγ鎖では選択された*V*遺伝子断片と*J*遺伝子断片の間の配列が取り除かれた結果，*V-J*遺伝子の再構成が起こる．β鎖やδ鎖では同様のDNA組換えの結果，*V-D-J*遺伝子が再構成される．その組換えの際には，BCRと同じように**連結部に多様性**が生じる．再構成された可変部遺伝子は，1つもしくは複数存在する定常部をコードする*C*遺伝子とともにmRNAに転写，最終的にタンパク質に翻訳されTCRとして細胞表面に発現する（**図6-8, 6-9**）．

T細胞は，$\alpha\beta$型T細胞もしくは$\gamma\delta$型T細胞のどちらかに分化する．T細胞の大部分を占める$\alpha\beta$型T細胞の分化では，まずβ鎖遺伝子の再構成が起こり，引き続いてα鎖遺伝子の再構成が誘導される．B細胞のH鎖やL鎖と同じようにT細胞のβ鎖では対立遺伝子排除により，遺伝子再構成を先に起こした父親もしくは母親由来のβ鎖が細胞表面に発現し，他方の遺伝子の再構成が抑制されることで片方のβ鎖が優先的に合成される．α鎖においては，対立遺伝子排除は成立しない．α鎖とβ鎖の再構成は胸腺内で起こり，最終的にCD4もしくはCD8を発現する成熟$\alpha\beta$型T細胞が誕生する（5章-1.「T細胞の分化」（p69）参照）．$\gamma\delta$型T細胞は胸腺以外の組織（皮膚，小腸，生殖器など）でも分化することが知られており，それらの組織で病原性微生物の排除に寄与するが，その分化や機能についてはいまだ不明な点が多い．

T細胞ではB細胞に起こる体細胞高頻度突然変異は認められない．その理由として，突然変異でTCRの抗原への親和性が上昇する利益よりも，その変異によって自己抗原に反応する受容体を生み出す不利益のほうが大きいことが考えられる．T細胞は免疫応答を制御する上でより上位の立場に位置するため，自己抗原に反応するT細胞の出現は免疫システムの破綻につながる．T細胞の胸腺内での分化の際には，自己反応性T細胞の排除が厳密に行われる（5章-1.「T細胞の分化」（p69）参照）．その結果，成熟したT細胞のクローンの大部分が外来抗原に反応するTCRを発現するようになる．もし，分化後に体細胞高頻度突然変異によってTCRに変異が導入されれば，自己抗原に反応するTCRをもつクローンが再度生じる危険性があり，このようなT細胞の突然変異の機構は生体にとって不利益である．B細胞の場合，自己反応性B細胞が生じても，これを補助するT細胞の活性化が同時に起こらなければ自己抗体の産生に結びつきにくい．通常，自己反応性T細胞が誕生したり，活性化されないように免疫システムの恒常性が保たれている（詳しくは15章-3.「免疫寛容」（p265）参照）．

このように，T細胞はB細胞と基本的に類似した方法，すなわち可変部遺伝子の組み合わせによる多様性および結合部多様性によりTCRの多様性を獲得し，無限に近い外来抗原のバリエーションに対応できるクローンを形成する．そして，クローン選択説（**図6-5**）の法則に従い分化・増殖し，抗原特異的な免疫応答にかかわる．

BCRと$\alpha\beta$型TCRの多様性の総数は，それぞれ$\sim 10^{13}$および$\sim 10^{18}$と見積もられる（**表6-1**）．ヒト1人の体内に存在するリンパ球抗原受容体の多様性のレパートリーは，実際には$10^{8}\sim 10^{9}$程度である．自己抗原に反応する抗原受容体を発現

表6-1　多様性獲得機構のまとめ

	BCR（B細胞）		$\alpha\beta$型TCR（T細胞）	
	H鎖	L鎖（κ，λ）	β鎖	α鎖
*V*遺伝子断片	38〜46	34〜38(κ) 29〜33(λ)	52	〜70
*D*遺伝子断片	23	0(κ) 0(λ)	2	0
*J*遺伝子断片	6	5(κ) 4〜5(λ)	13	61
組み合わせによる多様性	〜2×10^{6}		〜6×10^{6}	
結合部多様性	〜3×10^{7}		〜2×10^{11}	
体細胞高頻度突然変異	あり		なし	
多様性の総数	〜10^{13}		〜10^{18}	

するリンパ球が負の選択（15章-3.「免疫寛容」（p265）参照）により除去されることを考慮に入れても，可変部遺伝子の組み合わせによる多様性と結合部多様性により，あまりある抗原結合部の多様性が生み出される．すなわち，この多様性獲得機構により，体の外にある無数の抗原の侵入に対してわれわれの免疫システムが備えていることになる．

第1部のポイント

第1部で取り上げた免疫現象の基本的な概念は，この後の免疫系疾患，感染症やそれに対する治療法を理解するために必要な知識である．ここでは前半で説明したことのうち，とくに重要と思われる獲得免疫の自己-非自己の認識のしくみについて，図を中心にまとめる（**図1**）．

われわれの体は，病原体のもつ代表的な特徴を見分け，特異性の低い迅速な免疫誘導を行う自然免疫システムと，この監視の目をかいくぐった場合に対応する特異性の高い個別対応型の獲得免疫システムを有する．

適切な獲得免疫を誘導するために，T細胞やB細胞はそれぞれ胸腺と骨髄で，自己を傷害するような危険な細胞が除去され，効率よく非自己をみつけ排除する能力をもつ細胞が選ばれる．これには細胞表面に発現する受容体が主要な役割を果たす．すなわち，各細胞は，細胞表面にいかなる受容体分子群が発現するかにより免疫応答を誘導する能力が決定され，受容体のリガンドを発現する細胞の存在する場所への移動やそれに対する免疫応答が規定される．たとえば，胸腺で教育を受けて

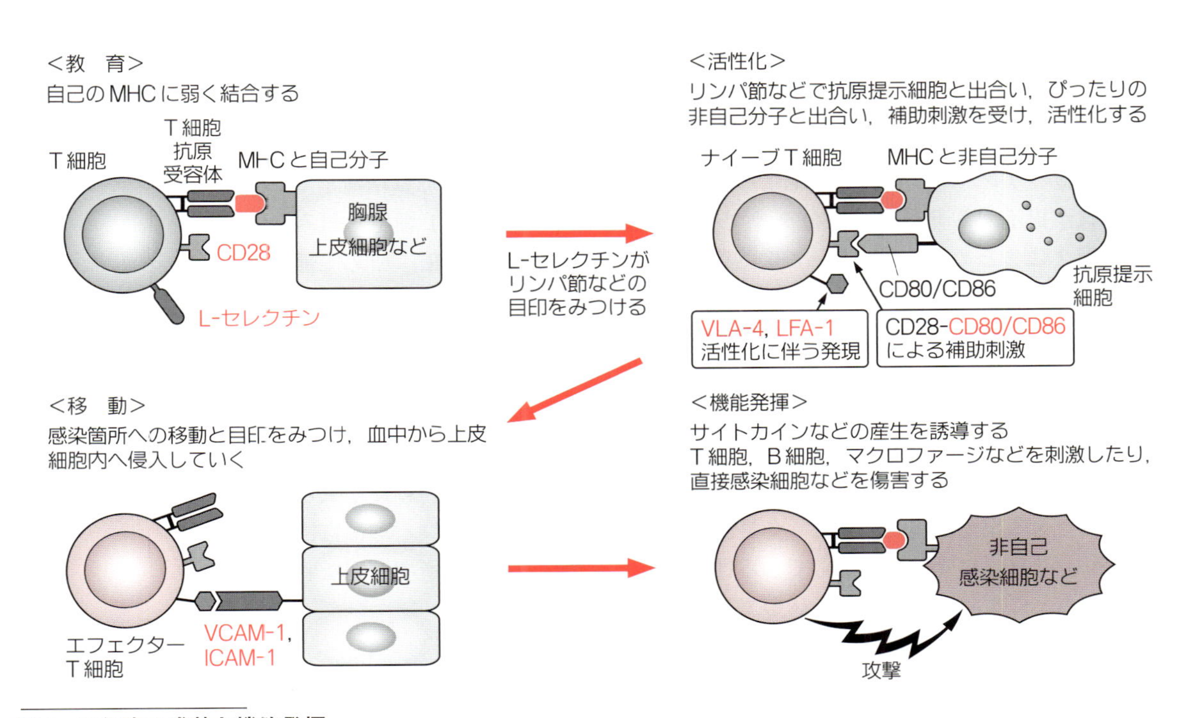

図1　T細胞の成熟と機能発揮

抗原処理の過程と樹状細胞による提示	受容体を介する貪食	細胞への取り込み	ウイルス感染	貪食または細胞への取り込み後の交叉抗原提示	流入した樹状細胞から組織樹状細胞への受け渡し
	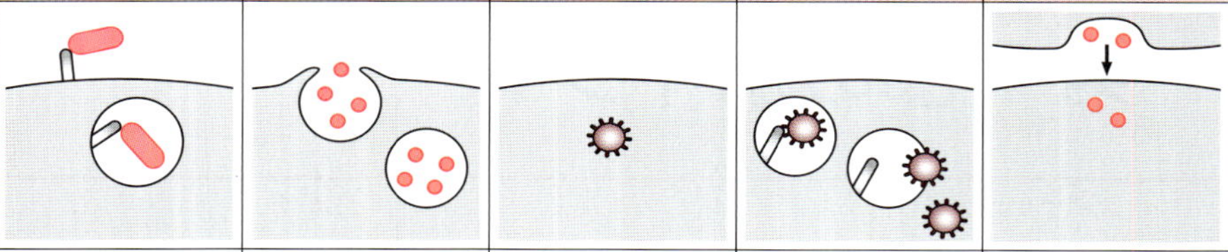				
提示される病原体のタイプ	細胞外細菌	細胞外細菌 可溶性抗原 ウイルス粒子	ウイルス	ウイルス	ウイルス
使われるMHC分子	MHCクラスII	MHCクラスII	MHCクラスI	MHCクラスI	MHCクラスI
活性化されるナイーブT細胞の型	CD4 T細胞	CD4 T細胞	CD8 T細胞	CD8 T細胞	CD8 T細胞

図2　樹状細胞が提示する非自己抗原のタイプと活性化されるナイーブT細胞
［土肥多恵子：免疫生物学原書第7版（笹月健彦監訳），p.334，南江堂，2010をもとに作成］

選ばれたT細胞群は自己MHCと自己分子（ペプチド）との複合体に弱く結合する能力をもつため，自己分子と少し異なる非自己分子の結合した自己MHCが強く結合するT細胞が存在する可能性が高くなり，効率よく非自己細胞を探し出せることになる．しかし，このような胸腺での教育を受けたT細胞はまだ十分に免疫応答を誘導できるほど熟成してはいない．これらは**ナイーブT細胞**と呼ばれ，ぴったりと合う非自己分子に出合うまでは機能を発揮できない．また，適切な非自己分子による刺激がなければ，T細胞は長く生きることはできないため，体を循環しているうちに死んでしまう．そのため，効率よく非自己分子と出合える場が必要となる．これが**リンパ節**に代表される**二次リンパ器官**であり，ここで抗原を提示する専門の細胞とリンパ球が集合し，適切な組み合わせのときにリンパ球は増殖する（樹状細胞が提示する非自己抗原のタイプと活性化されるナイーブT細胞の組み合わせを**図2**にまとめた）．ナイーブT細胞は活性化される際にTCRに加えて**補助刺激**が同時になければ，機能発揮を行う**エフェクター細胞**などへと分化することができない．B細胞についても同様の制御機構が存在し，適切な活性化が誘導された場合にだけ，形質細胞へと進み，最終的には抗体分子を産生する（2章「抗原・抗体・補体」（p21），3章「免疫反応機構」（p37）参照）．また，リンパ節で活性化されたエフェクターT細胞は細胞表面受容体群により規定された感染局所へと誘導され，病原体などの除去を行う（**図3**）．なかには免疫応答が収束した後も長く生き残ることのできる**記憶細胞**が存在し，**免疫記憶**を担う．このようにリンパ球は自己に反応せず，非自己に効率よく反応できる性質をもち，かつ適切な場所で適切な刺激を受けることにより，免疫応答を誘導できるのである．

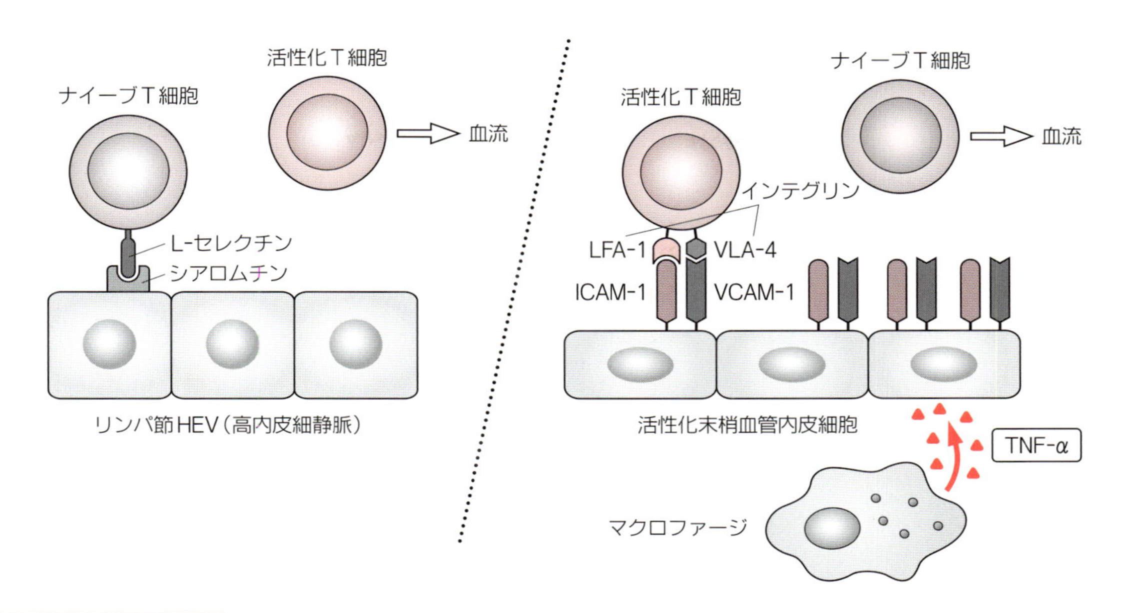

図3　活性化T細胞の感染局所への移動

第2部

身近な免疫学

7 サイトカインとシグナル伝達

1. サイトカイン

サイトカイン cytokine とは特定の細胞に情報を伝達する分泌タンパク質◆である．サイトカインのなかで，炎症などにおいて白血球を局所に呼び集めるものは**ケモカイン**と呼ばれる．また，リンパ球が分泌するサイトカインをリンホカイン，単球やマクロファージが分泌するサイトカインをモノカインということもある．

サイトカインは，免疫担当細胞だけでなく，線維芽細胞や上皮細胞などさまざまな細胞が産生する．しかし，生体内に常に存在しているわけではなく，感染時や炎症時など必要なときにだけ産生され，きわめて微量で十分な活性を示す．サイトカインが機能するためには，まず細胞膜上にある受容体（レセプター）にサイトカインが結合する．すると，それぞれに特有のシグナルが細胞内に伝達され，細胞が分化，増殖したり活性化したりする．

すでに数百種類以上のサイトカインが発見されている．サイトカインの機能はさまざまであり，複数のサイトカインが類似の機能をもっている（サイトカインの重複性）．また，サイトカインは1種類で標的細胞の種類，状態によって異なる機能を発揮する（サイトカインの多能性）．**図7-1**には代表的なサイトカインの立体構造を示した．このようにサイトカインはさまざまな立体構造をとり，それにより多彩な機能を獲得していると思われる．

サイトカインには一連のグループに分類されているものもある（**表7-1**）．その1つに**インターロイキン** interleukin（**IL**）と呼ばれるサイトカインがある．これらは同じグループに属するが，機能や産生細胞はさまざまである．たとえば，IL-1はマクロファージや単球が産生するサイトカインで，発熱作用など多彩な生理機能を示す．一方，IL-2は主にT細胞が産生し，T細胞やB細胞の増殖，分化を促進する．また，IL-2はキラーT細胞の誘導やNK細胞の活性化も行う．キラーT細胞やNK細胞を活性化するサイトカインとしてはIL-15もあげられる．IL-15はIL-2によく似た活性を示すサイトカインであり，その立体構造はIL-2に類似していることがわかっている．

サイトカインは，いくつかの重大な病気の発症にも関係する．たとえば，関節リウマチは関節を包む滑膜に炎症が起きる疾患であるが，この滑膜細胞から産生されるIL-1，**腫瘍壊死因子**（tumor necrosis factor）α（**TNF-α**），IL-6やIL-15が，関節リウマチにおける関節組織の破壊に関係している．サイトカインは病気の発症に関与しているだけではない．いくつかのサイトカインは薬として応用されている．たとえば，**インターフェロン** interferon（**IFN**）などのサイトカインはB型肝炎や

コアカリ到達目標
- 免疫系に関わる主なサイトカインを挙げ，その作用を概説できる．
- 免疫反応における主な細胞間ネットワークについて説明できる．

◆**分泌タンパク質**　細胞外に分泌されるタンパク質の総称．分泌タンパク質は一般にシグナルペプチドと呼ばれるペプチドがN末端側に付加したタンパク質前駆体として合成され，細胞膜を通過する過程でシグナルペプチダーゼによって切断されて成熟したタンパク質になる．

◆**ウイルス性肝炎**　肝炎ウイルスが原因の肝炎のことをいう．肝炎ウイルスにはA～G型，TT型の8種類がある．急性肝炎では全身倦怠感，発熱，筋肉痛，黄疸などの症状が現れる．慢性肝炎では自覚症状に乏しいことが多く，徐々に肝臓の線維化が進んで肝硬変にいたり肝細胞がんになることがある．

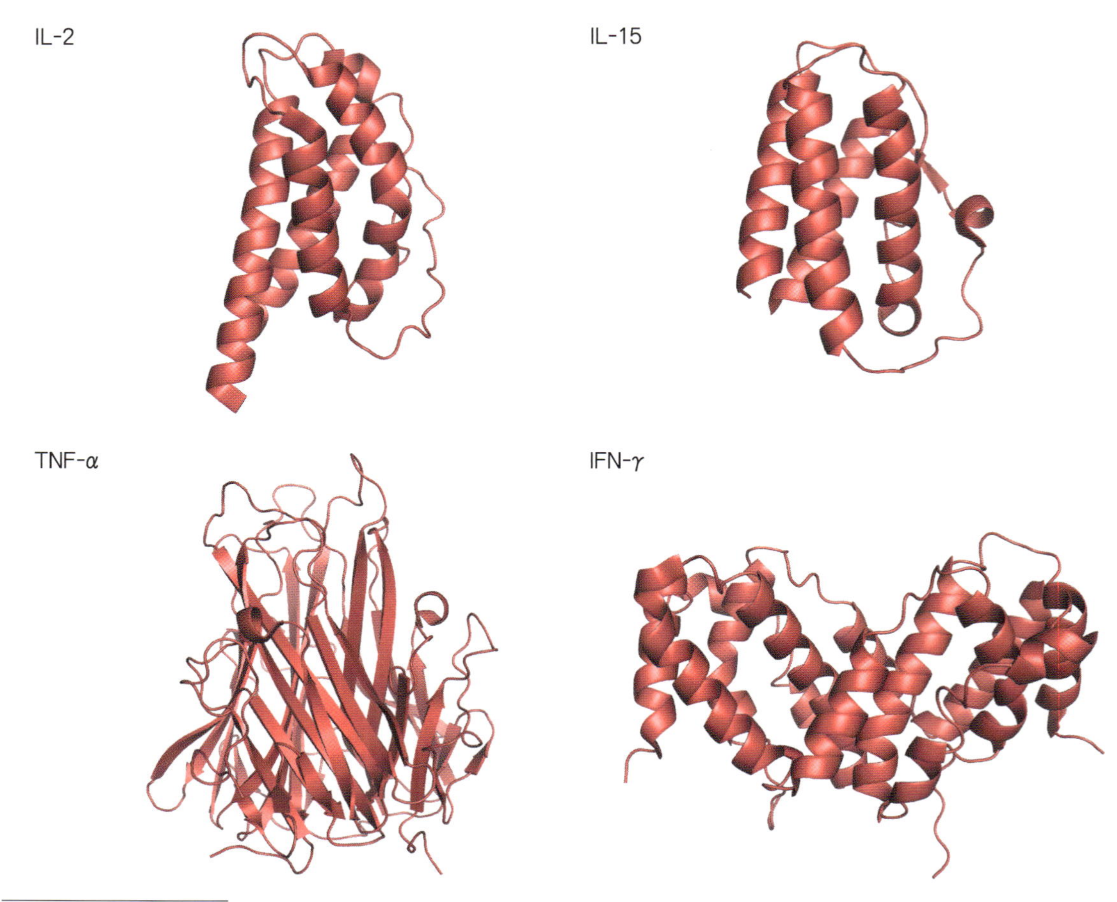

図 7-1　代表的なサイトカインの立体構造
サイトカインはそれぞれ固有の立体構造をもっている．

C 型肝炎などのウイルス性肝炎◆，それにがんの治療に応用されている．

ほかにも多くのサイトカインが存在するが，数多くのサイトカインを個別に理解するよりも，免疫や炎症などの生命現象のなかでそれぞれがどのように機能しているのかを理解することが重要である．

A　病原体に対する免疫応答とサイトカイン

1)　自然免疫による細菌の排除とサイトカイン

細菌が侵入すると好中球やマクロファージによって細菌が貪食され除去される．このとき，マクロファージによって産生される IL-1 や TNF-α などは，マクロファージ自身を活性化するとともに，好中球からディフェンシン◆の産生を増大させて細菌を排除する．

◆ディフェンシン　塩基性の抗菌ペプチドで α ディフェンシンと β ディフェンシンの 2 種類が知られている．好中球，唾液腺，気管，鼻粘膜や小腸などから分泌される．細菌の細胞膜を傷害することによって殺菌作用を示し，一部のウイルスを不活性化する働きもある．また，肥満細胞に作用してヒスタミンの放出を刺激する．

表 7-1　主なサイトカイン（インターロイキン，インターフェロン，腫瘍壊死因子）の産生細胞と機能

サイトカイン	主な産生細胞・組織	機　能
IL-1	単球，マクロファージ	炎症，発熱作用，T 細胞の増殖，マクロファージの活性化，好中球の活性化
IL-2	T 細胞	T 細胞の増殖誘導，NK 細胞の活性化，キラーT 細胞の活性化，B 細胞の増殖および分化
IL-4	T 細胞，肥満細胞	T 細胞の増殖, Th2 細胞への分化, B 細胞の分化・増殖，マクロファージの活性化抑制，肥満細胞の増殖誘導
IL-5	T 細胞，肥満細胞	好酸球への分化・増殖，B 細胞の分化・増殖
IL-6	T 細胞，B 細胞，単球，マクロファージ，線維芽細胞	B 細胞の分化・増殖
IL-10	T 細胞，活性化 B 細胞，単球	T 細胞サブセット間の活性調節，マクロファージの活性化抑制，制御性 T 細胞の増殖
IL-12	単球，マクロファージ	Th1 細胞への分化, NK 細胞や T 細胞に IFN-γ 産生を促進
IL-13	活性化 T 細胞	B 細胞の分化・増殖
IL-15	活性化マクロファージ，樹状細胞，上皮細胞	キラー T 細胞の活性化，NK 細胞の活性化
IL-17	T 細胞	炎症性サイトカインの発現誘導，ケモカインの発現誘導，顆粒球の産生促進，好中球の活性化
IFN-α	白血球	抗ウイルス作用，抗腫瘍作用，好中球の活性化
IFN-β	線維芽細胞	抗ウイルス作用，抗腫瘍作用
IFN-γ	T 細胞，NK 細胞	マクロファージの活性化，NK 細胞の活性化，キラー T 細胞の活性化，Th2 細胞の分化抑制，抗腫瘍作用
TGF-β	T 細胞，マクロファージ，樹状細胞など	Th17 細胞・制御性 T 細胞への分化，マクロファージ・好中球・内皮細胞の活性化抑制，IgA の産生増強
TNF-α	マクロファージ，T 細胞	抗腫瘍作用，好中球・内皮細胞・樹状細胞の活性化
TNF-β	T 細胞，B 細胞	細胞傷害作用，抗腫瘍作用

2)　獲得免疫による細菌の排除とサイトカイン

獲得免疫では抗体が主な攻撃因子であるが，抗体がつくられるためには，B 細胞が抗体産生細胞へと分化する必要がある．サイトカインは B 細胞を抗体産生細胞へと分化させるが，このときに重要なサイトカインは IL-4，IL-5，IL-13 などである．これらのサイトカインは Th2 細胞から産生され，B 細胞を抗体産生細胞へと分化・増殖させる働きがある．

3)　細胞内寄生細菌に対する免疫とサイトカイン

抗体は細胞内には到達できないため，マクロファージが中心となって**細胞内寄生細菌**◆を排除しようとする．この場合，IFN-γ によってマクロファージを活性化することが重要である．また，マクロファージは IL-12 を放出することにより，NK 細胞に IFN-γ を放出させる．すると，マクロファージ自身の活性化がさらに促される．

◆**細胞内寄生細菌**　細菌が体に侵入すると，好中球やマクロファージによって細菌が貪食され除去される．しかし，一部の細菌は食細胞のなかで生き延びて増殖する．このように宿主細胞に寄生して増殖する細胞は細胞内寄生細菌と呼ばれる．結核菌やらい菌など．

4)　ウイルスに対する免疫とサイトカイン

細胞内にウイルスが侵入すると，細胞はIFNを産生しウイルスの複製を抑制する．IFNにはⅠ型IFN，Ⅱ型IFN，Ⅲ型IFN（IFN-λなど）の3種類が知られるが，Ⅰ型IFNのIFN-αやIFN-βは抗ウイルス作用を示す代表的なサイトカインである．IFN-αとIFN-βは，B型肝炎やC型肝炎の治療薬として応用されている．一方，Ⅱ型IFNのIFN-γは，ウイルス感染細胞の攻撃に重要なNK細胞やキラーT細胞を活性化する働きや，細胞がウイルス感染するのを防ぐ機能もある．また，NK細胞やキラーT細胞はIL-2やIL-15によっても活性化される．

5)　寄生虫に対する免疫とサイトカイン

寄生虫の種類は多岐にわたるため，さまざまな免疫反応が起こる．そのなかで，IgE抗体と好酸球が寄生虫に対する免疫で重要な役割を担う．IgE抗体を産生するには，IL-4によってB細胞をIgE抗体産生細胞にクラススイッチさせる必要がある．また，好酸球の分化を誘導し増殖させるにはIL-5が深くかかわっている．

B　アレルギー反応とサイトカイン

アレルギーは免疫の異常によって起こる（8章「アレルギー」（p119）参照）．アレルギーのなかで抗体が関係しているタイプは即時型過敏症に分類される．たとえば，花粉症ではアレルゲンである花粉の刺激を受けたT細胞がIL-4を産生し，B細胞にIgE抗体を産生させる．IgE抗体は肥満細胞や好塩基球の表面に結合し，アレルゲンがIgE抗体に結合すると肥満細胞から顆粒が放出される．顆粒には種々の炎症伝達物質が含まれており，これらが放出されることで炎症が引き起こされる．そのなかの1つであるヒスタミンは，毛細血管の拡張，気管支平滑筋の収縮，外分泌腺刺激による分泌物の増加などによりアレルギー症状を起こす．

アレルギーの1種である気管支喘息では，気道が通りにくくなり咳や痰が出て呼吸困難となる．このとき，気管の粘膜ではアレルゲンが肥満細胞のIgE抗体に結合し，ヒスタミンなどの炎症伝達物質が分泌されている．気管支喘息において，痰が出たり気道が通りにくくなったりするのは，IL-13の働きによることがわかっている．

接触性皮膚炎（皮膚かぶれ）やツベルクリン反応などは遅延型アレルギーに分類される．これは，抗体が関与しないアレルギー反応でありT細胞が重要である．すなわち，アレルギーを起こす抗原が生体内に侵入すると，Th1細胞が反応局所に呼び集められIFN-γを分泌する．IFN-γはマクロファージを活性化し，炎症を刺激するサイトカインであるTNF-αを放出する．また，このときTh1細胞の活性は，Th2細胞が産生するIL-4やIL-10によって調節される．

C　ヘルパーT細胞の分化とサイトカイン

ヘルパーT細胞は，サイトカインの働きによってTh1細胞あるいはTh2細胞になる．すなわち，IL-12の作用によりナイーブT細胞はTh1細胞へと分化する．一方，IL-4が存在するときにはナイーブT細胞はTh2細胞に分化する．

1) Th1 細胞とサイトカイン

Th1 細胞は，ウイルス感染や細胞内寄生細菌の感染に対する免疫反応において中心的な役割を果たす．Th1 細胞は主に IL-2 や IFN-γ などを産生するが，なかでも IFN-γ は Th1 細胞の働きにとってとくに重要なサイトカインである．Th1 細胞が産生する IFN-γ は，マクロファージを活性化する働きがあり，その結果，マクロファージは病原体が感染した細胞を活発に貪食し殺すことができるようになる．活性化されたマクロファージは IL-12 を産生するので，さらに T 細胞が Th1 細胞へと分化する．また，IL-12 は NK 細胞や T 細胞に作用して IFN-γ の産生を促す．すると，マクロファージがさらに活性化され，ナイーブ T 細胞（Th0）の Th1 細胞への分化がいっそう進むことになる（**図 3-11** 参照）．

2) Th2 細胞とサイトカイン

Th2 細胞は，抗原の刺激による抗体産生や寄生虫に対する防御反応に重要である．Th2 細胞は，IL-4，IL-5，IL-10，IL-13 などを産生する．このなかで，IL-4，IL-5，IL-13 は B 細胞を抗体産生細胞へと分化・増殖させる．また，IL-5 は好酸球に作用し活性化させる働きもある．

3) ヘルパー T 細胞の増殖抑制とサイトカイン

Th1 細胞と Th2 細胞が産生するサイトカインは，お互いの増殖を抑制する働きがある．Th1 細胞が産生する IFN-γ は，Th2 細胞への分化を抑制し B 細胞の抗体産生を阻害する．一方，Th2 細胞が産生する IL-4 や IL-10 はマクロファージの活性化を抑制することで Th1 細胞への分化誘導を抑制する（**図 3-11** 参照）．

T_{FH} とサイトカイン　ヘルパー T 細胞の機能的クラスである T_{FH} は，ナイーブ B 細胞の分化や IgG のクラススイッチに関与するが，ナイーブ T 細胞から IL-6 などによって分化する．

4) Th17 細胞とサイトカイン

Th17 細胞は，ヘルパー T 細胞の 1 つであり IL-17 を産生する．Th17 細胞への分化には，TGF-β と IL-6 による STAT3 の活性化が必要である．Th17 細胞は好中球応答を亢進することで炎症反応を促進し，自己免疫疾患や炎症性疾患の発症に密接に関与していると考えられている．

5) 制御性 T 細胞とサイトカイン

自己免疫やアレルギーを防ぐには免疫応答を制御してその恒常性を維持することが重要である．免疫応答を制御する T 細胞は制御性 T 細胞と呼ばれ，転写因子である Foxp3 を発現している．また，制御性 T 細胞は IL-10 や TGF-β など免疫抑制性のサイトカインを放出しており，これらが制御性 T 細胞による免疫応答の制御に重要であると考えられている．

D 造血系のサイトカイン

血液のなかには，赤血球，白血球（好中球，好酸球，好塩基球，リンパ球），血小板などの血液細胞（血球）が存在する．これらの血球は，骨髄に存在する造血幹細胞◆から分化して産生される．造血幹細胞の分化・増殖にはさまざまなサイトカ

◆**造血幹細胞**　すべての血球細胞に分化可能な幹細胞であり，血液幹細胞と呼ぶこともある．ヒトでは主に骨髄に存在し，赤血球，白血球（好中球，好酸球，好塩基球，リンパ球），血小板などに分化する．

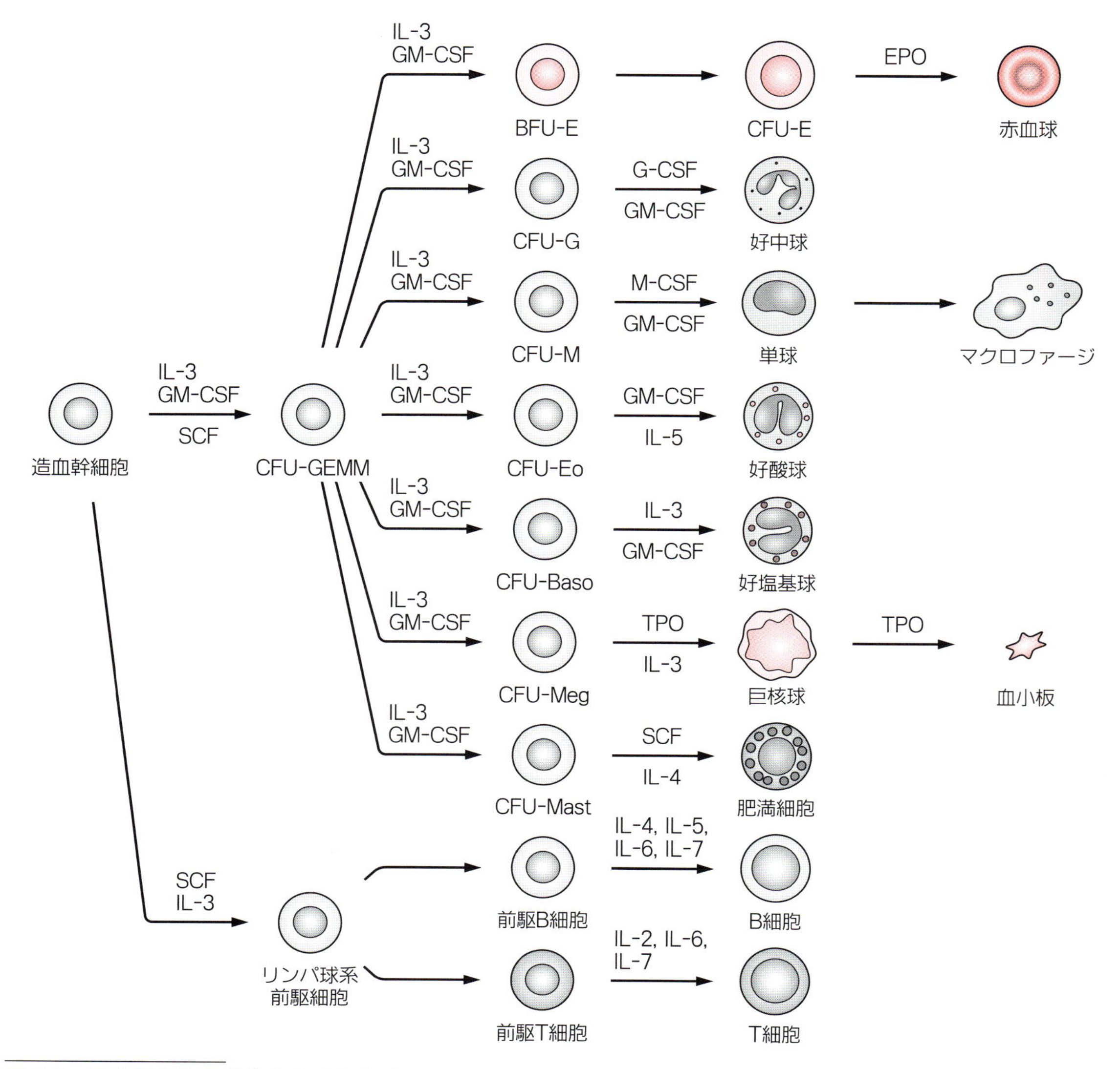

図 7-2　造血系細胞の分化とサイトカイン

CFU-GEMM：多能性造血前駆細胞，BFU-E：前期赤芽球前駆細胞，CFU-E：後期赤芽球前駆細胞，CFU-G：顆粒球前駆細胞，CFU-M：単球マクロファージ前駆細胞，CFU-Eo：好酸球前駆細胞，CFU-Baso：好塩基球前駆細胞，CFU-Meg：巨核球前駆細胞，CFU-Mast：肥満細胞前駆細胞，SCF：幹細胞因子 stem cell factor.

インが必要である（**図 7-2**，**表 7-2**）．以下では，造血系で働く主なサイトカインについて簡単に述べる．

1）エリスロポエチン（EPO）

エリスロポエチン erythropoietin（**EPO**）は主に腎臓で合成・分泌され，赤血球の産生に必須のサイトカインである．慢性腎不全では EPO の産生が低下して貧血となるので，慢性腎不全が原因の貧血には EPO が有効である．

表 7-2　主な造血系サイトカインの産生細胞・組織と機能

サイトカイン	産生細胞・組織	機　能
G-CSF	マクロファージ，血管内皮細胞	好中球への分化・増殖
M-CSF	単球，血管内皮細胞，線維芽細胞	単球への分化・増殖
GM-CSF	T 細胞，マクロファージ，血管内皮細胞	単球，好中球，好酸球，好塩基球などへの分化・増殖
EPO	腎臓	赤血球への分化・増殖
IL-3	T 細胞，肥満細胞	ほとんどすべての造血系細胞への分化・増殖
TPO	肝臓，腎臓，骨髄	巨核球，血小板への分化・増殖
IL-7	骨髄間質細胞（骨髄ストロマ細胞）	B 細胞，T 細胞への分化・増殖

2)　コロニー刺激因子（CSF）

コロニー刺激因子（CSF）は，マクロファージコロニー刺激因子 macrophage colony-stimulating factor（M-CSF），顆粒球コロニー刺激因子 granulocyte colony-stimulating factor（G-CSF），顆粒球マクロファージコロニー刺激因子 granulocyte-macrophage colony-stimulating factor（GM-CSF）などに分類される．

M-CSF は単球への分化・増殖を誘導するサイトカインである．G-CSF は好中球の産生にとって中心的な働きをする．G-CSF は，がんの化学療法や骨髄移植が原因の好中球減少症の治療薬として用いられている．GM-CSF は造血系のさまざまな段階で働くが，とくに顆粒球（好中球，好酸球，好塩基球）や単球の形成に重要なサイトカインである．

3)　インターロイキン 3（IL-3）

インターロイキン 3（IL-3）は，活性化された T 細胞や肥満細胞から産生されるサイトカインである．IL-3 はきわめて多能的でほとんどすべての造血系細胞の分化・増殖を助ける．そのため，IL-3 は多能性コロニー刺激因子とも呼ばれる．

4)　トロンボポエチン（TPO）

トロンボポエチン thrombopoietin（TPO）は肝臓や骨髄でつくられるサイトカインで，血小板の産生に必須である．

エリスロポエチン（EPO）による貧血治療　EPO は，165 個のアミノ酸からなる糖タンパク質である．EPO は主に腎臓で合成・分泌され，骨髄で造血幹細胞に作用して赤血球に分化させる．1985 年に EPO 遺伝子がクローニングされ，動物細胞を使って EPO が製造できるようになった．

EPO はわが国で広く使用されているタンパク質医薬品であり，主に透析患者における腎性貧血の治療に使用されている．また，貧血は抗がん薬治療の副作用で起こることがある．これは，抗がん薬が血液細胞をつくっている骨髄に作用し，骨髄で産生される赤血球，白血球，血小板が減少するからである．欧米では，EPO は抗がん薬治療に伴う貧血の治療にも使用されている．

がん治療とサイトカイン

サイトカインはがんの治療に応用されている．たとえば，IFN-α は慢性骨髄性白血病，多発性骨髄腫や腎がんの治療薬として，IFN-β は脳腫瘍と悪性黒色腫の治療薬として，IFN-γ は腎がんの治療薬として認められている．また，IL-2 も血管肉腫と腎がんの治療に用いられている．これらの抗がん作用は，サイトカインそのものが腫瘍細胞に対して傷害を与える直接的作用と，腫瘍細胞を攻撃するマクロファージ，キラー T 細胞や NK 細胞をサイトカインによって活性化する間接的作用によるものである．

5）インターロイキン7（IL-7）

インターロイキン7（IL-7）は，リンパ球系前駆細胞から分化してできたプレB細胞やプレT細胞がB細胞やT細胞へ分化，増殖するのに必須のサイトカインである．さらに，IL-7はIL-2と協力して成熟したT細胞の活性化も行う．また，単球にも作用し，IL-1，IL-6，TNF-αの産生を誘導する機能もある．

2. ケモカイン

病原体に対する免疫反応や炎症が起きるには，病原体が感染した局所に白血球を移動させることが重要である．この移動を遊走という．白血球を遊走させる機能をもつサイトカインを**ケモカイン**という．ケモカインは，ヒト免疫不全ウイルス（HIV）やヒトT細胞白血病ウイルスI型（HTLV-1）の感染，動脈硬化，自己免疫疾患に関係していることがわかっている．

代表的なケモカインは，CXCL1（GROα：growth related oncogene-α），CXCL8（IL-8），CXCL10（IP-10：γ-interferon-inducible protein-10），CXCL12（SDF-1：stromal cell-derived factor-1），CCL2（MCP-1：monocyte chemotactic protein 1），CCL5（RANTES：regulated on activation normal T expressed and secreted），CCL7（MCP-3），CCL11（エオタキシン）などがあげられる（**表7-3**）．ケモカインの多くは塩基性の分泌タンパク質でヘパリン heparin◆に結合する性質をもつ．また，分子量が8,000〜14,000程度の小さなタンパク質である．ほとんどのケモカインには

◆ヘパリン　ムコ多糖またはグリコサミノグリカンと総称される多糖の1種で，硫酸基を多く含み強く負に荷電している．ヘパリンは主に肥満細胞で生合成され，小腸，肺，皮膚や胸腺に存在している．ヘパリンはさまざまなタンパク質に結合し，血液凝固，細胞増殖や脂質代謝に関与する．

表7-3　主なケモカインの産生細胞と機能

ケモカイン	産生細胞	機　能
CXCL1（GROα）	単球，気道上皮細胞	好中球，好塩基球の遊走
CXCL8（IL-8）	単球，マクロファージ，線維芽細胞，血管内皮細胞，肥満細胞，表皮細胞	好中球，好塩基球，T細胞の遊走，好中球の血管内皮細胞への接着作用，ロイコトリエンB_4（LTB_4）の産生誘導
CXCL10（IP-10）	単球，線維芽細胞，血管内皮細胞	単球，Th1細胞，NK細胞の遊走
CXCL12（SDF-1）	間葉系細胞，線維芽細胞	未分化造血幹細胞，プレB細胞などの遊走
CCL2（MCP-1）	単球，マクロファージ，線維芽細胞，血管内皮細胞，上皮細胞，平滑筋細胞	単球，T細胞，好塩基球の遊走，好塩基球の脱顆粒，ヒスタミン，ロイコトリエンの産生・放出，抗腫瘍活性
CCL5（RANTES）	T細胞，血小板，単球，マクロファージ，線維芽細胞，血管内皮細胞，好酸球，気道上皮細胞	好酸球の遊走・活性化，T細胞，単球，好塩基球の遊走
CCL7（MCP-3）	単球，マクロファージ，好酸球，線維芽細胞，血小板	単球，NK細胞，好酸球，好塩基球，T細胞，樹状細胞などの遊走，単球・好塩基球の脱顆粒
CCL11（エオタキシン）	線維芽細胞，気道上皮細胞，血管内皮細胞，肥満細胞，マクロファージ	好酸球，好塩基球の遊走（ケモカインのなかで最も活性が強い），好酸球の脱顆粒・活性化

ケモカインの名称は系統的名称と以前に用いられていた名称の両方を示した．以前に用いられていた名称を括弧内に記載した．

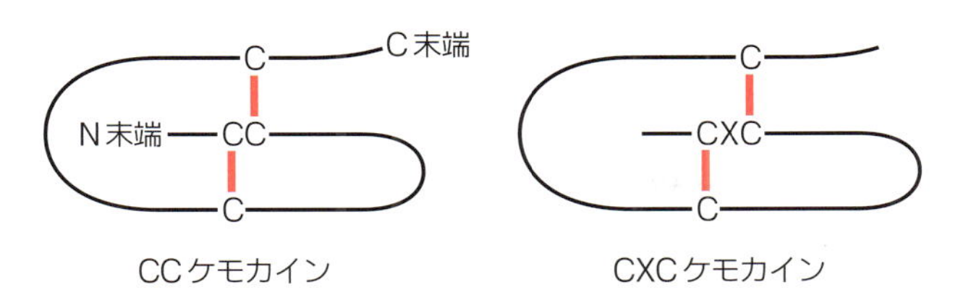

図 7-3 CC ケモカインと CXC ケモカインの構造モチーフ

4つのシステインが存在し，1番目と3番目のシステインの間，および2番目と4番目のシステインの間でジスルフィド（S-S）結合◆をつくる（**図 7-3**）．

ケモカインの代表的なサブファミリーとして，CC ケモカインと CXC ケモカインがあげられる（**図 7-3**）．CC ケモカインに分類されるケモカインが最も多く，これらの分子では1番目と2番目の2つのシステインが連続している．一方，CXC 型ではこれら2つのシステイン間にほかのアミノ酸が1個存在している．一般名から予想されるとおり，CXCL1, CXCL8, CXCL10, CXCL12 は CXC ケモカインであり，一方，CCL2, CCL5, CCL7, CCL11 は CC ケモカインに分類される．好中球を遊走させるケモカインは CXC ケモカインに多く，一方，単球に遊走活性を示すものは CC ケモカインに多い．

ケモカインの立体構造には類似性がある（**図 7-4**）．それらは，β シートとヘパリン結合能を有する α ヘリックスからなる．ケモカインは標的細胞の表面にあるケモカイン受容体に結合することによって作用する．ケモカイン受容体は7回膜貫通型の G タンパク質共役型受容体である．ケモカインがその受容体に結合すると，G タンパク質を介して細胞内にシグナルが伝達される．

◆**ジスルフィド（S-S）結合**　2つの硫黄原子が共有結合で連結した結合で，R-S-S-R′ で表される．タンパク質の S-S 結合は2つのシステイン残基の硫黄原子が連結されることで形成され，タンパク質が存在する環境が酸化的あるいは還元的になることで S-S 結合が形成あるいは開裂する．

3. 炎　症

炎症とは，皮膚などの体の組織が赤くなって腫れ，発熱し痛みが発生した状態をいう．炎症は損傷部位を修復して再生するための生体防御反応の1つである．しかし，炎症反応によっては過度の痛み，腫れ，発熱が起きたり，組織の損傷が逆に増幅されたり，さらには組織の機能が損なわれる場合もある．

炎症は，細菌やウイルス感染が原因で起こるが，それ以外にも外傷や打撲，やけど，紫外線による日焼けなどの物理的刺激，酸やアルカリによる化学的刺激などによっても起こる．

炎症反応では，常在マクロファージは細菌やウイルス感染の際に活性化し，サイトカインを分泌する．すると，その付近の血管が一時的に収縮する．その後血管が拡張し血管透過性が増大する．直後には血漿など，血液の液体成分が血管から漏れ出して蓄積する（この状態を浮腫という）．これが炎症の第1期であり，浮腫や腫脹によって神経末端が圧迫され痛みの原因となる．次いで，白血球が血管内皮に接着し，細胞間の隙間から血管外に出て病巣へ遊走する．白血球のなかでも，まずは好中球が病巣に遊走し，次いで単球とリンパ球が続く．この時期が炎症の第2期である．第3期では，傷害を受けた組織細胞やアポトーシスを起こした細胞（死滅し

コアカリ到達目標
- 炎症の一般的症状，担当細胞および反応機構を説明できる．
- 抗炎症薬の作用機序に基づいて炎症について説明できる．

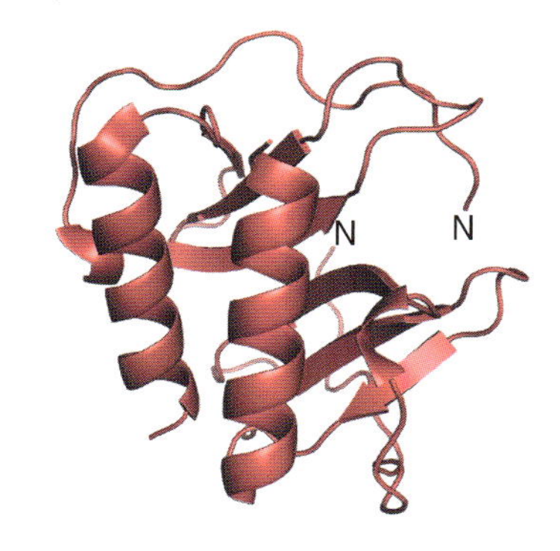

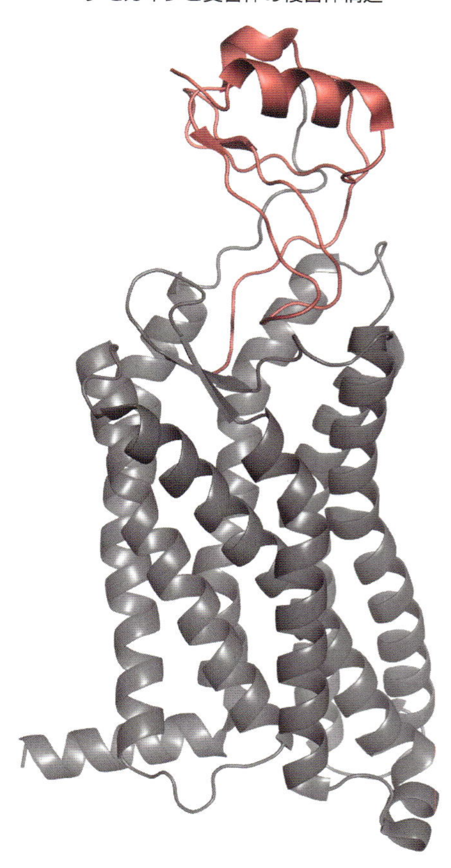

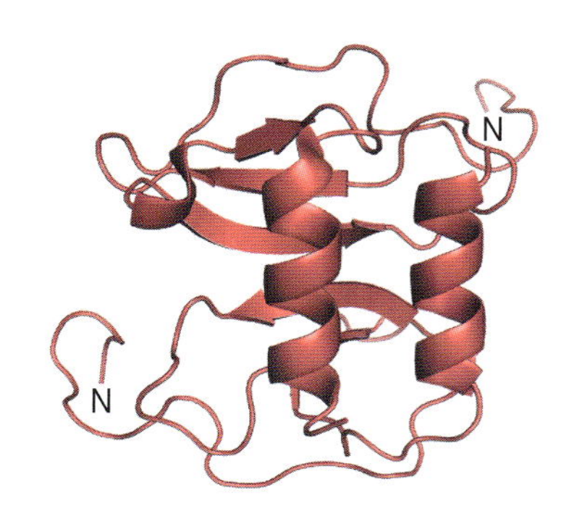

図 7-4　代表的なケモカインの立体構造
すべて二量体タンパク質であり，単量体構造は α ヘリックスと β シートからなる．N 末端を N と表示した．

た好中球など）が，単球から分化したマクロファージなどの食細胞によって貪食された後，新しい血管や増殖の盛んな細胞からなる新しい組織が形成されて次第に回復する（図 7-5）．

A　炎症性サイトカイン

炎症に関係するサイトカインを炎症性サイトカインという．たとえば，IL-1，TNF-α, IL-6, CXCL8, IL-12 は代表的な炎症性サイトカインであり，細菌感染時にマクロファージによって産生される．これらの炎症性サイトカインの発現は，細菌由来のリポ多糖（LPS）がマクロファージ上の Toll 様受容体 TLR4 の細胞外ドメインに結合することで開始される．LPS が結合すると，細胞内にシグナルが伝達され，転写因子 NFκB に結合している IκB がリン酸化される．すると，NFκB が IκB から解離して核に移行する．NFκB は炎症性サイトカイン遺伝子の転写を活性化し，細胞質で合成された炎症性サイトカインは小胞体を経て分泌される．

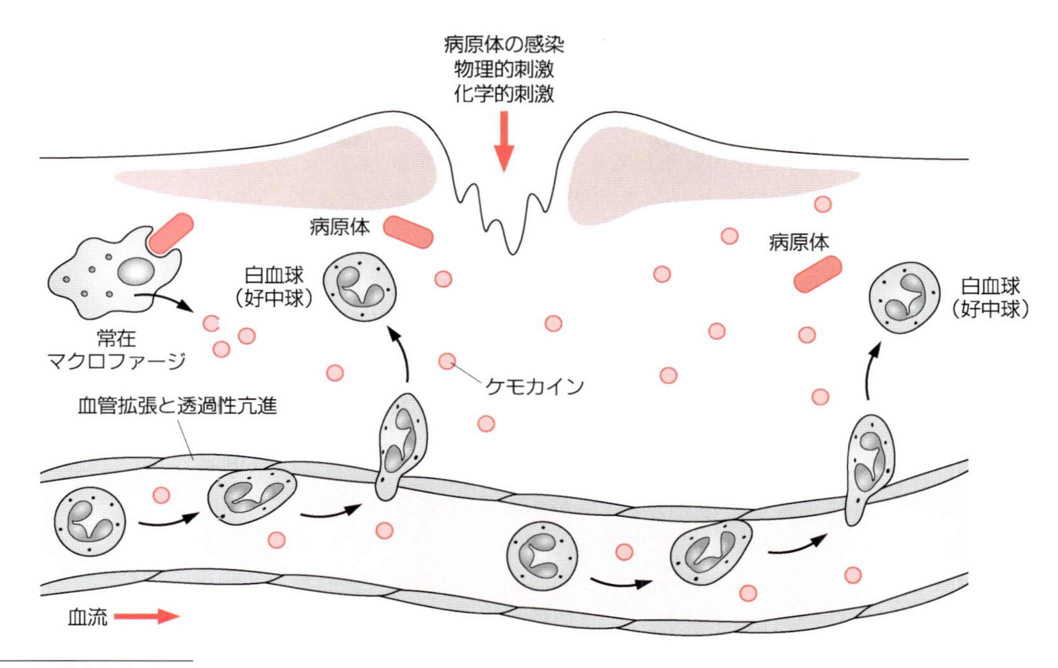

図 7-5　炎症の概念図
炎症の特徴は，発赤，腫脹，熱感，疼痛，機能障害である．炎症では，血管拡張と透過性亢進，白血球の遊走，病原体や傷ついた組織細胞の除去，組織の修復が起こる（**図 5-9** 参照）．

炎症性サイトカインの IL-1, TNF-α, IL-6 は発熱を促進する働きがある．体温は脳の視床下部で制御されているが，これらのサイトカインが脳血管の内皮細胞に到達すると，内皮細胞内でプロスタグランジン合成酵素の発現が誘導され，プロスタグランジン E_2（PGE_2）が産生される．PGE_2 は脳実質内へ拡散し，視床下部の体温調節中枢に作用して体温を上げる指令を出す．IL-1, TNF-α, IL-6 など体温を上昇させる体内物質は内因性発熱物質と呼ばれる．

炎症性サイトカインは，好中球などの遊走を促進する作用がある．たとえば，TNF-α は内皮細胞に作用し接着分子である E-セレクチンや ICAM-1 の発現を誘導する．E-セレクチンと ICAM-1 は好中球表面に結合するので，好中球は血管内とゆっくり移動するようになり，内皮細胞の間から漏出する．漏出した好中球は，ケモカインである CXCL8 の濃度勾配に従って炎症の中心部へ遊走する．これは，CXCL8 と好中球の表面に存在するケモカイン受容体との相互作用によって起こる．また，炎症性サイトカインの IL-12 は，NK 細胞を活性化する機能をもっている．活性化した NK 細胞は IFN-γ を分泌し，この IFN-γ がマクロファージを活性化する．

B　炎症伝達物質

炎症伝達物質とは炎症を引き起こしたり増強する生体物質の総称で，炎症性メディエーターとも呼ばれる．炎症伝達物質は，平滑筋を収縮させたり，血管透過性を上昇させたり，血管を拡張させたり，白血球を炎症局所に遊走させるなどの活性をもつ．

炎症伝達物質の1つであるヒスタミンは，平滑筋収縮，血管透過性の亢進，血管拡張，腺分泌促進などの作用がある．ヒスタミンは，肥満細胞や好塩基球の顆粒に貯蔵されており，外傷や火傷，アレルギー物質の侵入などの外部刺激によって細胞外へと放出され，ヒスタミン受容体を介してその作用を発揮する．

アナフィラトキシンであるC3aとC5aも代表的な炎症伝達物質である．C3aとC5aは，補体C3とC5が切断されることによってできる小さな断片であり，どちらも肥満細胞や好塩基球を炎症部位に動員し，活性化する働きがある．肥満細胞や好塩基球には，C3aとC5aの受容体が存在し，C3aとC5aが結合すると大量のヒスタミンを放出する．その結果，平滑筋の収縮や血管透過性の亢進などの炎症反応を引き起こす．また，C5aは単球や好中球を炎症部位に遊走させる働きもある．一方，C3aにはC5aのような遊走活性はない．

PGE_2やロイコトリエンB_4（LTB_4）も重要な炎症伝達物質である．どちらも肥満細胞から分泌され，血管透過性を亢進する作用がある．LTB_4は好中球を炎症部位に遊走させる働きもある．また，アスピリンなどの非ステロイド性抗炎症薬（NSAIDs）は，シクロオキシゲナーゼの活性部位に結合しプロスタグランジンの生合成を阻害することで抗炎症作用を示す．

そのほかの重要な炎症伝達物質として，セロトニン，血小板活性化因子 platelet activating factor（PAF），ブラジキニンがある．セロトニンは肥満細胞や好塩基球から分泌され，平滑筋を収縮させたり，血管の透過性を亢進する作用がある．血小板活性化因子（PAF）は，好中球，好塩基球，単球，内皮細胞などにより産生され，血小板を活性化しヒスタミンやセロトニンを放出させる．血小板活性化因子（PAF）は，好中球，単球，平滑筋細胞などにも作用する．ブラジキニンは9アミノ酸からなるペプチドであり，平滑筋収縮，血管透過性の亢進，血管拡張などの作用がある．

4. シグナル伝達

本章の1.～3.で学んだようにサイトカインは一般にさまざまな細胞を標的として作用し，その標的細胞に応じて異なった活性を示す（サイトカインの多能性）．また，1種類の細胞が異なるサイトカインの刺激に応じて同一の機能を示す特徴を有している（サイトカインの重複性）．さらに，サイトカインはほかのサイトカインの産生を誘導したり，ほかのサイトカインを相互に活性化したり，抑制をかけたりして調整しながら，免疫系の恒常性を保つ作用も有している（サイトカインネットワークの存在）．サイトカインが細胞表面のサイトカイン受容体に結合すると，細胞内シグナルは励起される（スイッチがONになる）．このシグナルを核に伝達する（シグナル伝達）ことにより個々の細胞の増殖，分化，細胞死は厳密に制御される．また，生体が免疫系にみられるような高次機能を形成し維持するために異なる免疫担当細胞群がサイトカインのバランスのもとに調和を保つことが，非常に重要である．

一方で，サイトカインの異常産生，産生低下やシグナル異常によって，生体はその恒常性から逸脱することがあり，そのような状態の持続により，疾患が発症する．とくに，炎症性サイトカインによる過剰な炎症反応は自己免疫疾患の発症と強く関係している．すでに種々の免疫疾患がサイトカインの制御破綻により起きていることが明らかにされており，疾患の病態解釈にはサイトカインの機能の理解が不可欠である．ここではサイトカインが受容体に結合するところから，いかにシグナル伝達が進むのかについて概説する．

A サイトカインのシグナル伝達系―JAK-STAT シグナル伝達系―

サイトカインシグナルはまずサイトカインが受容体に結合することにより開始・伝達される．サイトカイン受容体は，その構造的あるいは作用機序からいくつかに分類することができる（**図 7-6**）．

多くのインターロイキンはクラスⅠ型サイトカイン受容体を利用する．また，クラスⅡ型サイトカイン受容体を利用するサイトカインとしてはインターフェロンファミリーがある．クラスⅠとⅡはその細胞外ドメイン◆に特徴的なシステインに富む構造を有し，Ⅰ型においては細胞外ドメインにトリプトファン-セリン-X-トリプトファン-セリンモチーフを有する．細胞傷害活性を担う TNF ファミリーの受容体群もシステインの特徴的な配列を有し，受容体は三量体として機能する．

また，IL-1 受容体は免疫グロブリンスーパーファミリータンパク質に属する．IL-1 受容体には，Toll 様受容体（TLR）と呼ばれる自然免疫を担う受容体タンパク質と共通する Toll/IL-1 受容体ドメインを有することから，IL-1 は TLR 同様に炎症応答を開始するシグナルを伝達する．

EGF などの増殖因子の受容体は，受容体の細胞内ドメインにチロシン残基特異

◆**細胞外ドメイン** サイトカインや増殖因子の受容体タンパク質はほぼ例外なく複数の領域（ドメイン）からなる構造をしている．とくに細胞外の露出した領域（ドメイン）を細胞外ドメインと呼ぶ．また，この領域（ドメイン）は医薬品の標的ともなるサイトカインや増殖因子タンパク質の結合部位を含んでいる．

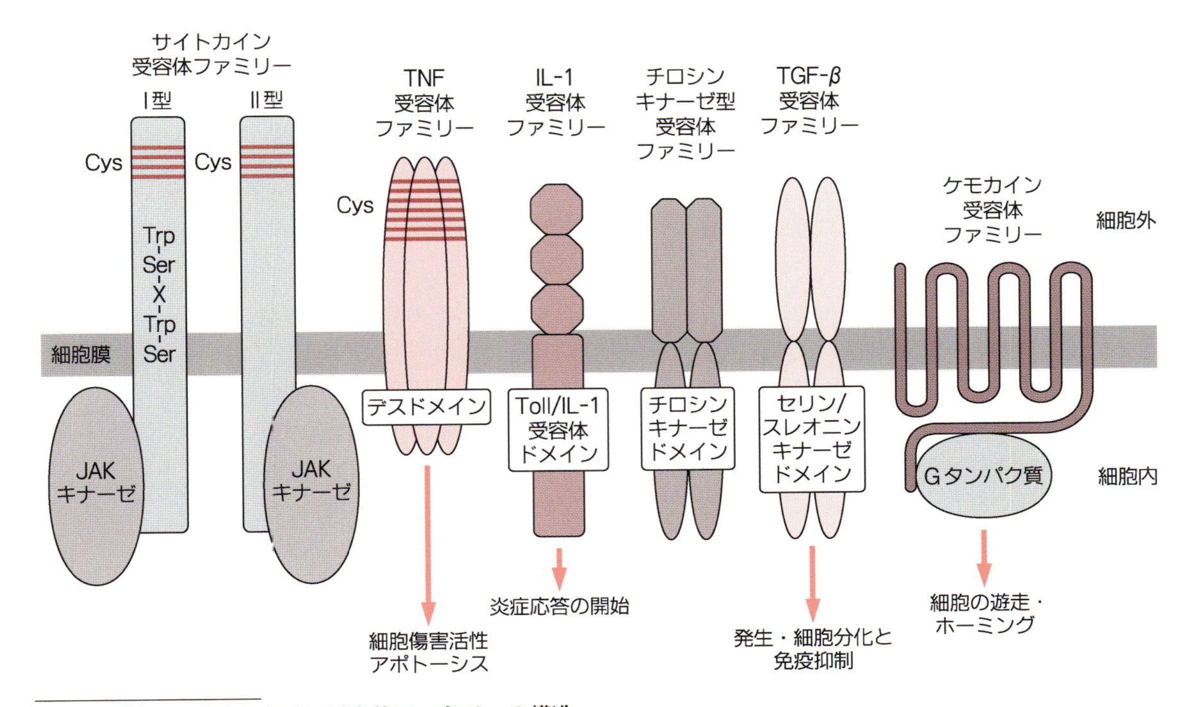

図 7-6 種々のサイトカイン受容体ファミリーの構造
バー（—）はシステイン残基（Cys）の局在を示している．

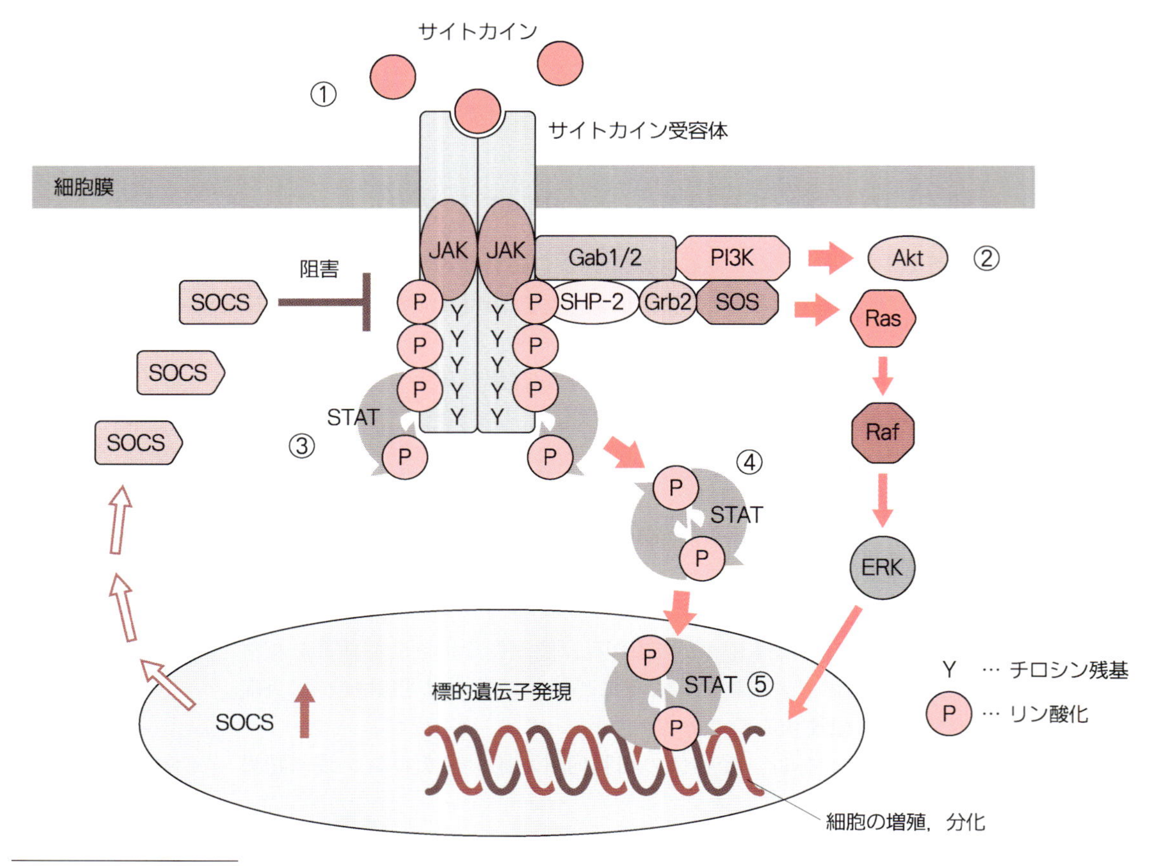

図 7-7　サイトカインのシグナル伝達―JAK-STAT シグナル伝達系

①JAK-STAT シグナル伝達系の活性化は受容体へのサイトカインの結合に始まる．
②多くのサイトカインの受容体はサブユニット構造をとり，サイトカイン結合サブユニットやシグナル伝達に関与するサブユニットが存在する．
③STAT はリン酸化チロシン指向性ドメインである SH2 ドメインをもつ転写因子で，通常細胞質に存在している．サイトカイン刺激後，STAT はリン酸化した受容体に結合し，JAK キナーゼによりチロシンリン酸化を受ける．
④チロシンリン酸化した STAT はホモまたはヘテロ二量体を形成し，タンパク質内の核移行シグナルが露出することにより核へ移行する．
⑤標的遺伝子プロモーター上の STAT 結合部位に結合し，標的遺伝子の転写を活性化する．

的なリン酸化修飾を触媒するチロシンキナーゼドメインを有し，その酵素活性の発現によりシグナルを核に伝達する．

発生や細胞分化，免疫抑制を担う TGF-β ファミリーの受容体もそれ自身の細胞内ドメインにセリン/スレオニン特異的キナーゼ活性を有する．免疫担当細胞の遊走やホーミングを担う走化性因子としての活性を示すケモカインの受容体は，細胞膜を 7 回貫通する G タンパク質に共役した受容体として知られている．ここではとくにインターロイキンやインターフェロンなどのサイトカイン受容体におけるシグナル伝達について概説する．

サイトカインのシグナルは，**図 7-7** に示すように標的細胞表面上のサイトカイン受容体にサイトカインが結合することにより細胞内に伝わる．このようなサイトカイン受容体以降のシグナル伝達系はとくに janus kinase-signal transducers and activator of transcription（JAK-STAT）シグナル伝達系と呼ばれ，サイトカインの最

表 7-4　各種サイトカインと JAK-STAT シグナル伝達系

サイトカイン	JAK	STAT
IFN-α/β，IFN-γ	JAK1，JAK2，TYK2	STAT1/STAT2
IL-6, IL-11, LIF, CNTF, OSM, CT-1，レプチン，G-CSF，EGF	JAK1，JAK2，TYK2	STAT3
IL-12	JAK2，TYK2	STAT4
成長ホルモン，プロラクチン，IL-2，IL-3，IL-5，エリスロポエチン，GM-CSF	JAK1，JAK3	STAT5A/STAT5B
IL-4，IL-13	JAK1，TYK2，JAK3	STAT6

も主要な細胞内シグナル伝達系として知られている．

JAK-STAT シグナル伝達系の活性化は受容体へのサイトカインの結合に始まる．単鎖のチロシンキナーゼ型受容体をもつ EGF や PDGF などの増殖因子とは異なり，多くのサイトカインの受容体はサブユニット構造をとり，サイトカイン結合サブユニットやシグナル伝達に関与するサブユニットが存在している．とくにシグナル伝達に関与するサブユニットにチロシンキナーゼである JAK が恒常的に会合しておりサイトカイン作用のすばやい ON-OFF に適している．STAT はリン酸化チロシン指向性ドメインである SH2 ドメイン◆をもつ転写因子で，通常細胞質に存在している．サイトカイン刺激後，STAT はリン酸化した受容体に結合し，JAK キナーゼによりチロシンリン酸化を受けるとホモまたはヘテロ二量体を形成し，分子内の核移行シグナルが露出することにより核へ移行して標的遺伝子プロモーター上の STAT 結合部位に結合し，標的遺伝子の転写を活性化する．STAT はこのようにサイトカインのシグナルを直接，細胞表面から細胞質へ，さらに核へ伝達するユニークなシグナル伝達分子である．

これまでに哺乳動物において 4 種の JAK と 7 種の STAT の存在が明らかにされており，代表的なサイトカインそれぞれに特異的な JAK/STAT の組み合わせがあり（**表 7-4**），これによりシグナルの多様性が生み出される．また異なるサイトカインのシグナルを共通の STAT が伝達しているが，これはサイトカイン受容体でみられる受容体サブユニットの共有とともに，サイトカインの特徴である機能の重複性を生み出すもととなる（**表 7-5**）．共通の受容体サブユニットを利用するサイトカインはファミリーと称される．たとえば IL-6，IL-11，オンコスタチン M（OSM），leukemia inhibitory factor（LIF），ciliary neurotrophic factor（CNTF）などの IL-6 ファミリーサイトカインはシグナル伝達にシグナル伝達サブユニットとして gp130（IL-6 受容体 β 鎖）を利用し，主に JAK1, JAK2, TYK2 そして下流で STAT3 を活性化する．

IL-6 による STAT3 活性化は制御性 T 細胞（Treg）の分化を抑制し，炎症性ヘルパー T 細胞（Th17）の分化を誘導するなど自己免疫疾患や炎症性疾患の発症の引き金でもあり，これら疾患治療薬の標的としても STAT3 の機能制御は重要である．また，Th17 は IL-6 と TGF-β の両方の存在によってナイーブ $CD4^+$ T 細胞から分化が誘導され，IL-17, IL-21, IL-22 を産生し，IL-1β や IL-23 により増殖や生存が維持される $CD4^+$ T 細胞サブセットであるが，主要な産生サイトカイン，IL-17 の受容体は IL-1

◆ SH2 ドメイン
SH2 ドメイン（Src homology 2 domain）はおよそ 100 アミノ酸残基からなるタンパク質ドメインの 1 つで，がん遺伝子由来のタンパク質 Src との共通配列として発見された．同様の構造をもつタンパク質は後にシグナル伝達にかかわるタンパク質などで多数発見された．とくにリガンド結合により受容体タンパク質のリン酸化が起こると，リン酸化されたチロシンを認識する，SH2 ドメインをもつタンパク質が結合する．その後，多くのルートでシグナル伝達が進行することになる．

表 7-5　Ⅰ型サイトカイン受容体ファミリーの構造と共有鎖の存在

共有鎖	サイトカイン受容体ファミリー	ほかの共有鎖
Cγ鎖	IL-2R，IL-15R	IL-2Rβを共有
	IL-7R，IL-9R	
	IL-4R，IL-13R	IL-4Rαを共有
gp130	IL-6R，IL-11R	
	LIFR，CNTFR，OSMR	LIFRβを共有
βC 鎖	IL-3R，IL-5R，GM-CSFR	

受容体同様の細胞内機能ドメイン（**図 7-7**）を有しており，炎症関連遺伝子群の転写発現に重要な転写因子 NF-κB を活性化することが知られている．

B サイトカインのトランスシグナル機構

サイトカインのシグナル伝達における興味深い点は種々のサイトカインがトランスシグナル機構を有することである．最近 IL-6 受容体に対する抗体が医薬品として上市されている．そこで，ここでは，サイトカインのトランスシグナル機構について IL-6 を例にあげる．IL-6 の受容体は IL-6 結合サブユニットである IL-6 受容体 α 鎖（IL-6Rα）とシグナル伝達サブユニットである gp130（IL-6 受容体 β 鎖）から構成される．gp130 はほとんどの細胞に発現するが，IL-6 による gp130 分子の活性化は通常 IL-6 結合サブユニットである IL-6Rα を介して起こるため（**図 7-8a**），IL-6 の作用は IL-6Rα を発現している肝細胞や免疫担当細胞に限定されてしまう．しかしながら生体における IL-6 の多くの生物活性が，生理的に産生される可溶性 IL-6Rα（soluble IL-6Rα：sIL-6Rα）を介しても誘導されることが明らかになっている．sIL-6Rα は IL-6 とアゴニスト作用を有する複合体を形成し，gp130 分子と結合し細胞内にシグナルを伝達する（**図 7-8b**）．このサイトカインのトランスシグナル機構の存在は関節リウマチなど自己免疫疾患治療における抗体あるいは受容体タンパク質を用いた抗サイトカイン療法を考える上でも重要である．受容体がサブユニット構造を有さず，トランスシグナルを励起しない TNF などのサイトカインには抗 TNF 抗体や可溶性 TNF 受容体タンパク質を TNF 阻害療法として用いることが可能である．他方，受容体がサブユニット構造を有し，かつトランスシグナルを形成する IL-6 の場合，その阻害療法として抗受容体抗体が有用であることがわかる．

C サイトカインシグナル伝達系の制御

サイトカインのシグナル伝達系には，過剰なシグナルの発現によるサイトカインの異常な作用を抑制するための負のフィードバック調節機構が存在している（**図 7-7**）．なかでもサイトカインシグナル伝達抑制因子 suppressor of cytokine signaling（SOCS）はサイトカインシグナル伝達における重要な負の制御タンパク質と

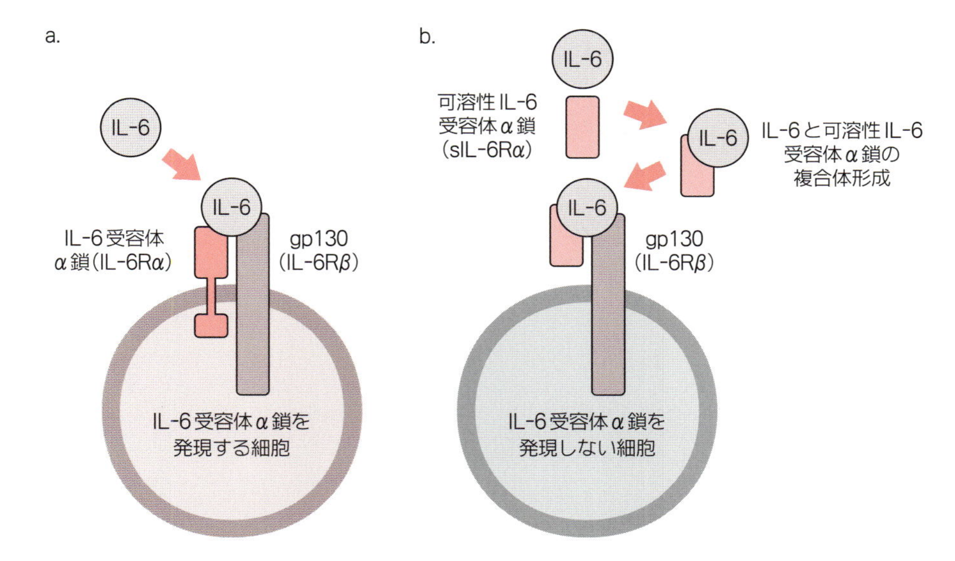

図 7-8　IL-6 とその可溶性 IL-6 受容体 α 鎖によるトランスシグナルの形成

IL-6 の受容体は IL-6 結合サブユニットである IL-6 受容体 α 鎖（IL-6Rα）とシグナル伝達サブユニットである gp130（IL-6 受容体 β 鎖）から構成される．gp130 はほとんどの細胞に発現するが，IL-6 による gp130 分子の活性化は通常 IL-6 結合サブユニットである IL-6Rα が必要であるため，IL-6 の作用は IL-6Rα を発現している肝細胞や免疫担当細胞に限定されると考えられていた．しかしながら生体において生理的可溶性 IL-6Rα（sIL-6Rα）が生産されるため IL-6Rα を発現していない細胞集団や組織においても IL-6 が作用することがわかった．この機構をトランスシグナルと呼び，サイトカインの多能性の理由の 1 つでもある．

して知られている．SOCS タンパク質は構造的特徴として 1 つの SH2 ドメインと SOCS ボックス◆ドメインをもち，8 種の SOCS タンパク質がファミリーを形成しており，それぞれ異なった分子機序でサイトカインシグナル伝達を制御する．SOCS-1 は JAK キナーゼ分子と結合して，その酵素活性を抑制し，SOCS-3 は受容体のリン酸化チロシンと結合し，サイトカインシグナルを負に制御することが知られている．このようなサイトカインのシグナル伝達系とその制御因子との相互作用の詳細な理解は，サイトカインの関与する多くの免疫疾患，がんなどの治療薬開発への重要な手掛かりであると考えられる．実際，SOCS-1 遺伝子が肝細胞がんに高頻度でメチル化を受け発現が低下していることが明らかにされており，制御分子 SOCS-1 遺伝子の発現低下によって過剰な炎症応答が誘起され，肝炎が誘導され，肝細胞がんの発症へとつながる可能性が考えられている．

◆ **SOCS ボックス**
SOCS タンパク質ファミリーメンバーにおいて同定された約 40 アミノ酸残基からなる構造である．SOCS ボックスは常に C 末端に局在しており，標的タンパク質のユビキチン化を促進すると考えられている．

8 アレルギー

🖉 コアカリ到達目標
▪ アレルギーを分類し，担当細胞および反応機構について説明できる．

アレルギー allergy とは，ギリシャ語の allos（英語の other）「異なった」と ergon（英語の action）「作用」とに由来する言葉であり，「変わった作用（反応）」という意味である．つまり，本来の疫より逃れるための免疫とは異なるが，免疫反応と類似した反応により疾患が起こることからこの名がつけられた．アレルギーという言葉は，1906 年に Allergie と題する論文のなかではじめてピルケ Pirquet が用いた．

アレルギー疾患は，古代エジプト王がハチに刺されてアナフィラキシーショックすなわちアレルギー反応の結果死亡したと推測されることから，古くからあったと考えられる．現代では，じん麻疹，花粉症，気管支喘息，食物や薬物アレルギーなどが一般的によく知られている．わが国のアレルギー疾患をもつ国民の割合は 30％を超える．また，近年の環境や食生活の変化により，世界的にアレルギー疾患患者の割合が増加傾向にある．一方，近年のアレルギー学の進歩により，アレルギー疾患の複雑な臨床症状の発現機序も解明されつつある．

最初に異物（抗原）が生体に侵入（または生体内で産生）すると，免疫反応により異物の破壊と排除が行われる．免疫反応は，体を守るために働く（一次免疫応答）．再び異物（抗原）に曝露されると過剰な免疫反応や体にとって不適当な免疫反応が起こる場合がある．その結果，自分の体の細胞や組織が傷つけられ，破壊されて病気の原因となる．これが**アレルギー（過敏症）**である．アレルギーは，体への有害な異物の侵入によって起こるばかりでなく，体のなかにある物質や食品のように本来体に害とならない成分によっても起こる．これらアレルギーを引き起こす物質（抗原）が**アレルゲン** allergen である．すなわち，一度体がアレルゲンに曝されてもアレルギーは起こらないが，同じアレルゲンに再び曝されるとアレルギーが起こる．体を守る免疫系が，自分の細胞や組織に過剰に反応して傷害を与えることで起こる疾患が**自己免疫疾患**（9 章-1.「自己免疫疾患」（p133）参照）である．

免疫反応により引き起こされる組織傷害は，クームス Coombs とゲル Gell（1963 年）によって，基本的に 4 型（Ⅰ，Ⅱ，Ⅲ とⅣ型）（**表 8-1**，**図 8-1**）に分類されたが，生体内ではこれらの 4 種の反応が必ずしも互いに独立して起こるわけではない．ⅠからⅣ型アレルギーの基本的な反応機構の特徴は次のとおりである．

Ⅰ型：IgE 抗体と**肥満細胞**◆が関与する**即時型アレルギー**
Ⅱ型：抗体（IgG や IgM）が関与する**細胞傷害型アレルギー**
Ⅲ型：抗体（IgG や IgM）と抗原抗体複合体が関与する**免疫複合体型アレルギー**
Ⅳ型：T 細胞による細胞性免疫が関与する**遅延型アレルギー**

◆**肥満細胞**　結合組織や粘膜組織内に存在する好塩基性色素で染色される顆粒を細胞質内にもつ顆粒球の 1 種．細胞表面には IgE と強い親和性をもつ Fc 受容体をもち，即時型アレルギーに関与する．

表 8-1　I～IV 型アレルギーの特徴

分　類	反　応	抗　原	抗　体	関与細胞	補体関与	標的臓器	疾患例
I 型 アナフィラキシー反応	即時型[1]	外因性（花粉，ダニ，食物など）	IgE	肥満細胞，抗原提示細胞，T・B 細胞，マクロファージ，好塩基球，好酸球など	なし	腸管，皮膚，肺	アナフィラキシーショック，じん麻疹，鼻炎，気管支喘息，花粉症など
II 型 細胞傷害反応 （細胞溶解反応）	即時型	内因性（組織抗原など），外因性（輸血，薬物など）	IgG IgM	抗原提示細胞，T・B 細胞，マクロファージ，好中球など	あり	赤血球，白血球，血小板	溶血性貧血，血液型不適合輸血，再生不良性貧血，血小板減少症など
（V 型） （抗原がホルモン受容体などである反応）	即時型	内因性（自己）	IgG	抗原提示細胞，T・B 細胞など	あり	神経終末板，甲状腺，膵臓	重症筋無力症，バセドウ病など
III 型 免疫複合体反応 （アルツス反応）	即時型	内因性，外因性	IgG IgM	抗原提示細胞，T・B 細胞，マクロファージ，好中球など	あり	血管，皮膚，関節，腎，肺	関節リウマチ，全身性エリテマトーデス，糸球体腎炎，血清病など
IV 型 細胞性免疫関与アレルギー	遅延型	内因性，外因性	なし	抗原提示細胞，T 細胞，マクロファージなど	なし	皮膚，肺，甲状腺，中枢神経系など	ツベルクリン反応，接触性皮膚炎，甲状腺炎，結核，ハンセン病など

[1] 遅延型もある．

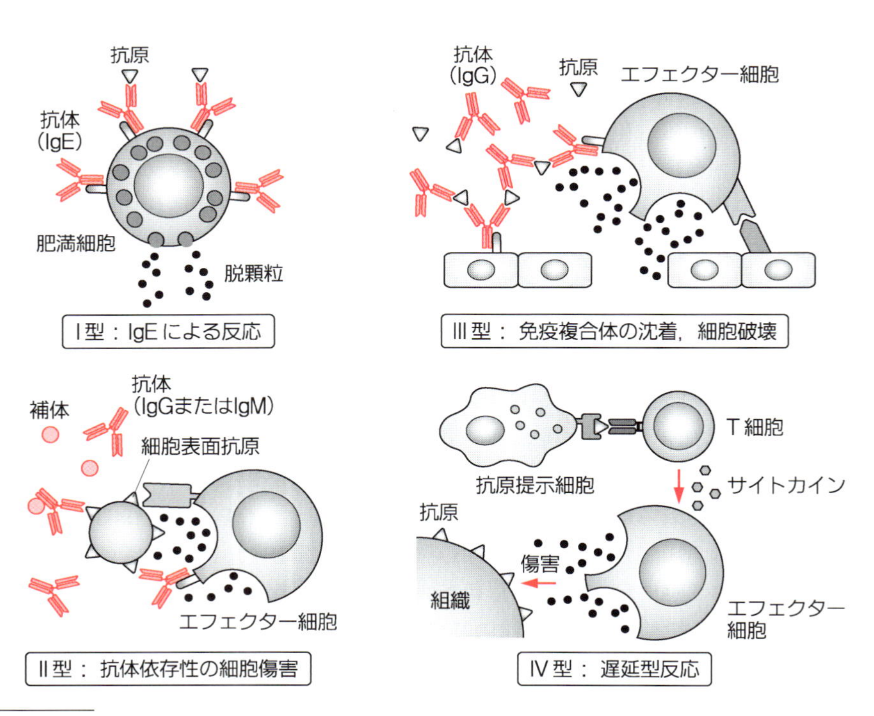

図 8-1　免疫反応による組織傷害の発生機序

表 8-2　アレルゲンの種類

動物性アレルゲン		ダニの死骸や糞，動物の毛やフケ（イヌ，ネコ，ウサギ，マウス，モルモットなど），羽毛（ガチョウ，ニワトリなど），繊維（絹，羊毛など）
	食物	魚（サバ，サンマ，イワシ，アジ，カツオなど），牛乳，卵，肉
	昆虫	ハチ，カなど
植物性アレルゲン		花粉（スギ，ブタクサ，ヨモギなど），キノコ（シイタケ胞子），ソバガラ，ウルシなど
	食物	コンニャク，ソバ，タケノコ，ヤマイモ，ピーナッツ，コーヒー，大豆，ナスなど
その他		薬（抗生物質：ペニシリン，セファロスポリン，サルファ剤，ホルモン剤，ピリン剤など），染料，化粧品，ニッケル，コバルト，クロム，ゴム

これらの反応は，本質的に生体にとって有利な免疫反応として起こることには変わりはないが，不適当な反応が起こるため炎症や組織傷害が引き起こされる．Ⅰ，ⅡとⅢ型アレルギーは，抗体が関与する体液性免疫により誘導され，アレルゲンに接触してから比較的短時間で起こるため，**即時型アレルギー**と呼ばれる．また，Ⅳ型アレルギーは，T細胞が関与する細胞性免疫により誘導され，アレルゲンに接触してから24〜48時間以降と時間がかかるため，**遅延型アレルギー**と呼ばれる．

アレルゲン（**表 8-2**）は多くの種類があり，その種類によって起こるアレルギーの症状も異なる．一般的に，花粉などの比較的大きいアレルゲンは，鼻アレルギーやアレルギー性結膜炎を起こす．気管の中まで入るような小さいアレルゲン，たとえばダニの糞由来タンパク質などは気管支喘息を起こす．また，卵，牛乳，魚類などの食品は，胃腸アレルギーやじん麻疹を起こしやすい．さらに，ハプテンとして生体内タンパク質を結合して複合体を形成し，免疫原性を獲得するペニシリンなどの抗生物質やクロム，ニッケルなどの重金属もアレルゲンとなる．

本章では主としてアレルギー機構について述べる．基本的なアレルギー治療薬の薬理作用は14章-5.「アレルギー治療薬」（p238）で解説している．

1.　Ⅰ型アレルギー

Ⅰ型アレルギー反応は，**肥満細胞**の細胞表面に結合したIgE抗体にアレルゲンが結合することにより起こる．これらの細胞では，アレルゲンの結合により細胞内顆粒からヒスタミンやセロトニンなどの**化学伝達物質**（ケミカルメディエーター：**表 8-3**）が放出される．その結果，血管透過性の亢進，平滑筋収縮，粘液分泌亢進などが起こるⅠ型アレルギー疾患が引き起こされる．**アナフィラキシー**は，Ⅰ型アレルギー反応を意味しており，全身性アナフィラキシーや局所性アナフィラキシーがⅠ型アレルギー疾患として知られている．Ⅰ型アレルギー疾患には，気管支喘息，枯草熱（花粉症）があり，室内塵（ハウスダスト），家ダニ，真菌（胞子），スギなどの花粉，卵や牛乳など食物がアレルゲンとなっている．遺伝的にみられるⅠ型アレルギー疾患としては，アトピー性湿疹が知られている．

A　I型アレルギー反応機構（図8-2）

I型アレルギー反応は，①IgE抗体の産生，②IgEを介した脱顆粒，③即時型反応，④遅延型反応によって起こる．

1）IgE抗体の産生

I型アレルギー反応は，再侵入した特定アレルゲンが粘膜上皮や皮膚に沈着して始まる．このとき，アレルゲンは**ランゲルハンス細胞**（皮膚の樹状細胞）などの**抗原提示細胞**によって**ナイーブT細胞**に提示され，Th2細胞に分化したT細胞はIL-4などを産生して，一次感作されたB細胞の抗体産生をIgMからIgEへとクラススイッチさせる．この結果，特定アレルゲンに対するIgE抗体を産生する形質細胞が形成される．クラススイッチが起こるには，B細胞のCD40とT細胞のCD40Lとの相互作用によりB細胞内へ伝達されるシグナルも重要である．

2）IgEを介した脱顆粒

形質細胞から産生されたIgEは，高い親和性で肥満細胞上のIgE特異的Fc受容体（FcεRⅠ）に結合する．結合したIgE抗体に再侵入したアレルゲンが結合してIgE抗体が架橋されると膜構造が変化し，細胞内へのCa^{2+}の流入が起き，肥満細胞が活性化して顆粒が細胞外に放出される（**脱顆粒**）（**図8-3**）．肥満細胞の細胞質は，分泌顆粒に富んでいる．顆粒には，種々の炎症伝達物質や**化学伝達物質**（**表8-3**）が含まれている．肥満細胞は，**アナフィラトキシン**（C3a，C5aなど）（2章-3.Ⓑ3）「炎症の誘導と食細胞の動員」（p34）参照）や種々の化合物（カルシウムイオノフォア，コデイン，モルヒネ，合成ACTH（副腎皮質刺激ホルモン）など）によっても活性化される．

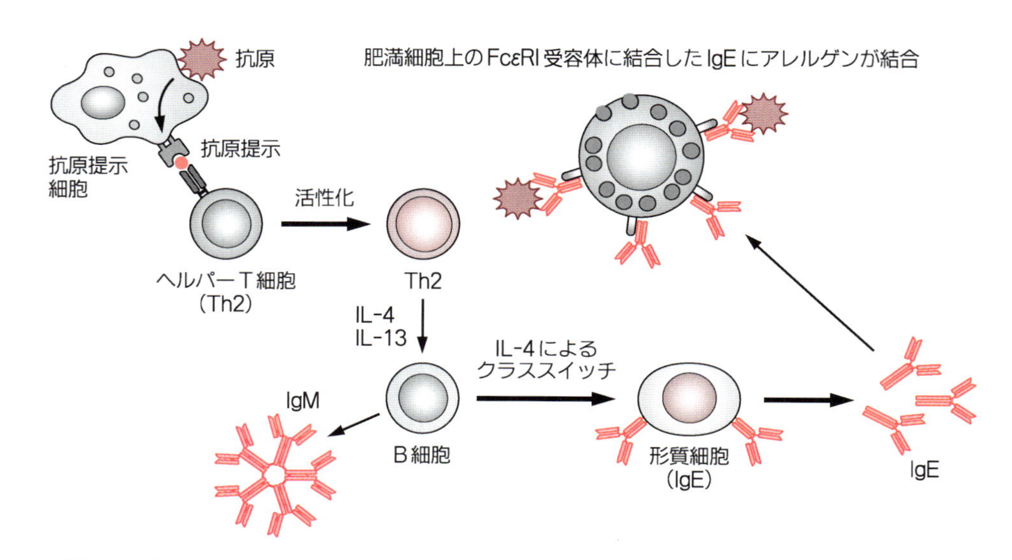

図8-2　IgEの生成と肥満細胞への結合

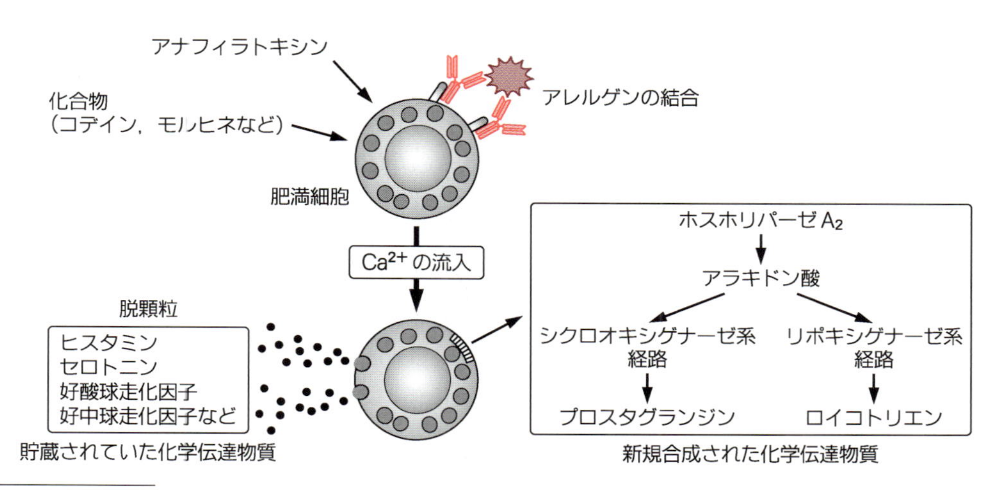

図 8-3　肥満細胞の活性化と化学伝達物質

表 8-3　Ⅰ型アレルギーの化学伝達物質

肥満細胞，好塩基球由来	顆粒由来伝達物質 好中球走化因子，ヒスタミン，セロトニン，ヘパリン，好酸球走化因子（ECF-A）生成物質 LTC_4，LTD_4，LTE_4，LTB_4，PGD_2，血小板活性化因子（PAF），TXA_2
血小板由来	血小板第４因子（PF-4），TXA_2
好酸球由来	顆粒由来伝達物質 主要塩基性タンパク質（MBP），好酸球塩基性タンパク質（ECP），好酸球由来ニューロトキシン，好酸球ペルオキシダーゼ（EPO） 生成物質 LTC_4，LTD_4，PAF，PGE_2，ヒスタミナーゼ，ホスホリパーゼ
好中球由来	LTB_4，PAF，コラゲナーゼ，エラスターゼ，ペルオキシダーゼ

3）即時型反応

脱顆粒が起こると，顆粒内の化学伝達物質（**表 8-3**）により，アレルギー状態を導く血管透過性の亢進，平滑筋の収縮，粘液分泌亢進などの炎症作用が起こる．また，活性化した肥満細胞などで産生および放出される TNF-α により，血管内皮細胞に ICAM-1 やセレクチンなどの接着分子が発現されて，各種白血球の接着と炎症局所への浸潤を促進する．これらは急性の**炎症反応**であり，アレルゲンの IgE 抗体架橋後短時間（1～2 分）で起こり，15～30 分でピークとなる．しかし，抗原に曝されてから 1～3 時間後には，いったん消失する．

4）遅延型反応

Ⅰ型アレルギーの代表的な症状（即時型反応）は数分間で生じるが，同様の症状が数時間後に生じることがある．すなわち，遅延型反応は，即時型反応がいったん消失した後，4～6 時間後に始まり 8～12 時間でピークとなる．この遅れは，活性化した肥満細胞で新たにアラキドン酸から SRS-A（slow reacting substance of anaphylaxis：遅反応性アナフィラキシー物質）と総称される脂質伝達物質（ロイコトリエン leukotrien C_4（LTC_4），LTD_4，LTE_4，プロスタグランジン prostaglandin D_2（PGD_2）あるいは血小板活性化因子（PAF）などが生合成されるのに時間がかかるためである（**図 8-3，表 8-3**）．これらの物質は，高い気管支収縮作用をもち，また，血管透過性を亢進し，炎症細胞に対する走化性もあるため，各種白血球の炎症局所への動員に関係する．炎症局所に浸潤した白血球は，さらに化学伝達物質を放出することにより遅延型反応を起こす．

遅延型反応では，気管支喘息のように多数の好酸球浸潤が認められる．このように局所に浸潤した好酸球は重要であり，I 型アレルギーの特徴でもある．これは肥満細胞が，好酸球走化因子 eosinophil chemotactic factor of anaphylaxis（ECF-A）を産生するためである．また，Th2 細胞より産生される IL-5 は，好酸球の活性化，浸潤を促す．好酸球はヒスタミン，SRS-A，PAF を分解し，I 型アレルギー反応を鎮静化させるように働く．一方，好酸球は，その膜表面に結合した IgE がアレルゲンにより架橋されると，脱顆粒を引き起こす．その結果放出される主要塩基性タンパク質（MBP），好酸球塩基性タンパク質 eosinophil cationic protein（ECP），好酸球ペルオキシダーゼ（EPO），ロイコトリエン，PAF など（**表 8-3**）の細胞傷害因子により，気道が傷害される．このように，好酸球は，I 型アレルギー反応を抑制する作用と，促進する作用をもっている．このような好酸球の浸潤は，気管支喘息の慢性化と関係している（次頁，「後遅延型反応と気管支喘息」参照）．

B　I 型アレルギー疾患

通常，アレルゲンの侵入部位周辺局所の肥満細胞が活性化して脱顆粒することにより起こるが，放出される化学伝達物質の半減期も短く，致命的になることは少ない．アレルゲンが鼻粘膜に付着して肥満細胞表面の IgE と結合すると，この細胞からヒスタミンやセロトニンなどの化学伝達物質が遊離される I 型アレルギー反応が起こる．その結果，それらの化学伝達物質の刺激により血管透過性が亢進して血液の水成分が血管から外に漏れ出ることにより粘膜下に浮腫が生じて鼻閉の原因となる．また，ヒスタミンなどの刺激によるくしゃみや鼻粘膜での分泌亢進による鼻汁を伴うアレルギー性鼻炎となる．同様の機序により，眼の粘膜で I 型アレルギー反応が起これば，かゆみや充血を伴うアレルギー性結膜炎となり，皮膚では紅斑，かゆみを伴うじん麻疹が起こり，食物がアレルゲンとなればアレルギー性胃腸炎となり，腹痛，下痢，嘔吐が起こる．さらに，気管支粘膜に浮腫，腫脹が現れ，気管支収縮が起こると気管支喘息が起こる．この場合，好酸球が症状の増悪に関係し，最終的には気道狭窄から呼吸困難に陥り，慢性化しやすい．これらの**局所性アナフィラキシー**では，アレルゲンの侵入部位とその量や IgE 量により，臨床症状が決定される．一方，ペニシリンは静脈内注射や皮下注射で投与される場合も多く，薬のなかには腸管吸収が急激で全身に拡散しやすいものもある．これらの薬物アレルゲンでは，**全身性アナフィラキシー**となり，体内に入って数分後に全身痙攣，呼吸困難，血圧降下などを伴うショック状態を起こし，死にいたる場合もある．

I 型アレルギー反応には，遺伝的因子が関与しているといわれ，遺伝的にみられる I 型アレルギー疾患をアトピーという．アトピー患者では，正常人では起こさな

後遅延型反応と気管支喘息

本文で示したように，気管支喘息はIgE抗体や肥満細胞が関与する即時型アレルギー反応である．一方で，気管支喘息では，症状が慢性化することが多い．これは，好酸球浸潤とその脱顆粒により生じたMBP，ECP，EPOなどの成分による気道上皮の傷害により引き起こされる．好酸球の浸潤はIL-5が関与する．気道上皮の傷害は，迷走神経末端を露出する．この結果，刺激受容器（irritant受容体）や無髄線維であるC-線維受容体が刺激され，気道過敏症が数日から数週間続く．これを後遅延型反応という．C-線維受容体からの刺激は，知覚神経により中枢に伝達されるが，気管支平滑筋，粘膜下腺，粘膜下血管への側枝により逆行性に刺激が伝達される（軸索反射）．このため神経末端からサブスタンスP，ニューロキノンなどの神経ペプチドが遊離され，気管支平滑筋の収縮，血管透過性の亢進，粘膜での分泌亢進が持続する．最近では気管支喘息にILC2の関与も示唆されている．

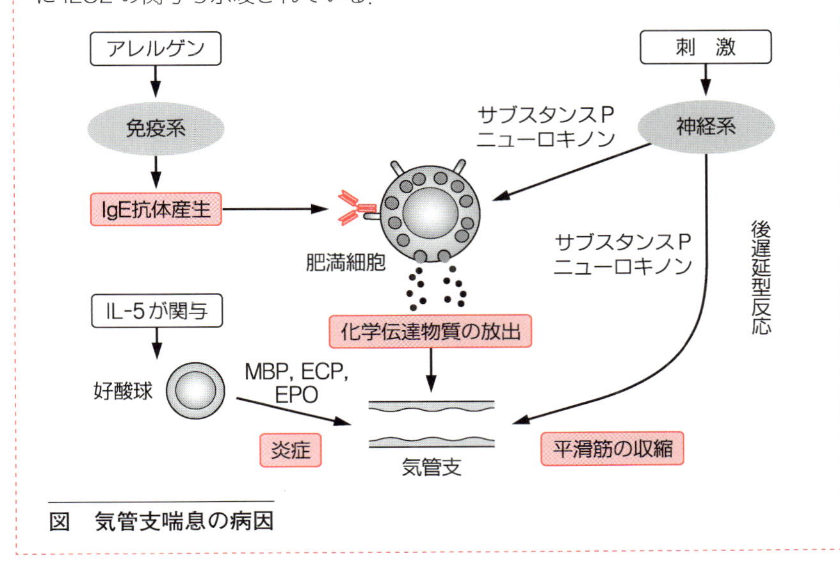

図　気管支喘息の病因

い程度の非常に少ない抗原でもIgE抗体を産生する遺伝的要素がある．

アレルギーの治療法としては，原因アレルゲンを確認し，できるだけそのアレルゲンに接触しない，すなわち，アレルゲンを避けること（**アレルゲンの回避**）が最も重要である．古くから行われている減感作療法では，原因アレルゲンに対して免疫をつくるため，アレルゲンを少量から少しずつ増やしながら繰り返し患者に接種する．また，対症療法では，それぞれの症状に対する抗アレルギー薬（**化学伝達物質遊離抑制薬**，**ヒスタミン H_1 受容体拮抗薬**，**トロンボキサン** thromboxane A_2（TXA_2）**合成酵素阻害薬**や**受容体拮抗薬**，**ロイコトリエン受容体拮抗薬**，および**Th2サイトカイン産生阻害薬**など）を用いる（14章-5.「アレルギー治療薬」（p238）参照）．ステロイド療法は，遅延型のⅠ型アレルギーの治療に有効性を発揮するほか多彩な作用を有する．さらに，自律神経系の疾患がアレルギーの増悪に関与している．

薬物アレルギー

医薬品が重度のアレルギーを引き起こすことがある．抗生物質であるペニシリンによる全身性アナフィラキシーはよく知られている．低分子であるペニシリン自体は，抗原性のないハプテンと考えられる．しかし，体内でタンパク質と結合するため免疫原性を獲得して，ペニシリン特異的抗体が産生される．この産生抗体がIgEであればⅠ型アレルギーを，また，IgGやIgMであればⅡ型やⅢ型アレルギーを，さらに，Th1細胞の活性化によりⅣ型アレルギーを誘発する．したがって，一般に体内タンパク質と結合しやすい薬物ほど薬物アレルギーを起こしやすいといえる．薬物アレルギーを起こす医薬品としては，抗生物質や解熱薬に多く，βラクタム系抗生物質によるアナフィラキシーショック，メチルドパによる溶血性貧血，キニジンによる血小板減少性紫斑病，ヒドララジンによるSLE類似症候群，セファロスポリン系抗生物質による遅延型アレルギーとしての皮膚病変が知られている．

食物アレルギー

食物アレルギーとは，特定の食品を摂取して体内で取り込まれ，免疫反応を介してアレルギー状態となる場合である．アレルギー反応はさまざまであり，口腔粘膜の接触性皮膚炎様の症状からじん麻疹，胃腸障害を引き起こす．また，ときには血圧低下，顔面蒼白，呼吸困難，意識混濁など生命にかかわる急激な全身性アナフィラキシーショックを起こす．食物アレルギーの主要な原因となるアレルゲン食品は，鶏卵，牛乳が全体の半数以上を占め，とくに乳児から幼児期に多い．成人では卵や牛乳は少なくなり，甲殻類，小麦，大豆，果物，魚介類，ナッツ類による場合が多くなる．食物アレルギーの治療としては，原因食物の除去が原則であるが，出現したアレルギー症状を軽快させるために，症状にあわせて抗ヒスタミン薬，ステロイド薬，アドレナリンを用いる．

2.　Ⅱ型アレルギー

Ⅱ型アレルギーは，**細胞傷害型**のアレルギー反応である．細胞表面抗原や組織抗原にIgGあるいはIgM抗体が結合すると，補体およびマクロファージや好中球などのエフェクター細胞が活性化し，抗原を発現している細胞や組織を傷害する．Ⅱ型アレルギー反応によって起こる疾患には，血液型不適合輸血，**新生児溶血性貧血**，**重症筋無力症**などがある．

A　Ⅱ型アレルギー反応機構

細胞傷害反応は大別して，①抗体あるいは補体を介した食細胞による傷害系と，②補体系の活性化による細胞溶解系がある（**図8-4**）．

1)　食細胞による傷害系

細胞表面抗原に抗体が結合すると，マクロファージ，好中球，好酸球などの食細胞が，Fc受容体（FcR）を介して標的抗原をもつ細胞を貪食する．また，補体を介して細菌が貪食されるのと同様に，細胞に結合した抗体によって補体系が活性化（古典的経路）され，その産物であるC3bなどが食細胞の補体受容体を介して細胞

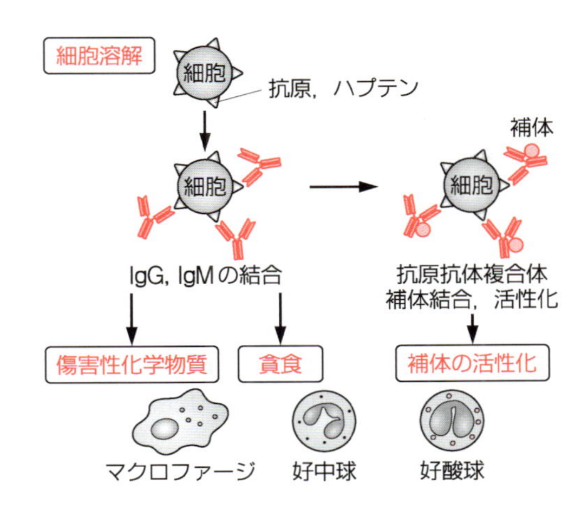

図 8-4　Ⅱ型アレルギー反応機構

の貪食が促進される．抗原をもつ細胞や組織が大きくて貪食できないときは，リソソーム酵素やフリーラジカル（活性酸素など），あるいはパーフォリン（細胞膜に穴をあける分子）などにより標的細胞を溶解する．この場合，標的細胞や組織以外の正常細胞や組織も非特異的に傷害を受ける．標的細胞膜上の抗原に結合した抗体に依存した細胞や組織の傷害を，**抗体依存性細胞傷害作用**（ADCC）と呼ぶ（3章-3. D「体液性免疫」（p53）参照）．

2)　補体系の活性化による細胞溶解系

細胞表面抗原に結合した抗体によって補体が活性化され，補体活性化経路の最終産物（C6，7，8，9など）が直接標的細胞膜を溶解する．この過程は，補体の溶菌作用と同じである．

B　Ⅴ型アレルギー反応

IgG抗体を介する細胞傷害として，抗原がホルモンなどの受容体である場合をⅤ型アレルギーとする．しかし，通常，細胞傷害型としてⅡ型アレルギー反応に含める．この反応過程は，抗ホルモン受容体抗体がホルモンなどのリガンドの代わりに抗原（ホルモン受容体など）に結合して，細胞を活性化する（**図 8-5**）．また，逆に受容体を傷害して細胞の働きを抑制することもある．

Ⅴ型アレルギー反応による代表疾患を以下に示す．

①**重症筋無力症**：筋終末板のアセチルコリン受容体に自己抗体が特異的に結合することによって，筋終板にアセチルコリンが結合できなくなる．また，結合した抗体が補体を活性化して，受容体を破壊し，筋収縮や筋肉の虚弱化が起こる疾患である．

②**甲状腺機能亢進症（バセドウ病）**：甲状腺刺激ホルモンの受容体に自己抗体が結合することにより受容体を刺激する．その結果，甲状腺ホルモン産生が制御できなくなる疾患である．

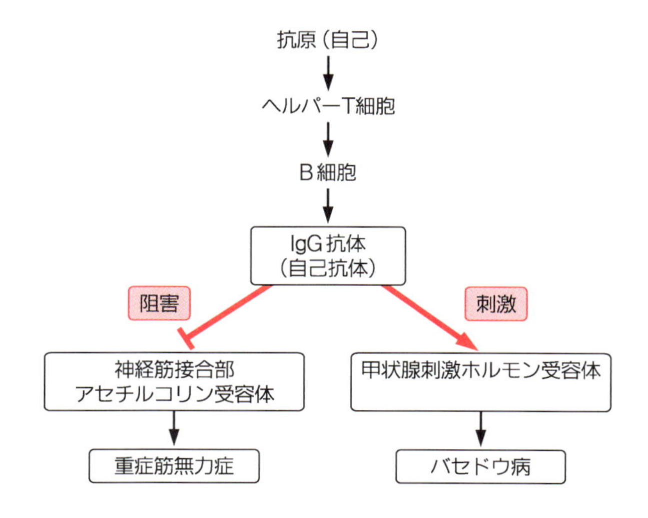

図8-5　V型アレルギー

C　Ⅱ型アレルギー疾患

1)　血液型不適合輸血

2章-2. C「凝集反応」(p28) で解説したように，A，B，O型のヒトの赤血球膜上の抗原が異なるため，血液型の異なる血液が輸血されると赤血球が溶血する．

2)　新生児溶血性貧血

たとえばRh(＋)抗体をもつ母親がRh(＋)抗原をもつ胎児を妊娠すると，Rh(＋)抗体は胎盤を通過して胎児に移行し，死産となったり新生児溶血性貧血や胎児赤芽球症となる．

3)　自己免疫性溶血性貧血

自己の赤血球に対する抗体が産生される．血小板に対する自己抗体ができると，自己免疫性血小板減少症を引き起こす．

4)　グッドパスチャー症候群

腎糸球体と肺の基底膜の抗原性が類似していることにより起こる．腎炎患者の多くは，腎糸球体の基底膜に対する自己抗体をもっている．この抗体と活性化された補体により腎糸球体が傷害される．また，同じ抗体が肺の基底膜に結合すると，肺に傷害を起こす．

5)　薬物反応疾患

たとえば，ペニシリンのような反応性の高い構造をもつ薬物が血液成分と結合して免疫原性のある免疫複合体を形成し，薬物の作用する細胞に傷害性を示す抗体が産生される．溶血性貧血，顆粒球減少症，血小板減少性紫斑病がある．

アレルギーと自己免疫疾患の違い
アレルギーは外来性の抗原により起こるため，抗原の除去により，あるいは，抗原から回避することにより治癒の可能性が高い．しかし，自己免疫疾患の場合は，体内の抗原により起こるため，抗原の除去や抗原からの回避は難しい．

6) 抗受容体自己免疫疾患

重症筋無力症，バセドウ病はⅤ型アレルギーに分類されるが，Ⅱ型アレルギーの疾患に含まれることもある．

3. Ⅲ型アレルギー

Ⅲ型アレルギー反応は，傷害の標的となる細胞や組織とは無関係な抗体（IgG や IgM）と抗原が**免疫複合体**を形成することにより始まる．形成された免疫複合体は，通常食細胞により除去されるが，自己免疫疾患やウイルスの持続感染が起こっている場合などでは抗体が持続的に存在する．このため，免疫複合体が除去されずに存在し，組織や臓器に沈着する．その結果，補体あるいはマクロファージや好中球などのエフェクター細胞が活性化されて免疫複合体が沈着した組織や臓器を傷害する．Ⅲ型アレルギー反応によって起こる疾患には，関節リウマチ，**急性糸球体腎炎**，**全身性エリテマトーデス**などがある．

A Ⅲ型アレルギー反応機構

Ⅲ型アレルギー反応は，①血管透過性亢進により免疫複合体が沈着し，②沈着した免疫複合体により活性化されたエフェクター細胞による組織傷害により起こる．

1) 血管透過性亢進による免疫複合体沈着

免疫複合体が形成されると，補体系が活性化し，多形核白血球◆や好中球からリソソームの放出を導く．また，**アナフィラトキシン**（C3a や C5a）が産生され，肥満細胞や好塩基球に作用し，走化性因子や血管作用性アミン（ヒスタミンやセロトニンなど）を遊離させる．また，免疫複合体は，Fc 受容体（FcR）を介して直接好塩基球や血小板に作用して血管作用性アミンの放出を促す．さらに，免疫複合体は，FcR を介してマクロファージに結合，活性化し，活性酸素を放出する．また，活性化マクロファージから放出される炎症性サイトカインにより炎症を誘導する．この結果，血小板，肥満細胞や好塩基球が放出した血管作用性アミンは，血管透過性を高め，免疫複合体が血管壁に沈着する（**図 8-6**）．

◆多形核白血球　顆粒球のなかでも核が著しく分葉し多形核を有する細胞で，ほとんど好中球と考えられている．この細胞は走化性因子に反応し，活性酸素やロイコトリエンを産生し，細胞傷害性や炎症反応に重要な役割をもつ．

2) 免疫複合体の沈着による細胞傷害

血管壁に沈着した免疫複合体は，さらに，血小板を凝集して微小血栓を形成する．凝集した血小板からは，血管作用性アミンが放出されて，血管透過性がさらに高くなる．また，微小血栓に含まれる抗体により補体系が活性化され，産生されたアナフィラトキシンにより，肥満細胞や好塩基球から化学伝達物質が放出されて血管透過性を亢進する．その結果，多形核白血球や好中球の浸潤を導く．これらの細胞は，免疫複合体が基底膜に強く沈着すると貪食できないので，顆粒内物質であるプロテアーゼや活性酸素などを放出して局所組織の傷害を増強する．活性化され浸潤したマクロファージは，炎症性サイトカイン，活性酸素，一酸化窒素（NO）を放出して，組織傷害をさらに亢進する（**図 8-7**）．

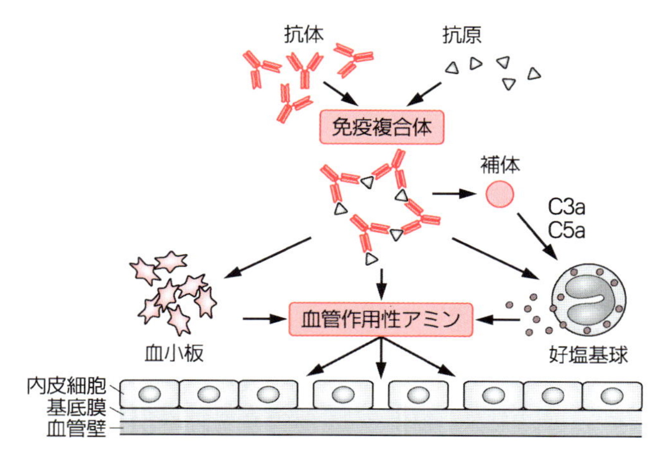

図 8-6　血管透過性亢進の要因

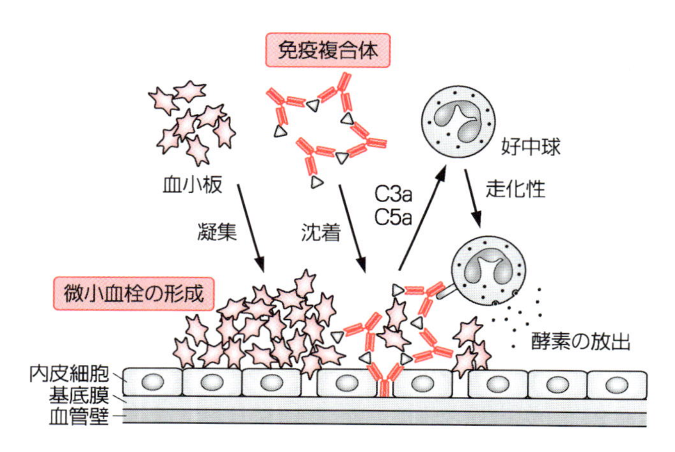

図 8-7　血管壁への免疫複合体の沈着

B　Ⅲ型アレルギー疾患

1)　アルツス Arthus 反応

局所（主に皮膚）で起こる局所性Ⅲ型アレルギー反応で，皮下に抗原を摂取すると，4〜10 時間後に皮膚の発赤，腫脹および組織の壊死が誘導される反応である．しかし，通常，この反応は翌日には消失する．カビ，植物や動物の抗原などに接する機会の多い職種のヒトに外因性アレルギー性肺胞炎が発症する．

2)　血清病型反応

全身性に起こるⅢ型アレルギー反応で，免疫複合体により血管透過性が亢進し，免疫複合体が全身性に沈着する反応である．とくに，腎臓や関節に沈着すると，**急性糸球体腎炎**や**関節リウマチ**が起こる．また，免疫複合体腎炎は，**全身性エリテマトーデス** systemic lupus erythematosus（**SLE**）の患者に共通の病変であり，腎糸球体にDNAと**抗DNA抗体**（自己抗体）の免疫複合体の沈着がある．SLEでは，免疫複合体が皮下や血液脳関門を介して脳に沈着し炎症を引き起こすため，特徴的な赤い皮疹の狼瘡や神経系の合併症を引き起こす．

4. Ⅳ型アレルギー

Ⅳ型アレルギー反応には，抗体の関与がなく，**感作されたT細胞**◆によって誘導される**細胞性免疫**が主となって起こる反応である．この反応は，抗原が侵入してからサイトカインの誘導や細胞浸潤などに時間がかかるため，遅延型アレルギー反応と呼ばれる．Ⅳ型アレルギー疾患には，接触型過敏症，ツベルクリン型過敏症，肉芽腫形成型過敏症がある．

◆感作されたT細胞
ナイーブT細胞がリンパ節などで抗原提示を受けたT細胞を示す．

A Ⅳ型アレルギー反応機構

Ⅳ型アレルギー反応による組織傷害は，①感作されたT細胞と抗原との反応により放出されるサイトカインにより活性化されたマクロファージによる反応と，②T細胞による直接の細胞傷害反応とに大別できる．

1) マクロファージの活性化による細胞傷害反応

抗原に曝露された患部で，MHCクラスⅡを発現する抗原提示細胞が抗原を処理し，リンパ節へ遊走して**T細胞**（**$CD4^+$T細胞**）に抗原断片を提示してT細胞が活性化される．活性化したT細胞は患部に戻り，炎症性サイトカインやIFN-γなどのサイトカインを分泌する．このサイトカインにより，血管透過性が亢進，組織に体液性成分やタンパク質が滲出，また，マクロファージなどの食細胞を刺激することにより，細胞傷害が起こる．

2) T細胞による直接の細胞傷害反応

抗原がMHCクラスⅠにより提示された場合に起こる．$CD8^+$T細胞（キラーT細胞）が，提示された抗原を認識することにより活性化され，抗原をもつ標的細胞に対して細胞傷害が起こる．

B Ⅳ型アレルギー疾患

Ⅳ型アレルギー反応には3つのタイプがあり，抗原に曝露されてから反応が起こる時間の長さが異なる．通常，**接触型**と**ツベルクリン型**は，抗原に曝露されてから72時間以内に，**肉芽腫形成型**は21～28日間の長期間の後に最大反応に達する．

1) 接触型過敏症

代表的な疾患として，アレルギー性接触皮膚炎と湿疹がある．抗原と接触する部位に湿疹様反応がみられることが特徴である．この反応は，ニッケル，クロム，ゴム，ウルシなどが皮膚に接触することで起こる．

2) ツベルクリン型過敏症

コッホ Koch によりはじめて明らかにされた反応である．結核菌に感染したヒト，あるいは BCG（弱毒ウシ型結核菌）で免疫したヒトの皮内に結核菌の可溶性抗原を注射すると，24～48 時間後に発赤を伴った腫脹が認められる反応である（ツベルクリン反応）．臓器移植後の拒絶反応などにも関係している．

3) 肉芽腫形成型過敏症

肉芽腫◆は，類上皮細胞，マクロファージやリンパ球が含まれており，ときには著しいコラーゲン線維によって囲まれている．アレルギー性肺胞炎のように，免疫複合体が反応局所に長く残存することが肉芽腫形成の原因ともなる．ツベルクリン反応では，一般的に一過性の抗原刺激によって引き起こされるが，肉芽腫形成反応は，抗原が長く残存したときに起こる．つまり，持続抗原による遅延型アレルギー反応が長期間継続すると，慢性肉芽腫が形成される．ハンセン病，結核，住血吸虫症などでは肉芽腫形成がよくみられる．

◆肉芽腫　生体内で溶解，排除できないような物質による侵襲を受けたときに起こる組織反応で，この物質の排除のため集まったマクロファージや多核巨細胞などの細胞が集積したもの．肉芽腫形成には遅延型アレルギーにおいてT細胞免疫応答が関与する場合と，リンパ球の浸潤が認められないシリカなどにより形成される場合がある．

9　免疫と病気（成因と機序）

1.　自己免疫疾患

コアカリ到達目標
- 自己免疫疾患と免疫不全症候群について概説できる.

自己免疫疾患とは，獲得免疫系の部分的破綻の結果，自己組織を攻撃してしまう疾患である．主に感染防御という立場から進化してきた獲得免疫機構では，自己を認識しながら，病原菌やがん細胞などの非自己に対して反応し，それらを排除する応答を主な目的としている．しかし，T 細胞や B 細胞の分化･成熟の過程において，誤って自己に対する免疫応答が過剰になれば，自己の細胞や組織を傷害する自己免疫疾患が起こってしまう．このため，健常人では，免疫系の成り立ちのさまざまな段階において，自己に対する反応性が抑制・制御されている．

たとえば，T 細胞が，胸腺組織内での分化・増殖過程において，未熟な段階で自己抗原に出合うと，大部分の自己反応性 T 細胞はアポトーシスにより死滅してしまう．これが自己反応性の T 細胞を排除する選択機構（ネガティブセレクション）である．B 細胞の場合も，大量の自己抗原と接触するとアポトーシスが誘導され排除される．しかしながら，すべての自己反応性 T 細胞や自己抗体産生性 B 細胞が排除されるわけではなく，少数の自己反応性を有する成熟 T 細胞や成熟 B 細胞が末梢に残存する．このような自己反応性の細胞群に対しては，末梢のリンパ組織で，自己抗原に反応できないよう不活性化（アナジー［不応答］）されたり，制御性 T 細胞（Treg）が働いたりすることにより制御されている．制御性 T 細胞は，①高発現する細胞傷害性 T リンパ球抗原 4 cytotoxic T-lymphocyte antigen-4（**CTLA-4**，抗原提示細胞に発現する CD80/CD86 に対して，CD28 よりも優先的に結合する免疫チェックポイント分子）が，ナイーブ T 細胞の CD28 と CD80/CD86 の結合を介した補助刺激シグナルを抑制することで不応答（アナジー）を誘導し，②高発現する CD25（IL-2 受容体 α 鎖）が IL-2 を優先的に消費することで，ナイーブ T 細胞の増殖に必要な IL-2 受容体シグナルを抑制し，③産生する免疫抑制性のサイトカイン（IL-10，TGF-β）が，T 細胞や抗原提示細胞に作用して免疫反応を抑制することで，自己寛容の役割を担っている．こうした中枢（胸腺・骨髄）での選択と末梢のリンパ組織における二次的な制御のしくみが，なんらかの原因で破綻すると，自己の傷害を誘導するキラー T 細胞（細胞傷害性 T 細胞：CTL）や自己抗体が出現するようになる．

自己反応性 B 細胞が活性化されて自己抗体産生細胞へ分化するためには，自己抗原が直接 B 細胞抗原受容体（BCR）に結合することだけでは不十分であり，ヘルパー T 細胞によって活性化される必要がある（T 細胞の助けなしに抗原に出合うと不応答となる）ことを考慮すると，自己免疫疾患の発症には，T 細胞の自己寛容の破綻が重要な意味をもつと考えられる．しかし，たとえT細胞の破綻がなくても，B細胞が完全でない場合には，抗原の交叉反応性や化学的または物理的に修飾された自己抗原によって，非自己反応性T細胞が活性化されて自己抗体が産生される現象（T細胞バイパス現象）も起こり得る．

このように，免疫系が自己の組織を抗原として認識することを自己免疫といい，これを原因として抗体やキラーT細胞（細胞傷害性T細胞：CTL）などが産生され，自己の細胞あるいは組織が傷害され，発症する疾患が自己免疫疾患あるいは膠原病である．外来性（非自己）抗原に対する免疫反応は，抗原が排除されるまでの一過性の応答であるが，自己免疫疾患においては，個体の構成成分である自己抗原が免疫反応の標的となるため，抗原が排除されることなく，免疫応答は持続する．さらに，自己抗原を発現している細胞は，なんらかの生理的な働きを担っていることが多いため，細胞傷害・組織傷害が慢性的に継続すると，最終的には標的組織の機能障害が進行し，患者の生活や生命を脅かすことになる．

A 自己免疫疾患の成因

自己免疫疾患の成因として，以下のようなものが考えられている．

①自己反応性T細胞の発生：なんらかの原因でアポトーシス機構の異常によって自己反応性T細胞が末梢に出現したり，末梢で不応答（アナジー）を誘導されたはずのT細胞が活性化されたりする．すなわち，末梢でT細胞のトレランス（寛容）が成立していない状態で，たとえば多量の抗原に曝露された場合には，その抗原に対して抗体が産生されることがある．

②自己抗体産生性B細胞の発生：薬やウイルス感染によって修飾された自己抗原，あるいは非自己と交叉反応性を呈する自己抗原によって，自己抗体を産生するB細胞が活性化されるようになる（T細胞バイパス現象）．また，非自己反応性抗体を産生している成熟B細胞において，抗体遺伝子の突然変異や再構成によって，自己抗原に反応する自己反応性抗体が産生されるようになる（**図9-1**）．

③免疫制御系の異常：制御性T細胞の異常やサイトカインネットワークの異常などが，自己免疫疾患の原因となることがある．代表例として，ウイルス性肝炎やがんの治療目的でインターフェロン療法を行った際，副反応として高頻度に自己免疫性甲状腺炎などが誘発される．また，実験的に制御性T細胞を選択的に除去すると，さまざまな自己免疫疾患が発症することが知られている．

④隔絶抗原の提示：免疫系から隔離された環境で分化した器官の組織や細胞に発現している自己抗原（**隔絶抗原**と呼ばれる）が，外傷やウイルス感染などの要因で免疫系に認識されるようになった場合である．片眼が外傷などで炎症を起こした際，他方の眼にも炎症が起こる交感性眼炎は，その代表例である．

⑤標的細胞におけるMHCクラスⅡと補助刺激分子の発現：ある組織の細胞に，偶然にMHCクラスⅡとT細胞補助刺激分子（B7ファミリー：CD80/CD86，PD-L1など）が発現されると，抗原提示細胞のような働きをするようになる場合がある．たとえば，橋本病の甲状腺濾胞上皮など自己免疫病態を発症している組織では，活発にMHCクラスⅡが産生されているものがある．

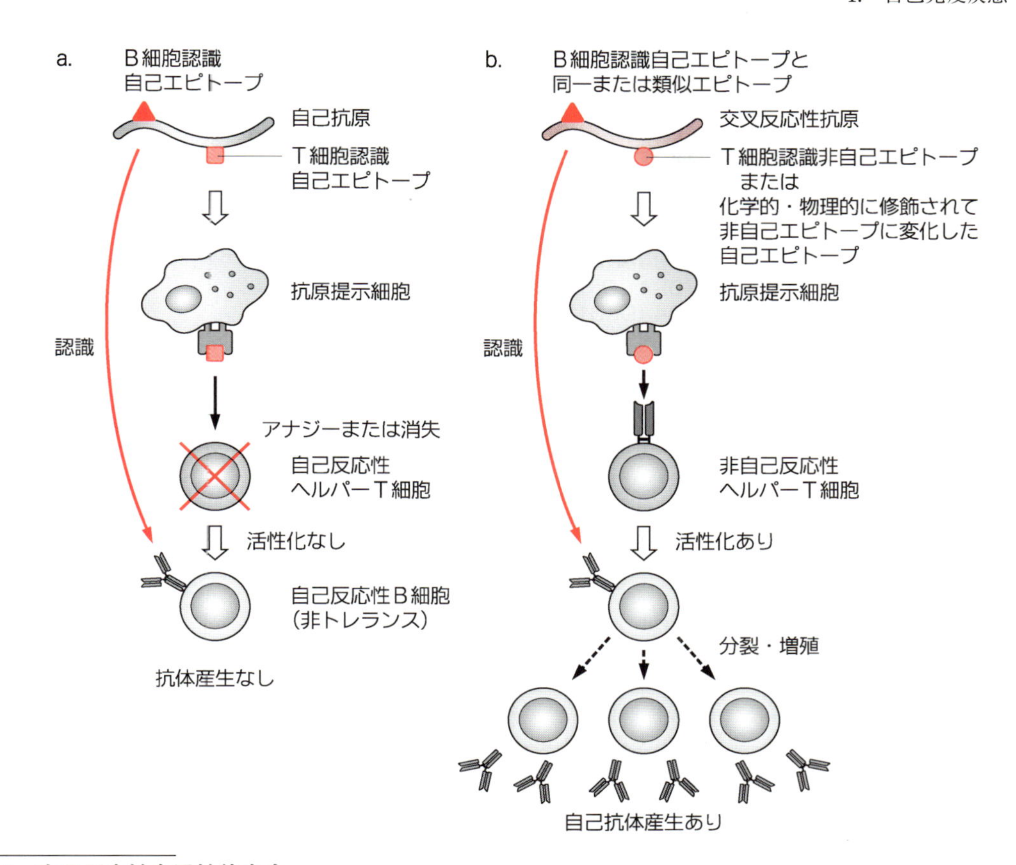

図 9-1 交叉反応性自己抗体産生

通常，抗原にはB細胞認識自己エピトープとT細胞認識自己エピトープが共存しており，このためB細胞の抗体産生細胞への分化のときにヘルパーT細胞からの適切な補助刺激を得ることが可能になるのである．つまり，自己抗原に対して，自己反応性B細胞が刺激されても，同じ抗原上にあるT細胞認識自己エピトープに反応する自己反応性ヘルパーT細胞はアナジーまたは消失しているため自己抗体を産生することはできない（a）．しかしながら，自己抗原交叉反応性のB細胞認識抗原エピトープを有する非自己抗原の場合は，B細胞の刺激と同時にT細胞認識非自己エピトープによる非自己反応性ヘルパーT細胞の活性化が起こるために自己抗体を産生してしまう（b）．

自己免疫疾患の発症には，遺伝的因子や環境因子なども関与していることがわかっている．DNA配列には個人差（バリアント variant）があり，それが一般集団にある程度の頻度で存在するものを**遺伝子多型**と呼ぶ．ある疾患の感受性を多少高める遺伝子多型の積み重ねによって，ある自己免疫疾患にかかりやすい体質（いわゆる疾患感受性）が規定され，さらに後天的因子（環境因子，薬，特定のウイルス感染や細菌感染など）が加わって，一部の人が発症にいたると推定されている．以前より，多くの自己免疫疾患が家族性に多発すること，一卵性双生児の一方に自己免疫疾患が発症すると他方にも好発することが知られていた．遺伝的連鎖解析などにより，自己免疫疾患は，MHC抗原（ヒトではHLA），補体系，サイトカイン系，アポトーシス系や自己抗原などに関連した遺伝子群が関係している多因子疾患であると考えられている．HLA遺伝子は，両親から受け継いだ2つの型が一対となって1つのセットを形成しており，それをHLAハプロタイプと呼ぶ．MHCに関する研究により，特定のHLAハプロタイプ（主にMHCクラスⅡ）と疾患の間に相関があることが示されている（**表 9-1**）．第6染色体（6p21.3）のMHC領域には，

表 9-1　自己免疫疾患と相関する HLA ハプロタイプ

疾患名	HLA ハプロタイプ
バセドウ病	日本人：A2，DPw5（DPB1*0501）
橋本病	日本人：A2，DR53（DRB4*0101）
1 型糖尿病	日本人：B54，DR4（DRB1*0405），DQ4（DQB1*0401）
インスリン自己免疫症候群	日本人：DR4（DRB1*0406）
重症筋無力症	日本人：DR9（DRB1*0901）
原発性胆汁性胆管炎	日本人：DR8（DRB1*0803），DR2（DRB1*1602）
グッドパスチャー症候群	DRw15，DR4，DRB1
関節リウマチ	日本人：DR4（DRB1*0405），DQ4（DQB1*0401）
全身性エリテマトーデス	日本人：B39，DR2（DRB1*1501）

ほかにも多くの免疫応答に関する遺伝子，補体系遺伝子，TNF-α 遺伝子，ある種の酵素活性や薬剤感受性，ウイルス感染に関連する遺伝子などが存在する．このことが，HLA ハプロタイプと自己免疫疾患の相関にかかわっている可能性もある．

B　自己免疫疾患の種類と治療

自己免疫疾患は，その病態によって臓器特異的自己免疫疾患と全身性自己免疫疾患（膠原病など）に大別される．臓器特異的自己免疫疾患では，特定の臓器に発現している自己抗原が標的となっており，疾患特異的な抗体やキラー T 細胞（細胞傷害性 T 細胞：CTL）による病変が，主にその臓器に限られるものである（主にⅡ型，Ⅳ型アレルギー反応）．一方，全身性自己免疫疾患は，標的が体のどこにでも存在するもの（たとえば細胞核など）であり，その多くは，自己抗原と自己抗体による免疫複合体が臓器や組織に沈着することで，傷害が引き起こされる（主にⅢ型アレルギー反応）．これら臓器特異的自己免疫疾患と全身性自己免疫疾患における病因などの本質的な違いに関しては明らかではないが，全身性自己免疫疾患には，より根源的な免疫系の破綻が存在する可能性が高い．それぞれの代表的な自己免疫疾患とその標的，自己抗体および症状を**表 9-2** に示す．

自己免疫疾患の治療としては，ステロイド薬（プレドニゾロン，デキサメタゾンなど）と免疫抑制薬を中心に，各疾患あるいは患者の反応にあわせて使用される．免疫抑制薬には，核酸合成阻害薬（ミコフェノール酸モフェチル，アザチオプリン，メトトレキサートなど），アルキル化薬（シクロホスファミドなど），カルシニューリン阻害薬（シクロスポリン，タクロリムス），生物学的製剤（TNF-α 阻害薬，IL-6 阻害薬など），JAK（janus kinase）阻害薬（トファシチニブなど）などが用いられている．

2.　移植と拒絶反応

機械が壊れて正常に働かなくなったときには，壊れた部品を交換すると再び使えるようになる．ヒトにおいても，病気や事故によって機能不全に陥った臓器（肝臓，心臓，肺，腎臓など）を健常な臓器と置き換えることができれば，もとの生理機能を回復することができる．このような治療方法を臓器移植といい，臓器を提供する

表 9-2 主な自己免疫疾患の標的，自己抗体，症状

疾患名	標的	自己抗体	症状
臓器特異的自己免疫疾患			
自己免疫性溶血性貧血	赤血球	抗赤血球抗体	正球性貧血
悪性貧血	内因子	抗内因子抗体	大球性貧血
特発性血小板減少性紫斑病	血小板	抗血小板抗体	紫斑，出血
バセドウ病	甲状腺濾胞細胞	抗 TSH 受容体抗体，甲状腺刺激抗体など	甲状腺機能亢進
自己免疫性 1 型糖尿病	膵 β 細胞	抗 GAD 抗体，抗 IA-2 抗体	糖尿病
重症筋無力症	アセチルコリン受容体	抗アセチルコリン受容体抗体など	進行性筋脱力
ギラン・バレー症候群	神経軸索・髄鞘	抗ガングリオシド抗体，抗 GM1IgG 抗体	末梢神経障害
グッドパスチャー症候群	肺胞・腎の毛細血管	抗糸球体基底膜抗体（抗 GBM 抗体）	糸球体腎炎，肺胞出血
自己免疫性肝炎	肝細胞	抗核抗体，抗 LKM-1 抗体など	肝炎
原発性胆汁性胆管炎	肝内胆管	抗ミトコンドリア抗体	胆管炎，黄疸，肝硬変
類天疱瘡	表皮基底膜	抗 BP180 抗体	水疱，びらん
全身性自己免疫疾患			
全身性エリテマトーデス	DNA，ヒストンなど	抗 ds-DNA 抗体，抗 Sm 抗体など	糸球体腎炎，血管炎，関節炎など
関節リウマチ	関節滑膜	抗 CCP 抗体，リウマトイド因子など	関節炎

側を**ドナー** donor（提供者または供与者），臓器の移植を受ける側を**レシピエント** recipient（受容者）と呼ぶ．免疫は，自己と非自己を識別することを基本原則としていることから考えると，レシピエントの免疫系は，ドナーの提供する**移植片** graft を非自己と認識して排除するような反応を起こすと予想される．この反応を移植片拒絶反応 graft rejection reaction という．白血球の型である MHC 抗原が，「自己-非自己の識別」を決定する中心的な分子であり，臓器移植や骨髄移植の場合には，MHC 抗原（ヒトでは HLA，マウスでは H-2 抗原）を一致させなければ，移植片拒絶反応が起きる．拒絶反応には主に T 細胞がかかわっており，①レシピエント（宿主）の免疫系が移植片に対して拒絶反応する場合：**宿主対移植片反応** host-versus-graft reaction（HVGR）と，②移植片に含まれるリンパ球（成熟 T 細胞）がレシピエントの組織を異物と認識して拒絶反応する場合：**移植片対宿主反応** graft-versus-host reaction（GVHR）の 2 つが考えられる（後述）．

ドナーとレシピエントの関連と移植の可否について，マウスをモデルとして，**図 9-2** に示す．遺伝的に同じである近交系マウス A（遺伝子型 *a/a*）の移植片を自分自身に移植することを**自家移植**といい，移植片は生着する．A マウスの移植片を異なる A マウスに移植する場合を**同系移植**といい，双方とも遺伝的に同じなので，この場合も移植片は生着する．ヒトの場合，同系移植とは一卵性双生児の間での移植の場合である．A マウスの移植片を B マウス（遺伝子型 *b/b*）に移植する場合，同じマウスという種族同士ということで**同種移植**と呼ぶ．この場合は遺伝的には双方異なるので，移植片は拒絶される．A マウス移植片をマウス以外の種族であるラットに移植する場合を**異種移植**と呼び，移植片は拒絶される．A または B マウスの移植片を子供の（A×B）F1 マウス（遺伝子型 *a/b*）に移植する場合，**半同系移植**と呼び，移植片は生着する．

移植を安全に成功させるためには，「拒絶反応はどのような抗原を認識している

コアカリ到達目標

- 臓器移植と免疫反応の関わり（拒絶反応，免疫抑制剤など）について説明できる．
- 臓器移植（腎臓，肝臓，骨髄，臍帯血，輸血）について，拒絶反応および移植片対宿主病（GVHD）の病態・薬物治療を説明できる．
- 摘出および培養組織を用いた移植医療について説明できる．
- 臍帯血，末梢血および骨髄に由来する血液幹細胞を用いた移植医療について説明できる．
- 胚性幹細胞（ES 細胞），人工多能性幹細胞（iPS 細胞）を用いた細胞移植医療について概説できる．

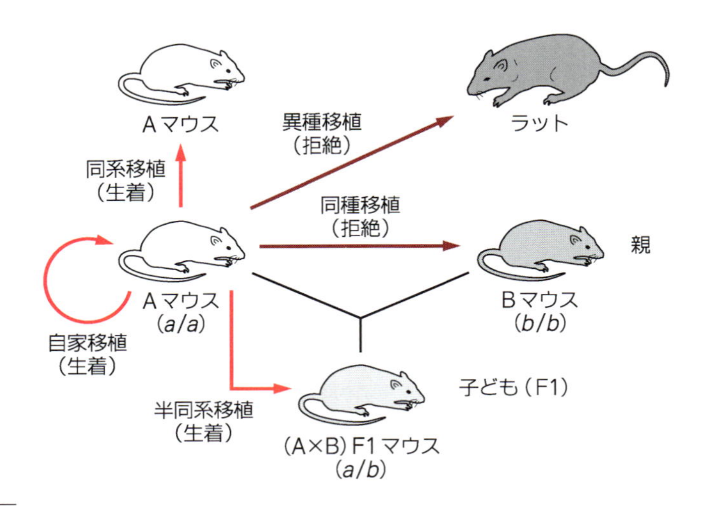

図 9-2　移植の法則

移植には，ドナーとレシピエントの関係での分類がある．自分自身の組織を移植する場合を**自家移植**，遺伝子背景が同一である同系間の移植を**同系移植**（ヒトでは一卵性双生児の場合）という．また，同じ種（異なる遺伝子背景）の間の移植を**同種移植**，マウスとラットなど，異なる種の間での移植を**異種移植**という．異なる系同士のF1マウスに片親から移植する場合を半同系移植といい，移植片は生着するが，F1マウスから親への移植の場合は異種移植となり拒絶される．すなわちF1マウスはAマウス，BマウスのMHC抗原を発現しているのでAマウス，Bマウスの移植片には寛容であるが，F1マウスの移植片にはAマウス，BマウスのMHC抗原が発現しているので親マウス（AまたはBマウス）への移植は拒絶される．

のか」，「抗原を認識した後に，免疫系にはどのような反応が起こっているのか」を十分に理解し，どのような対策を行うかを検討することが必要である．近年，さまざまな体細胞や組織に分化する能力をもった人工多能性幹細胞 induced pluripotent stem cells（**iPS 細胞**）の樹立が可能となり，皮膚・角膜・心筋細胞・中枢神経細胞などへの分化誘導技術が開発されつつある．これらの試験管組織の移植医療への応用・実用化により，拒絶反応の克服が期待されている．

A　移植抗原

移植治療において，拒絶を決定づける抗原は**移植抗原** transplantation antigen と呼ばれる．近交系マウスを用いた多くの実験や臨床事例の解析により，重要な移植抗原は，血液型およびMHC抗原であることが判明した．MHC抗原（ヒトではHLA）は，体を構成するあらゆる細胞の表面に存在し，その機能は，T細胞へ抗原ペプチドを提示することである．ヒトは1人ひとりが固有のHLAを有しており，このHLAが組織型を決定する．ドナーとレシピエントの組織型が完全に一致することはめったにないが，HLAの適合性が高いほど拒絶反応は起こりにくくなり，起きたとしても比較的軽度ですみ，結果として移植片の機能的生着率が著しく改善する．

ヒトMHC遺伝子群は第6染色体上にあって，MHCクラスⅠには*HLA-A*, *B*, *C*の3種類の遺伝子座が，MHCクラスⅡとして*HLA-DP*, *DQ*, *DR*の3種類の遺伝子座が存在する．各座位において顕著な多型性（異なるアミノ酸配列を有する多くの種類が存在すること）がみられ，HLA-Aで28種類，HLA-Bで62種類，HLA-C

で10種類，HLA-DPで6種類，HLA-DQで9種類，HLA-DRで24種類が報告されている．各MHCのタイプが対立遺伝子として存在し，これらを両親から1つずつ得ることになるが，MHCの対立遺伝子の組み合わせおよびその遺伝子発現において共優性（両方の対立遺伝子が同時に形質として発現すること）であることが，一個体において発現しているMHC分子の組み合わせをさらに複雑にしている．このように，同種であっても異なる個体に対して抗原性をもつことを同種異系（アロallo）抗原性といい，このことが移植の際の大きな障害となっていて，MHCが一致するドナーを探し出すことを非常に困難にしている．これは，HLAのマッチングを行わなければならない骨髄移植において，ドナーをみつけることが容易でないことにつながる（後述）．ただし，現在では，免疫抑制療法が進展して拒絶反応の予防や治療がより効果的になってきているため，移植が成功するかどうかは，HLAの適合性にそれほど影響されなくなってきている．

HLAのほかにも，重要な移植抗原として血液型がある．血液型の抗原は，赤血球細胞以外の多くの細胞上にも発現しているため，多くの臓器移植において，ドナーとレシピエントの間で血液型の一致が必要である．ただし，輸血の場合には，赤血球自身はHLAを発現していないので，HLAを合わせることは不要である．赤血球表面の主要な抗原はA, B, H, Rhしかなく，輸血の場合は拒絶反応を比較的簡単に防ぐことができる．

B　移植における免疫応答機構

前項では，拒絶反応における移植抗原としてのアロ（同種異系）MHC分子の重要性について言及した．では，免疫機構は，どのような機序でこれら移植抗原を認識しているのだろうか．アロMHC分子をレシピエントのT細胞が認識する機序としては，以下の2つが考えられる．

①**直接認識**：ドナー由来の抗原提示細胞が発現しているアロMHC分子を直接認識する（**図9-3a**）．

②**間接認識**：レシピエントの抗原提示細胞が，ドナー由来のアロMHC分子を取り込み，処理して，抗原ペプチドとして提示する（**図9-3b**）．

アロMHC分子に対するレシピエントT細胞による直接認識応答の研究は，混合リンパ球反応 mixed lymphocyte reaction（MLR）という方法を用いて行われた（**図9-4**）．ある個体から得られたT細胞（リスポンダー responder）と放射線照射またはマイトマイシンCにて処理することで細胞分裂が起こらないようにした別のリンパ球（刺激細胞 stimulator）を混合培養する．すると，リスポンダーT細胞は，もう一方の個体の刺激細胞に発現しているMHC分子を非自己と認識することによって活性化され，増殖を開始する．このリスポンダーT細胞の増殖反応の強さを検出する方法が混合リンパ球反応（MLR）である．このような研究により，個体中の約10％にも及ぶT細胞が，同種異系の細胞に対して反応し得ることがわかってきた．このように，異なるアロMHC分子と反応することを同種（異系）反応性 alloreactivity という．

T細胞の分化・成熟過程を考えると，未熟T細胞（ナイーブT細胞）は，骨髄

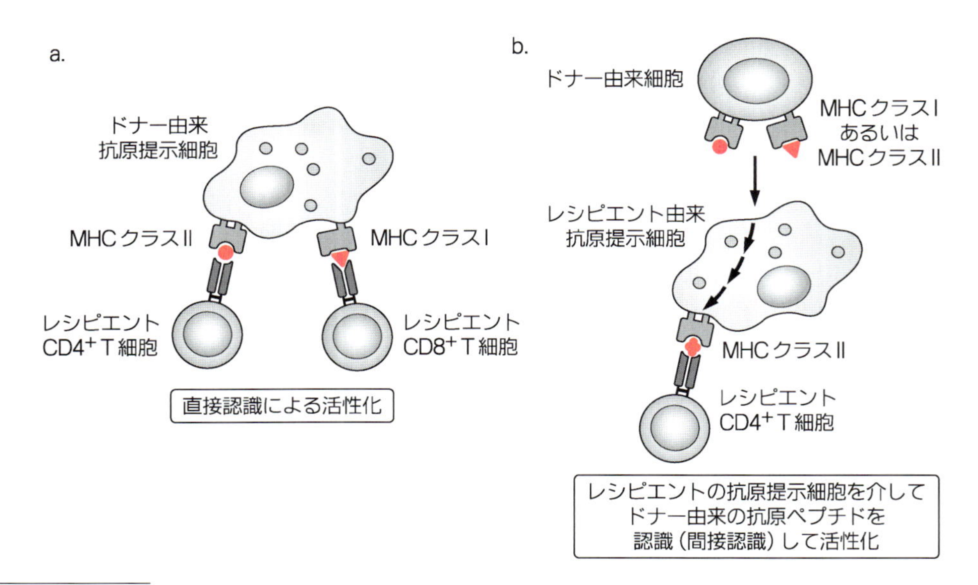

図 9-3　移植片の認識機構
ドナーとレシピエントの MHC が一致した移植においても，移植片の MHC 分子と結合した同種抗原由来のペプチドにより拒絶が起こる．

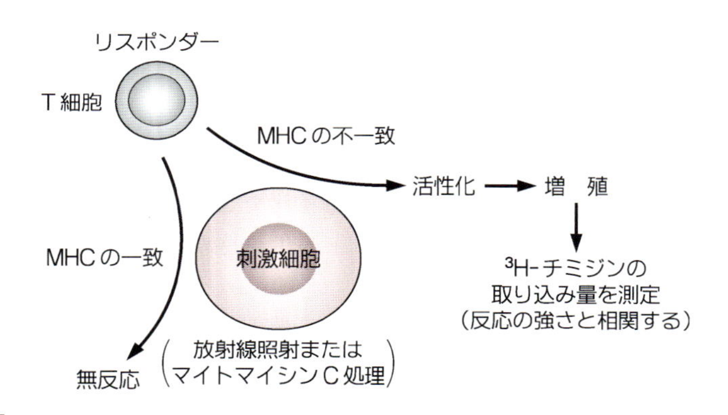

図 9-4　混合リンパ球反応（MLR）
レシピエントの細胞を放射線照射またはマイトマイシン C 処理にて細胞分裂が抑制された細胞を刺激細胞として用い，ドナー由来の無処理の T 細胞（リスポンダー）の反応性を ^{3}H-チミジンの取り込み量で判断する．この ^{3}H-チミジンの取り込み量が反応の強さと相関し，弱ければ弱いほど MHC が一致していることを示す．

から胸腺に移動して，細胞表面に TCR を発現し，TCR 遺伝子の再構築を経て成熟し，末梢へと移動する．この間，T 細胞は自己の MHC 分子そのものや，これに結合する自己ペプチドに対して強く反応するものは除去され，「自己の MHC 分子に結合した非自己ペプチド」に反応する TCR を発現した成熟 T 細胞のみが選択される．ペプチドだけではなく，MHC が異なることも非自己であることの判断につながることから，**MHC 拘束性**が達成される．MHC クラス I を認識するのはキラー T 細胞（細胞傷害性 T 細胞：CTL）であり，CD3 分子や CD8 分子がシグナルを伝達し，活性化される．MHC クラス II により活性化されるのはヘルパー T 細胞であり，シグナル伝達には CD4 分子がかかわる（4 章参照）．このように，厳しい選択過程を経てきた成熟T細胞における同種（異系）反応性は，TCRが示す交叉反応に由来すると考えられ，TCRが，非自己MHC分子を認識する機序としては，以下の2つが考えられる．

①TCRが，非自己MHC分子に結合したペプチドに対して強い親和性affinityをもつことで，この受容体をもったT細胞が刺激される（ペプチド優位な認識peptide-dominant binding）．

②TCRが，非自己MHC分子の特定の部分を直接認識する（MHC優位な認識MHC-dominant binding）．この場合，抗原提示細胞の表面に非自己MHC分子が非常にたくさん発現しているために，TCRの親和性が低くても細胞内に強いシグナルを伝達することができる．このとき，非自己MHC分子に結合しているペプチドの影響はほとんどない．

以上はT細胞系の反応を中心とした解説であるが，移植免疫では，T細胞系の反応ばかりでなく，抗体産生反応も起こってくることが知られている．仮に，二度目の移植も同一のドナーから行われると，初回の移植のときに産生された移植片に対する抗体が，二度目に移植された組織にすばやく反応して，非常に迅速な移植片拒絶反応が起こることがある．このことが，一度目の移植が拒絶された場合，二度目のドナーの選択を難しくしている．

C 拒絶反応の分類

拒絶反応が，宿主対移植片反応（HVGR）および移植片対宿主反応（GVHR）に大別されることは先に述べた．GVHRによって移植片対宿主病graft-versus-host disease（GVHD）が引き起こされるが，ドナーの免疫細胞を多く含む移植片（骨髄，肝臓など）のレシピエントでは，GVHDのリスクが増す．とくに骨髄移植を受けるレシピエントの骨髄（造血組織）には，悪性腫瘍（白血病など）の前処置治療として，致死量を超える抗がん薬投与や放射線照射が行われる．その結果，レシピエントの免疫機構は強い抑制状態となり，移植された骨髄細胞を拒絶することができず，ドナー由来の成熟リンパ球により攻撃を受けやすくなり，レシピエントの組織が傷害されるようになる．そのため，骨髄移植ではHLAのマッチング（患者と*HLA-A*, *-B*, *-DR*座の5抗原以上が一致しているドナー登録者がHLA適合の対象者となる）が行われている．急性GVHD（移植後100日以内に発症）には移植片中の成熟T細胞が関与するのに対して，慢性GVHD（移植後100日以降に発症）には移植された造血幹細胞から分化，成熟したT細胞が関与すると考えられている．急性GVHDの予防には，免疫抑制薬であるシクロスポリンあるいはタクロリムスにメトトレキサートを併用する方法が一般的である．急性GVHDに対する標準的初期治療薬はステロイド薬であり，二次治療には抗胸腺細胞グロブリン，ミコフェノール酸モフェチル，抗CD25抗体などが用いられている．慢性GVHDに対しても一次治療はステロイド薬が標準的であり，二次治療は確立されていないが，抗胸腺細胞グロブリン，ミコフェノール酸モフェチル，ラパマイシンなどが用いられ，新規にブルトン型チロシンキナーゼ阻害薬のイブルチニブが使用承認を得ている．

宿主対移植片反応（HVGR）は，超急性拒絶反応，急性拒絶反応および慢性拒絶反応に分類される．

1）　超急性拒絶反応

超急性拒絶反応 hyperacute rejection は，レシピエントに既存する抗 HLA 抗体をはじめとした，種特異的自然抗体による体液性免疫によると考えられている．たとえば，ブタの臓器をヒトに移植すると起こる，ヒトに生まれもって存在するブタ（異種）に対する抗体（自然抗体）による拒絶反応がこれにあたる．異種間でなくても，以前の輸血，移植，または妊娠によって，HLA 抗原あるいは血液型抗原に対して感作されていれば，新たな移植片抗原に対して既存の補体結合抗体が存在する場合に引き起こされる．感作は，血清学的検査やリンパ球細胞傷害性試験によって検出できる．この拒絶反応は，移植後 24 時間以内に発症し，血栓形成などが起こり，臓器虚血にいたる．既存の体液性免疫によるものであるため，免疫抑制薬で抑制を行うことができない．この場合，速やかな移植臓器の摘出が必要である．

2）　急性拒絶反応

急性拒絶反応 acute rejection では，体液性免疫，細胞性免疫の両方が存在するが，主に問題となるのは細胞性免疫である．**図 9-3** で示したように，移植片上の MHC 分子を介した免疫反応が誘導される．つまり，移植片に存在するドナー由来の抗原提示細胞の MHC クラスⅡをレシピエントのヘルパー T 細胞が認識し活性化することで，種々のサイトカイン（IL-2 や IFN-γ など）が産生される．IL-2 は，移植片上の非自己 MHC クラスⅠおよび MHC クラスⅡを標的としたキラー T 細胞や NK 細胞などを活性化し，IFN-γ は，IL-1 や TNF-α の産生も誘導して，移植片上の接着分子や MHC 分子の発現を増強させることで，細胞傷害性反応による拒絶が効率よく行われることになる．既存の抗体ではなく，移植片に対する新たな T 細胞応答を介して生じるため，移植から遅れて 1 週間から 3 ヵ月くらいで起きる．これを防止する目的で移植後は免疫抑制薬の投与を行う．免疫抑制が十分でない場合に，急性拒絶反応が起こるとされる．

3）　慢性拒絶反応

一度生着した移植臓器が，数ヵ月〜数年後に拒絶される現象を慢性拒絶反応 chronic rejection といい，移植片の機能不全である．近年，急性拒絶反応の制御方法が進歩したことで，新たな問題となっている．この反応はゆっくりとした反応で，移植片における実質や血管の炎症性線維化や間質の増生が主体で，移植肝腎に含まれる肝内胆管や腎糸球体の消失，移植心臓の冠動脈狭窄などがあげられる．この反応には，体液性免疫や遅延型アレルギー反応が関与していると考えられているが，病態は不明であり，一般的な免疫抑制薬は無効である．

D　拒絶反応抑制のための免疫抑制薬

臓器移植や骨髄移植などの場合，拒絶反応を抑制して移植片を生着させるためには，レシピエントの免疫を積極的に抑制する必要があり，各段階での免疫抑制の効

表 9-3　免疫抑制薬の分類

分類	免疫抑制薬	適応	主な有害作用
副腎皮質ステロイド	プレドニゾロンなど	導入，維持，急性拒絶反応の治療	糖尿病，高血圧，骨粗鬆症
カルシニューリン阻害薬	シクロスポリン	導入，維持，急性拒絶反応の治療	肝腎障害，神経損傷，脂質異常症，高血圧，痛風，脱毛
	タクロリムス		
核酸合成阻害薬	アザチオプリン	維持	骨髄抑制，肝炎
	ミコフェノール酸モフェチル		骨髄抑制，悪心・嘔吐，下痢
mTOR 阻害薬	ラパマイシン	維持	間質性肺炎，浮腫，脂質異常症，骨髄抑制
	エベロリムス		
ポリクローナル抗体	抗リンパ球グロブリン	導入，維持，急性拒絶反応の治療	アナフィラキシー，血清病，腎障害
	抗胸腺細胞グロブリン		
モノクローナル抗体	バシリキシマブ	導入	アナフィラキシー，骨髄増殖性疾患
選択的免疫抑制薬	ベラタセプト	維持	進行性多巣性白質脳症

果を有する薬物として，以下の薬が用いられる（**表 9-3**）．

①副腎皮質ステロイド：急性拒絶反応や GVHD を予防するために，以前より使用されている．免疫系全体を抑制する．

②カルシニューリン阻害薬（シクロスポリン，タクロリムス）：サイトカイン産生に必要な T 細胞の転写過程を阻害し，それによって T 細胞の増殖および活性化を選択的に阻害する．主として IL-2 を阻害することで，強い免疫抑制効果を示す．

③核酸合成阻害薬（アザチオプリン，ミコフェノール酸モフェチルなど）：代謝拮抗薬として核酸合成に干渉し，細胞分裂を抑え，リンパ球の増殖を抑制して免疫抑制効果を示す．骨髄抑制や肝障害などの副作用が問題となる．

④mTOR（mammalian target of rapamycin）阻害薬（ラパマイシン，エベロリムス）：mTOR に結合し，細胞増殖シグナルを阻害する．白血球の産生と活性を妨げる．

⑤ポリクローナル抗体（抗リンパ球グロブリン，抗胸腺細胞グロブリン）：ヒト胸腺細胞や T リンパ球を抗原とし，ウサギやウマに免疫して得られたポリクローナル免疫グロブリン製剤．特定の細胞を標的とした抗体の集まり．

⑥モノクローナル抗体（バシリキシマブ）：IL-2 受容体（CD25）に対する抗体で，活性化 T 細胞が分泌する IL-2 の作用を阻害することによって，T 細胞の増殖を抑制する．バイオテクノロジーの技術的進展により，キメラ抗体やヒト化抗体が確立され，ヒト IgG 骨格をもった抗体を作製することが可能になった．

⑦選択的免疫抑制薬（ベラタセプト）：抗原提示細胞上の CD80/CD86 と T 細胞上の CD28 とのシグナルである第 2 シグナルを阻害することで，T 細胞の活性化を阻害する．

3. 免疫不全

免疫系は T 細胞による細胞性免疫系，B 細胞による体液性免疫系，マクロファージや好中球などの食細胞系および補体系から構成されており，これらは相互に関係しあいながら1つの生体防御系を構成している．たとえば，抗体産生にかかわる細胞群だけでも，抗原を提示する樹状細胞，抗体を産生するB細胞と抗体産生を補助するヘルパーT細胞などがある．これらのうちの1つでも異常が認められると，抗原特異的な抗体産生が効率よくできなくなり，感染症が容易に発症するようになる．つまり，ある免疫担当細胞の分化・増殖に関係するサイトカインの欠損や受容体からのシグナル伝達障害などによる分化障害や細胞機能にかかわる酵素や液性因子，補体因子などの機能および産生障害などが存在すると，生体防御機構が十分に働くことができなくなり，感染症にかかりやすくなったり，悪性腫瘍の発生率が高くなったり，アレルギーや自己免疫疾患を発症しやすくなる．このような状態を免疫不全 immunodeficiency という．一般的に，抗体欠乏や食細胞機能不全があると化膿性細菌感染症により，T細胞の機能低下ではウイルス，真菌，原虫などの感染症を好発するようになり，ワクチン療法（生ワクチンや不活化ワクチン）に対しても重篤な副作用を引き起こすことがある．また，両者が同時に低下する重症複合免疫不全症では**日和見感染症**◆がさらに加わることとなる．

免疫不全症は，先天的（遺伝的）異常で起こる原発性（先天性）免疫不全症候群と，生来正常であった免疫系が感染症（エイズなど），悪性腫瘍や慢性疾患に伴う免疫不全，抗がん薬や免疫抑制薬などによって二次的に起こる免疫不全状態（続発性免疫不全症候群）に大別される．

コアカリ到達目標
- 自己免疫疾患と免疫不全症候群について概説できる．

◆**日和見感染症**　通常の免疫状態においては感染は成立しない（病気にならない）が，宿主が免疫不全状態に陥ったときにのみ感染が成立するような微生物による感染症と定義される．免疫不全の原因としては薬物投与，外科的処置，がん，糖尿病，エイズ，麻薬などの常習，栄養不良，加齢などがあげられる．最近は病院や養護老人施設などでの発症が問題になっている．

A　原発性（先天性）免疫不全症候群

原発性（先天性）免疫不全症候群 congenital（primary）immunodeficiency syndrome は世界保健機関 World Health Organization（WHO）によって，①複合免疫不全症，②抗体不全を主とする免疫不全症（抗体欠乏症），③明確に定義された免疫不全症，④補体不全症（補体欠損症），⑤食細胞機能不全症に分類されている．発生頻度は出生10万人に3人で，抗体不全を主としたものが約半数を占めている．それぞれの不全症における代表的な疾患名と原因遺伝子などを**表9-4**に示す（T細胞やB細胞の分化･成熟に関しては，5章「リンパ球の分化と成熟」（p69）および6章「多様性獲得機構」（p81）参照）．

B　免疫不全症における免疫学的検査法

一般的に臨床で行われる免疫学的検査として**表9-5**に示すような検査がある．

① 末梢血の検査：白血球数，リンパ球数（T細胞，B細胞）および各免疫担当細胞の細胞比率（細胞表面抗原を免疫染色したリンパ球をフローサイトメトリー（**図13-8**参照）にて解析）を検討する．それぞれの細胞群の鑑別に用いられる細胞表面抗原として汎用される抗原を**表9-6**に示す．

② T細胞の機能にかかわる検査：ツベルクリン反応◆などの皮膚反応や末梢血リンパ球のマイトジェン◆，抗原などの刺激に対する反応性を検討する．

③ B細胞の機能にかかわる検査：血清中の免疫グロブリン濃度の測定やある種の抗原に対する抗体価の測定などを検討する．

◆**ツベルクリン反応**　結核菌培養液より精製されたタンパク質成分（精製ツベルクリン：PPD）を皮内注射して，これに対する皮膚反応を調べる検査．目的としては①結核菌感染の有無，②BCGワクチン接種の対象の選定，③結核発症の危険性の判定，である．この皮膚反応は典型的なIV型（遅延型）アレルギー反応である．

◆**マイトジェン**　細胞の分裂を誘起する物質のこと．免疫学の分野では，抗原非特異的（多クローン性）にリンパ球の幼若化，分裂増殖を誘導する物質をいう．多くのマイトジェンはT細胞に対して作用するが，T細胞やB細胞の双方またはB細胞のみに作用するものもある．

表 9-4 主な先天性免疫不全症候群の原因と異常

病　型	原因遺伝子	機能異常	免疫系の異常
①複合免疫不全症			
X 連鎖性重症複合免疫不全症	IL-2Rγ (common γ chain)	IL-2, IL-4, IL-9, IL-15 の受容体からのシグナル伝達異常	NK 細胞数, T 細胞数の減少, 抗体産生減少
常染色体性重症複合免疫不全症	IL-2	IL-2 欠損	T 細胞数の減少
	ZAP-70	TCR からのシグナル伝達障害	T 細胞数の減少
	JAK3	IL-2Rγ からのシグナル伝達障害	T 細胞数の減少
ADA (adenosine deaminase) 欠損症	ADA	ADA 欠損による蓄積代謝産物による T, B 細胞傷害	T, B 細胞数の減少
②抗体不全を主とする免疫不全症			
X 連鎖性無γグロブリン血症	Btk	B 細胞の分化停止	B 細胞の消失, すべての抗体の著減
X 連鎖性高 IgM 症候群	CD40L	IgM からのクラススイッチ障害	IgM の著増, IgG および IgA の著減
免疫グロブリン H 鎖遺伝子欠損症	IgH	IgG へのクラススイッチ障害	すべての IgG サブクラスの減少
③明確に定義された免疫不全症			
ウィスコット・アルドリッチ Wiskott-Aldrich 症候群	WAS	GTPase 欠損によるチロシンキナーゼシグナル伝達異常	T 細胞数の減少, 多糖体に対する IgM 反応の低下
ディジョージ DiGeorge 症候群	*22q11.2*	胸腺無形成	T 細胞の消失
④補体不全症			
発作性夜間血色素尿症	PIG-A	GPI-アンカー欠損による補体膜制御タンパク質の欠損	夜間の溶血発作
⑤食細胞機能不全症			
慢性肉芽腫症	チトクローム b-558	NADPH オキシダーゼ欠損	食細胞殺菌機能不全
ミエロペルオキシダーゼ欠損症	MPO	ミエロペルオキシダーゼ欠損	食細胞殺菌機能不全
グルコース-6-リン酸脱水素酵素 (G6PD) 欠損症	G6PD	G6PD 欠損	食細胞殺菌機能不全
白血球粘着能欠損症	CD18	β_2 インテグリンファミリー欠損	好中球の粘着能の低下, 食作用の低下, 遊走能の低下, NK 活性, キラー T 細胞の細胞傷害活性の低下

④ 食細胞の機能にかかわる検査：炭粉などの微粒子を用いた貪食能試験や走化性因子に対する反応性や還元試験などがある.

⑤ 補体にかかわる検査：血清補体価, 補体成分のうち C3 や C4 の定量などを行う.

C 続発性免疫不全症候群

続発性免疫不全症候群 secondary immunodeficiency syndrome は二次的に起こる免疫不全症である. 原因としては以下のものなどがあげられる.

① 感染症：最も問題になっているものとして, ヒト免疫不全ウイルス (HIV) 感

表 9-5　免疫不全症における検査法

分　類	検査法	検査方法など
T 細胞機能	末梢血 T 細胞数と分類	T 細胞数および $CD3^+$ T 細胞，$CD4^+$ T 細胞，$CD8^+$ T 細胞，$CD40L^+$ T 細胞の分類
	皮膚反応	ツベルクリン反応
	マイトジェン刺激試験	フィトヘマグルチニン（PHA），コンカナバリン A（ConA）などによる刺激に対する増殖反応性の測定
	リンパ球機能試験	抗原刺激によるリンパ球増殖試験，同種リンパ球混合培養試験，CD3 や CD28 に対する抗体による刺激試験
B 細胞機能	血清中免疫グロブリン測定	血清タンパク質電気泳動法，免疫電気泳動法，免疫グロブリン定量（IgG, IgA, IgM, IgD, IgE, IgG サブクラス，分泌型 IgA）
	末梢血 B 細胞数と分類	表面免疫グロブリン（IgM, IgD, IgG）および $CD19^+$, $CD20^+$ 細胞数の測定
	抗体価測定	同種血球凝集素価，抗ストレプトリジン O 抗体（ASO）価，寒冷凝集素価，各種ウイルス抗体価測定など
	抗体産生能試験	黄色ブドウ球菌 Cowan I 刺激に対する増殖能と抗体産生量測定
食細胞	食細胞機能試験	化学走化性試験，貪食能試験，ニトロブルーテトラゾリウム（NBT）還元試験
補体	血清補体価（CH_{50}）測定，補体 C3・C4 定量，血中免疫複合体測定	

表 9-6　末梢血リンパ球の分類に用いられる主な細胞表面抗原とその機能

細　胞	抗　原	特性，機能
T 細胞	CD3	TCR シグナル伝達
	CD4	ヘルパー T 細胞マーカー，MHC クラス II 補助受容体，HIV 受容体
	CD8	キラー T 細胞マーカー，MHC クラス I 補助受容体
	CD25	IL-2 受容体 α 鎖
B 細胞	CD19	B 細胞補助受容体
	CD20	B 細胞活性化
	sIg	細胞表面結合型免疫グロブリン，BCR

染症による後天性免疫不全症候群（エイズ，AIDS）がある．その他の感染としてヒト T 細胞白血病ウイルス I 型 human T cell leukemia virus-1（HTLV-1）や麻疹ウイルス感染があげられる．

② 腫瘍：腫瘍細胞のうち TGF-β を産生することで腫瘍局所における免疫抑制を引き起こしていることが示されている．この TGF-β の産生が過剰になると全身の免疫能を低下させる．

③ 加齢：加齢によって T 細胞の増殖能やサイトカイン産生能に変化がみられる．

④ 慢性疾患：糖尿病や腎不全などでは，リンパ球や食細胞系の機能低下が認められる．

⑤ 薬物療法：抗がん薬の副作用として骨髄や末梢血のリンパ球増殖抑制により免疫不全が起こる．とくに，白血病の寛解導入を目的とした化学療法の際，骨髄抑制による好中球減少が敗血症などの原因となる．

D 後天性免疫不全症候群（エイズ，AIDS）（p245 も参照）

ヒト免疫不全ウイルス human immunodeficiency virus（HIV）は RNA ウイルスであり，血液，精液，膣分泌液，母乳などの体液を介して感染する．性交（コンドームの不使用による），注射器や注射針の使い回し，血液製剤による感染が確認されている．感染初期には，多くの感染した CD4$^+$T 細胞の細胞死とそれによる高い血中ウイルス量の上昇が起こり，CD4$^+$T 細胞数の減少と風邪のような症状から始まる（初期症状期：2〜6 週間）．その後，HIV に対する免疫応答が誘導され細胞傷害性 CD8$^+$T 細胞や抗体産生が認められ，血中ウイルス量が著明に減少し，無症状期（平均 10 年間）に入る．しかし，この期間ではウイルスの持続的な複製が主にリンパ節で起こっており，CD4$^+$T 細胞の機能と数は徐々に低下し続け，CD4$^+$T 細胞数が 500 個/μl 以下になると感染症や発がんなどが頻繁に認められるようになる（症状期：2〜3 年）．CD4$^+$T 細胞数が 200 個/μl 以下になると，日和見感染症や発がん

表 9-7　エイズでよくみられる日和見感染症とがん

感　染　症	
寄生虫	トキソプラズマ，クリプトスポリジウム，リーシュマニア
細　菌	結核菌，サルモネラ属
真　菌	ニューモシスチス，クリプトコッカス，カンジダ，ヒストプラズマ
ウイルス	単純ヘルペスウイルス，サイトメガロウイルス，帯状疱疹ウイルス
が　ん	
カポジ肉腫，非ホジキンリンパ腫，EBV 陽性バーキットリンパ腫，脳原発のリンパ腫	

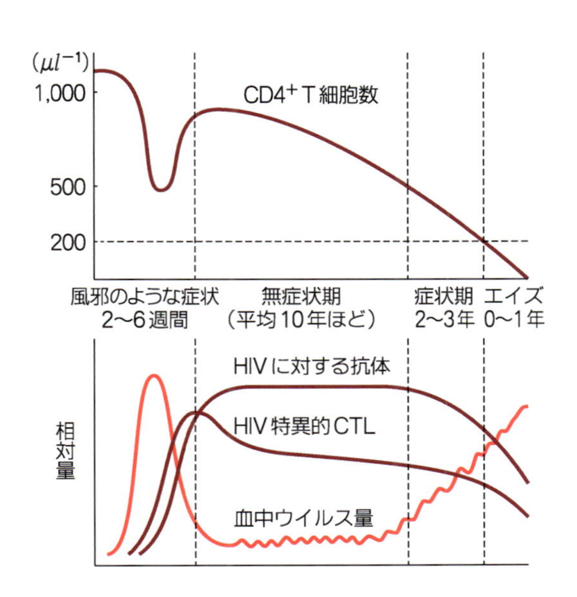

図 9-5　HIV 感染経過と免疫応答

HIV に感染すると，一過性に血中ウイルス量が増加して風邪様症状を呈し，同時に CD4$^+$T 細胞数が減少するが，これらの症状や CD4$^+$T 細胞数はすぐに回復する．その後，誘導された抗 HIV 抗体や HIV 特異的キラー T 細胞（CTL）による感染細胞除去により，血中ウイルス量は微量となる（無症状期）．しかし，長期間のうちに徐々に CD4$^+$T 細胞数が減少し，500 個/μl 以下になると日和見感染症や発がんが認められるようになる（症状期）．さらに，CD4$^+$T 細胞数が 200 個/μl 以下になるとエイズを発症し，多くの場合 1 年以内に死の転帰をとる．

が頻発して約1年で死の転帰をとる．この間，$CD4^{+}$T細胞数の減少する機序としては，①HIV感染による直接の細胞変性，②細胞傷害性$CD8^{+}$T細胞による破壊，③感染によるアポトーシス感受性の亢進，などが考えられている．エイズにてよくみられる日和見感染症とがんを**表9-7**に，典型的な HIV 感染経過を**図9-5**に示す．

E HIVの感染機序

ウイルス粒子には2本のRNA遺伝子と逆転写酵素◆やウイルス組み込み酵素（インテグラーゼ），プロテアーゼなどが含まれている．ウイルスエンベロープの糖タンパク質 gp120 は，T細胞の CD4 分子と結合し，さらに補助受容体のケモカイン受容体 CCR5 や CXCR4 に結合した後，ウイルスのエンベロープと細胞膜が融合することでウイルスのゲノムとそれに付随した酵素などが宿主細胞内に侵入する．細胞内に侵入したウイルス由来の成分は，ウイルスの複製を開始する．ウイルス自身の逆転写酵素を用いて，ウイルス RNA から相補的な一本鎖 DNA を転写後，二本鎖 DNA となったウイルス遺伝子はインテグラーゼの作用によって宿主細胞の遺伝子に組み込まれる．この組み込まれたウイルス由来の DNA（**プロウイルス** provirus）より，宿主細胞の転写因子◆ NFκB によって転写が始まる．最初にとくにプロウイルスから産生された Tat や Rev などのタンパク質はプロウイルスからの転写と核外移行を増強するように作用し，転写の増幅が繰り返し起こることで，ウイルス粒子を構成するタンパク質やウイルスゲノム（RNA）が効率よく産生され，ついには発芽によって新しいウイルス粒子が産生されるとともに感染細胞の死を引き起こす．治療薬には，上述の感染・増殖システムに作用する薬がある（14章-8.「HIV感染症治療薬」（p245）参照）．

◆**逆転写酵素**　RNA依存性DNAポリメラーゼと呼ばれ，RNAを鋳型として相補的なDNAを合成する．転写とは，DNAを鋳型として相補的なRNAを合成する過程だが，この反応の逆反応であるためこの名がある．通常，レトロウイルスがこの酵素の遺伝子をもつ．

◆**転写因子**　転写調節因子とも呼ばれ，遺伝子発現の初期段階である転写の過程で，主として転写開始反応を調節する因子をいう．転写の活性化や抑制を調節している．

4. がん（悪性腫瘍）

コアカリ到達目標
- 腫瘍排除に関与する免疫反応について説明できる．

ヒトの体のなかでは，絶えず細胞が分裂・増殖を繰り返しており，この細胞分裂で**突然変異**などが起こることで異常な細胞が出現する危険性がある．一般的に，このような異常細胞はプログラムされた細胞死など細胞自身に備わっている排除機構で排除される．当然，このシステムから逸脱して増殖を続けることができる異常細胞が出現する可能性がある．このような異常細胞は，免疫システムによる生体監視機構 immunological surveillance により排除される．しかしながら，この生体監視機構より逸脱して増殖を継続したものはついにはがん細胞となる．では，どのようにしてがん細胞は生体監視機構より逃れることができるのであろうか．このような疑問に対して，1980年代になって基礎免疫学，分子生物学や細胞工学などの発展により，ヒト自家がんに対する免疫応答の研究が盛んに行われるようになり，以下の疑問点，すなわち，①ヒトは自分の細胞由来のがん細胞に対して免疫応答できるのか，②免疫システムが認識できる腫瘍抗原は存在するのか，③腫瘍抗原の本質は何か，その遺伝子は何か，④免疫システムから認識される腫瘍抗原が存在するのに，なぜがんを拒絶できないのか，⑤腫瘍抗原を用いた腫瘍免疫療法や発がん予防はできるのか，に対して解答や展望が示されつつある．

A 腫瘍抗原の種類

マウスなどの動物を用いた発がんや自家がん細胞移植実験において，自己細胞由来の腫瘍細胞に対しても免疫系は反応することが示された．ヒトの場合もがん患者血清中に自家がん細胞に反応する抗体が検出されること，末梢リンパ球や腫瘍組織に浸潤しているリンパ球（**腫瘍組織浸潤リンパ球：TIL**）のなかに腫瘍細胞を認識できるキラーT細胞（細胞傷害性T細胞：CTL）やヘルパーT細胞（Th）が存在していることが示され，自家がん細胞に対して免疫反応が起こっていることが明らかになっている．このように腫瘍に対して自己の免疫系が反応していることは，腫瘍細胞が発現している抗原のなかに免疫系から認識される抗原分子が存在することを示している．腫瘍に発現している抗原は**腫瘍抗原** tumor antigen と呼ばれ，腫瘍抗原には正常細胞にも発現しているものも含まれる．**表9-8**に腫瘍抗原の例とその由来などを示す．

このような腫瘍抗原は，さらに次のように分類されている．

① **腫瘍関連抗原** tumor-associated antigen（TAA）：細胞のがん化に伴って発現する抗原の総称．免疫原性をもつものと，モノクローナル抗体などで検出されるが免疫原性を有しない抗原がある．

📖 腫瘍抗原と免疫機構 1

体液性免疫が認識する腫瘍抗原

近年，がん細胞を体内にもっているヒト担がん患者血清中に自家がん細胞と反応する抗体が存在することより，これらの抗体が認識する抗原の分離・解析方法として serological identification of antigens by recombinant cDNA expression cloning（SEREX法）が確立され，多くの抗原が同定された．SEREX法では，患者の新鮮な腫瘍組織よりmRNAを抽出し，cDNAライブラリーを作製する．これを大腸菌発現ベクターに組み込んで，大腸菌でヒト腫瘍抗原タンパク質を発現させる．次に，採取しておいた同一患者の血清と反応させ，陽性クローンより遺伝子を同定する．このようにして同定できた抗原は，腫瘍組織特異的である可能性が高いため，がん免疫療法に応用できる可能性がある．

表9-8 腫瘍抗原

	抗原の由来	抗原名	抗原の機能・特徴	発現腫瘍
腫瘍関連抗原(TAA)	がん胎児性抗原	GPC3, CEA, αフェトプロテイン	胎生期細胞とがん細胞に発現	肝がん，多くのがん種
	過剰発現遺伝子産物	HER2/neu, EGFR WT1 Survivin hTERT	増殖シグナル伝達関連分子	乳がん，卵巣がん 急性骨髄性白血病 多くのがん種
	分化抗原	CD20 メラニン-A, gp100 PSA, PAP	B細胞 メラニン細胞 前立腺	B細胞性リンパ腫 メラノーマ 前立腺がん
	翻訳後修飾異常	MUC1 CA125 CA19-9	ムチン 糖タンパク質 糖鎖抗原	乳がん 卵巣がん 膵がん
	胚性タンパク質	MAGE, NY-ESO-1, XAGE1	正常胚細胞とがん細胞に発現	肺がん，多くのがん種
腫瘍特異抗原(TSA)	ウイルスタンパク質	HPV16, E6/E7 EBNA1, LMP1/2 Tax LANA1	パピローマウイルス EBウイルス HTLV-1 カポジ肉腫関連ヘルペスウイルス	子宮頸がん バーキットリンパ腫，上咽頭がん 成人T細胞白血病 カポジ肉腫
	がん遺伝子産物（遺伝子変異による新生抗原）	p53, Rb, VHL Ras, BRAF, EGFR BRCA	がん抑制遺伝子 細胞増殖，チロシンキナーゼ 核酸修復	多くのがん種
		Bcr-Abl, TEL-AML, EML4-ALK	融合遺伝子	慢性骨髄性白血病，急性リンパ性白血病
		β-カテニン	細胞接着関連分子	メラノーマ

②**腫瘍特異抗原** tumor-specific antigen（TSA）：正常細胞には認められない，腫瘍に特異的な抗原である．がん化によって新たに発現する異常タンパク質または糖鎖抗原が該当する．

③**腫瘍拒絶抗原** tumor rejection antigen（TRA）：TAA や TSA のうち，生体内において腫瘍細胞を傷害する免疫反応に関係する抗原で NK 細胞，マクロファージなどの非特異的キラー細胞の認識抗原を含む．抗体による抗体依存性細胞傷害作用（ADCC）は含まない．

腫瘍抗原と免疫機構2

細胞性免疫（T細胞）が認識する腫瘍抗原

腫瘍抗原を単離・同定する方法は，2つある．1つは，腫瘍細胞の mRNA から cDNA ライブラリーを作製し，これを適当な発現ベクターに組み込む．適当な細胞株（HLA クラスⅠの提示分子の遺伝子を導入し発現させている）に DNA トランスフェクションする．目的とする抗原遺伝子発現はクローン化あるいはライン化したキラーT細胞を用い，そのサイトカイン（TNF，GM-CSF，IFN-γ など）産生能あるいは細胞傷害活性により決定するものである．もう1つの方法は HLA クラスⅠに結合した抗原ペプチドを直接酸処理で，HLA クラスⅠから解離させ，それを逆相 HPLC（high performance liquid chromatography），質量分析装置 mass spectrometry などを使って抗原ペプチドのアミノ酸配列を決定するものである．

予防医学での新しい腫瘍マーカー

がん治療において，早期診断は最も重要である．これまでに腫瘍マーカーとして利用されてきた分子の多くは腫瘍細胞が産生するタンパク分子であり，腫瘍の病期進行，治療効果判定や再発の判断などに利用されている．しかし，より早期の腫瘍の検出には不十分であった．

近年，細胞内にタンパク質の合成には直接関与しない，いわゆるノンコーディング RNA（ncRNA：non-cording RNA）と呼ばれる分子が多数存在し，とくに小さな核酸分子（全長が 18～25 塩基ほど）である micro RNA（miRNA：マイクロリボ核酸）が遺伝子発現を微調整することが判明した．このことから，細胞内での miRNA の作用異常が疾患の発症へとつながる可能性が示された．実際，がんを中心として，多くの病気で miRNA の細胞内発現異常が示されている．たとえば，miR-21 という miRNA は，乳がんや肺がん，食道がん，脳腫瘍などで異常な発現が見出されている．現在，この miRNA の検出による疾患のバイオマーカーや治療薬開発への応用が検討されている．

さらに，この miRNA が血液以外にも尿や唾液，母乳，リンパ液などの体液中に細胞が分泌する微小な膜小胞体であるエクソソームに内包されることで，安定して存在していることが判明した．つまり，低侵襲なバイオマーカーとして miRNA を活用できる可能性が示された．すでに，体液中のエクソソームを利用し，前立腺がんや膵臓がんなどでバイオマーカー候補の miRNA が同定されている．

近年，全長が 100～200 塩基以上の ncRNA（lncRNA：long noncoding RNA）にも miRNA と同様の作用が報告されている．

B　腫瘍細胞に対する免疫応答と排除（免疫監視機構）

1950 年代にバーネット Burnet らは，生体内におけるがん細胞は免疫システムによって監視されており，がん細胞に対する免疫応答はその発生を抑制する，という概念を提唱した．その後，がん患者の免疫系は腫瘍抗原に対して体液性および細胞性免疫系ともに反応し，腫瘍細胞に対する特異的抗体およびキラーT細胞（細胞傷害性T細胞：CTL）の存在が証明され，生体内における抗腫瘍免疫応答が明らかになっている（**図 9-6**）．腫瘍細胞はマクロファージ，樹状細胞などの抗原提示細胞により処理（プロセシング）され，腫瘍抗原由来のペプチド抗原として MHC 分子に結合して提示される．また，腫瘍細胞に MHC が発現している場合，腫瘍細胞自身がペプチド抗原を提示する（多くの腫瘍で MHC クラスⅠは発現しているが，MHC クラスⅡを発現している腫瘍は少ない）．活性化された $CD4^+$T 細胞はキラー

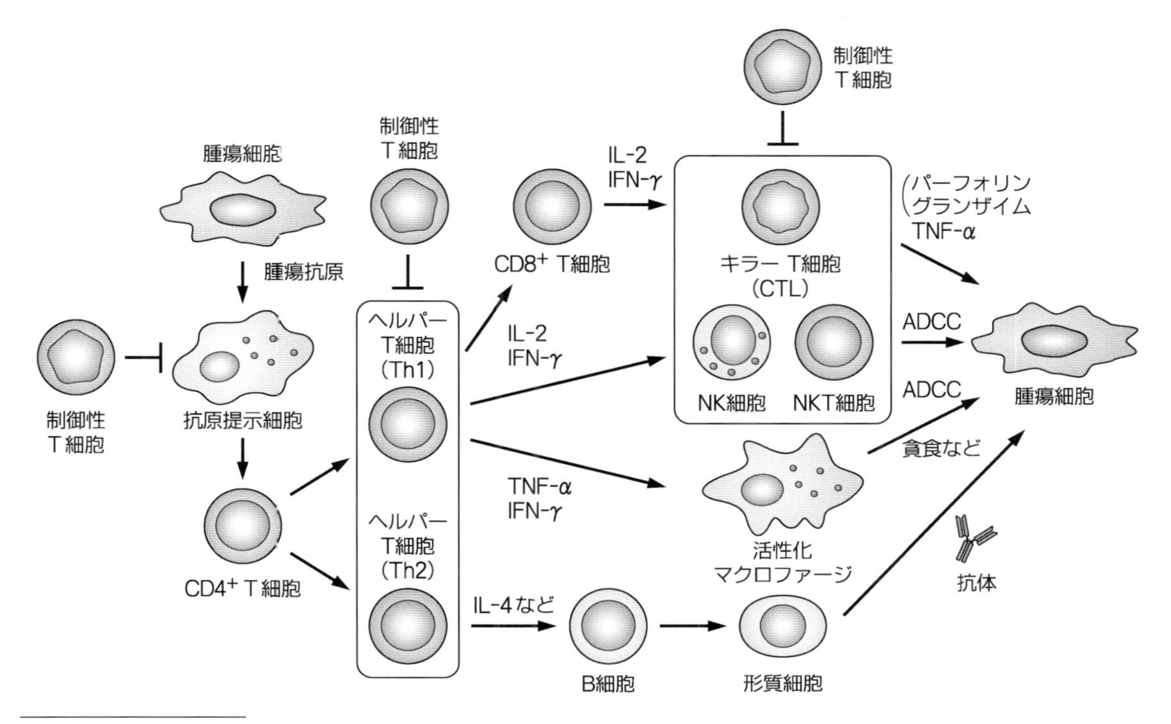

図 9-6 抗腫瘍免疫応答と制御性 T 細胞による免疫抑制機構

腫瘍抗原はマクロファージや樹状細胞などの抗原提示細胞により抗原ペプチドとしてリンパ球（ヘルパー T 細胞やキラー T 細胞）に提示される．抗原ペプチドを認識したヘルパー T 細胞は Th1 または Th2 細胞に分化して，それぞれの機能を発揮する．Th1 細胞は IL-2，IFN-γ，TNF-α などのサイトカイン産生などを介して細胞性免疫やマクロファージ，NK 細胞や NKT 細胞を活性化することで腫瘍細胞排除機構を誘導・刺激する．また，Th2 細胞は B 細胞を刺激して抗腫瘍抗体産生を促す．一方，制御性 T 細胞は，抗原提示細胞やエフェクター細胞などの活性化を抑制し，腫瘍細胞の免疫系に対する逸脱機構を促す（15 章-4.「がんの免疫療法」（p273）参照）．

T 細胞への分化過程（Th1 細胞）または B 細胞の抗体産生過程（Th2 細胞）を促進するヘルパー機能を発揮するようになる．分化誘導されたキラー T 細胞（$CD8^+$T 細胞）は MHC クラス I に提示されたペプチド抗原を認識して標的腫瘍細胞を傷害する．

抗体に関しては，生体内抗腫瘍効果が認められる場合もあり，Fc 受容体（FcR）を発現している NK 細胞，マクロファージなどを介した ADCC 活性によると考えられている．一方，補体を介した傷害活性は腫瘍細胞表面に膜型の補体制御因子（DAF など：2 章-3.「補体」（p31）参照）が発現しているため，あまり効果が期待できない．

NK 細胞，NKT 細胞，活性化マクロファージは正常細胞に比べて，腫瘍細胞をより強く傷害することが知られている．とくに，NK 細胞は MHC クラス I を発現していない腫瘍細胞を強く傷害するように働く（3 章-2. Ⓒ「ナチュラルキラー細胞」（p43）参照）．一般に，NK 細胞は腫瘍発生初期に，NKT 細胞は腫瘍の増殖期に効果的に作用すると考えられている．

表 9-9　腫瘍細胞の免疫系からの逸脱要因

要　因	原因・機序
宿主側要因	
無反応性	免疫寛容誘導 免疫能低下 T 細胞シグナル伝達障害（IL-2 産生不全など） Th2 応答優位による Th1 応答抑制
制御性 T 細胞（Treg）の出現	
免疫チェックポイント分子の発現	免疫応答の抑制
腫瘍組織集積阻害環境	
腫瘍細胞側要因	
抗原性の低下	MHC 分子の発現低下 細胞内抗原提示機構（抗原プロセシング）の異常 細胞接着分子の発現低下 抗原の放出（遊離抗原）による阻害 抗原性の変化・被覆 抗原非産生細胞の選択的増殖
制御性 T 細胞（Treg）の誘導	遊離抗原
免疫抑制物質の産生	IL-10，TGF-β や PGE_2 の産生
Fas リガンドの発現	活性化 T 細胞のアポトーシス誘導
免疫チェックポイント分子の発現	活性化 T 細胞の抑制

C　腫瘍細胞の免疫系からの逸脱機構

生体では，さまざまな免疫監視機構により異常細胞の排除が行われている．しかしながら，腫瘍細胞は免疫監視機構から逸脱（免疫回避機構 immunological escape）し，増殖を続け，浸潤・転移などを起こす．この免疫回避機構に関しては，さまざまな要因が指摘されているが十分には解明されていない（**表 9-9**）．腫瘍細胞自身に原因があり免疫系がうまく反応できない場合として，MHC 分子の発現低下や細胞内抗原の MHC での提示処理機構の異常や提示量の減少，細胞接着分子など補助刺激分子の発現不全などがある．さらには腫瘍細胞から産生される PGE_2 や TGF-β，IL-10 などによる免疫応答の抑制，腫瘍細胞上に Fas リガンドが発現し，これがキラー T 細胞に発現している Fas を刺激することによってキラー T 細胞にアポトーシスを誘導することも逸脱機構の一因になることが示唆されている．エフェクター細胞の活性化を阻止する制御性 T 細胞（Treg）の役割（**図 9-7**）や，抑制性のシグナル機構にかかわる CTLA-4 や PD-1 や PD-L1 または 2 などの**免疫チェックポイント分子**の機能が明らかになり，腫瘍免疫療法への臨床応用が進んでいる（15 章参照）．以上のように，さまざまな要因が重複して腫瘍細胞の免疫監視機構からの逸脱が起こっている．

D　腫瘍の免疫学的検出

腫瘍抗原に対する抗体は生体より採取された組織の診断に利用されたり，抗原が患者血清中に検出されるものに対する抗体は，がんの血清診断，治療効果や経過観察に応用されるものもある．このような腫瘍抗原は腫瘍マーカー（**表 9-10**）と呼ばれている．さらに，特殊な検出方法として腫瘍抗原に対するモノクローナル抗体

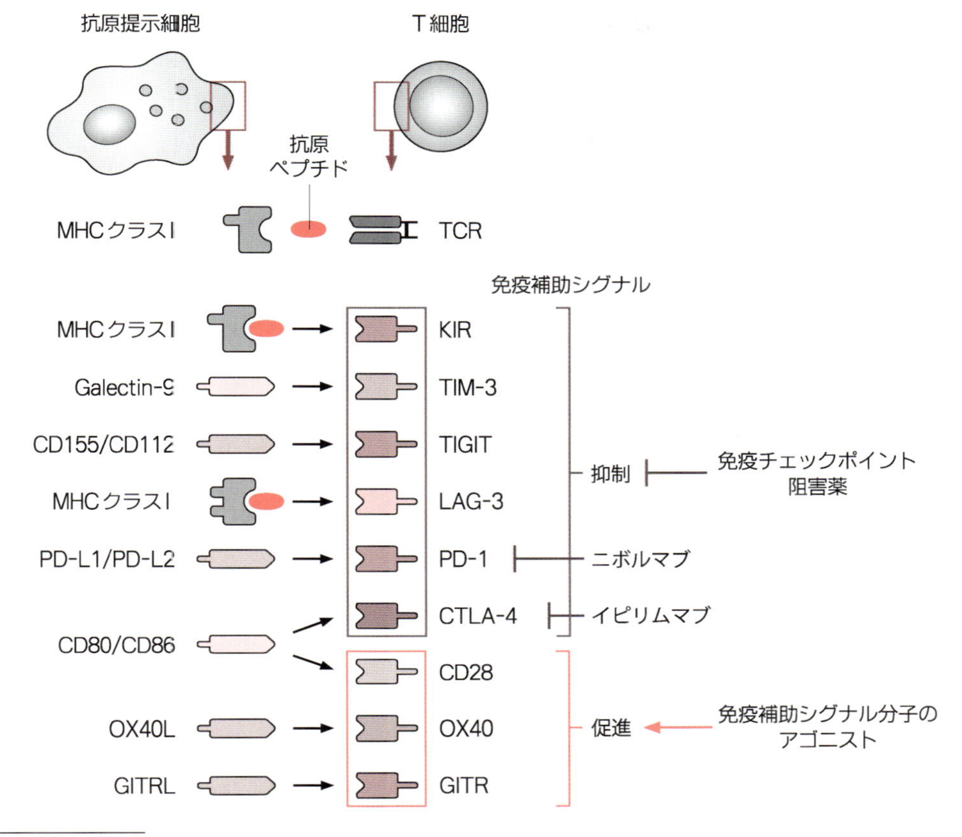

図 9-7 T 細胞に発現する免疫補助シグナル分子

T 細胞に発現する免疫補助シグナル分子には，刺激の抑制性にかかわる分子と刺激を促進する分子がある．PD-L1/PD-L2，PD-1 や CTLA-4 をターゲットにした免疫チェックポイント阻害薬は抑制性にかかわる分子への刺激を阻害する薬剤である．OX40 や GITR をターゲットにした刺激を促進するアゴニストの開発も行われている．

表 9-10 主な臨床的腫瘍マーカー

抗　原	抗原名	陽性率の高いがん
CEA	がん胎児性抗原（糖タンパク質）	消化器がん（大腸がんなど）
αフェトプロテイン（AFP）	がん胎児性抗原（糖タンパク質）	肝細胞がん
CA19-9	シアリル Le^a	膵がん，胃がん，大腸がん
CA125	ムチンコアタンパク質	卵巣がん
CSLEX	シアリル Le^x	肺腺がん
PSA	前立腺特異抗原	前立腺がん

に放射性同位元素を標識し，生体内の腫瘍組織（転移など）をイメージングする方法もある．

E 腫瘍（がん）免疫療法

がん免疫療法は，1891 年にがん患者において，A 群溶血性レンサ球菌の感染症による丹毒に罹患した患者では，腫瘍の退縮を認めたことより，米国の外科医コーリー Coley がA群溶血性レンサ球菌の死菌混合物をがん患者に投与したことから始まる．がん免疫監視機構の存在や機能について多くの研究がなされ，腫瘍免疫学の進展に伴い，がん免疫療法が開発されている．

がん免疫療法としては，非特異的免疫療法と特異的免疫療法に大きく分かれる．

非特異的療法としては，生体応答調節薬（BRM）がある．この方法はがん患者のさまざまな細胞を活性化するばかりでなく，腫瘍細胞側の抗原性の増強，感受性の増大など免疫療法にかかわる因子の改善を引き起こす．さらに，BRM は一般的な免疫能も高めることで，感染などに対する抵抗性も高める効果も期待される．

特異的免疫療法としては，がんワクチンなどの患者体内で抗腫瘍免疫を誘導する能動免疫法，抗体など抗腫瘍効果を促すエフェクターを投与する受動免疫法，腫瘍を特異的に攻撃する人工的に培養したT細胞などを投与する養子免疫療法（がん患者自身の免疫細胞を採取し，体外で培養して刺激して，活性化させ，がん細胞に対する傷害活性を有した免疫細胞を大量に培養後，それらをがん患者に投与する治療法），同種造血幹細胞移植などの同種抗原に対する免疫療法など，多彩な治療法開発が進められている（11章-2.「免疫賦活化療法」（p191）および15章-4. B「樹状細胞療法」（p273）参照）．

1）　免疫応答を刺激増強する免疫療法

免疫を増強するアジュバントの開発，非特異的に免疫を賦活化する細菌・植物製剤の開発，サイトカインなどの免疫活性化誘導剤，がん患者のリンパ球を体外で活性化してから投与する養子免疫療法，ネオアンチゲンを含む腫瘍抗原ペプチドを利用したがんワクチン療法や樹状細胞ワクチン療法などが実用化に向けて研究開発されている．ネオアンチゲンとは，遺伝子変異が起こり免疫系からは“非自己”として認識されるがん特異的新生変異抗原のことであり，ネオアンチゲンを標的としたがん特異的なT細胞を選択的に増殖・活性化させる特異的がん免疫療法が開発されている．

2）　免疫抑制の阻害による免疫療法

上述した免疫応答を増強させる療法は，アクセルを踏む治療法となるが，その効力をさらに増強させるためには，免疫応答を抑制する制御性T細胞（Treg）や骨髄由来免疫抑制細胞 myeloid-derived suppressor cell（MDSC）を効率的に除去したり，免疫チェックポイント阻害薬を用いたりすることで，過剰な免疫応答にブレーキをかけるという生体に従来備わっているシステムを解除することが重要である．T細胞は，抗原提示細胞上のMHCに存在するペプチド抗原をTCRによって認識し，TCRを介した第1シグナルと抗原提示細胞上のB7ファミリー（B7.1：CD80, B7.2：CD86）分子などを介した補助シグナル（第2シグナル）によって活性化を受け，エフェクター細胞として活動する（3章参照）．一方，そのT細胞上にある，1987年にバーネット Burnet らにより同定された**CTLA-4**や1992年に本庶らによって同定された**PD-1**（programmed cell death 1）を介した補助シグナルは，その活性化を抑制する免疫チェックポイント分子として免疫寛容に寄与している．CTLA-4

は，キラーT細胞（細胞傷害性T細胞：CTL）などの活性化したT細胞や制御性T細胞（Treg）の表面抗原として発現しており，CD80/CD86分子と結合することで，促進性補助シグナルB7/CD28経路によって活性化したT細胞に対してCD28に競合的に作用し，T細胞の活性化を抑制するシグナルを伝達する．制御性T細胞に発現するCTLA-4は抗原提示細胞のCD80/CD86分子と結合することで，抗原提示細胞の成熟を妨げ，過剰な免疫応答を抑制的に制御している．PD-1は，主に活性化あるいは疲弊化したT細胞，B細胞，NK細胞に発現し，PD-1のリガンドであるPD-L1は多くの組織で発現が認められるが，とくにがん細胞自身やがん組織のストローマ細胞に発現しており，がんに反応するT細胞の活性化を抑制することで免疫的攻撃から回避している（**図9-7**）．免疫チェックポイント阻害薬は，そのような抑制シグナルを阻害することでがんの免疫回避機構を解除し，がんに作用するT細胞の応答性を回復させて効果を発揮させる．抗CTLA-4抗体であるイピリムマブは，がん細胞の排除に働く活性化T細胞に対する抑制シグナルの解除や，がん周囲の微小環境に誘導される制御性T細胞の機能阻害などのメカニズムを介して抗腫瘍効果を発揮し，悪性黒色腫の治療に使用される．

抗PD-1抗体であるニボルマブは腫瘍反応性T細胞における免疫疲弊状態を解除することで抗腫瘍効果を発揮し，悪性黒色腫，非小細胞性肺がん，腎細胞がん，ホジキンリンパ腫，頭頸部がんなど複数のがん種で使用されている．このように免疫チェックポイント阻害薬は国内外にて複数のがん種において承認され，臨床応用されている．

その他の免疫チェックポイント分子として，**図9-7**のように，LAG-3（lymphocyte activation gene-3），TIGIT（T-cell immunoreceptor with Ig and ITIM domains），TIM-3（T-cell immunoglobulin and mucin domain-containing 3），KIRなどの機能が示唆されており，これらに対する阻害抗体の開発が行われている．また，免疫刺激シグナル分子であるGITR（glucocorticoid-induced TNF-related protein），OX40などを刺激するアゴニスト抗体の開発も進行中である．今後は，患者の腫瘍に対する特異的免疫反応を抑制する免疫チェックポイント分子を選別し，患者に対して適切な免疫チェックポイント阻害薬を選択することが重要となる．

3) 遺伝子改変T細胞療法（図9-8）

生体内の免疫機能が低下している状態では，免疫チェックポイント阻害薬による免疫抑制の解除のみでは大きな治療効果は期待できない．そのような場合は，がん細胞を直接攻撃する**遺伝子改変T細胞**が大きな役目を果たす．遺伝子改変T細胞療法は，患者から採取したがん細胞に対して反応性をもたない末梢血T細胞にがん抗原特異的なT細胞抗原受容体（TCR）や，がん細胞の表面分子を認識する**キメラ抗原受容体** chimeric antigen receptor（**CAR**）を体外にて遺伝子導入し，大量に培養した細胞をがん患者に投与する治療法である．TCR-T療法は，がん抗原特異的キラーT細胞から得られたTCRのα鎖とβ鎖の遺伝子を患者から採取した末梢血T細胞に遺伝子導入し，大量に培養した遺伝子改変T細胞をがん患者に投与する方法である．NY-ESO-1，MAGE，WT1などのがん抗原と高い親和性をもつTCRを用いた悪性黒色腫，白血病，食道がんなどに対するTCR-T細胞の開発が行

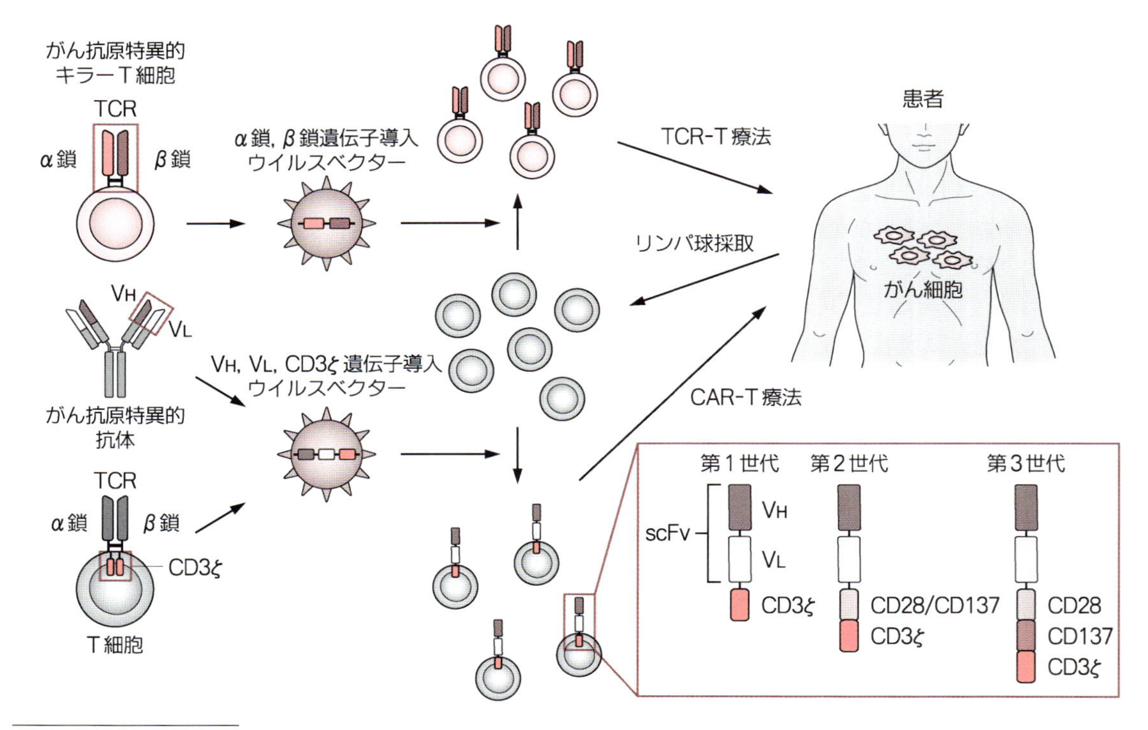

図9-8　遺伝子改変T細胞（TCR-T/CAR-T）療法

TCR導入T細胞（TCR-T）療法はがん抗原を特異的に認識するT細胞由来のTCR（α鎖，β鎖）遺伝子をウイルスベクターを用いてT細胞に導入し，がん抗原反応性のT細胞を樹立した後，患者に輸注する治療法．CAR-T療法はがん細胞表面に存在する抗原に結合する抗体の可変領域（V_H，V_L）と，TCRからの刺激を細胞内に伝える分子であるCD3ζとの人工的な融合遺伝子をウイルスベクターなどによりT細胞に導入し，がん抗原反応性のT細胞を作成し患者に輸注する治療法．第1世代はCD3ζのみ，第2世代はCD3ζに加え，CD28あるいはCD137などの第2シグナル刺激分子を1つ有したもの，第3世代は2つ以上の第2シグナル刺激分子を有するものと称している．

われている．CAR-T療法は，CARと呼ばれる人工的ながん抗原を認識する受容体の遺伝子をT細胞に導入した遺伝子改変T細胞を樹立し，細胞製剤として用いる療法である．CARの分子構造は，がん細胞の表面抗原を認識するモノクローナル抗体由来のH鎖とL鎖の可変領域（V_HおよびV_L）を1分子ずつ直列に結合させた単鎖抗体 single chain variable fragment（scFv）とTCRのCD3ζ鎖を結合させたキメラタンパク質として構成されている．さらに，CARはCD3ζ鎖のみだけでなく，CD3ζ鎖にCD28やCD137などのT細胞の第2シグナル刺激分子を加えたCAR遺伝子導入T細胞（CAR-T細胞）が開発されている．B細胞の表面抗原CD19に特異的な抗体を利用したCAR-T療法（CD19標的CAR-T療法）は，難治性の小児の急性リンパ性白血病患者に対して，強力ながん治療効果を示したことより，B細胞性の慢性リンパ性白血病やリンパ腫などの血液腫瘍に対するCAR-T療法はとくに積極的に開発が進められている．

拒絶反応を利用した白血病治療法（ミニ移植）

白血病の治療法の 1 つとして，骨髄移植がある．この治療方法は大量の化学療法，全身放射線照射などを施すことでがん細胞を殲滅（せんめつ）し，補助療法として位置付けされている．近年，骨髄以外に臍帯血や G-CSF を投与することで骨髄から造血幹細胞を末梢血に大量に流出（動員 mobilization）させて，特別な方法（血液成分自動分離器：アフェレーション）にて造血幹細胞を濃縮して使用しているので，造血幹細胞移植と呼ばれるようになっている．これらの治療法では移植細胞中の免疫細胞（成熟 T 細胞や NK 細胞）による GVHD（3 章-3. E「細胞性免疫」（p53）参照）が引き起こされる．これまでの治療症例の解析にて，この GVHD が発症した場合において，白血病治癒率が良好である（移植後再発が少ない）ことより，GVHD 反応の一部として移植片対白血病 graft versus leukemia（GVL）反応も引き起こされていると考えられた（GVL 効果）．この GVL 反応を利用することで，事前の大量の化学療法，全身放射線照射などによる白血病細胞の殲滅が必要ではなくなり，高齢者や危険因子をもつ患者に対しても造血幹細胞移植の適応が可能となり，白血病の治療をより安全に行うことができる．この方法は「ミニ移植」と呼ばれており，自家移植では GVL 効果は発生しない．

また，同種移植後の白血病再発例に対して，移植のときと同じドナーのリンパ球を移入すると，移入したリンパ球によって白血病細胞が消失していくという現象が起こることがわかっている（ドナーリンパ球輸注療法 donor lymphocyte infusion（DLI））．

10 感染に関する免疫のしくみ

病原性微生物（病原体）は，さまざまな経路で宿主体内に侵入するが，多くの場合，まず表皮や粘膜組織の上皮細胞に付着する．感染は，病原体が上皮組織に付着し，上皮層を通過して組織に侵入・増殖する過程を経て成立する．感染初期において，宿主は自然免疫によって微生物の侵入と増殖を阻止することができ，侵入した微生物の多くは排除される．しかし病原体の多くは自然免疫では十分な排除ができず，強力な獲得免疫によって排除されることになる．感染症の発症（症状）は，病原体が産生する毒素をはじめとした病原因子や，病原体の増殖に伴う組織傷害，および病原体に対する宿主の免疫反応によって引き起こされる．

病原体には，細菌，ウイルス，真菌，寄生虫などが含まれ，さらに宿主細胞に侵入せず細胞外で増殖する細胞外寄生性病原体と，宿主細胞内に侵入して増殖する細胞内寄生性病原体に分類される．さらに，病原体の感染経路も気道，消化器，生殖器，創傷や節足動物媒介などさまざまである．宿主は個々の病原体に対し，最も有効な感染防御免疫を発動させ，その排除を行う必要がある．

病原体個々の感染メカニズムに関しては微生物学の専門書を参照していただくべきであるが，本章では，病原体に対する感染免疫についてある程度実例をあげながら解説する．

コアカリ到達目標
- 感染症と免疫応答との関わりについて説明できる．

1. 感染防御免疫とは

A 自然免疫

病原体の侵入に対する自然免疫のステップは，バリアー因子による侵入阻止，病原体の認識と炎症誘導，血液因子の応答からなる．

皮膚や粘膜の上皮組織は，外界に向かって物理的に強固な防壁を形成している．加えて皮膚においては細菌の増殖を抑制する**脂肪酸**や**ディフェンシン**をはじめとした**抗菌ペプチド**が分泌されている．抗菌ペプチドは陽性荷電しており，陰性荷電した細菌の細胞膜に孔を形成して溶菌させる．粘膜上皮においては粘液や消化酵素が分泌され，加えて繊毛上皮細胞によって異物を体外へ排出する運動が絶えず行われている．一方，上皮内には $\gamma\delta$T 細胞などが存在し，侵入した病原体の排除に寄与している．

胃では胃酸分泌によって，膣においては常在している**乳酸菌細菌叢**（**デーデルライン桿菌**）によって酸性環境が保たれ，微生物の増殖は阻害される．唾液，涙液，汗などには細菌の細胞壁に作用しペプチドグリカンを破壊する**リゾチーム**が含まれ，主にグラム陽性菌の排除に関与している．肺内においては**肺サーファクタントタンパク質**が微生物に結合し，オプソニン化することが知られている．病原体の多くは増殖に遊離鉄が必須であるが，**ラクトフェリン**や**トランスフェリン**は体内の遊離鉄をキレートすることで侵入した微生物の増殖を阻害する．

これらを克服して宿主体内に侵入した病原体は，上皮下で待ち構えるマクロファージ，樹状細胞，肥満細胞などによって感知される．そして近傍の血管から補体などを含む血液成分や貪食細胞，その他の免疫細胞が漏出し，炎症が引き起こされる．

マクロファージや樹状細胞などや貪食細胞は，宿主はもっていないが病原体に広く存在する構造（**PAMPS**）を認識し，病原体をざっくりと感知する．PAMPSを認識する受容体は**パターン認識受容体**（**PRRs**）と呼ばれる．PRRsは対応するPAMPSをより効率よく認識するよう局在している．たとえば主として細胞外寄生性のグラム陰性菌外膜外葉に存在するLPSに応答するToll様受容体TLR4は細胞表面に発現しているし，エンドソームを介して侵入するウイルスの核酸に反応するTLR3などはエンドソーム内に発現している．また，細胞質内に侵入した病原体を検出するため，細胞質内に存在するPRRsとして，細菌のペプチドグリカンを認識するNOD様受容体（NLR）やウイルスRNAを認識するRIG様受容体（RLR），細菌やウイルス由来のDNAを認識する細胞内DNAセンサー（CDS）があげられる．また，PRRsは部位または細胞特異的に発現し，その部位において特異的な免疫応答に関与することがある．たとえばNLRの1つであるNOD2は小腸のパネート細胞に多く発現し，抗菌ペプチドであるディフェンシンの産生を誘導する．

PAMPSは病原体の種類によって異なり，たとえば細菌においてはマンノースやフコースに富む表層構造や，ホスホリルコリン，リポタンパク質，鞭毛成分であるフラジェリン，LPS，ペプチドグリカン，リポタイコ酸や非メチル化CpG DNAなどがあげられる．一方真菌においてはβ-グルカンやマンナンに富む表層構造などが，ウイルスにおいては表層糖タンパク質や二本鎖RNAなどのウイルス核酸が認識される．

樹状細胞はPAMPSの存在によって補助刺激分子B7を発現しMHCを介したT細胞活性化を引き起こす．しかしPAMPSが存在しないとB7による補助刺激が生じず，T細胞は活性化しない．これは免疫系の本質が病原体の侵襲に抵抗するものであること，そして病原体が存在しない状態では活性化しないよう，リミッターがかかっていることを示すよい例である．

樹状細胞は組織に定住する抗原提示能の高い細胞である．常時強い抗原提示能を有し，ナイーブT細胞に抗原提示し活性化できる．**マクロファージ**は侵入した病原体を貪食して処理し，主にエフェクターT細胞を活性化する．両者はともに貪食細胞であるが，前者は抗原提示を，後者は侵入した病原体の殺滅を主たる役割としている．

一方，**肥満細胞**も組織中に定住し，病原体の侵入を感知する．細胞表面にIgEが結合する受容体をもち，結合したIgEと反応する抗原によって活性化する．活性化によってヘパリンやヒスタミンなどを細胞内の顆粒から放出（脱顆粒）し，血管透過性の亢進や，平滑筋の収縮などを引き起こす．

樹状細胞は，病原体の侵入を感知すると，積極的に貪食して抗原提示の準備をする．抗原を取り込んだ樹状細胞は定着していた組織との親和性をなくし，組織液とともに末梢リンパ管に流入し，リンパ節にいたる．リンパ節では獲得免疫を担うT細胞へ抗原提示を行う（**通常型樹状細胞◆**）．また樹状細胞は免疫細胞を動員（炎症の惹起）したり，ウイルス侵入に際してI型インターフェロンを産生したり（**形質細胞様樹状細胞◆**）もする．

◆通常型樹状細胞　標準型樹状細胞，古典的樹状細胞ともいう．侵入してきた病原体を捕捉し，抗原提示する役割をもつ．主として上皮中に常在する．

◆形質細胞様樹状細胞　ウイルス感染においてI型IFNを産生する主要な細胞である．主として血液または組織中に存在する．

病原体が侵入した部位では，炎症性サイトカイン（IL-1，IL-6，TNF-αなど）や脂質メディエーター（プロスタグランジン，ロイコトリエン，血小板活性化因子など）が産生され，近傍血管の拡張や透過性亢進が起こる．血管拡張によって血流がゆっくりになり，血管の隙間から好中球などが遊出しやすくなる．一方，ケモカイン（CXCL8など）が産生され，血管から好中球などの細胞が誘引されて病原体の処理にあたる．この状態をマクロ的にみると，赤くなり，腫れて，痛くなり，熱をもった状態となる．これが俗にいう炎症（**炎症の5徴候：発赤，腫脹，疼痛，発熱，機能障害**）であり，免疫系が働き，病原体の処理，組織傷害と組織再構築が行われている状態である．

感染部位にまず駆けつけるのは好中球である．好中球は顆粒球の大部分を占め，活発に貪食，殺菌を行う．一方，血中の単球は，感染部位に遊走して炎症性マクロファージとなり，貪食に寄与する．寄生虫感染においては，病原体が貪食細胞よりも大きく，貪食による排除が難しい場合があることから，好酸球が排除に寄与することが知られている．好酸球は皮膚や粘膜下で脱顆粒し，傷害物質（好酸球ペルオキシダーゼ（EPO）や主要塩基性タンパク質（MBP）など）を放出する．

ウイルスは宿主細胞内に侵入するため，貪食による排除には限界がある．ウイルスに対する初期の自然免疫応答として重要なのはナチュラルキラー（NK）細胞である．ウイルス感染細胞では，ウイルス抗原が提示されないようMHCクラスIの発現が低下する．獲得免疫におけるキラーT細胞（細胞傷害性T細胞：CTL）の攻撃を回避するためである．それを補完するようにNK細胞はMHCクラスIの発現が低下した宿主細胞を攻撃する（ミッシングセルフ機構）．NK細胞には，病原体を貪食したマクロファージが産生するIL-12に応答し，IFN-γを産生してマクロファージを活性化したり，獲得免疫におけるTh1応答を増強したりする働きもある．結果としてNK細胞は，細胞内に存在する病原体の排除に免疫系を推し進める働きをする．

また，ウイルスに対する自然免疫応答においてはI型インターフェロン（IFN-αおよびβ）も重要である．主たる産生細胞はPAMPSによって活性化した形質細胞様樹状細胞であるが，ウイルスに感染するとさまざまな細胞種が分泌することが知られている．I型インターフェロンは近傍の細胞に作用し，タンパク質合成の抑制，ウイルスRNAの分解，宿主細胞内におけるウイルスの形成抑制などを介し，作用した細胞をウイルス抵抗性の状態にする．このため組換えI型インターフェロンはウイルス性肝炎の治療薬として使用されているが，発熱をはじめとした治療上好ましくない作用が避けられないため注意を要する．

病原体の侵入に対する自然免疫においては，血管透過性亢進によって組織中に流入する血液成分も重要である．自然免疫としての初期防御にとくに重要なのは補体である．補体は病原体表面に膜侵襲複合体（MAC）を形成し，免疫溶菌を引き起こす．この過程には抗体は必須ではなく，補体単独もしくは血液中に存在するマンノース結合レクチン（MBL）によって活性化される．また，その過程において生じるC3bはオプソニン化を起こし，C5aは食細胞の遊走を促し，C3aとC5aは肥満細胞を活性化する．

自然免疫は，宿主を侵襲しようとする微生物に対して，迅速かつ強力に働く免疫機構であり，環境微生物や低病原性の微生物はこれによって十分排除できる．しかし病原体の多くは自然免疫に打ち勝つしくみを有しており，だからこそ病原体たり得るのだともいえる．たとえば菌体周囲に多糖体などで形成された莢膜を有する細菌（肺炎レンサ球菌など）は，貪食を回避できることが知られている．また多くの細胞内寄生性細菌は，貪食小胞内で殺菌されないしくみを有している．したがって，病原体の排除には，自然免疫の活性化のみならず，獲得免疫の活性化が非常に重要である．

B　獲得免疫

1）病原体の捕捉と抗原提示

病原体は体表のありとあらゆる部位から侵入してくる．宿主はそれを漏れなく捕捉し，獲得免疫を司る細胞に対し効率的に提示しなくてはならない．組織中に侵入した病原体を貪食した**樹状細胞**は，皮膚親和性が低下し，加えてケモカイン受容体であるCCR7受容体が発現する．樹状細胞はリンパ管およびリンパ節で産生されるケモカイン（CCL19とCCL21）とCCR7を介して相互作用し，最終的にリンパ節内に誘引される．CCR7とCCL19/21の相互作用は，ナイーブT細胞が高内皮細静脈からリンパ節内に誘引される機構でもみられる．その過程において，樹状細胞は成熟し，T細胞活性化に必要な補助刺激分子を発現し，抗原提示能を得る．一方で，血中を循環しているナイーブリンパ球はリンパ節内の高内皮細静脈からリンパ節内に引き込まれる（ホーミング）．その結果，リンパ節内では抗原提示細胞とナイーブリンパ球が濃縮されて存在することになる．

病原体を排除する**エフェクターT細胞**（Th1，Th2，またはTh17）は，ナイーブT細胞（Th0）が抗原提示細胞によって活性化され，増殖分化することで生じる．樹状細胞はナイーブT細胞に抗原提示し活性化できる．抗原提示能を有した樹状細胞はリンパ節内に集積されているため，この反応は効率よく行われる．樹状細胞のMHCクラスⅡを介した抗原刺激と補助刺激によって生じたエフェクター細胞のうち，Th1は細胞性免疫応答に，Th2は体液性免疫応答に，Th17は炎症誘導にそれぞれ寄与する．

一方，ナイーブCD8^{+}T細胞は，樹状細胞のMHCクラスⅠを介した抗原提示と補助刺激，そして同時にナイーブCD4^{+}T細胞が活性化することでキラーT細胞（**細胞傷害性T細胞：CTL**）に分化することができる．キラーT細胞は細胞内寄生性微生物に対する感染防御の要となる．なお，細胞内寄生性微生物に対して有効なキラーT細胞が生じるためには，**クロスプレゼンテーション**◆が必要である．

リンパ節で分化・増殖したエフェクターT細胞はリンパ節との親和性を失う．またスフィンゴシン1-リン酸受容体 sphingosine-1-phosphate receptor（S1PR）◆の作

◆**クロスプレゼンテーション**　エンドソーム内で生存・増殖する微生物に対する細胞性免疫応答が惹起されるためには，エンドソーム内の抗原が細胞質内に取り込まれ，プロテアソームで分解された後，MHCクラスⅠを介して提示される必要がある．このようにしてファゴサイトーシスなどで取り込まれた細胞外抗原がMHCクラスⅠで提示されることをクロスプレゼンテーション（またはクロスプライミング）と呼ぶ．

◆**スフィンゴシン1-リン酸受容体（S1PR）**　スフィンゴシン1-リン酸（S1P）の受容体である．S1P濃度はリンパ節より血中のほうが高く，S1PRを発現するリンパ球はリンパ節から出て血中へ移行する．S1PRアゴニストのフィンゴリモドはリンパ節中のT細胞が血中へ移行するのを阻害し，多発性硬化症患者における中枢神経系へのT細胞浸潤を阻害し，多発性硬化症の進行を抑制する．

用によって輸出リンパ管から流出し，リンパ液，血中に多く存在するS1Pに誘引されて循環血に流入する．エフェクターT細胞が全身を巡る過程において，病原体感染部位近傍の血管に発現する接着因子によってトラップされ，ケモカインの濃度勾配にしたがって感染部位に遊走する．

ここまでナイーブT細胞がエフェクターT細胞に分化・増殖する部分にフォーカスをあてて述べてきたが，ナイーブT細胞の一部は記憶T細胞と呼ばれる長期生存細胞に分化することが知られている．

記憶T細胞の種類 記憶T細胞にはセントラル記憶T細胞とエフェクター記憶T細胞があり，前者は抗原に再接触すると急激にクローン拡大する．後者は再接触によって速やかにエフェクター機能を発揮する．

2) 細胞性免疫による感染免疫

自然免疫による貪食は，多くの環境微生物や低病原性微生物を排除できる．しかし，抗酸菌などの病原体は貪食細胞の殺菌能に抵抗する．そのような病原体の貪食・殺菌には，Th1によるさらなる活性化が必要である．また，Th17は抗原刺激を受けると炎症反応を惹起し，顆粒球を動員することで微生物の殺傷を行う．一方でウイルスや一部の細菌は非貪食細胞の細胞質内で増殖する．この場合，貪食細胞では処理できないため，感染細胞ごと破壊する必要がある．これを担うのがキラーT細胞である．このようにエフェクターT細胞が作用し，細胞内寄生性微生物に相対する免疫を**細胞性免疫**と呼ぶ．

マクロファージは病原体を貪食した際に，MHCクラスIIを介した抗原提示を行う．TCRを介して抗原を認識したTh1はIFN-γを産生し，細胞表面にCD40Lを発現する．CD40LはマクロファージFas表面のCD40と結合し，IFN-γの作用と合わさってマクロファージを活性化する（古典的マクロファージ活性化）．この活性化によってファゴソーム内の殺菌因子がさらに誘導され，食胞内で抵抗していたほとんどの細胞内寄生性病原体は殺菌される．活性化したマクロファージは一方でTNF，IL-1，IL-12などを分泌し，炎症反応の惹起やさらなるIFN-γの誘導を促す．

有核細胞はすべてMHCクラスIを発現しており，細胞内の自己抗原とともに，細胞質に存在するウイルスや細菌の抗原を提示できる．このため病原体に感染した宿主細胞はキラーT細胞に対する抗原提示が可能である．キラーT細胞は抗原を認識すると，免疫シナプスに向けてパーフォリンおよびグランザイムを放出する．これらは標的細胞のエンドソームに取り込まれた後，細胞質内に送り込まれたグランザイムが標的細胞のアポトーシスを引き起こす．その結果，細胞質内の病原体は感染細胞とともに死滅するか，あるいは細胞外に放出されて貪食細胞に貪食される．

細胞性免疫によって細胞内寄生性病原体の排除は効率よく行われる．しかし一部の病原体はそれを克服するしくみを有している．たとえば結核菌は貪食細胞のファゴソーム内に存在するが，リソソームの融合を阻害することで殺菌されずに生存する．サイトメガロウイルス◆はMHCクラスIによる抗原提示を阻害しウイルス抗原の提示を防いでいる．感染細胞に可溶性サイトカイン受容体を発現させ，細胞性免疫活性化に必要なサイトカインを中和し生存する事例も知られている．

◆**サイトメガロウイルス** エンベロープを有する二本鎖DNAウイルスである．幼少期に母乳，尿，唾液を介して不顕性感染し，終生免疫が成立する．妊婦が初感染もしくは再感染（あるいは再活性化）を認めた場合，ウイルスが胎盤を経由して胎児に感染し，先天性サイトメガロウイルス感染症が起こる．奇形や聴覚障害の原因となる．

3) 体液性免疫による感染免疫

体液性免疫においては，病原体や病原体の産生する毒素，生理活性物質に抗体が結合し，その機能が中和もしくは破壊される．B細胞の活性化や抗体産生のメカニズムに関しては，**T細胞非依存性抗原**（とくに多糖体，他に核酸や脂質など）とT

細胞依存性抗原（タンパク質）に対する抗体応答の違いに注意すべきである．B細胞は，同一エピトープが繰り返し現れる多糖類などのT細胞非依存性抗原に対しては，Th2細胞の関与なく活性化する．しかしクラススイッチや親和性成熟が原則として起こらないため，産生されるのは比較的低親和性のIgMが主となり，抗体のエフェクター機能は十分に働きがたい（**図3-13**参照）．一方でT細胞依存性抗原による活性化にはB細胞とTh2細胞の相互作用が必須であるが，クラススイッチや親和性成熟が起こり，抗体のさまざまなエフェクター機能が発揮される．また，記憶細胞も効率的に産生される．b型インフルエンザ菌（Hib）ワクチンや肺炎球菌ワクチンは莢膜多糖体を感染防御抗原として使用しているが，タンパク質抗原（破傷風トキソイドやジフテリアトキソイド）と共有結合させ，結合型（**コンジュゲート**）**ワクチン**とすることでTh2を作用させ，親和性成熟やクラススイッチ，記憶細胞産生を誘導している．

抗体のエフェクター機能として，病原体や毒素の中和，病原体のオプソニン化，抗体依存性細胞傷害作用（ADCC），補体活性化に伴う溶菌と炎症の惹起などがあげられる．

病原体の初感染においてはじめに血中誘導されるのはIgMである．IgMは五量体として産生され，強力な抗原凝集能と補体活性化能によって病原体の排除を行う．次いでクラススイッチによって他のクラスの抗体が産生されはじめるが，同時に親和性成熟も起こり，より親和性の高い抗体が産生されるようになる．IgGは病原体や毒素を中和するだけでなく，オプソニン化によって好中球やマクロファージによる貪食を促進する．さらにNK細胞によるADCCを促す．血中濃度が最も高く，IgGは全身性の体液性免疫応答で最も重要なクラスである．一方でIgGは胎盤移行するため，母体の抗体が新生児に移行する．このため新生児における感染防御に重要な役割を担っている．

IgAは粘膜免疫において重要である．消化管や気道粘膜に二量体として分泌され，粘膜における病原体や毒素を中和する．一方で淋菌を含む一部の病原体はIgAを特異的に切断するIgAプロテアーゼを産生し，IgAに抵抗する．粘膜における感染防御機能に関しては後述する．

IgEは，好酸球や好塩基球，肥満細胞表面のIgE受容体に結合し，細胞傷害物質やケミカルメディエーターなどを脱顆粒させる．この結果，貪食細胞では効率的に処理できない蠕虫（多細胞の寄生虫）の排除が行われる．

抗体は補体活性化の引き金となる．病原体にIgMまたはIgGが結合すると，補体の古典的経路が活性化し，C3bによるオプソニン化，膜侵襲複合体（MAC）による免疫溶菌，C3aやC5aによる貪食細胞の遊走が起こる．

C　粘膜免疫

消化管や呼吸器，性器を含む粘膜は，体表面の大部分を占め，病原体の侵入門戸として非常に重要である．ヒトの口腔，鼻腔，食道，胃壁，腸壁などの粘膜面の表面積は，皮膚の約200倍に相当するといわれている．この広大な粘膜組織をカバーするため，生体は全身性免疫システムとは別の特有の**粘膜免疫**システムを備えてい

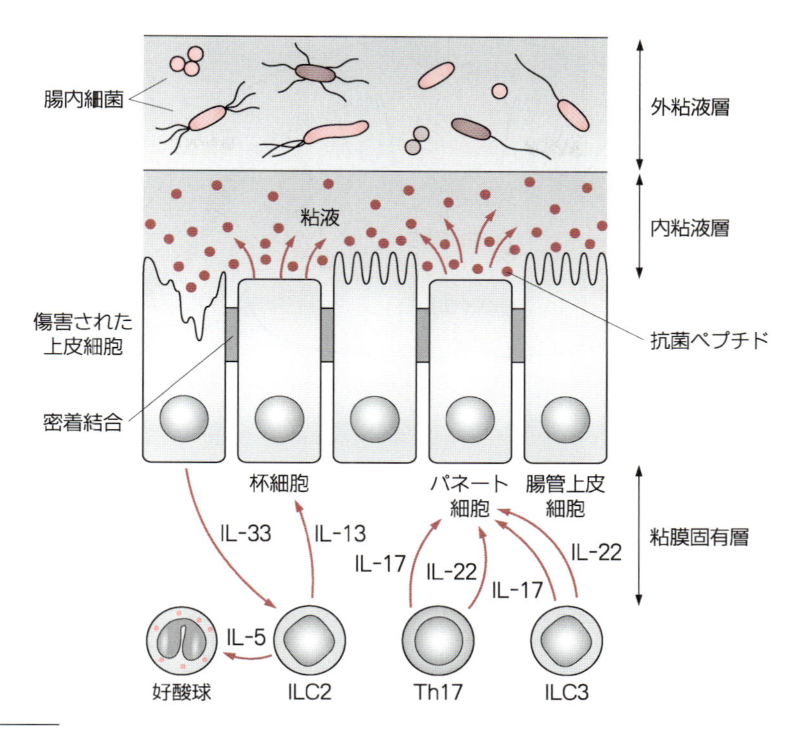

図 10-1　腸管粘膜における自然免疫

る．このシステムは，病原体などを感知，排除する一方で，食物などに対しては過剰な免疫応答は起こさず，免疫寛容を成立させる．さらに，粘膜免疫は腸内の正常細菌叢との共生関係を構築している．したがって，粘膜免疫の破綻や腸内細菌叢の撹乱は，腸管ばかりでなく全身性疾患の発症に影響を与えると考えられている．消化器や呼吸器粘膜面における獲得免疫応答が誘導される場所は**粘膜関連リンパ組織**（**MALT**）と総称されている．MALT は，リンパ球，マクロファージ，樹状細胞などが集積する場所である．MALT には，**腸管関連リンパ組織** gut-associated lymphoid tissue（**GALT**），**気管支関連リンパ組織** bronchus-associated lymphoid tissue（**BALT**），**鼻咽頭関連リンパ組織** nasal-associated lymphoid tissue（**NALT**），涙道関連リンパ組織 tear duct-associated lymphoid tissue（TALT），および結膜関連リンパ組織 conjunctiva-associated lymphoid tissue（CALT）などが知られている．以下に最も研究が進んでいる MALT の 1 つである GALT における感染免疫に焦点をあてて解説する．

1)　腸管粘膜における自然免疫

腸管上皮は腸管における物理的バリアーであるのみならず，さまざまな自然免疫に関与している（**図 10-1**）．腸管の隣接する細胞は密着結合◆によって結合しており，腸内細菌が腸管内腔から侵入するのを防いでいる．クリプト（腸管上皮の幹細胞が存在する粘膜深部）底部に存在する**パネート細胞**は**抗菌ペプチド**（**ディフェンシン**）を産生し，また**杯細胞**は粘性の高い**ムチン**を含む粘液を絶えず産生し続けることで

◆**密着結合（タイトジャンクション）** 上皮がバリアー機能を発揮するためには，上皮細胞間の隙間が強固に閉じている必要がある．密着結合は接着構造を形成するクローディン，オクルディン，JAM など複数のタンパク質によって構成されており，隣接する上皮細胞を強固に結合させ，病原体だけでなく電解質のような低分子すら も通過させない強固な障壁である．

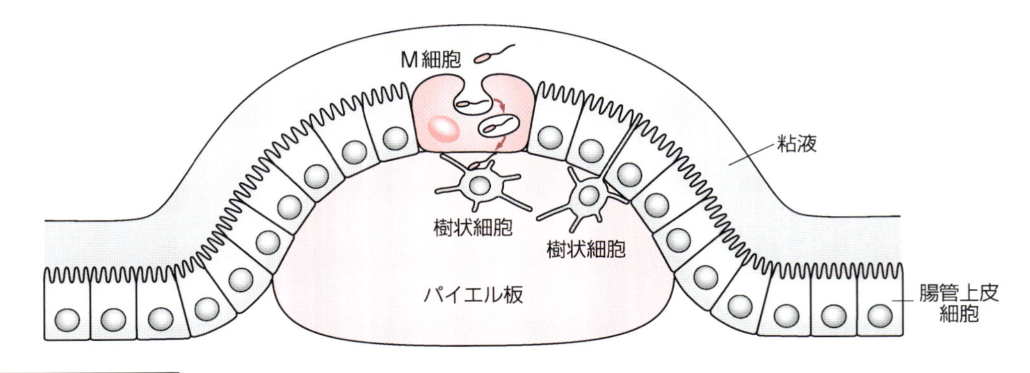

図 10-2　GALT の構造

微生物が粘膜固有層に侵入するのを防いでいる．

腸管上皮細胞における TLR や NLR は，侵入した病原体に対する免疫応答を惹起するが，腸管内腔の共生細菌に関しては起こさないように制御されている．腸管内腔に存在する微生物が PAMPS を発現していたとしても，物理的バリアーの外にいる限り多くは問題ないためである．

腸管粘膜には自然リンパ球（ILC）のサブセットである ILC3 の大半が存在し，IL-17 や IL-22 を産生することで炎症応答を惹起し，ディフェンシンの産生を促す．ILC2 は蠕虫に対する感染防御において重要である．傷害を受けた上皮細胞が産生した IL-33 に反応し，好酸球を刺激する IL-5 とムチン産生を増加させる IL-13 を産生する．

粘膜関連インバリアント T 細胞 mucosal-associated invariant T cell（MAIT）は主に肝臓に存在し，腸管のバリアーを通過し，門脈を通じて肝臓にいたった微生物を感知して活性化する．MAIT の活性化リガンドはヒトには存在しないリボフラビン生合成中間体であり，活性化すると炎症性サイトカインを分泌し，微生物感染細胞の排除を行うと考えられている．

📖 **粘膜免疫におけるT細胞**　MALTで活性化したT細胞は，循環血に入った後，優先的に粘膜固有層にホーミングする．粘膜固有層に存在するT細胞の多くはヘルパーT細胞である．一方，上皮内に存在するリンパ球の多くは $CD8^{+}$T 細胞であり，10％程度の $\gamma\delta$ 型T細胞も含まれている．

2)　腸管粘膜における獲得免疫

腸管には GALT と呼ばれるリンパ組織が存在し，抗原の取り込みと提示，そして消化管における獲得免疫の主要エフェクターである分泌型 IgA の産生誘導が行われる．粘膜上皮に隣接した**パイエル板**は，GALT の典型的な例である（**図 10-2**）．腸管腔内の微生物は，強固なバリアーに阻まれ，原則として侵入できない．興味深いことに，腸管には腸管腔内の微生物（あるいは各種抗原）をサンプリングするしくみがあり，代表的なのはパイエル板直上に存在する **M**（microfold）**細胞**である．M 細胞周辺の濾胞関連上皮には杯細胞やパネート細胞が少なく，内腔の微生物が付着しやすくなっている．M 細胞は腸管内腔から抗原，大きいものは微生物そのものまで取り込み，自身の細胞内を通過させ直下パイエル板内の抗原提示細胞（樹状細胞や B 細胞）に受けわたす．これによって GALT は腸管内腔の抗原に対する獲得免疫応答を開始することができる．しかし，ネズミチフス菌◆やエルシニア・エンテロコリチカ◆を含む多くの病原体は，M 細胞を侵入標的として利用すること

◆**ネズミチフス菌 *Salmonella* Typhimurium**　腸炎菌 *Salmonella* Enteritidis と同様，経口感染してサルモネラ食中毒（急性胃腸炎）を起こすグラム陰性菌．原因食は肉類や卵であることが多く，わが国における細菌性食中毒のなかでは比較的頻度が高い．

◆**エルシニア・エンテロコリチカ *Yersinia enterocolitica***　グラム陰性の食中毒原因菌．動物の腸管内に存在し肉類を介して経口感染する．冷蔵庫内の低温でも増殖し，耐熱性エンテロトキシンを産生する．

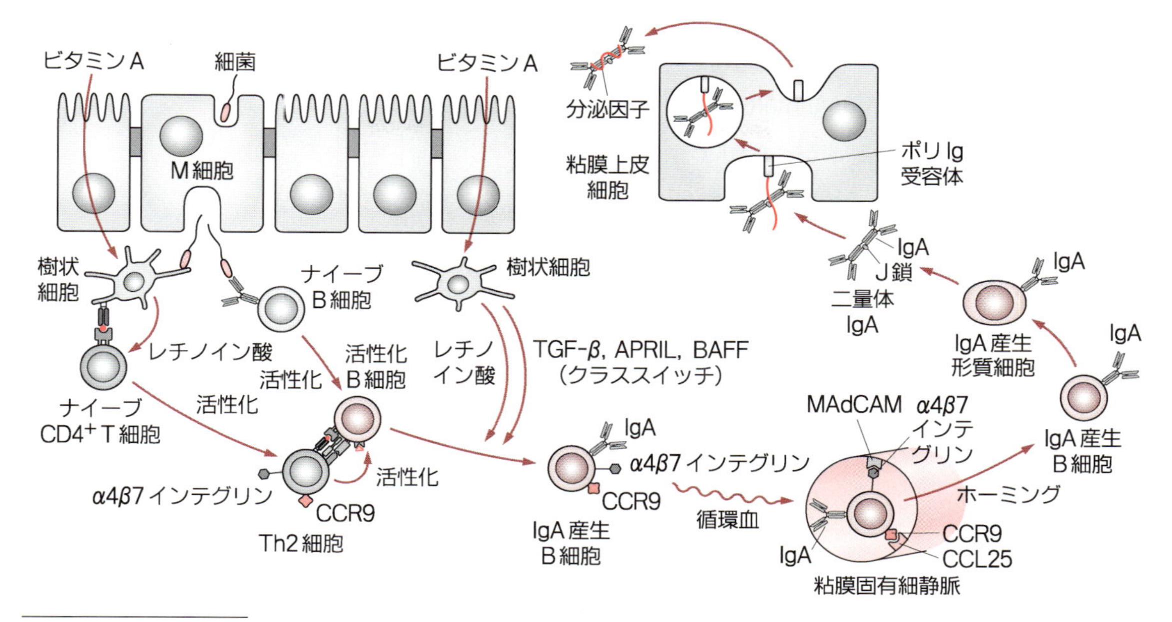

図 10-3 腸管粘膜における獲得免疫

もよく知られている.

M細胞によって取り込まれた病原体（あるいは抗原）は，樹状細胞に貪食され抗原提示が行われる（**図 10-3**）．ナイーブT細胞は抗原を認識し，エフェクターT細胞に分化する．一方，B細胞も同様にM細胞によって取り込まれた抗原を認識し活性化する．B細胞は粘膜下の樹状細胞などが産生するTGF-β，BAFF（B cell activating factor）◆，APRIL（a proliferation-inducing ligand）◆などの作用とエフェクターT細胞の作用によって，IgAへのクラススイッチを起こすため，腸管の形質細胞はIgAを優位に産生することになる．

GALTで発達したエフェクターT細胞やB細胞は，樹状細胞が食事中のビタミンAから変換したレチノイン酸に曝露され，α4β7インテグリンやCCR9を発現する．このようなリンパ球は，循環血で全身循環した後，粘膜固有細静脈に存在する血管アドレシン細胞接着分子（MAdCAM）やCCL25（CCR9のリガンド）でトラップされ，腸の粘膜固有層にホーミングすることになる．再び腸管組織に戻ったB細胞はIgA産生形質細胞に成熟し，J鎖が結合した二量体IgAを産生する．MAdCAMは，他の粘膜組織の血管系にも発現しているので，GALTで刺激を受けたリンパ球の一部は，呼吸器，泌尿生殖器や乳腺などの粘膜組織にも遊走できる．

腸管粘膜にホーミングし成熟したIgA産生形質細胞は，J鎖と結合した二量体としてIgAを産生する．二量体IgAは粘膜上皮細胞の基底膜面に発現したポリIg受容体に結合し，エンドサイトーシスで細胞内を通って内腔側に輸送され，粘液へ分泌される．分泌の際，ポリIg受容体は分泌因子として二量体IgAに会合しており，消化酵素などに対する抵抗性を付与している．

授乳中の乳腺には，さまざまなMALTに由来するIgA産生形質細胞がホーミン

◆ **BAFFとAPRIL**
BAFFはTNFファミリーに属する分子であり，樹状細胞，単球，マクロファージ，活性化したT細胞に発現する．膜結合型分子として発現し，細胞外ドメインがfurin型プロテアーゼによって切断され可溶性分子として遊離する．APRILはBAFFと相同性を有する分子であり，同様にfurin型プロテアーゼで切断されることで遊離型となる．BAFFやAPRILがB細胞上の受容体と結合すると，B細胞の分化・増殖の促進と，抗体産生の誘導が起こる．ベリムマブはBAFFに選択的に結合するモノクローナル抗体製剤であり，BAFFの高発現が関与すると考えられる全身性エリテマトーデスに適用されている．

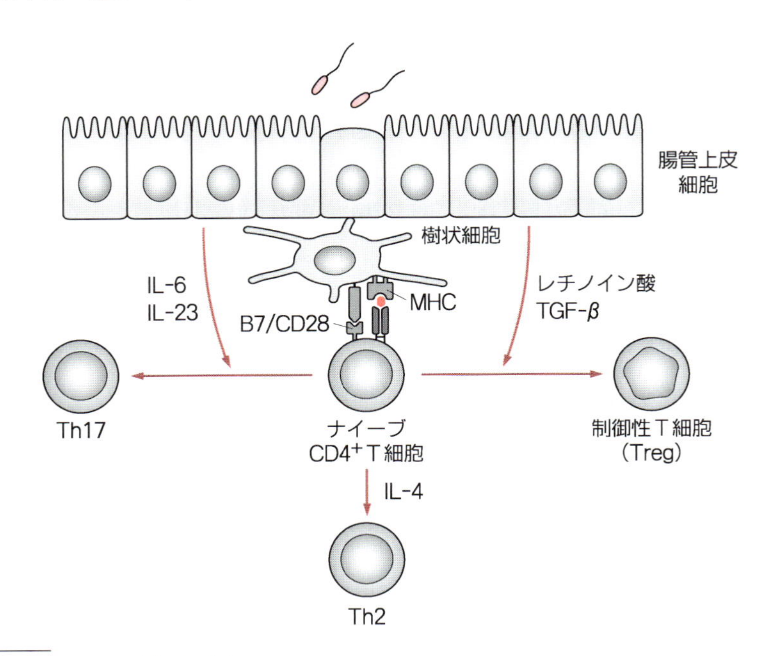

図 10-4　腸管粘膜における T 細胞の分化

グし，産生された IgA はポリ Ig 受容体を介して乳汁中に移行する．その濃度は初乳で高く，成乳にも含まれており，新生児はそれを摂取することによって受動粘膜免疫を得る．母体で成立した粘膜免疫が母乳を介して乳児にわたり，免疫系が未熟な乳児において感染防御に寄与する．

T 細胞は，消化管において感染防御だけでなく，食物抗原や共生細菌に対する免疫寛容の成立などにも寄与している．腸管におけるナイーブ $CD4^+$T 細胞は，主として Th2，Th17，Treg などに分化する（**図 10-4**）．

Th2 は蠕虫の感染によって誘導され，IL-4 や IL-13 を産生する．これらは粘液分泌や蠕動運動を促進し，蠕虫の排除を促す．Th17 は IL-6 や IL-23 の存在下で分化し，抗原に反応して IL-17 と IL-22 を発現する．これらのサイトカインは上皮細胞に作用し，ムチンやディフェンシンの産生を促してバリアー機能を強化する．

一方，腸管において産生されるレチノイン酸と TGF-β は，ナイーブ $CD4^+$T 細胞を **Treg** へと分化させる．腸管における Treg の多くはこのように末梢性に誘導されたものであり，抑制性サイトカイン IL-10 の産生によって摂取された食物抗原や共生細菌に対する免疫の抑制に寄与していると考えられる．

3)　腸内細菌叢

ヒトの腸管は共生細菌の生存に最適な環境を提供し，ヒトと共生細菌は相互に利益のある関係を保つ．**腸内細菌叢**の撹乱は，腸管にのみならず，全身のさまざまな疾患に関与するとされている．

腸内の**共生細菌**は，宿主には存在しない代謝遺伝子を有し，食物繊維（難消化性多糖）および脂質などを代謝できる．このため腸内共生細菌は，宿主が分解できない物質を分解し，生合成できない栄養素（短鎖脂肪酸やビタミンなど）を供給することができる．近年，腸内常在菌により代謝された栄養素が腸管内の病原菌の定着・増殖阻止に関与していることが明らかになってきた．食物繊維から代謝され，合成された酪酸（短鎖脂肪酸）はサルモネラ菌の病原因子の発現を低下させる．このように腸内細菌は腸内の代謝環境を整えることで，病原菌が増殖しにくい環境を生み出している．また，乳酸や酪酸，抗菌ペプチドなどを産生し，外来の病原菌を排除している．

一方で，抗生物質の投与により正常な腸内細菌叢が撹乱されると，乳酸菌，ビフィズス菌およびクロストリジウム属菌などが減少し，食物繊維から短鎖脂肪酸の合成を担う中間代謝物であるコハク酸の濃度が上昇する．コハク酸はディフィシル菌◆の栄養素として，病原菌の増殖を促進し，**偽膜性大腸炎**が発症する．

腸内のIgA産生細胞，Th17，Treg数が低値を示す無菌マウスに腸内細菌を投与し，数週間にわたり飼育すると，それらは正常レベルまで回復することが知られている．このことは，腸における免疫系の発達には腸内細菌叢の存在が重要であることを示している．腸内細菌叢は偏った食習慣，ストレスなどにより撹乱されると腸管感染症，過敏性腸症候群，大腸がんなどの消化管疾患の引き金となる．近年，消化管疾患にとどまらず，代謝性疾患（肥満，糖尿病など），アレルギー疾患（喘息など）および神経性疾患（多発性硬化症，自閉症など）にも関与するといわれている．腸内環境を整えることは，消化器官維持ばかりでなく，全身性の恒常性ひいては健康維持に重要な意味をもつと考えられる．

◆ディフィシル菌（クロストリディオイデス・ディフィシル *Clostridioides difficile*）　健常人の腸内に生息する常在菌であるが，数的には少数である．広域抗生物質の長期投与によって選択的に増殖し，菌交代症である偽膜性大腸炎を起こす．病原因子としてエンテロトキシン（toxin A）や細胞毒（toxin B）があげられる．

腸管には自然リンパ球（ILC3）が豊富に存在しバリアー機能を維持している．自然リンパ球を消失させたマウスでは，GALTおよび肝臓から，共生細菌であるアルカリゲネス属菌◆が検出され，この細菌の末梢組織への拡散やそれに伴う全身炎症は，自然リンパ球の移入で抑制される．このことはILC3が共生細菌の全身拡散を防いでいることを示している．また，IgAを欠損したマウスでは，嫌気性細菌，とくにセグメント細菌 segmented filamentous bacteria（SFB）の数が増加するなど，正常な腸内細菌叢が保てない．このように免疫細胞の欠損や異常は腸内細菌叢の撹乱を招き，消化管疾患をはじめとするさまざまな疾患発症に関与する．

◆アルカリゲネス属菌 *Alcaligenes* spp.　土壌やヒトの腸管に存在するグラム陰性桿菌である．日和見感染菌であり，汚染した注射液による敗血症などの報告がある．アミノグリコシド系抗生物質，クロラムフェニコール，テトラサイクリン系抗生物質などに耐性を示す．

4)　その他の粘膜組織における免疫

a.　呼吸器系における免疫

呼吸器は，絶えず空気の出入りが行われ，それに伴う病原体侵入のリスクに曝されている．鼻腔から鼻咽頭，気管支に存在する上皮細胞は強固な物理的バリアーを形成しており，ムチン，抗菌ペプチド（ディフェンシンやカテリシジン）が分泌され，病原体の付着や侵入を阻んでいる．気道上皮細胞の**繊毛**は，入ってきた微生物を粘液とともに外部に押しやるエスカレーター機能を有している．肺胞腔に分泌される肺サーファクタントプロテインAとD◆は，病原体表層のPAMPSに結合し，病原体の中和や除去に寄与する一方で，肺における炎症の抑制にも関与する．肺胞マクロファージは，病原体の貪食を行うが，その貪食能は他組織の組織定住型マクロファージよりも低く，IL-10やTGF-βを産生して細胞性免疫を抑制する性質をもつ．これは呼吸器における過度の炎症応答が生命の危険に直結するためだと考え

◆サーファクタントプロテインA，D　肺の細胞のみから産生されるタンパク質で肺胞マクロファージによる細菌の貪食を促進する．一部は血中に移動し肺疾患のマーカーとして利用される．

られている．呼吸器における獲得免疫は，腸管と同様にIgAを主力とする．気道下部の粘膜固有層にはリンパ節様の組織がほとんどないため，体液性免疫の開始は主に上気道で行われると考えられる．気道においては樹状細胞が気道内の抗原を取り込み，気管支周囲のリンパ節や縦隔リンパ節においてリンパ球に提示する．活性化したB細胞（または形質細胞）の誘引は，細胞上に発現するCCR10と，気道上皮細胞から産生されるCCL28の相互作用によって行われる．一方，気道上皮には肥満細胞が多く存在し，IgEと結合してエフェクター機能を発揮するが，気管支喘息の原因にもなる．呼吸器においてはTh1が抑制され，Th2優位で制御されている．

b. 泌尿器または生殖器における免疫

明確なMALTがみられない泌尿生殖器においては，上皮細胞によるバリアーが重要な感染防御機構となる．膣上皮にはランゲルハンス細胞が存在し，抗原捕捉と抗原提示，リンパ球の活性化を起こすが，IgA分泌を促す機構が優位である腸管や気道と異なり，泌尿生殖器で検出される免疫グロブリンの多くはIgGである．IgGは生殖器粘膜の形質細胞によって産生されるか，あるいは循環血から流入すると考えられている．分泌型IgAの分泌は，主に他のMALTで形成されたB細胞または形質細胞が生殖器粘膜にホーミングすることによって起こると考えられる．

2. 感染症に対する生体防御

A 細菌に対する免疫応答

1) 細胞外寄生性細菌に対する免疫応答

代表的な**細胞外寄生性細菌**として，黄色ブドウ球菌◆，A群溶血性レンサ球菌◆，肺炎レンサ球菌◆などがあげられる．細胞外寄生性細菌の感染では，細菌が生体内の宿主細胞外で増殖する際に炎症が惹起され，その炎症による組織傷害が病原性の本質となる場合と，細菌の産生する毒素によって多様な病変が起こる場合，あるいはその両方が発揮される場合がある．細菌の産生する毒素には，特異的な作用機構で宿主細胞または組織を傷害する外毒素（タンパク毒素）と，グラム陰性菌の外膜外葉に存在するリポ多糖（LPS）である内毒素があげられる．LPSはTLRリガンドであり，その病原性はTLR4を介した免疫活性化に起因している．

細胞外寄生性細菌の侵入と増殖に反応し，補体活性化，貪食，炎症を中心とした自然免疫応答が惹起される．また，抗体が産生され，外毒素やその他病原因子の中和，オプソニン化，古典的経路を介した補体活性化などが引き起こされる．Th1の活性化によってマクロファージが活性化し，Th17の活性化による炎症細胞の遊走が起こる．

細胞外寄生性細菌に対する免疫応答が組織傷害を引き起こす例として，**敗血症**があげられる．細菌が増殖し，細菌自体やその構造体が血中に検出される状態であり，ペプチドグリカンやLPSなどのPAMPSがさまざまな細胞のPRRsに結合し，血中に過量の炎症性サイトカイン（TNF，IL-1，IL-6など）やIFN-γ，IL-12が産生される．その結果，血圧の低下や呼吸不全，体温の上昇または低下，全身の組織また

◆ 黄色ブドウ球菌 *Staphylococcus aureus* 健常人の皮膚，鼻腔，腸管などに常在するグラム陽性球菌である．本菌は食中毒を起こす耐熱性外毒素であるエンテロトキシンや，トキシックショック症候群毒素（TSST-1），表皮剥脱毒素など多様な病原因子を産生する．ブドウ球菌食中毒や化膿性炎症，膿痂疹（とびひ）やトキシックショック症候群などの起因菌である．一方，免疫抵抗因子としてプロテインAやコアグラーゼなどを産生する．

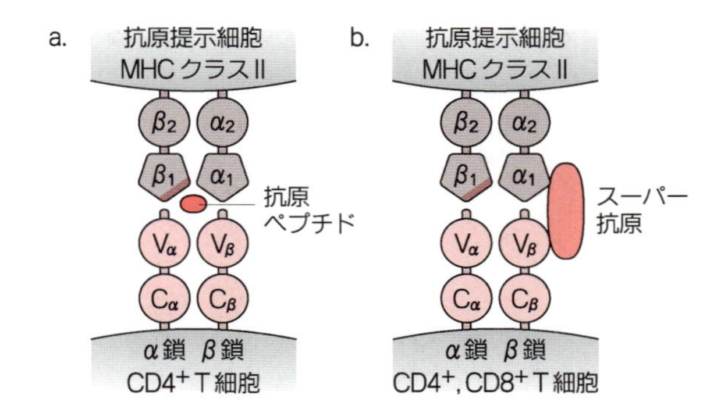

図 10-5　T細胞による通常の抗原とスーパー抗原の認識

a. 通常の外来性タンパク質抗原はアミノ酸 10〜15 個前後のペプチドに分解され，MHC クラス II 分子に結合する．$CD4^+$T 細胞の TCR が MHC クラス II 分子-ペプチド複合体を認識する．

b. スーパー抗原は直接 MHC クラス II 分子の抗原結合外側部 α 鎖と $CD4^+$T 細胞と $CD8^+$T 細胞の TCR V_β 領域を認識し，MHC クラス II 分子-スーパー抗原複合体を認識する．

は臓器障害，**播種性血管内凝固症候群** disseminated intravascular coagulation（**DIC**）などが引き起こされる．急激に大量のサイトカインが放出される病態は，**サイトカイン・ストーム**と呼ばれる．

黄色ブドウ球菌，A 群溶血性レンサ球菌などは，**スーパー抗原**と呼ばれる外毒素を産生する．スーパー抗原は抗原特異性に関係なく多くの T 細胞クローンの TCR V_β 鎖と MHC クラス II を結合させ，多数の T 細胞を活性化させる（**図 10-5**）．その結果，大量のサイトカインが産生されることになり，全身性の機能障害が惹起され重篤な経過をたどる場合がある（**トキシックショック症候群**）．スーパー抗原として，黄色ブドウ球菌のトキシックショック症候群毒素 toxic shock syndrome toxin-1（TSST-1）や腸管毒群 staphylococcal enterotoxin A〜J（SEA〜SEJ），A 群溶血性レンサ球菌の発熱性外毒素群 streptococcal pyrogenic exotoxin A〜J（SpeA〜SpeJ）や streptococcal mitogenic exotoxin Z（SMEZ），エルシニア菌の Yersinia pseudotuberculosis-derived mitogen（YPM）などが知られている．

細胞外寄生性細菌は，さまざまな方法で宿主免疫を回避する．たとえば多糖体からなる莢膜は補体の作用や貪食を阻害することが知られ，肺炎球菌やインフルエンザ菌で発達している．多糖体に対する抗体応答は T 細胞非依存性であり，IgM からのクラススイッチや親和性成熟，そして記憶細胞への分化が起きにくいが，肺炎球菌ワクチンや b 型インフルエンザ菌莢膜株に対する Hib ワクチンは莢膜多糖体とトキソイドを結合することで T 細胞依存性に体液性免疫活性化が起こるように工夫されている．ワクチンによって誘導された IgG 抗体は細菌をオプソニン化し，効率的に菌の排除が起こると考えられる．

◆ A 群溶血性レンサ球菌 *Streptococcus pyogenes*　口腔内や鼻腔内に常在するグラム陽性球菌である．血液寒天培地上で β 溶血性を示すため，溶連菌とも呼ばれ，一方でランスフィールド分類（レンサ球菌の表面抗原に基づく分類）で A 群に属するため，A 群溶血性レンサ球菌 group A *Streptococcus*（GAS）と呼ばれる．ストレプトリジンや発熱性毒素（SPE）など多様な病原因子を産生する．咽頭炎や扁桃炎のポピュラーな原因菌であり，皮膚炎や猩紅熱なども引き起こす．SPE はスーパー抗原性を示し壊死性筋膜炎を伴う劇症型 A 群溶血性レンサ球菌感染症の原因となる．

◆ 肺炎レンサ球菌 *Streptococcus pneumoniae*　グラム陽性の双球菌であり，肺炎球菌，肺炎双球菌とも呼ばれる．鼻腔内に常在し，α 溶血性を示す．莢膜は貪食抵抗性に関与し，莢膜多糖体はワクチンの防御抗原として重要である．小児においては侵襲性疾患（髄膜炎）の，高齢者においては肺炎の原因菌として重要である．

2)　細胞内寄生性細菌に対する免疫応答

免疫系は病原体を含む非自己を強力に排除するが，自己に対して攻撃しないように制御されている．**細胞内寄生性細菌**は，宿主の細胞内に侵入し，細胞内で生存，増殖することで免疫系の攻撃を回避している．細胞内寄生性細菌には，細胞外でも増殖できる通性細胞内寄生細菌と，リケッチア属菌やクラミジア属菌など宿主細胞

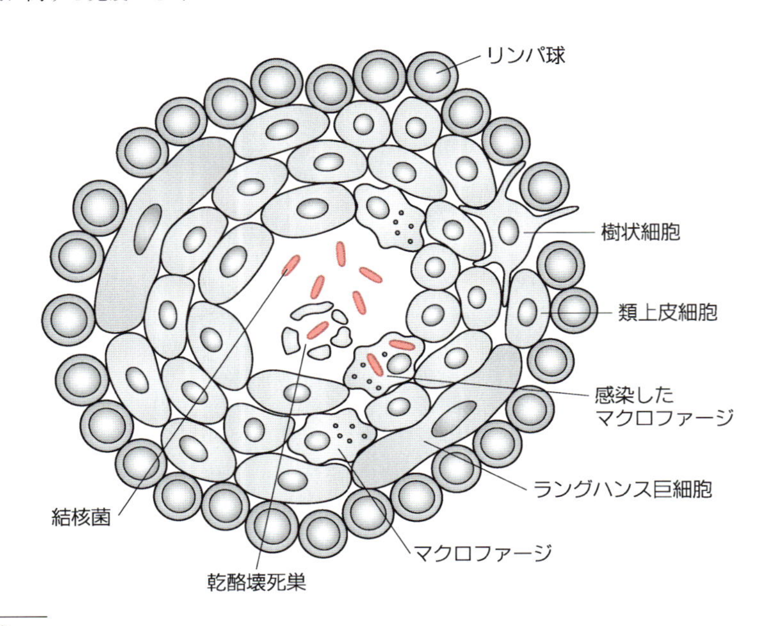

図 10-6　結核結節

内でしか増殖できない偏性細胞内寄生細菌がある．細胞内寄生性細菌は，マクロファージなどに貪食されても殺滅されず，宿主細胞内には抗体が届かないため，細胞内寄生性細菌の殺滅には細胞性免疫が重要となる．

細胞内寄生性細菌に対する自然免疫は，好中球やマクロファージなどの貪食細胞による貪食から始まる．しかし細胞内寄生性細菌は，貪食細胞による殺菌機構に抵抗性であるため排除できず，むしろ貪食細胞自体を免疫系からの隠れ蓑，あるいは増殖のためのゆりかごとして使用する．マクロファージは，自らの内にある細菌をエンドソーム内あるいは細胞質内に存在するPRRsで認識して活性化し，IL-12を産生する．NK細胞やILC1はこれを受けてIFN-γを産生し，マクロファージを活性化する．このサイクルによって細胞内寄生性細菌の感染は一時的に制御されるが，細菌を排除するにはいたらない．さらなる制御または排除のためには細胞性免疫が必要となる．

細胞内寄生性細菌を貪食したマクロファージは，プロセシングしたペプチドをMHCクラスⅡとともに提示する．Th1細胞はこれを認識し，IFN-γとともにCD40Lを発現してマクロファージを活性化することでファゴリソソーム内の殺菌因子を誘導し，細胞内寄生性細菌をより強力に殺菌する．しかし細胞質へエスケープした細胞内寄生性細菌にはこの作用は無効である．この場合，MHCクラスⅠを介して細菌の断片が提示され，キラーT細胞（細胞傷害性T細胞：CTL）によって感染細胞が破壊されることになる（クロスプレゼンテーション）．一方，細胞内寄生性細菌が長期間細胞内で生存すると，慢性的にT細胞やマクロファージが活性化し，結果として感染細胞を取り囲むように**肉芽腫**が形成される．この免疫応答によって感染細胞の封じ込めが行われるが，一方で肉芽腫組織の壊死や線維化によって正常組織が傷害される一面が生じる．**結核**はその代表的な例である（**図 10-6**）．

毎年約1,000万人の新規患者と100万人を超える死者が発生する結核は，結核菌の感染によって引き起こされ，細胞内寄生性細菌による感染症の典型的なものである．人類はおよそ7万年近くこの細菌と共存していると考えられ，人類に対する結核菌の戦略がいかに洗練されているかを示すものである．結核に対する感染防御免疫は前述の通り細胞性免疫が主であると考えられ，生菌を皮内接種して感染させる**BCGワクチン**が使用されてきた．しかしBCGワクチンには結核の発症を予防するだけの効果はなく，治療に難渋し重症化しやすい粟粒結核の予防を目的として接種されている．世界の多くの国や地域ではBCGワクチンを接種しているが，結核発症率の低い国や地域ではBCGワクチン接種の利点が低く，接種を取りやめた国も多い．しかし世界的にみると結核は制御されているとは程遠い状態であり，また一方で多剤耐性結核菌もひろがりをみせているため，より有効なワクチンが求められている．

結核ワクチン開発の難しさ

結核菌が自然感染した場合においてすら，結核菌の完全な排除は困難であり，結核菌は宿主体内に存在し続けることから，十分な効果を有する結核を予防するワクチンの開発は不可能であるという敗北的な意見もある．しかし感染によって成立する免疫とは異なる非従来型の免疫（unnatural immunity）を誘導することで，成功したワクチンの例はすでに存在する．たとえば破傷風菌の自然感染では長期間の防御は得られないが，破傷風トキソイドの接種によって長期間の防御が可能である．新しい結核ワクチンの開発では，非従来型免疫の誘導が重要なコンセプトになっている．これには結核菌などの細胞内寄生性細菌に対する防御には主な役割を果たしていないと考えられていた抗体の誘導も含まれている．結核における抗体の関与は，発症予防ではなく，感染予防に重要である可能性がある．一方，結核菌は感染防御免疫にとって重要性の低いイムノドミナント抗原を多様に産生し，感染防御抗原に対するクリティカルな免疫反応が起こりにくい可能性がある．この点に対するアプローチも行われている．

B　ウイルスに対する免疫応答

ウイルスは偏性細胞内寄生病原体であり，したがって宿主細胞に侵入することが増殖の最低条件となる．各種バリアー機能を通過したウイルスに対する自然免疫として重要なのは，I型インターフェロンとNK細胞である．

ウイルスの感染を受けた宿主では，**形質細胞様樹状細胞**や感染細胞がI型インターフェロンを産生する．ウイルスはエンドソーム内のTLRや細胞質内のRIG様受容体（RLR）などによって認識される．産生されたI型インターフェロンは，産生細胞自身と近隣細胞に作用し，ウイルスの複製を阻害する．ウイルス感染細胞では，ウイルスの抗原を提示するMHCクラスIの発現がしばしば阻害される．NK細胞はミッシングセルフ機構によってそれを感知し，ウイルス感染細胞を破壊する．

ウイルスに対する獲得免疫は，宿主細胞へのウイルスの結合と侵入を阻害する抗体の産生とキラーT細胞によるウイルス感染細胞の破壊が重要である．ウイルスまたはウイルス感染細胞（あるいはその断片）は樹状細胞によって取り込まれ，プロセシングを受けて抗原提示される．この際，MHC クラスⅡを介したナイーブ $CD4^+$T 細胞への提示の他に，**クロスプレゼンテーション**によって MHC クラスⅠを介したナイーブ $CD8^+$T 細胞の活性化も行われる．すべてのウイルスが樹状細胞に感染するわけではないので，クロスプレゼンテーションはウイルスに対する感染防御において非常に重要である．

ウイルスに対する抗体は粘膜や血中に存在し，ウイルスが細胞外に存在するときにのみ直接結合できる．抗体はウイルスを中和し，細胞への感染性を失わせるだけでなく，オプソニン化に伴うウイルス排除にも関与する．一方で，ウイルス感染細胞表面に発現するウイルスタンパク質に結合する抗体は抗体依存性細胞傷害作用（ADCC）を促し，ウイルス感染細胞の破壊に関与する場合がある．ウイルス感染細胞は MHC クラスⅠに細胞質内のウイルス抗原を提示し，キラー T 細胞はそれを認識して感染細胞を破壊する．

多くのウイルス感染症の本質は，ウイルス感染による直接的な細胞破壊と，免疫系によるウイルス感染細胞の破壊，そしてそれに伴う炎症反応である．ウイルスの感染細胞・組織によって生じる病変は多様であるが，免疫系が活性化し過度にサイトカイン産生が起こる（サイトカイン・ストーム）と重篤な全身性疾患を生ずることがある．

ウイルスの潜伏感染状態では，ウイルス感染細胞内にウイルスゲノムのみが存在し，ウイルスの複製が起こらない．このため免疫系が沈静化し，ウイルスが細胞内に残存したまま長期，場合によっては終生感染が続く．持続感染を起こす代表的なウイルスとして，C 型肝炎ウイルス（HCV）◆があげられる．全人類の約 3%が感染しており，年間約 50 万人が死亡している．HCV が感染すると，Ⅰ型インターフェロンと NK 細胞がウイルスを排除しようとする．ついで，ウイルス感染細胞を破壊するキラー T 細胞が誘導される．キラー T 細胞はウイルスが感染した肝細胞を傷害するため，肝炎の症状を呈する．HCV に感染すると約 70%の人が持続感染者となり，エフェクター細胞の疲弊を引き起こす．HCV の急性感染は，慢性肝炎，肝硬変，肝細胞がんと進行する場合がある．C 型慢性肝炎に対する根本的な治療は，HCV を体内から排除することであるが，HCV は宿主の免疫制御から逃れるように適応している．たとえば HCV の E2 タンパク質は CD81 に結合し，NK 細胞の活性

◆C 型肝炎ウイルス Hepatitis C virus　エンベロープを有するプラス鎖 RNA ウイルスであり，C 型肝炎（輸血後非 A 非 B 型肝炎）を引き起こす．血液を介して感染し，HCV キャリアーは全世界人口の約 3%といわれる．慢性肝炎から肝硬変，肝細胞がんに移行する頻度が B 型肝炎よりも高い．現在は直接作用型抗ウイルス薬（DAA）を使用した IFN フリー療法が行われ，ウイルスの完全な排除も可能となった．

C 型肝炎に対する IFN フリー療法

1992 年以降，わが国の C 型肝炎治療はⅠ型インターフェロンの注射薬と抗ウイルス薬の経口投与薬を併用した方法が主流であった．近年，Ⅰ型インターフェロンを使わない飲み薬だけの治療が登場し，2014 年 9 月には飲み薬だけの治療薬がわが国でも使えるようになった．1 型に対する経口治療薬ダクラタスビルとアスナプレビルの 2 剤併用療法（24 週間内服）である．続いて，2015 年 7 月には 1 型に対するレジパスビルとソホスブビル配合錠による治療（12 週間内服），2015 年 9 月にはオムビタスビルとパリタプレビル，リトナビル配合錠による治療（12 週間内服）が承認され，本格的な IFN フリー療法の時代が到来した．1b 型の難治性 C 型肝炎でも患者の 95%以上でウイルスを体内からなくすことが可能となった．

化を直接阻害する．HCVは抗原変異を高頻度に起こし獲得免疫を回避する．さらに隣接細胞に直接感染し，細胞外にウイルス粒子が露出しないため抗体が機能しにくいなどの特徴を有している．C型肝炎の治療は，I型インターフェロンを使用した治療が主流であったが，この方法では完全なウイルス排除は困難であり，副作用の問題もあった．現在ではHCV特異的な薬剤が開発され，I型インターフェロンを使わない飲み薬だけの治療（IFNフリー療法）が主流となっており，患者の95％以上でウイルスを体内からなくすことが可能となった（14章-9.「C型肝炎治療薬」（p247）参照）．

C 真菌に対する免疫応答

真菌感染症の多くは日和見感染症であり，免疫系の機能が低下または異常をきたしたときに感染が成立する．このため，真菌に対する免疫応答は十分に解析されているとはいえない．真菌には細胞外寄生性のものが多いが，貪食に抵抗する場合もあり，細胞外寄生性病原体と細胞内寄生性病原体の両者に対する免疫を理解する必要がある．

真菌はマクロファージや樹状細胞のPRRsによって認識され，好中球やマクロファージの遊走と炎症が惹起される．この過程にはILC3が関与している．真菌のβ-グルカンを認識するPRRとしてデクチンが知られている．好中球は貪食あるいは**好中球細胞外トラップ** neutrophil extracellular traps（**NETs**）◆の放出によって真菌を殺菌すると考えられる．一方，獲得免疫ではTh17が活性化され，炎症が誘導される．貪食に抵抗しマクロファージ内で生存するクリプトコッカス属◆やヒストプラズマ◆に対しては，細胞内寄生性細菌と同様，Th1およびキラーT細胞を中心とした細胞性免疫が働き排除にあたる．真菌に対して産生される特異抗体も感染防御に寄与していると考えられる．

◆好中球細胞外トラップ（NETs）　好中球が核の成分を細胞外に放出し，細胞外の微生物を殺傷すること．放出された網状の構造には，好中球内の顆粒に含まれる抗菌性物質を含み，細胞外寄生性微生物だけでなく宿主組織にも傷害が起こることがある．

◆クリプトコッカス属真菌 *Cryptococcus* spp.　クリプトコッカス・ネオフォルマンス *Cryptococcus neoformans* やクリプトコッカス・ガッティ *Cryptococcus gatti* が重要である．土壌中や，鳥類の糞に存在する病原性真菌である．胞子を吸入し，肺感染する．多くは不顕性感染に終わるが，血流を介して全身に播種され，脳にも移行する．厚い莢膜は貪食抵抗性に寄与し，黒色色素（メラニン）は，免疫細胞の殺菌作用において抗酸化作用を示す．

◆ヒストプラズマ *Histoplasma capsulatum*　米国をはじめ世界中に分布しており，輸入感染症と考えられてきた．近年はわが国でも定着し始めている可能性がある．病原性は非常に強く，吸入によって肺から侵入し，全身感染を起こす．好発部位は肺，肝臓，皮膚などである．二形性真菌であり，環境中では糸状菌形態を，宿主内では莢膜をもつ酵母様形態をとる．

D 寄生虫に対する免疫応答

国立感染症研究所によると全世界人口の約6割が寄生虫感染のリスクに曝されていると推定され，寄生虫症はいまだ人類における驚異であり続けている．寄生虫には，単細胞生物である原虫と多細胞生物である蠕虫が含まれ，またヒトにおける感染経路や生活環は寄生虫ごとに大きく異なるため，寄生虫免疫を総説的に述べるのは困難である．しかし一般に自然免疫は有効に機能せず，獲得免疫を回避または抵抗する洗練された性質を有するため，慢性的，長期的な感染が成立し，繰り返しの罹患が起こる．寄生虫に対する自然免疫で特筆すべきは**好酸球**の貢献である．好酸球は表層の受容体に結合したIgEを介して蠕虫に結合し，細胞内顆粒の細胞傷害物質を放出することで蠕虫の細胞を傷害する．しかし多くの蠕虫は外皮が厚く，好酸球，好中球などの攻撃に抵抗する．蠕虫は貪食細胞に比べ巨大であるため，貪食が困難である．加えて補体による抗原の溶菌に抵抗性を有する．寄生虫に対する獲得免疫は，細胞外に寄生するものに対しては体液性免疫が，細胞内に寄生するものに対しては細胞性免疫が重要である．しかしなかには生活環のなかで細胞外，細胞内

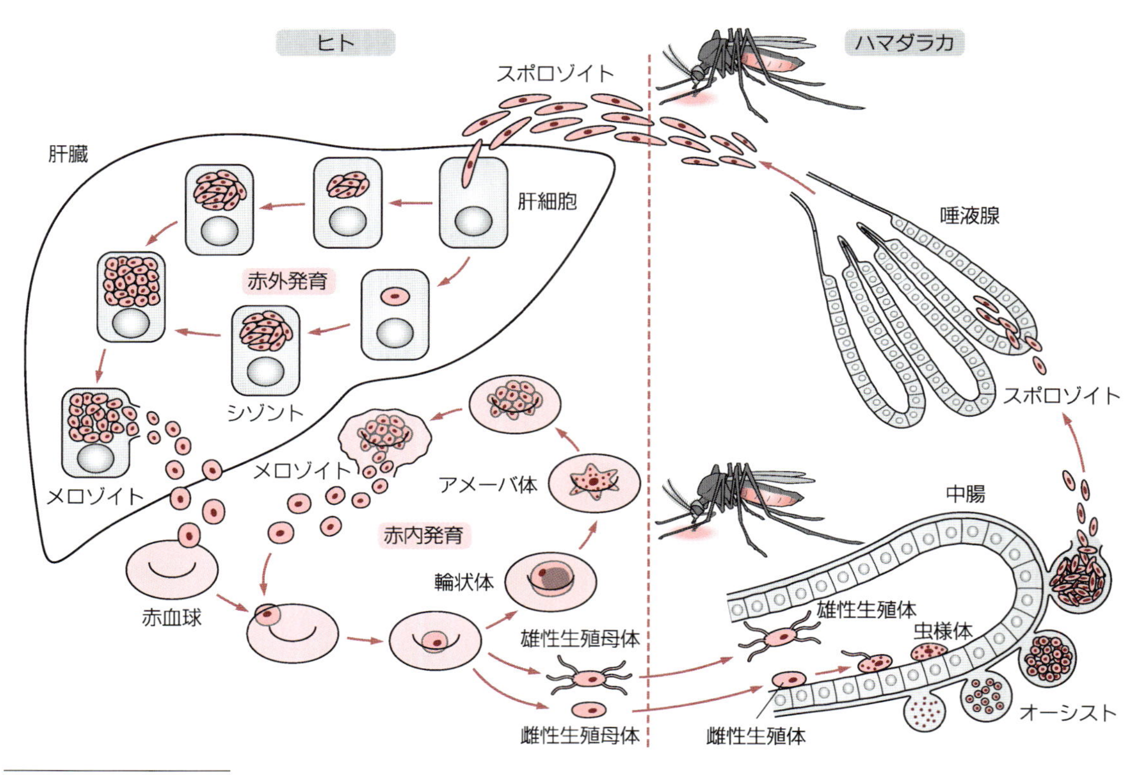

図 10-7　マラリア原虫の生活環

を行き来し，周到に免疫系を逃れるものも存在する．マラリア原虫は，ハマダラカの唾液腺からヒトの血液内に侵入し，肝細胞で増殖した後，赤血球内に侵入して赤内増殖サイクルに入る（**図 10-7**）．増殖したマラリア原虫は吸血によってハマダラ

マラリアワクチンの開発

マラリアは，ハマダラカによって媒介される寄生虫症であり，病原体はマラリア原虫である．発熱，脾腫，貧血が三大徴候であり，原虫の赤内（赤血球内）発育サイクルと一致する定期的な発熱が特徴的である．マラリア原虫の生活環はハマダラカ（終宿主）とヒト（中間宿主）にまたがっている．マラリア原虫はハマダラカの中腸で有性生殖し，その後唾液腺に移動する．蚊の吸血によってヒト体内に侵入する．このときの虫体の形態をスポロゾイトと呼ぶ．スポロゾイトは肝臓にいたり，肝細胞内で増殖する（赤外発育）．その後，肝細胞から放出されたメロゾイトは赤血球内に侵入し，赤内増殖する．増殖に伴って赤血球が破壊され，マラリアの症状が起こる．赤内発育によって生じた生殖母体は吸血によって蚊の中腸に移行する．ヒト体内において大きく変化するマラリア原虫に対するワクチンの開発は困難をきわめたが，現在，アフリカでマラリアワクチン接種プログラムが進められている．RTS,S/AS01 ワクチンは最も重篤化しやすい熱帯熱マラリア原虫のスポロゾイト虫体を標的としたワクチンであり，5〜17ヵ月の乳幼児に4回接種される．4年間の防御率は39%であり，より有効なワクチンの研究開発が必要とはいえ，大きな一歩である．

カの中腸にいたり，有性生殖を行って増殖する．マラリア原虫の赤血球侵入阻止には抗体が重要と考えられる．一方で肝細胞内のマラリア原虫の破壊には細胞性免疫が必要である．しかし，赤血球内にエスケープしたマラリア原虫は免疫系の認識から逃れ，形態変化に伴う抗原変化が獲得免疫の機能を阻害する．

E 再興感染症

1) 百日咳

百日咳は，非常に伝染性の高い感染症であり，主に百日咳菌◆の気道感染によって引き起こされる．強烈な発作性咳嗽を特徴とし，生後6ヵ月未満の乳児ではとくに重篤化しやすく，チアノーゼ，失神，死亡など重篤な経過をたどる場合がある．

有効なワクチンの導入により，患者数は劇的に減少した．しかし，1990年代以降，世界各地で百日咳が再流行しており，百日咳は，最も感染制御が不十分なワクチン予防可能疾患 vaccine preventable disease の1つである．わが国でも年間約1万7千人の新規患者（2019年）が発生し，かつ周期的な百日咳の流行サイクルがいまだ健在である．

百日咳菌は病原因子のデパートといわれるほど多様な病原因子を有するが，感染防御において重要な病原因子（防御抗原）は付着因子である繊維状赤血球凝集素（FHA），パータクチン，線毛，そして百日咳毒素である．現在，これらの防御抗原を2つ以上含む成分（コンポーネント）ワクチンまたは無細胞ワクチンが使用されている．現行のワクチンは防御抗原に対する血清抗体応答を誘導していると考えられる．

ワクチンの接種率は世界的に非常に高い．それにもかかわらず百日咳の再興が制御できない原因はいくつか考えられている．百日咳は子供の病気と考えられていたが，再興と時期を同じくしてティーンエイジャー以上の患者増加がみられたことから，乳幼児期に接種したワクチンの効果が減弱した可能性が示された．この仮説に基づき，先進国を中心にティーンエイジャーから大人への追加接種が行われ，副反応を軽減するため抗原量を減量したワクチンが開発され，先進国を中心に導入されている（わが国は導入していない）．しかし米国の患者数推移から，大人における追加接種の効果は限定的であったため，再興は少なくとも免疫減弱仮説だけでは説明できないと考えられる（**図10-8**）．野外株において前述の防御抗原の変異が継続的に検出されており，ワクチンの選択圧によるゆるやかなエスケープが進行した可能性がある．また百日咳菌の類縁菌（パラ百日咳菌 *Bordetella parapertussis* および *B. holmesii*）が起こす百日咳には現行のワクチンは無効であることから，その関与も考えられる．2022年6月現在，百日咳菌とパラ百日咳菌由来の核酸を同時に検出する体外診断用医薬品が保険適用されている．

◆百日咳菌 *Bordetella pertussis*　ヒトを唯一の宿主とするグラム陰性短桿菌である．飛沫で伝染し，ヒトの上気道に感染して百日咳を引き起こす．有効なワクチン（わが国では最近4種混合ワクチン DPT-IPV に含まれる）が使用されその接種率も高いにもかかわらず，世界では年間約2,400万人の患者と，約16万人の死者が発生していると考えられる．米国 CDC のデータでは，成人に対する追加接種導入にもかかわらず再興傾向は止んでいない．また，第一選択薬であるマクロライド系抗生物質に対する耐性菌が分離されており，その動向を注視する必要がある．一方，類縁菌であるパラ百日咳菌と *B. holmesii* には現行ワクチンが無効であることにも留意すべきである．

F 新興感染症

1) COVID-19 coronavirus disease 2019（新型コロナウイルス感染症）

COVID-19は，2019年冬季に中国湖北省武漢市で原因不明のウイルス性肺炎と

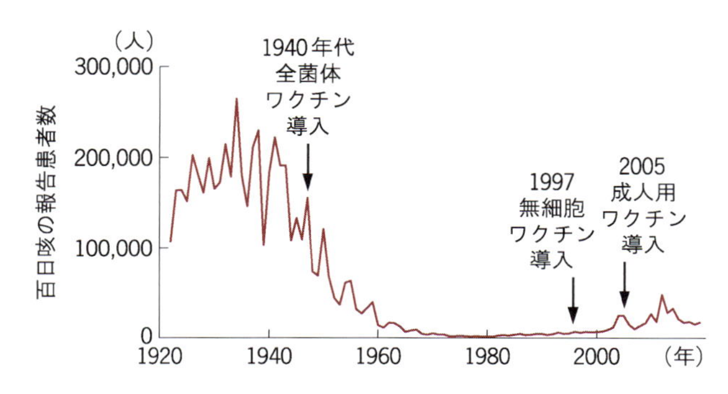

図 10-8　百日咳の報告患者数（米国）

して報告された後，全世界に拡大した新興感染症である．

COVID-19 は，**SARS コロナウイルス 2（SARS-CoV-2）**の飛沫あるいはエアロゾルを吸入して感染するウイルス性肺炎である．主たる症状は発熱，咳，倦怠感であるが，重症化すると息切れ，食欲不振，錯乱，持続的な胸痛と胸の圧迫感，高熱などを呈する．発症した人の約 80%は入院治療を必要とせずに回復し，約 15%が酸素吸入が必要となり，約 5%が集中治療が必要である．高齢者で重篤化しやすく，重症例の一部は，急性呼吸窮迫症候群 acute respiratory distress syndrome（ARDS）に伴う呼吸不全を起こし，多臓器不全をきたして死にいたる．治療薬として免疫反応による過度の肺損傷を抑制するためデキサメタゾンが使用される．また，スパイクタンパク質に結合するモノクローナル抗体（カシリビマブとイムデビマブ）の抗体カクテル療法や，ウイルス特異的プロテアーゼの阻害薬（ニルマトレルビル/リトナビル），RNA 依存 RNA ポリメラーゼの阻害薬（モルヌピラビル）なども使用されるようになってきた．

SARS-CoV-2 の感染は，体液性免疫と細胞性免疫を強く誘導する．感染者では SARS-CoV-2 特異的な IgA と IgG が粘膜ならびに血清中に産生される．血中 IgM は発症数週間後にピークとなり，2〜3 ヵ月後に検出限界以下となる．IgG 抗体はそれよりも長期間持続するが，ゆっくりと減少していく．記憶 B 細胞および記憶 T 細胞を誘導する．SARS-CoV-2 感染者の 90%以上がウイルス特異的な抗体を産生するが，その力価は個体差が大きい．症状が重症なほど感染後の力価が高くなる傾向がみられる．一方, 免疫抑制状態で感染した人は抗体陽転率が低い．感染によって産生された中和抗体は，最初の半減期が 2〜3 ヵ月で，その後はおだやかに減少する二相性を示す傾向にある．SARS-CoV-2 特異的 B 細胞は，少なくとも 8 ヵ月間高いレベルで維持される．

一方，mRNA ワクチン（ファイザーのコミナティ筋注またはモデルナのスパイクバックス筋注）は，SARS-CoV-2 のスパイクタンパク質に対する免疫応答を誘導するようデザインされている．これらのワクチンを接種すると，血中に抗スパイクタンパク質抗体と中和抗体が産生される．中和抗体と感染防御効果には強い相関がある．感染症と同様に，ワクチンは血清 IgA，IgM，および IgG 抗体を早期に産生し，また，記憶 B 細胞および記憶 T 細胞を誘導する．SARS-CoV-2 の感染によって誘導される抗体価には大きな個体差があるが，ワクチン接種では，一貫して高い抗体価の抗体反応が得られる．しかし，高齢者や免疫抑制状態の人では抗体価が低い可能性がある．ワクチンによって誘導された中和抗体は，少なくとも 6〜8 ヵ月検出される．高齢者においてはワクチン接種による中和抗体の到達濃度が低いため，抗体の減衰が早い可能性がある．

COVID-19 の抗原変異とワクチン

2022 年 7 月現在, わが国で主として使用されている COVID-19 ワクチンは, RNA ワクチンとしてファイザーのコミナティ筋注とモデルナのスパイクバックス筋注, ウイルスベクターワクチンとしてバキスゼブリア(アストラゼネカ), 組換えタンパクワクチンとしてヌバキソビット（ノババックス）の計 4 種であり，いずれも SARS-CoV-2 初期野生株のスパイクタンパク質が抗原となっている.

COVID-19 の病原体である SARS-CoV-2 は，時々刻々と変異している. ワクチン接種率が高くなると，ワクチンによって付与された免疫による選択圧が作用し，その免疫を回避する変異体が選択されてくるのは当然である. 現在承認されている COVID-19 ワクチンは，アルファ株（B.1.1.7 系統），ベータ株（B.1.351 系統），ガンマ株（P.1 系統），デルタ株（B.1.617.2 系統）を含むさまざまな株に対して，入院や死亡に対して高い効果がある. しかし，ベータ株，ガンマ株，デルタ株などの変異体に対するワクチンの効果は，初期野生株やアルファ株などの変異体に対する効果よりも低いことも示されている. 2021 年に懸念される変異株（variants of concern：VOC）として登録された B.1.1.529 系統（いわゆるオミクロン株）は南アフリカで検出された株であり，スパイクタンパク質に 32 ヵ所の変異がある. ワクチンは病原体に合わせて戦略的に変化させていかないと十分な効果を発揮しない. それはすでにインフルエンザワクチンの運用で実践されている. 変異体に対するワクチンの有効性の継続的なモニタリングと，それに合わせた改良が今後も必要である.

11　免疫応答の調整

1. ワクチンと予防接種

> コアカリ到達目標
> ・ワクチンの原理と種類（生ワクチン，不活化ワクチン，トキソイド，混合ワクチンなど）について説明できる．

A　予防接種の歴史

長い人類の歴史において感染症（疫病）との戦いはわれわれに与えられた宿命である．近代科学の基礎が築かれた中世ヨーロッパにおいてさえもペスト，コレラ，天然痘などの疫病によって一度に多くの人の命が奪われた．しかし，われわれの祖先は一度疫病にかかり，幸運にも治癒すると，その疫病に二度とかからないことを経験的に習得していた．この免疫の原理を利用して予防接種の基礎をつくったのが英国の開業医であったジェンナー Jenner である（1798 年）．

ジェンナーは乳搾りの女性を多数診察しているうちに，手に牛痘にかかった痕（あと）がある患者の顔には天然痘にかかった痕がないことに気づいた．彼は牛痘にかかると天然痘に対して抵抗性ができるのではないかという仮説をたてた．牛痘は人に感染しても軽い症状しか引き起こさないので，ジェンナーはまず健康な少年に牛痘の膿を接種して，発疹ができたことを確認して，その後，天然痘の患者からとった膿をその少年に接種した．少年は天然痘を発症せずジェンナーの仮説は正しいことが示された．これは完全な人体実験であり，現在では絶対に行うことができないが，当時は子供の 1/3 が天然痘で死ぬという状況下だから許された実験である．ジェンナーがこのようにして生み出した方法は予防接種の先駆けとなったのである．その約 100 年後にこの方法を引き継いだパスツール Pasteur は牛痘のことをワクシニア vaccinia と呼んでいたことから接種する抗原を**ワクチン** vaccine と命名した．

パスツールは狂犬病の病原体がウサギで 100 代以上継代可能であり，その病原性が継代によって減弱することを発見した．そして，その脳組織を乾燥することで「固定化された」病原体が得られ，これをワクチンとして使用できることを示した．これが不活化ワクチンの先駆けとなった．また，パスツールが栄養不足でほとんど死にそうなニワトリコレラ菌をニワトリに接種すると，そのニワトリはコレラを発症しないばかりでなく，元気なコレラ菌を接種しても病気にかからなかったのである．これが，**弱毒生ワクチン**の発見である．

パスツールと並ぶ細菌学の父コッホ Koch らによって次々と感染症を引き起こす細菌が発見された．そして，さまざまな細菌に対してパスツールが開発したワクチン接種法が試された．しかし，すべての細菌にこの手法が使えるものではなかった．破傷風菌，ジフテリア菌などでは菌体外にタンパク質の毒素を分泌して，その毒素によって病気を引き起こす．破傷風やジフテリアの毒素を動物に注射すると，その

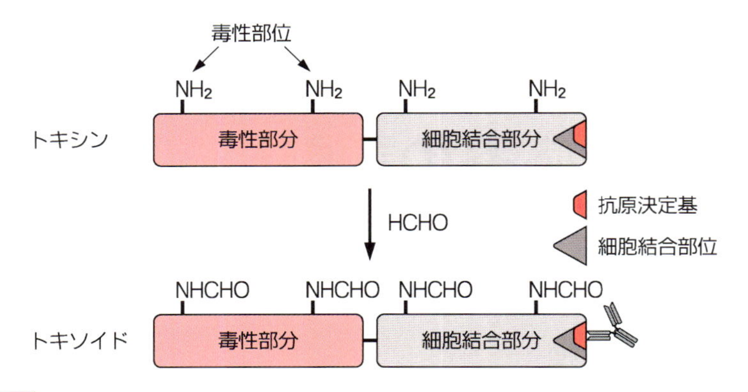

図 11-1　ジフテリアトキソイドの調製
ジフテリアトキシン（ジフテリア毒素）は毒性部分と抗原決定基をもつ細胞結合部分に分かれる．このジフテリアトキシンをホルマリンで処理すると毒性部分にあるアミノ酸のリシン残基が修飾されて，毒性を失うが，抗原決定基には影響を与えない．このようにして得られたトキソイドを接種すると，細胞結合部分の付近に存在する抗原決定基に結合する抗体が産生される．

動物は簡単に殺すことができる．一方で，この毒素を致死量以下で少量ずつ注射すると動物は毒素に対する抵抗性を得て，致死量の毒素にも耐性を示す．この重要な発見は北里柴三郎とベーリング Behring によってなされた（1890 年）．1920 年代，ラモン Ramon はジフテリア毒素（ジフテリアトキシン）を少量のホルマリンで処理すると毒性が失われるが抗原性は保持されることを発見し，これを**トキソイド**と名付けた（**図 11-1**）．トキソイドを注射すると，血液中にこの変性毒素タンパク質に対して抗体（北里らは「抗毒素」と呼んだ）が産生される．次に未変性の毒素を注射すると，迅速かつ大量に毒素に対する抗体が産生され，毒素と結合して毒素としての働きを止めて（中和して）しまうのである．

COVID-19（新型コロナウイルス感染症）の全世界的な流行（2019 年〜）をきっかけに（10 章-2. F「新興感染症」（p177）参照），これまでワクチンとして用いられたことのないウイルスのタンパク質をつくるもととなる遺伝子情報の一部を注射する mRNA およびウイルスベクターワクチンの使用が承認され，接種が始まった（2021 年）．

B　予防接種の目的と原理

予防接種の歴史から容易にわかるように，その目的は感染症の予防にある．これまでに，天然痘の撲滅を筆頭に，多くの感染症の流行阻止に成果をあげ，患者の発生や死亡率の大幅な減少にきわめて重要な役割を果たしてきた．わが国では感染症が蔓延して，大きな被害を与えた時代は終わったが，予防接種によって獲得した免疫によって，多くの感染症の流行が抑えられているという事実が忘れられがちになっている．一方で，1929 年に英国のフレミング Fleming によりペニシリンが発見されて以来，細菌による感染症治療の分野では抗生物質が使用されて大きな成果をあげてきた．細菌による感染症治療に抗生物質が多量に使用されるようになったことが，抗生物質が効かない多くの薬剤耐性菌を生み出す結果となった．ウイルス感染症の治療に用いられる薬は限られており，やはり感染症対策には免疫の力を借りるワクチン接種による予防が有効であることが改めて認識されてきた．したがって，国民を種々の感染症から守るために，1人ひとりに予防接種の公衆衛生上の重要性を自覚してもらい，積極的に接種を推奨し一定の接種率を維持することが大切である．

ワクチン接種による感染症の予防は獲得免疫の最も基本的なしくみを利用している．すでに，3章-3. C「免疫学的記憶」(p52) で述べられているように病原性微生物に感染するとその病原性微生物を排除するために宿主は**一次免疫応答**を起こす．しかし，感染後この一次免疫応答が誘導されるまでに時間がかかり，増殖した病原体により症状が重篤化したり，死亡することが多いのである．運よく一次免疫応答が成立して病原体を排除した後は，その病原体に対する免疫は記憶される．その後，もう一度同じ病原体に感染した場合は，感染直後により強力な**二次免疫応答**が誘導され，症状が現れる前に病原体が排除される．あらかじめ病原体あるいはその成分を接種することで人工的に一次免疫応答を起こし，その病原体に対する免疫を記憶させることがワクチン接種の基本原理である．一次免疫応答を誘導する人工的な抗原がワクチンであるが，トキソイドの原理より，ワクチンの非常に重要な事柄がわかる．すなわち，抗体によってタンパク質毒素を中和するのに毒性部分（毒性を引き起こす構造）は必ずしも必要がないということである．つまり，病原性物質また病原性微生物に対する免疫応答には，必ずしも病原性の原因となる成分や構造は必要ない．ワクチン開発の最も大切なことは病原体の毒性を極力抑えながら，病原体を迅速かつ効率的に排除する二次免疫応答を誘導することである．

C ワクチンとしての抗原

予防接種のためのワクチンとして用いる抗原を病原体から調製する場合，①免疫効果が大きいこと，②安全であり，無害であること，③ワクチンとして必要な量の抗原が得られること，という条件を満たさなくてはならない．

免疫効果の面からみると，抗原は生きた病原体のほうが不活化させたものより効果的なものが多いが，安全性の面からみると不活化させたものがより安全であるといえる．調製する抗原の状態からワクチンは次のように分類される（**表 11-1**）．

表 11-1 ワクチンの比較

ワクチンの種類	生ワクチン	不活化ワクチン[1]	mRNA ワクチン，ウイルスベクターワクチン
ワクチンの本体	免疫原性を有し，病原性を非常に弱くした病原体	免疫原性を維持したまま，感染性を失わせた病原体またはタンパク質	病原体の抗原タンパク質に対応する遺伝子
接種法[2]	皮下接種，経口接種	皮下接種，筋肉内接種	筋肉内接種
誘導される免疫	体液性免疫：IgG 細胞性免疫：$CD8^+$ 細胞傷害性T細胞	体液性免疫：IgG	体液性免疫：IgG 細胞性免疫：$CD8^+$ 細胞傷害性T細胞
アジュバント[3]	不必要	必要	不必要
現在使用されている主なワクチン	麻疹，風疹，流行性耳下腺炎（おたふくかぜ），水痘，結核（BCG），ロタウイルス	日本脳炎，インフルエンザ，百日咳，ジフテリア，破傷風，ポリオ，ヒトパピローマウイルス	COVID-19

1) 不活化ワクチンのなかにはトキソイドが含まれる．
2) 多くの国では皮下接種でなく筋肉内接種が行われている．
3) アジュバントは抗原と同時に接種すると免疫応答を増強する物質である．

1)　生ワクチン

生ワクチンは文字どおり生きた病原体を弱毒化して接種することである．ジェンナーが用いた牛痘は生きたウイルスであり，典型的な生ワクチンである．しかし，前述したとおり牛痘はヒトに感染しても強い症状を現さない．しかし感染防御に必要な免疫応答を引き起こす抗原性をもっている．これが，弱毒生ワクチンの特質である．生ワクチンは体液性免疫に加えてキラーT細胞（細胞傷害性T細胞：CTL）による細胞性免疫を誘導するので，細胞のなかに入り込むウイルスや結核菌に対して効果を発揮する．生きている弱毒病原体を接種した場合は，不活化ワクチンの場合に比べて野生型の病原体に自然に感染した状態に近く，感染防御に十分な免疫応答を得ることができる．

2)　不活化ワクチン

ホルマリンなどの不活化剤で処理すると，増殖能力を消失しているが，抗原性を保持している病原体を得ることができる．これを不活化ワクチンという．不活化ワクチンでは，体液性免疫は誘導されるが，キラーT細胞による細胞性免疫は誘導されにくい．なお，成分ワクチンは微生物から分離された感染防御抗原を含むワクチンであり，不活化ワクチンに分類される．

3)　トキソイド

前述したように，毒性を失っているが，中和抗体の産生に必要な抗原決定基を保持しているタンパク質毒素を指す．不活化ワクチンに分類される．破傷風やジフテリアの毒素をホルマリンで処理すると往々にして塩基性アミノ酸の1つであるリシン残基のε-アミノ基が修飾されて無毒化される（**図11-1**）．一方，ホルマリンの影響を受けなかった抗原決定基は体液性免疫を刺激して抗体産生を誘導する．ジフテリア毒素では多くの抗原決定基は毒素が標的細胞に結合する部分にあるので，中和抗体は毒素の細胞結合部分に結合して，標的細胞に結合するのを防ぐ（**図11-2**）．

4)　mRNAワクチンおよびウイルスベクターワクチン

病原体の抗原タンパク質をコードするmRNAや遺伝子を接種することで，組織

アジュバントと抗原性

アジュバントadjuvantは抗原と混合して生体に接種することにより，接種した抗原に対する免疫応答を増強する物質である．
その作用は以下のように分類される．

① 抗原を吸着して抗原提示細胞への取り込み作用を高める．
② 抗原を局所に長期間とどめて徐々に放出することで抗原刺激を持続させる．
③ 直接，免疫担当細胞を活性化する．

現在，ヒトで用いられているのは，水酸化アルミニウム，リン酸アルミニウムなどのアルミニウム塩と3-脱アシル化-4′-モノホスホリルリピドAである．前者は主として体液性免疫を誘導するのに対して，後者は主として細胞性免疫を誘導する．しかしながら，アジュバントの抗原性へ及ぼす効果はいまだ未解明な点が多く現在でも研究対象である．

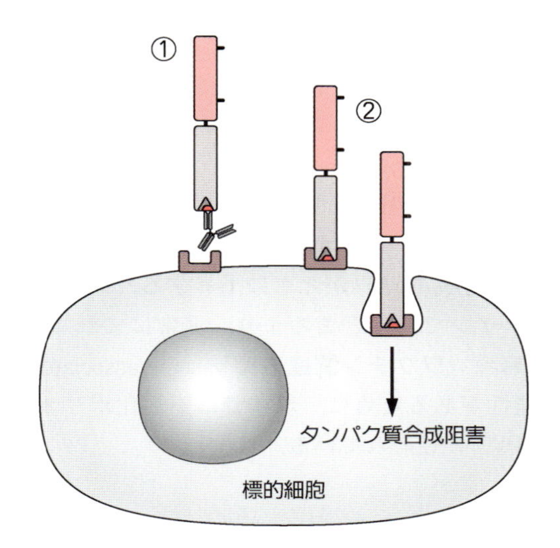

図 11-2 抗体によるジフテリアトキシンの結合の阻害

①図 11-1 のジフテリアトキソイドにより産生された抗体は，実際に毒性をもつジフテリアトキシンが入ってきても，標的細胞とジフテリアトキシンの結合を妨害する．その結果，抗毒素作用を示す．

②抗体が存在しない場合，ジフテリアトキシンは標的細胞と結合して，細胞に取り込まれ，最終的には細胞のタンパク質合成を阻害して，細胞が死にいたる．

細胞がこれらを取り込んで，その遺伝情報からタンパク質がつくられ，これが体内で抗原となり免疫担当細胞を活性化する．抗原タンパク質をコードする mRNA を脂質でできた微小粒子に封入して接種する．ウイルスベクターワクチンは，ヒトに対して無毒性または弱毒性のウイルスベクター◆に目的の抗原タンパク質をコードする DNA を組み込んだ組換えウイルスを製剤化したものである．これらのワクチンは体液性免疫だけでなく，細胞性免疫も誘導する．

◆**ウイルスベクター**
ベクターとは外来性の遺伝子を外から宿主細胞に運ぶ遺伝子のことである．ベクターの特徴は「人為的に外来遺伝子を組み込める」「宿主の染色体とは独立して複製できる」ことである．アデノウイルスなどのウイルス遺伝子をベクターとして利用する場合，ウイルスベクターという．

D 予防接種に用いられるワクチン

1) 予防接種の種類

個人の感染を予防するのを目的とするものと集団の感染を予防するのを目的とするものの 2 種類の予防接種がある．集団に予防接種を行うことで，集団免疫を獲得することは公衆衛生学的に重要である．このことは，天然痘の撲滅や，わが国において集団予防接種実施以降ポリオの発生が激減したことからも明白である．予防接種法に基づいて国が責任をもって接種をすすめている「定期接種」(「付録 1」(p283) 参照）と感染症流行の状況に応じて接種したほうがよい「任意接種」がある*.

* 定期接種は公費補助を受けて実施される．一方，任意接種は希望者を対象としているので，費用は個人負担となる．

2) ワクチン各論

a. ポリオワクチン

ポリオ（急性灰白髄炎）とは急性弛緩性麻痺（かつては小児麻痺）を起こす疾患である．病原体はピコルナウイルス科 *Picornaviridae* に分類される RNA ウイルスである．抗原性の異なる 1〜3 型の 3 種類のウイルスが存在する．ポリオウイルスは経口感染により，咽喉や小腸粘膜で増殖して血流に入る．血液の循環を介してウイルスの一部が脊髄を中心とする中枢神経系に到達して，運動神経細胞に感染し，脊髄前角炎を起こす．その結果，患者は典型的なポリオ症状を呈する．現在でもポリオに対する有効な治療法はないので，ポリオワクチンの予防接種により感染を防ぐことがきわめて重要である*.

かつてわが国では経口生ワクチンが使用されていた．この生ワクチンは1〜3型の弱毒ポリオワクチンが混合されており，ポリオウイルスに対する血清中の中和抗体（IgG）および腸管内の分泌型抗体（IgA）がともに上昇するために感染防御効果は絶大である．しかし生ワクチンであるところより，非常にまれではあるが，ワクチン株によるポリオ様の麻痺（**ワクチン関連麻痺** vaccine associated paralytic polio：**VAPP**）が発生する可能性があるために，現在では不活化ポリオワクチン inactivated poliovirus vaccine（IPV）が使われている．

* わが国ではポリオワクチンの導入（1961年輸入ワクチンの緊急接種，1963年定期接種開始）により1980年を最後に通常の感染によるポリオは発生していない．

b.　インフルエンザワクチン

インフルエンザ（流行性感冒）は呼吸器系感染症であり，発熱，悪寒・戦慄，倦怠感，関節痛を伴う．病原体はオルトミクソ科 *Orthomyxoviridae* のRNAウイルスである．インフルエンザウイルスは飛沫感染し，吸入されると気道粘膜の上皮細胞に付着し，増殖する．インフルエンザウイルスにはコアタンパク質◆の抗原性の違いにより，A型，B型，C型の3種類のウイルスが存在する．これらのうち，A型とB型が年に1回，主に冬季に流行する．インフルエンザウイルスのエンベロープ◆には**赤血球凝集素** hemagglutinin（**HA**）と**ノイラミニダーゼ** neuraminidase（**NA**）の2種類のスパイクがある．A型インフルエンザウイルスのHAには16の亜型（H1〜H16）とNAには9の亜型（N1〜N9）が存在し，このうちH1N1, H2N2, H3N2のウイルス株がこれまでに世界的な流行をしている．インフルエンザウイルスは上皮細胞表面に存在するシアル酸を含む糖鎖にHAが結合することで，細胞表面に付着する．その後，ウイルス粒子はエンドサイトーシスされて，エンドソームとウイルスのエンベロープが融合する．その結果，ウイルスの遺伝子が細胞質ゾルに放出される．遺伝子は細胞質ゾルから核へ移行し，そこで複製されると同時に，この遺伝情報に基づいてHAやNAを含むウイルスタンパク質が合成されて，子孫のウイルスとして細胞膜から出芽する（**図11-3a**）．ウイルス粒子が放出されるためには，NAが必要である．HAに対する抗体はウイルスの付着を阻害して，ウイルスの細胞への侵入を防ぐ．またNAに対する抗体は子孫ウイルス粒子が細胞から放出されるのを防ぐ（**図11-3b**）．

わが国で使用されているインフルエンザワクチンは，エーテルでウイルスを処理して発熱物質などとなる脂質成分を除き，ウイルス粒子表面のHAを密度勾配遠沈法により回収してHAを主成分とした不活化ワクチンである．わが国では，毎年インフルエンザ流行の終わりごろにWHOからの情報および日本国内の流行情報などに基づいて，次のシーズンのワクチン株が選定され，製造にとりかかる．現在はA型のH3N2とH1N1およびB型の山形系統株とビクトリア系統株計4種のインフルエンザウイルスが，世界中で共通した流行株となっているので，原則としてインフルエンザワクチンはこの4種類を混合している．

◆コアタンパク質　ウイルスの中心をなす核酸（DNAまたはRNA）に会合しているタンパク質．

◆エンベロープ　ウイルスの核酸，コアタンパク質を包む膜であり，真核細胞の細胞膜に相当する．リン脂質，タンパク質，糖などから構成される．

薬剤耐性インフルエンザウイルス
インフルエンザ発症初期の患者には，NA活性を阻害するオセルタミビル（商品名：タミフル）とザナミビル（商品名：リレンザ）が治療薬として使用されている．しかし，オセルタミビルに対して耐性をもつウイルスが出現しており，ワクチンの接種によるインフルエンザ予防の重要性が増している．

a. インフルエンザウイルスのライフサイクル

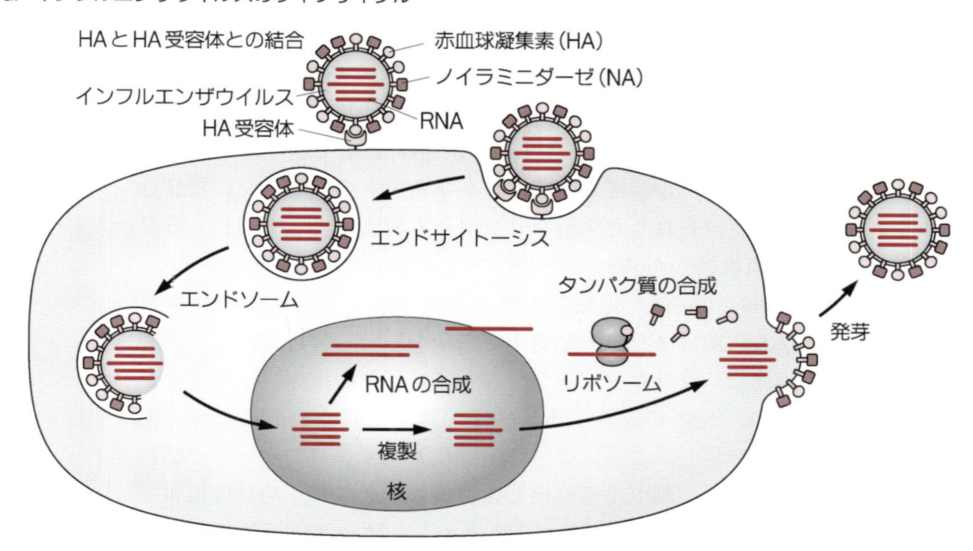

b. 抗インフルエンザウイルス抗体の作用

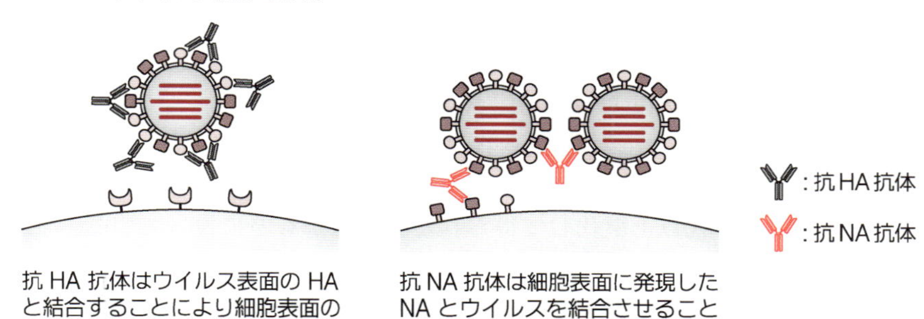

抗HA抗体はウイルス表面のHAと結合することにより細胞表面のHA受容体（シアル酸を含む糖鎖）との結合を妨害する

抗NA抗体は細胞表面に発現したNAとウイルスを結合させることにより新たに形成されたウイルスの放出を防ぐ

c. インフルエンザウイルスの増殖と免疫応答

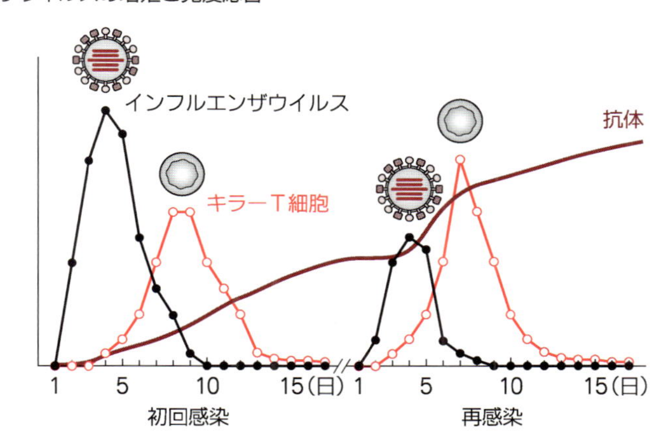

図 11-3　インフルエンザウイルスの感染と抗インフルエンザウイルス抗体の作用

インフルエンザウイルスは感染後3〜4日で最大の増殖に到達する．このとき，体液性免疫と細胞性免疫応答が始まる．活性化T細胞数は感染後6〜10日でピークとなる．その後，活性化T細胞数は減少し，一部は記憶細胞として残る．一方，抗体濃度は上昇し，その後長期間維持される．再感染時は，増殖するウイルス量は減り，初回感染にみられる発熱や下気道感染などの重篤な症状は現れない．現在使用している不活化インフルエンザワクチンは体液性免疫のみを誘発するが，これによって得られる抗体はウイルスの感染・増殖を低下させ，発症しても上気道の軽い炎症を起こす程度に抑える．

c. BCG（Bacille Calmette-Guérin：弱毒化ウシ型結核菌）ワクチン

結核は経気道感染する疾患である．病原体は結核菌 *Mycobacterium tuberculosis* である．結核菌は抗酸性染色法により染色される桿菌で，芽胞，鞭毛，莢膜はつくらない．結核菌の細胞壁には多種類の脂質が多量に含まれ，これらの脂質が感染初期にマクロファージや NK 細胞を活性化し，IFN-γ や TNF を産生して防御能力を高める．気道に入った細菌の一部が深部の肺胞に存在するマクロファージに貪食される．通常，マクロファージは貪食した細胞をリソソーム酵素によって消化・殺菌するが，結核菌はこの殺菌機構から逃れてマクロファージ中で増殖する（3章-3. F「細胞内寄生細菌」（p57）参照）．死滅したマクロファージは，ほかのマクロファージによって貪食され，菌はまたその細胞中で増殖を続け，肺に定着し，初感染病巣を形成する．この間に，マクロファージによって結核菌の抗原提示を受けたT細胞が特異的に感作され，免疫が成立する．感作T細胞は抗原刺激によって多種類のインターロイキンを産生し，これによって活性化したマクロファージが結核菌の局在する病巣部分に集積し，類上皮細胞肉芽腫組織が形成され，病巣は被包され，やがて乾酪化◆に陥る．多くの場合はこのまま治癒し，結核菌に抵抗性を獲得する．初感染時に，菌の毒力が強いか，または個体の抵抗性が弱いと初期変化が治癒に向かわず，結核菌は所属リンパ節に運ばれ，リンパ節病巣をつくり，肺門リンパ節結核，頸部リンパ節結核および結核性胸膜炎を発症する．結核菌感染に引き続き初期に発病する結核は一次結核と呼ばれる．

◆**乾酪化（乾酪変性）**
凝固壊死の特別な型．死滅した組織がもろく，色は淡橙黄色で，チーズのようにみえる．

結核の予防接種に用いられる BCG ワクチンはフランス・パスツール研究所のカルメット Calmette とゲラン Guérin が強毒のウシ型結核菌をウシ胆汁グリセリン・馬鈴薯培地で 13 年間，230 代以上継代して得られた弱毒株がもとになっている．BCG ワクチン接種により惹起される免疫は，主に小児における重症結核（粟粒結核や結核性髄膜炎）の予防に有効である．

d. DPT-IPV（ジフテリア・百日咳・破傷風・不活化ポリオ）ワクチン

ジフテリア Diphtheria はジフテリア菌 *Corynebacterium diphteriae* の感染によって生じる上気道粘膜疾患である．感染した菌から産生された毒素により昏睡や心筋炎などの全身症状が起こると死亡する危険が高くなるが，致死率は平均 5～10％とされている．

百日咳 Pertussis は百日咳菌 *Bordetella pertussis* によって惹起される急性気道感染症であり，頑固な咳嗽(がいそう)発作と吸気性の喘鳴を主な病状とする．

破傷風 Tetanus は破傷風菌 *Clostridium tetani* が産生する神経毒素（破傷風毒素）により強直性痙攣を引き起こす感染症である．破傷風菌は芽胞の形で土壌中に広く常在し，創傷部位から体内に侵入する．侵入した芽胞は感染部位で発芽・増殖して破傷風毒素を産生する．致死率は約 30％である．

DPT ワクチンはジフテリア毒素および破傷風毒素をホルマリン処理して得られたトキソイドに，百日咳菌から精製した繊維状赤血球凝集素 filamentous hemagglutinin（FHA）および百日咳毒素を主成分とする抗原を混ぜた溶液に**アジュバント**としてアルミニウム化合物を加え，不溶化したものを接種する．この結果，抗原がアジュバントに吸着し抗原提示細胞に認識される確率が高くなる．現在では DPT ワクチンは不活化ポリオワクチン（IPV）と混合され，DPT-IPV ワクチン（4 種混合ワクチン）として供給されている（「付録 1」（p283）参照）.

e. 風疹ワクチン

風疹は，発熱，発疹，リンパ節腫脹を特徴とする感染症であり，「三日はしか」とも呼ばれる．病原体は風疹ウイルスで，トガウイルス科 *Togaviridae* に属する RNA ウイルスであり，飛沫感染する．妊娠初期の妊婦が風疹ウイルスに感染すると胎児に感染する．この結果，胎児に先天性異常を含むさまざまな症状を呈する先天性風疹症候群が起こる．この先天性風疹症候群予防のために，妊娠可能年齢およびそれ以前の女性に対する感染阻止が重要な疾患である．風疹ワクチンは弱毒生ワクチンである．

風疹ワクチンの歴史　1977 年から女子中学生を対象とする風疹の予防接種が開始された．これは，将来予想される妊娠時の風疹ウイルス感染の防御を企図したもので，先天性風疹症候群罹患の新生児の出生を抑えることが目的であった．しかし，この接種法では小児の感染を抑制できない欠点があったので，1994 年の予防接種法改正以来，その対象は生後 12～90 ヵ月未満の男女とされた．また，2006 年度からは麻疹とともに 2 回接種種制度（第 1 期：1 歳児，第 2 期：小学校入学前 1 年間の幼児）が導入された．

f. 麻疹ワクチン

麻疹は「はしか」とも呼ばれ，発病初期には発熱，咳，倦怠感，下痢を伴うカタル症状を呈し，その後，赤い発疹を伴う発熱を特徴とする感染症である．病原体は麻疹ウイルスであり，パラミクソ科 *Paramyxoviridae* に属し，直径 100～250 nm のエンベロープを有する一本鎖 RNA ウイルスである．麻疹ウイルスは経気道感染をし，咽頭上皮細胞で増殖する．その後，扁桃や付属のリンパ節で増殖して，全身に広がる．合併症として，肺炎，中耳炎などがあるが，とくに重篤なものが麻疹後脳炎である．以前は致死率が約 5% であったが現在では 0.1～0.2% と低下している．しかし，合併症率は約 30%，入院率約 40% であり，重篤な疾患であることには変わりない．麻疹ワクチンは弱毒生ワクチンである．

g. 日本脳炎ワクチン

日本脳炎は日本脳炎ウイルスによって起こるウイルス感染症であり，ヒトに重篤な急性脳炎を起こす．日本脳炎ウイルスはフラビウイルス科 *Flaviviridae* に属する．日本脳炎ウイルスはブタの体内で増殖され，主にコガタアカイエカによって媒介される．感染しても発症する割合はきわめて低いが（0.1%），致死率は 20～40% と高く，治癒しても重篤な精神神経学的後遺症が残ることが多い．日本脳炎ウイルスは 1935 年ヒトの感染脳からはじめて分離された．ワクチンは日本脳炎ウイルス（北京株）を培養細胞（Vero 細胞）で培養し，増殖したウイルスを精製してホルマリンで不活化したものである．このワクチンの有効性は高く，感染予防に効果的である．

h. B 型肝炎ワクチン

B 型肝炎の病原体は B 型肝炎ウイルス hepatitis B virus（HBV）でヘパドナウイルス科 *Hepadnaviridae* に属し，エンベロープをもつ DNA ウイルスである．HBV は血液や性的接触を介して感染する．1～6 ヵ月の潜伏期を経て全身倦怠感，悪心・嘔吐などの症状に続いて黄疸を呈す．この後，約 1% が劇症肝炎になるが，大部分はウイルスが排除されて治癒する．母子感染や乳幼児感染の場合は持続感染が成立して，無症候性ウイルス保有者（キャリアー）になりやすい．キャリアーは成人になってから肝硬変や肝細胞がんに進展する危険性がある．このため，B型肝炎ワクチンは1985年から開始された「B型肝炎母子感染防止事業」において重要な役割を果たしている．HBVの抗原にはHBs, HBeおよびHBcがあるが，HBsはエンベロープタンパク質である．またHBeとHBcはウイルス内部のコアタンパク質である．B型肝炎ワクチンはHBsの成分ワクチンである．以前はHBsはHBV感染患者の血液から精製していた．現在ではHBsをコードする遺伝子を組み込んだ発現ベクターを酵母細胞または哺乳類細胞に導入して，これらの細胞にHBsをつくらせる．このHBsを精製してワクチンとして用いている．B型肝炎ワクチンは母子感染防止事業以外に医療従事者，キャリアーの配偶者・婚約者などの感染高危険群を対象に接種されている．2016年10月よりすべての乳児にB型肝炎ワクチンを接種するようになった（「付録1」（p283）参照）．

i.　水痘ワクチン

水痘は，ヘルペスウイルス科 *Herpesviridae* に属する水痘帯状疱疹ウイルスによって起こる急性の感染性疾患である．ウイルスは気道粘膜から侵入し，鼻咽頭の侵入部位と所属リンパ節にて増殖した後，全身に発疹ができ，紅斑，丘疹を経て短時間で水疱となる．このウイルスは脊髄の神経節に潜伏感染する．潜伏したウイルスは宿主の抵抗力が低下したときに回帰感染して，感染した神経が支配する組織に水疱性病変をきたす．ワクチンは弱毒化した水痘帯状疱疹ウイルスを凍結乾燥した生ワクチンである．以前の接種対象は悪性腫瘍やネフローゼ症候群◆により免疫が低下して，水痘が重症化する可能性のある患者であったが，現在では健康な小児（1歳以上の未罹患者）も対象となっている．水痘ワクチン接種は非常に効果的であり，小児の水痘を約85％予防し，中等度から重症の水痘に関しては100％近く予防する．

◆ネフローゼ症候群
腎機能が損なわれて，多量の血液中のタンパク質が尿中に排泄され，血液中のタンパク質が極度に不足する病的状態．症候群は同じ症状を示す病気が多数あることを指す．

j.　b型インフルエンザ菌（Hib）ワクチン

インフルエンザ菌 *Haemophilus influenzae* は，パスツレラ科 *Pasteurellacae* に属するグラム陰性菌である．この菌は莢膜多糖体をもち，肺炎や細菌性髄膜炎を起こす．乳幼児の髄膜炎を起こすインフルエンザ菌株としては，*H. influenzae type b*（Hib）がほとんどである．乳幼児の髄膜炎は発症すると約5％が死亡し，約25％に障害が残る．この重篤なHib感染症を予防するために，Hibの多糖体と破傷風トキソイドを結合させたHibワクチンが開発され，定期接種される．

k.　ヒトパピローマウイルス（HPV）ワクチン

ヒトパピローマウイルス human papillomavirus（HPV）は環状二本鎖DNAを遺伝子としてもつウイルスであり，接触感染により伝播する．HPVが原因となる疾患は尖圭コンジローマや子宮頸がんなどがある．子宮頸がんは，女性のがんとしては乳がんに次いで多いがんである．HPVワクチンの使用によって，子宮頸がんの約70％が予防できることが疫学調査で明らかになった．HPVには多種類のウイルス型があるが，がんとの関連の程度によってハイリスク型とローリスク型に分類される．ハイリスク型のウイルスの殻を構成するタンパク質（L1カプシド）を遺伝子工学的に調製し，ワクチンとして定期接種されている．

l. 肺炎球菌ワクチン

肺炎球菌（肺炎レンサ球菌）*Streptococcus pneumoniae*（SP）はグラム陽性球菌である．SP の莢膜を構成する多糖体が病原性を規定する．その抗原性の違いから約 90 種類の血清型 SP が存在する．SP に対するワクチンは莢膜多糖体を抗原として用いている．23 種類の多糖体抗原の 23 価 SP 莢膜多糖体ワクチン（商品名：ニューモバックス NP）と 13 種類の多糖体に無毒化ジフテリア毒素を結合させた抗原の 13 価 SP 莢膜多糖体結合型ワクチン（商品名：プレベナー 13）があり，23 価ワクチンは高齢者に，13 価結合型ワクチンは小児に定期接種されている（「付録 1」（p283）参照）．

23 価ワクチンの多糖体は，抗原エピトープが繰り返し構造をとるので，B 細胞抗原受容体（BCR）を架橋することで，B 細胞を強く刺激することができる．そのため，B 細胞の活性化にヘルパー T 細胞が必要でない（T 細胞非依存性抗原）．13 価結合型ワクチンは，T 細胞依存性抗原であり，ヘルパー T 細胞が活性化されて，B 細胞の分化・増殖，クラススイッチが起こり，記憶 B 細胞および長寿命形質細胞が形成される．

> **スギ花粉症の舌下免疫療法**　スギ花粉による I 型アレルギー疾患（スギ花粉症）の有病率は約 25％であり，国民病と呼ぶのにふさわしい状態にある．スギ花粉症では，アレルギー症状惹起後，薬物による対症療法を行うのが主流であるが，根治が期待できるのは減感作療法である．
>
> スギ花粉舌下錠（商品名：シダキュア）1 錠を舌下に 1 分間保持し，飲み込む．その後 5 分間はうがい・飲食を避ける．開始後 1 週間は低濃度の錠剤を 1 日 1 回，2 週目以降は高濃度の錠剤を 1 日 1 回服用する．スギ花粉の飛散が始まる 3 ヵ月以上前からの治療を開始するのが効果的である．

m. 新型コロナウイルス感染症（COVID-19）ワクチン

COVID-19 に対しては，mRNA ワクチンとウイルスベクターワクチンが接種されている．mRNA ワクチンは，脂質ナノ粒子に抗原となる SARS コロナウイルス 2（SARS-CoV-2）のスパイクタンパク質に対応する mRNA を封入した注射剤である．注射された mRNA が局所の筋肉細胞などに取り込まれ，翻訳されることにより，スパイクタンパク質が細胞内で産生され，抗原特異的免疫応答が起こる（**図 11-4a**）．

ウイルスベクターワクチンは SARS-CoV-2 スパイクタンパク質の遺伝子を組み込んだ無害なアデノウイルスを製剤にしたものである．これを筋肉に注射する．筋肉細胞に感染したアデノウイルスがスパイクタンパク質を細胞内で産生させ，免疫を誘導するようにデザインされている（**図 11-4b**）．これまでのワクチンのように，抗原を直接接種して免疫を惹起するのではなく，接種した組織の細胞で合成された抗原が免疫を誘導する新しいタイプのワクチンである．

2. 免疫賦活化療法

ヒト体内では毎日多数の腫瘍細胞が発生していると考えられているが，腫瘍細胞が細菌やウイルスのようになんらかの抗原性を示す限り，体内の免疫監視システムが作動し，腫瘍細胞を破壊して，増殖を抑制している（9 章-4「がん（悪性腫瘍）」（p148）参照）．腫瘍細胞のような宿主の異常な細胞を認識して除去する免疫を腫瘍免疫と呼んでいる．しかし，それにもかかわらず腫瘍細胞が増殖するのは免疫監視システムを巧妙に回避する機構が腫瘍細胞に備わっているからである．免疫賦活化療法は宿主（患者）の体内に発生した腫瘍細胞を破壊するこのような腫瘍免疫を種々の方法で人為的に活性化してがん治療に応用したものである．この療法はがん治療の領域では主要な外科療法，化学療法，放射線療法を補うものとして注目されている．

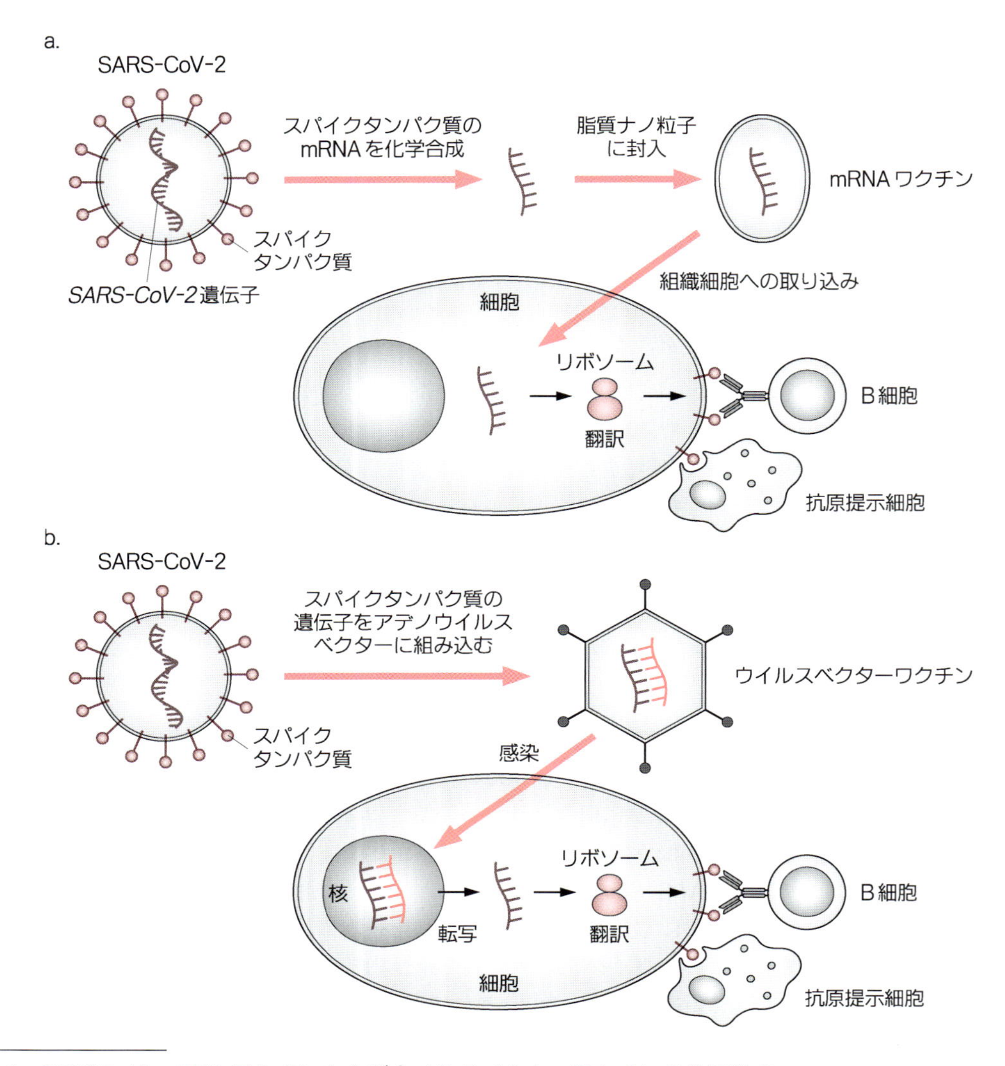

図 11-4　COVID-19 mRNA ワクチンおよびウイルスベクターワクチンの作用機序

a.　SARS-CoV-2のスパイクタンパク質（抗原タンパク質）のmRNAを化学合成して，脂質ナノ粒子に封入する．この粒子がmRNAワクチンであり，筋肉内に接種される．脂質ナノ粒子のmRNAは組織の細胞に取り込まれて，細胞内のリボソームで翻訳され，スパイクタンパク質が合成される．スパイクタンパク質は細胞表面に移行して，B細胞や抗原提示細胞に認識され，特異的な免疫反応が起こる．

b.　スパイクタンパク質の遺伝子をアデノウイルスのDNAに組み込み，これを接種する．アデノウイルスは組織の細胞に感染して，核内で転写が起こり，スパイクタンパク質のmRNAが合成される．後はmRNAワクチンと同じ過程を経て，免疫反応が起こる．

A　代表的な免疫賦活化療法

免疫賦活化療法には，免疫力を賦活する薬物を投与する生体応答調節薬（BRM）療法，免疫反応経路を刺激するためにサイトカインを投与する抗原非依存性サイトカイン療法，患者から取り出した免疫担当細胞を活性化して，体内に戻す細胞免疫療法（養子免疫療法）などがある．

表 11-2　主な BRM の作用と適用

BCG	弱毒化ウシ型結核菌である BCG は 1970 年に黒色腫の治療に用いられて以来 BRM による治療の草分け的存在である．膀胱がんの第 1 選択薬として用いられる
OK-432	溶血性レンサ球菌からつくられた薬であり，好中球，NK 細胞，マクロファージなどを賦活化し，抗腫瘍活性を誘導する．胃がん，肺がん，頭頸部がん，甲状腺がんなどに適用される
PSK	カワラタケ（サルノコシカケ）の菌糸体より抽出したタンパク質と多糖との複合体である．キラー T 細胞の誘導や NK 細胞の活性化作用があることが報告されている．胃がんや結腸がんの切除手術後に適用される
レンチナン	シイタケより抽出された多糖である．キラー T 細胞，NK 細胞，マクロファージを活性化すると考えられている．手術不能または再発胃がんに用いられる
シゾフィラン	スエヒロタケの菌糸体より抽出された多糖である．腫瘍局所へのマクロファージや T 細胞の浸潤を増強する作用があるとされる．子宮頸がんの放射線療法に併用される

1）生体応答調節薬（BRM）療法

細菌やウイルスなどの微生物に対する宿主の初期の免疫応答である自然免疫では，好中球やマクロファージなどの食細胞が主要な役割を果たす非特異的反応と考えられてきた．また，トキソイドなどのタンパク質抗原に対する体液性免疫誘導を動物で起こすには死滅細菌や細菌の成分を鉱物油に混ぜたアジュバントが効果的である．細菌や細菌の成分が免疫系の細胞を活性化することが知られていた．結核の弱毒生ワクチンである BCG が膀胱がんや悪性黒色腫に有効であるという報告を端緒にして，結核菌の細胞壁の細胞壁骨格成分やその他の細菌の成分が宿主（患者）固有の免疫系を活性化してがんを排除する目的で使用された．これらの薬は生体応答調節薬 biological response modifier（BRM）と呼ばれる．BRM の代表的なものは BCG のほかに，OK-432，PSK，レンチナン，シゾフィラン，ウベニメクスがある．

BRM の作用機序としては，①免疫担当細胞の活性化，②腫瘍免疫に関係するサイトカインの分泌誘導，③腫瘍細胞への直接作用，④免疫抑制作用への拮抗，があげられる．

アジュバント成分である微生物成分がマクロファージや樹状細胞の活性化や成熟化に重要な分子が Toll 様受容体（TLR）ファミリーのリガンドであることが明らかにされた．微生物の成分は TLR を介してマクロファージや樹状細胞などの抗原提示細胞の活性化と成熟化を制御する．病原性微生物はヒトを含む宿主には存在しない特有の分子パターンをもつ（3 章-2. Ⓓ「パターン認識受容体」（p45）参照）．これら分子が TLR により認識され，免疫担当細胞の活性化を導く．BCG の免疫担当細胞の活性化には TLR9 と結合する非メチル化 CpG DNA が関係していることが明らかになった．主な BRM の作用と適用を**表 11-2** に概説する．

2）サイトカイン療法

サイトカインのなかには免疫担当細胞を活性化あるいは増殖させる作用があるものがある．また，腫瘍細胞に直接作用して殺傷するものもある．これらの性質を利用して抗がん薬として用いられる．

a. インターロイキン 2（IL-2）

IL-2 は T 細胞を増殖する物質として同定されたが，その後 NK 細胞が腫瘍細胞を破壊する作用を増強することが明らかになった．IL-2 を直接投与して，体内の腫瘍細胞を殺傷する方法と，患者のリンパ球を体外で IL-2 とともに培養して体内に戻す方法（細胞免疫療法の LAK 療法）がある．腎がん，悪性血管内皮細胞腫の治療に適用される．

b. インターフェロン（IFN）

IFN はウイルスに感染した細胞が分泌するタンパク質である．IFN には α, β, γ の 3 種類がある．IFN の作用には直接腫瘍に作用する場合と，免疫担当細胞を活性化させることにより腫瘍を縮退させる間接作用がある．IFN-α は主として腎がんの治療に適用される．

3）細胞免疫療法

これまで試みられてきた免疫細胞を用いた治療法について概説する（15 章-4.「がんの免疫療法」（p273）参照）．

a. リンホカイン活性化キラー細胞 lymphokine activated killer cell（LAK）療法

がん患者の血液からリンパ球を取り出し，リンホカイン（サイトカイン）の 1 種である IL-2 を加えて培養すると，キラー T 細胞（細胞傷害性 T 細胞：CTL）以外に腫瘍細胞に対して殺傷力のある NK 細胞を活性化させ，増殖させる．IL-2 で腫瘍細胞に対する殺傷能力を増したキラー T 細胞，NK 細胞を患者の体内に戻すと，活性化リンパ球が患者の体内の腫瘍細胞を破壊する．

b. 腫瘍組織浸潤リンパ球 tumor-infiltrating lymphocyte（TIL）療法

腫瘍組織に浸潤しているリンパ球は腫瘍細胞に特異的なリンパ球の存在頻度が高いので，宿主（患者）から切除した腫瘍に浸潤しているリンパ球を IL-2 とともに培養して，患者に注入する．

c. 樹状細胞 dendritic cell（DC）療法

腫瘍関連抗原に特異的な T 細胞を効率的に活性化するには，非常に強力な抗原提示細胞である DC が必要である．患者由来の DC を腫瘍溶解物，腫瘍抗原，または腫瘍抗原ペプチドと *in vitro* で反応させて，再び患者の体内に戻して腫瘍に特異的なキラー T 細胞を誘導させることを期待した治療法である（**図 11-5a**）．DC は体内に広く分布しているが，末梢血の白血球には約 1％しか含まれていない．この療法には大量の DC が必要なので，以前は治療に困難が伴った．しかし，血液から DC 前駆細胞（$CD14^+$ 単核球）を大量に採取する技術が発達するとともに，DC 前駆細胞を IL-4 や GM-CSF とともに培養することで，DC に分化させ，さらに増殖させることができるようになった．

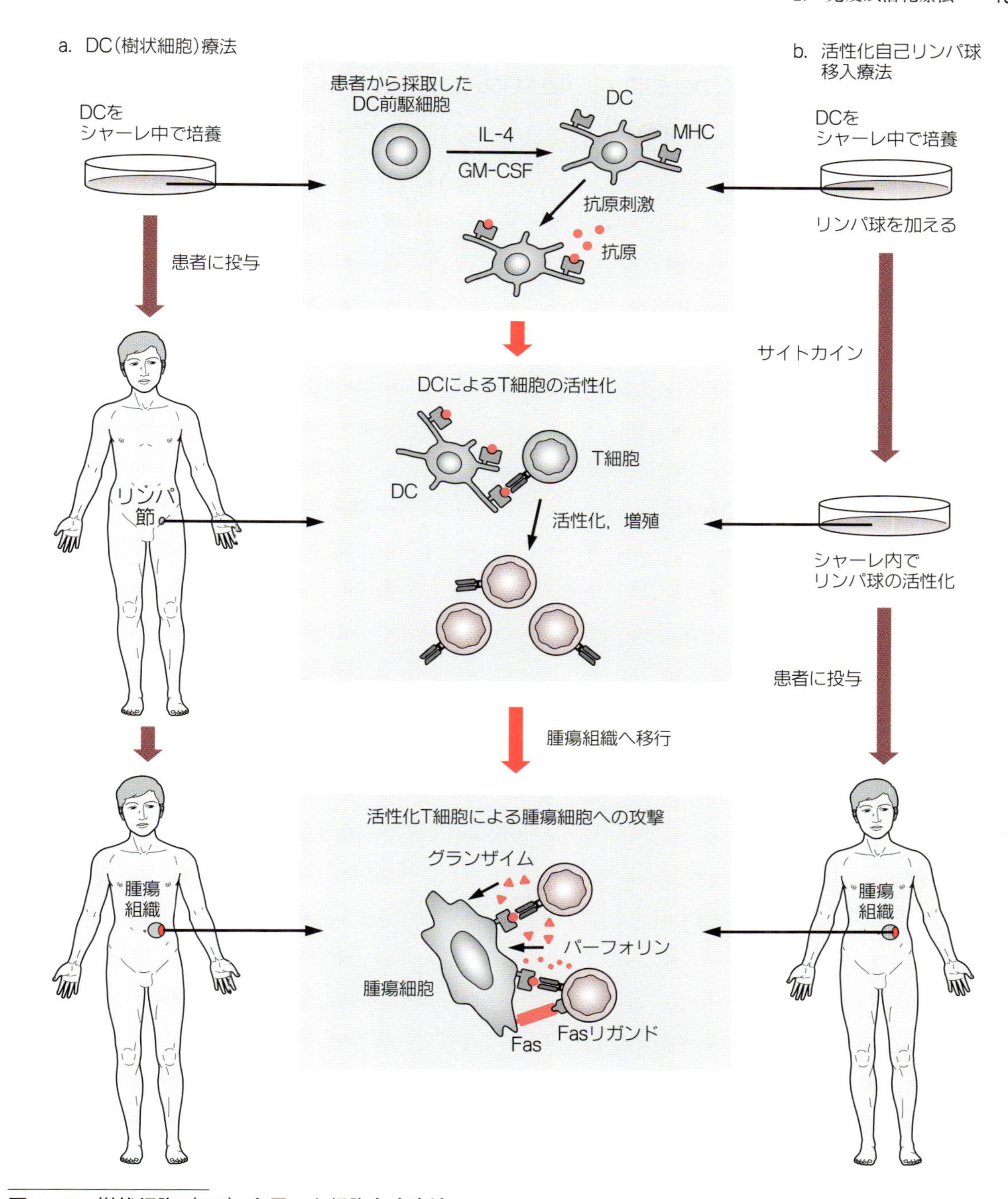

図 11-5 樹状細胞（DC）を用いた細胞免疫療法

d. 活性化自己リンパ球移入療法

腫瘍関連抗原に特異的な患者由来の T 細胞の活性化を *in vitro* で行い，活性化されたキラー T 細胞をサイトカインとともに培養し増殖させる．キラー T 細胞を点滴により患者の体内に戻す．キラー T 細胞は腫瘍組織に集中して腫瘍組織を殺傷する．T 細胞の *in vitro* での活性化には DC 療法の項で述べたように，患者の血液から採取した細胞から誘導した DC を用いる（**図 11-5b**）．

12 免疫と妊娠，老化

われわれの体内においてはいたるところで，免疫反応が起こり，外部からの異物の侵入を防いでいる．さらにわれわれが誕生して，死を迎えるまで，免疫反応は起こり続ける．そこで本章では，免疫と妊娠，老化という点にスポットをあて，人間の生涯における免疫反応の変化をみていく．

1. 免疫と妊娠

A なぜ拒絶反応が起こらないのか

妊娠すると，父親由来の遺伝子と，母親由来の遺伝子をもった胎児ができる．すなわち，母親由来の**ハプロタイプ**◆と父親由来のハプロタイプの遺伝子を１つずつ子供がもっているということになる（**図 12-1**）．胎児は父親由来のハプロタイプの遺伝子をもっているため，母親と胎児の間では MHC 抗原が半分は異なっている（**図 12-2**）．このことは妊娠が，免疫学的には同種異系移植（アログラフト）であるということを示している．しかし，母親が胎児に対して免疫応答を起こすことはない．これはなぜだろうか．この原因としては胎盤の働きが重要であると考えられている．胎盤には MHC クラス I が発現していないため，母体の T 細胞が胎盤を認識できず

◆ハプロタイプ　ヒトの MHC（HLA）の場合，HLA-A，B，C，DP，DQ，DR の６つの遺伝子群があり１対の相同染色体となっている．２つの染色体上のそれぞれの遺伝子において数十種類の表現型をもっているため，その組み合わせは膨大なものとなる．この組み合わせをハプロタイプという．

📖 妊娠と T 細胞
一連の免疫反応の抑制には制御性 T 細胞（Treg）の関与も示唆されている．受精時，妊娠期には免疫抑制因子 TGF-β が誘導され，Treg の分化・産生を促進し，免疫寛容を誘導すると考えられている．また妊娠においては，胎児・胎盤を異物とみなし攻撃する Th1 細胞が減少し，Th2 細胞が優位になることが知られている．

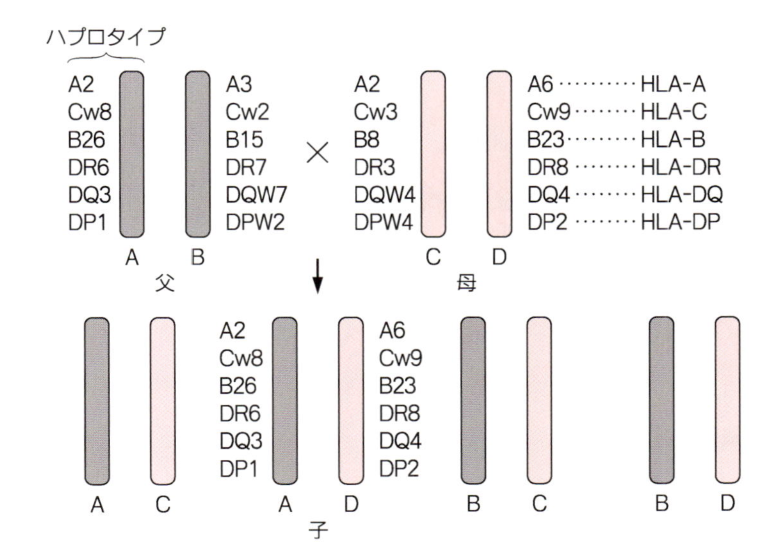

図 12-1　ハプロタイプの親から子への遺伝

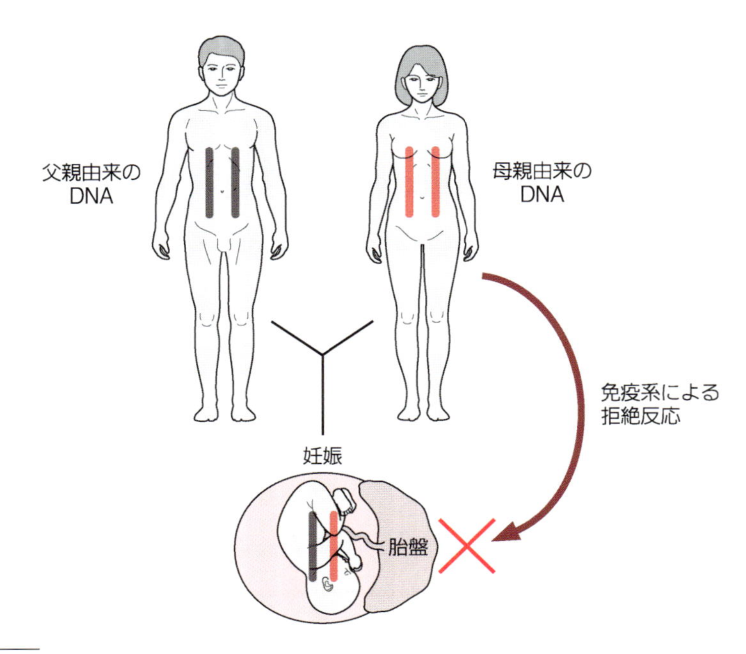

図 12-2　妊娠と免疫
胎児は母親の胎内では同種異系移植であるが，胎盤の働きによって母親の免疫システムの攻撃を受けない．

HLA-G の構造と機能

抑制分子には MHC クラスⅠの 1 つである HLA-G 分子がある．HLA-G は胎盤上に発現し，免疫系細胞抑制受容体と相互作用することで，免疫系細胞の活性化を抑制し，免疫系細胞による攻撃を回避している．キラー T 細胞から産生されるグランザイムの放出を抑え移植した腎臓の生着を延ばすという報告もある．このような分子の発見は免疫抑制という観点から今後の創薬への発展が期待される．

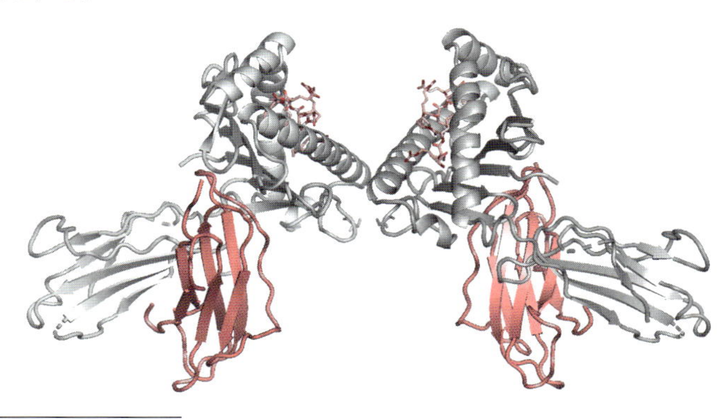

図　HLA-G の構造（二量体）
［PDBID：2D31］

に，一連の免疫反応を開始することができない．また胎盤には免疫担当細胞に対する抑制分子が発現し，免疫担当細胞の活性化を抑制している．一方で，胎盤は母体免疫系を抑制するホルモン，サイトカイン，補体制御因子なども産生している．このように，胎盤が，胎児を母体の免疫系から守っており，拒絶反応を起こさないと考えられている．また，同様に胎児の免疫系からも母体を守っていると考えられている．

B 母子免疫

母親の胎内にいる胎児の抗体産生のシステムの発達は遅い．よって，胎児は免疫力が弱いため，その感染防御は母親由来の IgG に大きく依存する．母親由来の IgG は妊娠 16 週あたりから胎盤を経由して，胎児に選択的に移行する（**図 12-3**）．これを**移行免疫**と呼ぶ．胎児に移行した IgG は胎児の血管やリンパ球を経てさまざまな臓器に分布し，胎児の感染防御に重要な役割を果たす．**図 12-4** に胎児血液中の免疫グロブリンの濃度の変化を示す．母親から移行した IgG の半減期は約 2 ヵ月であり，新生児の IgG 産生能が低いため，出生後の新生児の IgG 値は減少していく．出生後3〜4 ヵ月では出生時の約40%まで減少し，最も感染抵抗力が弱くなる．新生児が出生後 4 ヵ月ころから 1 年の間にいろいろな感染症にかかりやすいのは，母親由来の抗体が減少していくためである．IgG 以外の免疫グロブリンに関して胎盤を介した移行は起こらないが，分泌型 IgA は母乳を介して新生児に移行する（**図 12-3**）．母乳中の分泌型 IgA は新生児の上気道や消化管の粘膜上において，微生物の付着・侵入の阻止などに重要な役割を果たす*．出産から 5 日ほどの間に出る粘性の高い母乳を初乳というが，初乳にはとくに IgA 抗体が多く含まれているので，生まれてすぐに初乳をしっかり飲ませる必要がある．このように母親から免疫成分が，胎児あるいは新生児に，胎盤あるいは母乳を介して移行することを**母子免疫**という．

* この母乳内の IgA の発現にかかわる形質細胞の大半は腸管に由来するものであるという報告がある．

IgG の移行は新生児を感染から守るために役立っているが，母親由来の IgG 抗体により，胎児に**溶血性貧血**（8 章-2. Ⓒ「Ⅱ型アレルギー疾患」（p128）参照）や母親由来の自己免疫疾患が起こる場合がある．溶血性貧血の一因としては血液型に関与する Rh 抗原がある．Rh 抗原は赤血球上に存在し，抗 Rh 抗体が血液に反応す

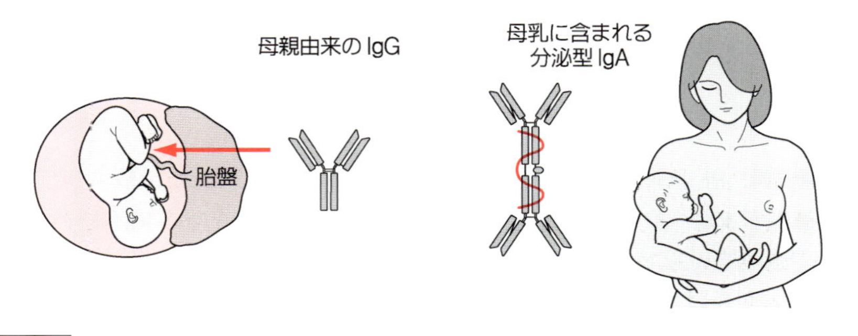

図 12-3　母子免疫
母親の IgG は胎盤を通して，胎児に移行する．また分泌型 IgA は母親の母乳を通して，新生児に供給される．

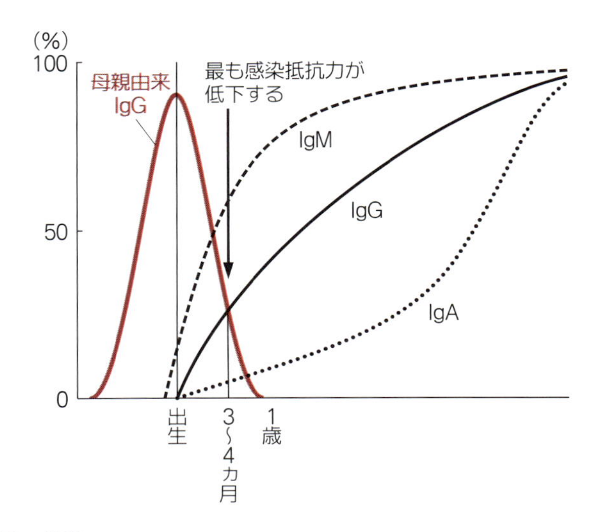

図 12-4　胎児血中の IgG 量の推移

胎児からの成長過程における抗体の量を成人量を100%としてグラフで表した．母体から胎盤を通して胎児中の IgG 量は一時的に増加するが，その後減少する．出生後成人レベルに達するには数年かかる．

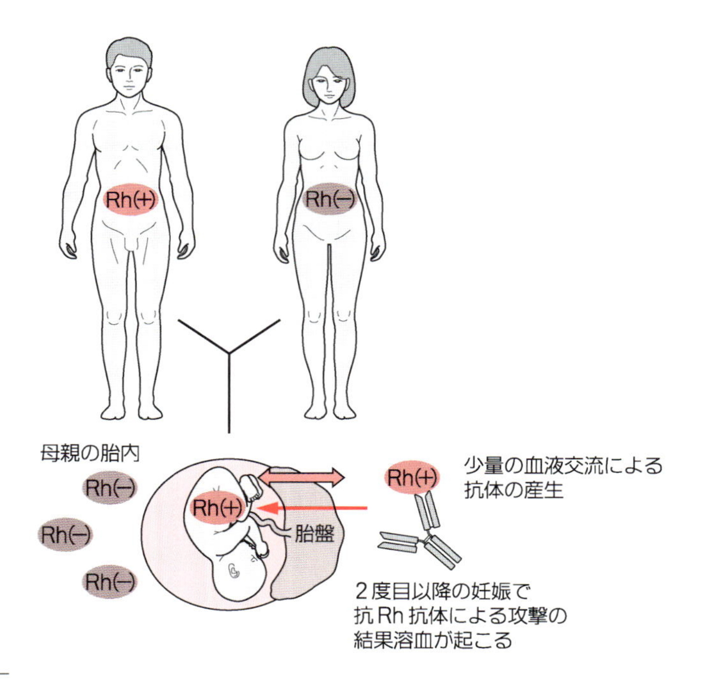

図 12-5　溶血性貧血

れば，すなわち赤血球に Rh 抗原が存在すれば，Rh(＋)，存在しなければ Rh(－) となる．母親の血液型が Rh(－)で，父親が Rh(＋)の際には胎児の血液型は Rh(＋) となる場合がある．分娩期周辺では，母子間の血液交流が少量ながら存在する．その際，胎児の血液流入が多ければ母親は抗 Rh 抗体を産生する．その後の妊娠で，胎児の血液型が Rh(＋) の場合，抗 Rh 抗体が母親から胎児に移行し，赤血球上の Rh 抗原に反応して，胎児に溶血性貧血が生じる（**図 12-5**）．ABO 式血液型の場合に起こりにくいのは，抗A型，抗B型抗体がIgMであるため，胎盤を通過しないためである．また，母親が自己免疫疾患でIgGクラスの自己抗体をもっている場合は，この自己抗体も胎児に輸送されるので，胎児または新生児に母親同様の症状が発現する．全身性エリテマトーデス（SLE），重症筋無力症，バセドウ病，橋本病などでは，一過性に胎児に母親同様の症状が現れる．

C 免疫系の発達

細胞性免疫機構は体液性免疫機構より先行して現れる．多くのT細胞は胸腺で分化する．胸腺は胎生4～6週に形成されてくる．胎生9週にはリンパ性胸腺が形成され，10週にはCD4，CD8が発現したリンパ球が現れ始める．胎生12週にはTCRが発現し，この細胞は抗原提示細胞上の抗原にも増殖反応を示すことができるようになる（**図12-6**）．しかし，新生児期のT細胞はほとんどがナイーブT細胞であり，抗原特異的な反応に関しては機能的には不十分である．CD4やCD8が発現したT細胞中の記憶細胞と考えられるものは，新生児期では数パーセントしかなく，年齢とともに上昇していく．さらに新生児期のT細胞はIFN-γ，顆粒球マクロファージコロニー刺激因子（GM-CSF）の産生が不十分であり，マクロファージを活性化して殺菌させるT細胞の活性は新生児では成人に比べて低い．しかし，ウイルス感染細胞を傷害する活性は成人レベルに近いと考えられている．すなわちこの低い活性は，T細胞が分泌する走化性サイトカインなどの産生能が低いためである．一方でNK細胞は胎生6週くらいから現れ始め，1歳で成人と同様の成分量となる（**図12-7**）．

体液性免疫機構に関しては，胎児，新生児の抗体産生能はきわめて低く，数年かかって成人レベルに達する．新生児期のT細胞から分泌される抗体産生に関与するサイトカインであるIL-4，IL-5の産生や，B細胞の活性化や免疫グロブリンのクラススイッチに関与するヘルパーT細胞表面のCD40リガンド（CD40L）◆の発現が不十分であるため，新生児期の抗体産生は少ないものと考えられている．出生後の抗体の産生はクラスによって異なり，IgM，IgG，IgAの順に産生される（**図12-**

新生児期免疫寛容 neonatal tolerance 新生児期のレシピエントに異種の骨髄や脾臓を移植しても拒絶反応が起きない．動物実験でこの現象が見出されたのは約60年前である．この機構については，まだ不明な点が多いが，小児期の移植の観点から現在も研究が行われている．

◆CD40リガンド（CD40L）とクラススイッチ 抗体のクラススイッチはIL-4，IL-5などのサイトカインが関与するヘルパーT細胞表面に発現したCD40Lを通じたシグナル伝達がIgGやIgA重鎖（H鎖）遺伝子の転写を誘導する．したがってCD40L欠損では，産生する抗体のクラスがIgMである．

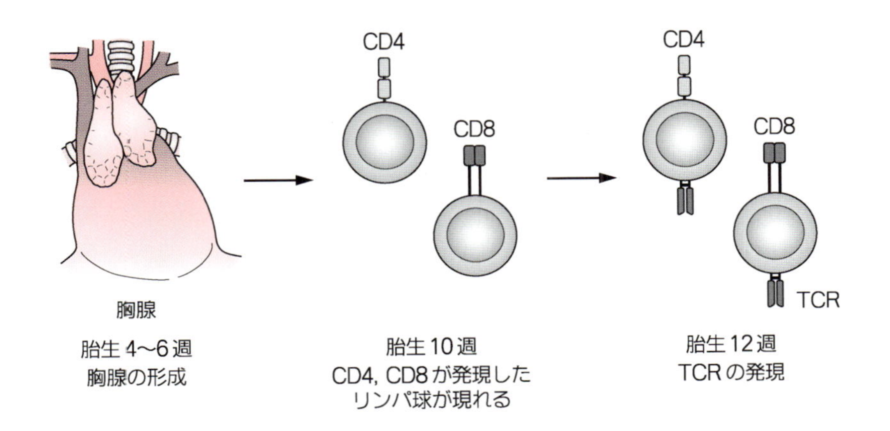

図12-6 T細胞の発達

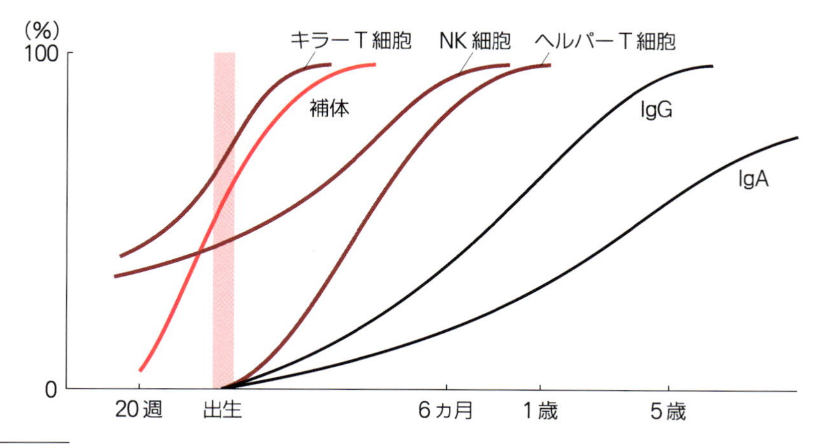

図 12-7 各免疫系の発達
出生から5歳までの各免疫系の発達をグラフで表した．免疫担当細胞は早くに成人レベルに達するが，抗体の産生は比較的遅い．

4)．IgM抗体は出生前につくられ，生後急速に増大する．次いでIgG抗体が現れ，IgAは最も遅く現れる．こうした抗体産生の遅れは前にも述べたように，母親由来のIgG抗体の胎盤経由の移行や，母乳中のIgA抗体の供給によって代償される．ただし，母親由来の抗体は代謝されてしまうので，新生児の血清中のIgGレベルは生後4ヵ月ごろ最も低くなる．その後，新生児のIgG産生量は増加し，生後1年では成人の約60％になる．また，血中抗体量は新生児の抗体産生に伴い増加し，IgMは3歳ころ，IgGは7〜10歳ころに成人量に達する．補体成分に関しては胎生4週で現れ始め，3〜4ヵ月で成人量となる．

2. 免疫系の老化

歳をとるに従って，感染に対する抵抗性が低下し，がんが発生しやすくなることはよく知られている．これらの現象が免疫能の低下によることはこれまで述べたことから推察される．しかしながら，老化によるどのような変化によって低下が起こるのかについての定説はない．ここではこれまでにわかっている老化に伴う免疫システムの変化に関して解説する．

A 胸腺機能の変化

免疫担当器官の老化に伴う変化として比較的はっきりしているのはT細胞の分化の中枢である胸腺である．胸腺は**図 12-8**に示すように10歳代が1番大きく，以後徐々に萎縮していく．この萎縮は胸腺の自律的な変化ではなく，下垂体ホルモン（プロラクチン，成長ホルモン）などによる神経内分泌系との相互作用変化に基づくものと考えられている．しかし，脾臓やリンパ節などの大きさは老化に伴って変化しないといわれている．胸腺は骨髄などでつくられたプレT細胞を分化し，そのT細胞を末梢リンパ組織へ供給する役割をもつ．このT細胞の供給能も老化

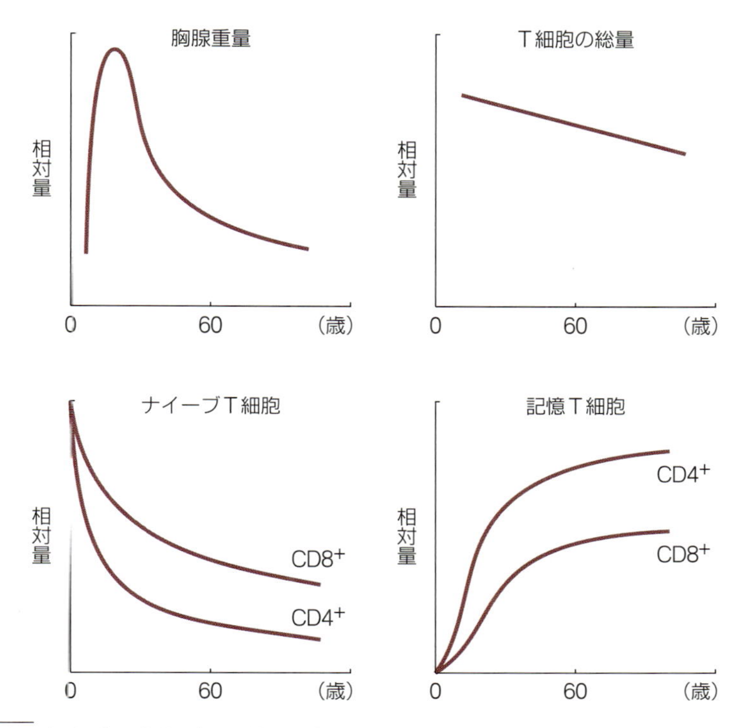

図 12-8 老化に対する免疫系の変化（細胞性免疫）

老化に対する細胞性免疫の相対量をグラフに表した．胸腺重量は 10 代をピークに成長をやめ，その後縮小していく．T 細胞の総量は年齢を重ねるにつれて徐々に減っていくが，記憶 T 細胞の量は増えていく．

とともに低下するため，T 細胞の数も減少する（**図 12-8**）．また，胸腺から供給される T 細胞はいろいろな機能をもつサブセットを構成するが，この構成も老化に従って変化する．すなわち，老化した胸腺がつくり出す T 細胞では $CD8^+$T 細胞の供給が減少する．$CD4^+$T 細胞においては，その総数はあまり変化がないが，ナイーブ T 細胞の比率が低下する．

> **新型コロナウイルス感染症（COVID-19）と年齢** 2020 年春からわが国で大流行している COVID-19 は高齢者が重症化しやすいことが報告されている．これは高齢者においては SARS コロナウイルス 2 に反応するナイーブキラー T 細胞が少なく，老化したキラー T 細胞が増えていることが原因ではないかと考えられている．

B T 細胞の変化

末梢リンパ組織における T 細胞は抗原刺激を受け，分化し，記憶 T 細胞を残していく．長い生涯の間には種々の抗原に出合うため，記憶 T 細胞は歳をとるごとに増えていく．抗原に出合わない T 細胞もあり，それらはナイーブ T 細胞として残っていくが，これらは歳をとるに従って減少していく．すなわち，歳をとると，記憶 T 細胞は増加し，ナイーブ T 細胞は減少していく（**図 12-8**）．一方で，サイトカインの産生などの細胞機能を基準にした T 細胞サブセットの分類は Th1, Th2, Th17, 制御性 T 細胞などがある．Th1 細胞は主に遅延型アレルギーを担当し，T 細胞増殖機能をもつサイトカイン IL-2 を産生する．Th2 細胞は抗体産生のヘルパー機能をもったサイトカインの IL-4, IL-5, IL-13 などを産生する．このサイトカイン産生を指標とすると，歳をとるにつれて，Th1 細胞の比率は減少し，Th2 細胞の比率は増加する．このことは，免疫系全体の構成に大きく影響し，IL-2 産生能の低下によ

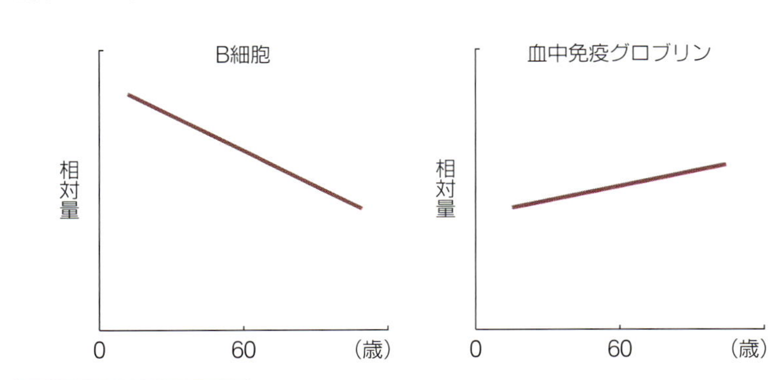

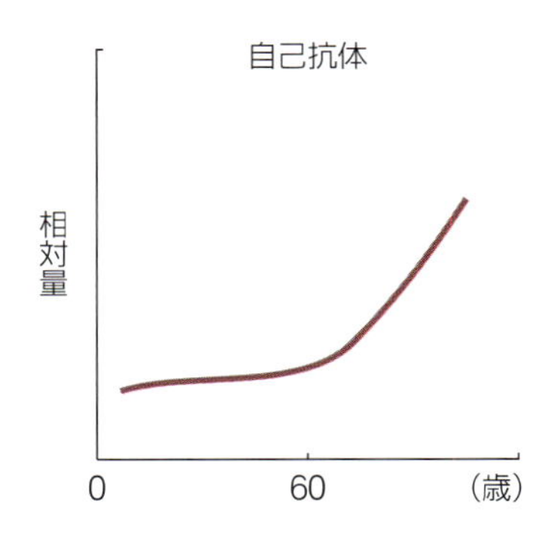

図 12-9　老化に対する免疫系の変化（体液性免疫）
老化に対する体液性免疫の相対量をグラフに表した．B細胞は年齢を重ねるにつれて減っていくが，血中の免疫グロブリン（抗体）量は増える．とくに自己抗体は高齢者に多い．

るT細胞の増殖能力の低下や，以下に述べる免疫グロブリンの増加にかかわってくる．Th17細胞は炎症性サイトカインやケモカイン，細胞接着因子など，種々の因子を誘導して炎症を誘導するIL-17を産生する．老化によりTh17細胞の数は増加するため，老化に伴う炎症性疾患の増加との関連が考えられている．また，制御性T細胞は老化により増加することから，慢性感染症が増悪すると考えられている．

T細胞老化マーカーPD-1について
T細胞の老化にはPD-1分子の関与が示唆されている．PD-1はナイーブT細胞には発現していないが，記憶T細胞に発現しており，T細胞応答能の低下を引き起こすと考えられている．このPD-1によるT細胞応答能の低下はがん化にも関与していることが知られており，抗PD-1抗体は現在最新のがん治療薬として期待されている．

C　自己反応抗体の増加

免疫グロブリンの血中濃度は老化により上昇する（**図 12-9**）．そのなかでもIgG抗体やIgA抗体は歳をとるに従って増加する．これは，前にも述べたように分化因子であるIL-4，IL-5ならびにIL-6を産生するTh2細胞が加齢によって増加してくることによるものと考えられる．一方で，IgE抗体は10歳がピークであり，以後30歳くらいまで減少し続ける．しかしそれ以降は一定の値が保たれる．IgM抗体に関しても同様に一定の値をとる．

さらに，**自己抗体**がしばしば高齢者に出現することがある．免疫機能が正常に機能するための基本的条件は，外から侵入する外来性抗原には反応するが，生体内に存在する自分自身には反応しないことである．一般に老化とともに外来抗原に対する免疫反応は低下するのに対して，内在する抗原に対する免疫応答反応は亢進し，いろいろな自己抗体が増加する（**図 12-9**）．例としては抗DNA抗体，リウマトイド因子などの増加が報告されている．これらの現象は老化に伴って組織が崩壊し，自己抗原が遊離することによって起こっているのではないかと考えられている．

13 免疫学的分析法

1. 抗体の調製法

コアカリ到達目標
- モノクローナル抗体とポリクローナル抗体について説明できる.

A モノクローナル抗体とポリクローナル抗体

抗体は生体内の異物に対し，特異的に結合する糖タンパク質である．異物は抗原と呼ばれ，主として多糖体やタンパク質などの大きな分子である．通常，抗原は複雑な立体構造をとっており，複数の抗体との結合領域（B 細胞エピトープ）をもつ．B 細胞エピトープは，連続したアミノ酸配列だけでなく，アミノ酸配列は連続していないが，空間的にアミノ酸残基が近接している場合もある．B 細胞エピトープのアミノ酸が数残基の場合もあれば，十数残基を超える場合もある．抗体は抗原と結合する領域のアミノ酸配列を変えることで，非常に多くの種類がつくり出され，多種多様な抗原に対し結合が可能となる．その抗体産生は B 細胞が引き起こす．B 細胞は細胞表面に抗体と同じ免疫グロブリンを発現させている（B 細胞抗原受容体：BCR）．1 つの B 細胞からは 1 種類の抗原との結合配列をもつ免疫グロブリンが発現しており，生体内では BCR の異なる莫大な種類の B 細胞が産生されている．抗原が現れると，その抗原と特異的に結合した B 細胞は，ヘルパー T 細胞やそれから分泌されるサイトカインにより活性化され増殖し，形質細胞へ分化・成熟する．分化した B 細胞はその抗原に特異的に結合する 1 種類の抗体を産生する（**図 13-1**）．1 つの B 細胞から分化し，増殖した細胞より産生された抗体群は，同じ遺伝子から生じ同じ抗原との結合配列をもつので，その集団は**モノクローナル抗体**と呼ばれる．1 つの抗原に対しては複数の B 細胞が応答するため，結果的に特異的に結合できる抗体は何種類も産生される．1 つの抗原に対しておのおの異なった部位に結合する抗体の集団は，別々の B 細胞から産生されているので，**ポリクローナル抗体**と呼ばれる（**図 13-2**）．

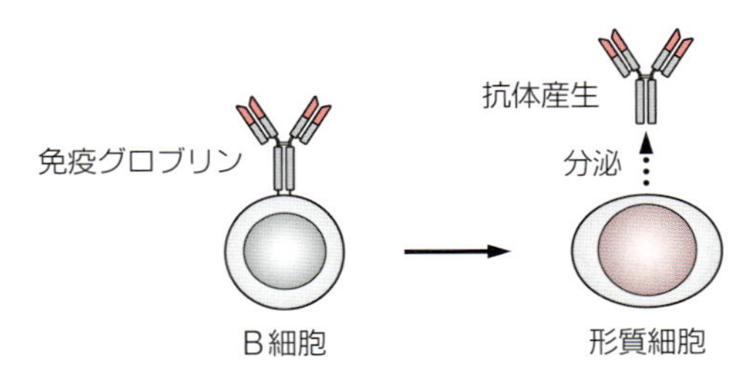

図 13-1　B 細胞の形質細胞への分化と抗体産生

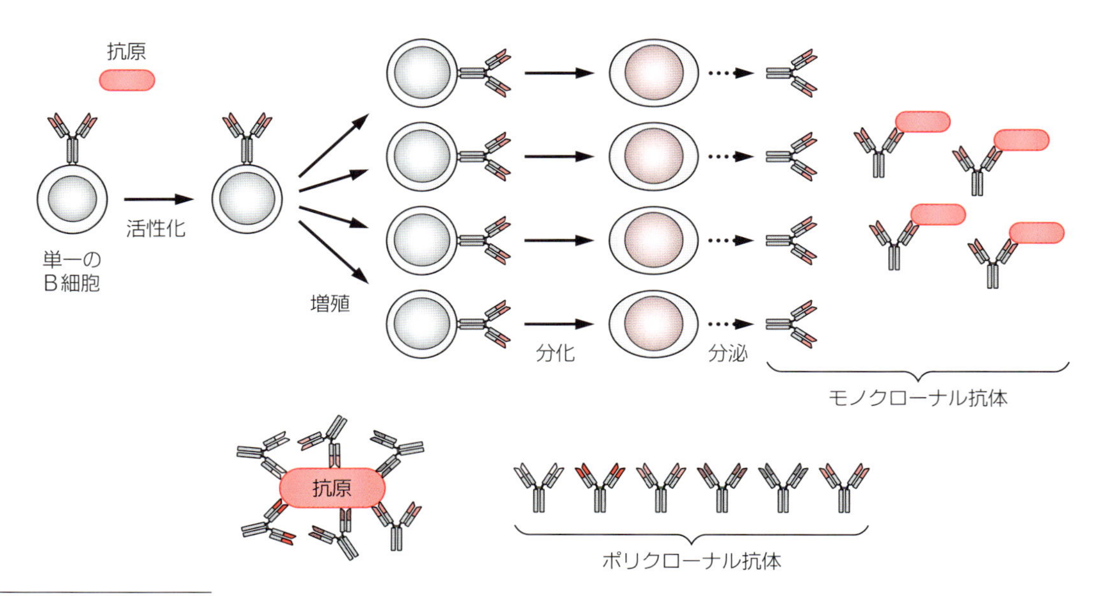

図 13-2　モノクローナル抗体とポリクローナル抗体

B　ポリクローナル抗体のつくりかた

たとえばマウスに，マウス由来のタンパク質を投与しても抗体は産生されない．動物を用いて抗体を得るためには，タンパク質の由来する動物種と異なる動物種を選択し，抗原を投与する必要がある．外来タンパク質◆を投与することで，血清中に多くのポリクローナル抗体が得られる．このように抗体産生を引き起こす性質を**免疫原性**と呼び，外来タンパク質のような高分子化合物は免疫原性をもつ．しかし，薬などの低分子化合物には免疫原性がなく，単独で動物に投与しても抗体産生は起きない．その場合，抗原となるタンパク質と共有結合させ投与すると，免疫原性のない低分子化合物に結合する抗体も産生させることができる（**図 13-3**）．このように抗体と結合する性質（これを**免疫反応性**と呼ぶ）をもつが，単独では免疫原性をもたない低分子量の物質を**ハプテン**と呼ぶ．

◆外来タンパク質　対象となる動物種と異なる動物種由来のタンパク質の総称．たとえば，マウス由来のタンパク質は，ヒトにとって外来タンパク質と呼ぶ．

動物に抗原を投与する際には，**アジュバント**を用いる．ほとんどのタンパク質は，免疫原性はあるものの単独で投与しただけでは弱く，より多くの抗体を得るためにはアジュバントを利用する．鉱物油からなるフロイントアジュバントが広く用いられ，抗原溶液と懸濁し乳化させる．これにより生体内での抗原の放出がゆるやかになり免疫応答を持続させることができる．さらに結核死菌を加えると，細菌成分が免疫応答を刺激し抗体産生が促される．

C　モノクローナル抗体のつくりかた

モノクローナル抗体を大量に得るには，特定の B 細胞を抽出し培養できればよいが，寿命が短くすぐに死滅してしまうため，非常に困難である．そこで，がん細

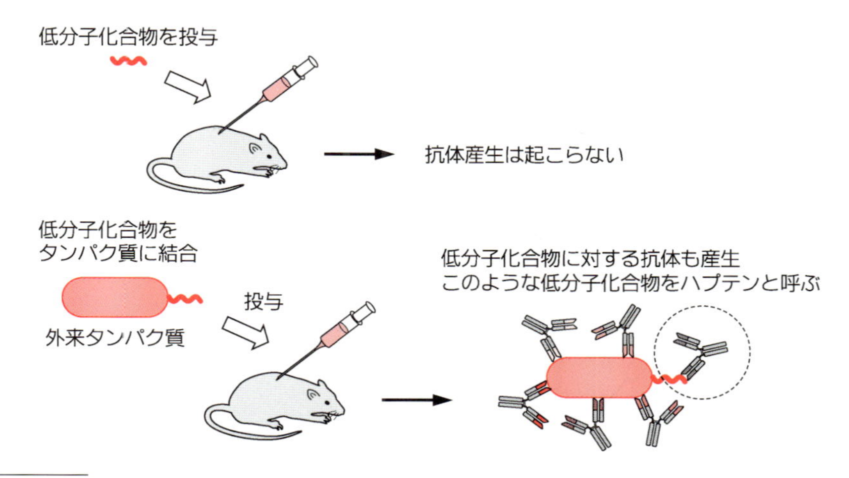

図 13-3　ハプテンに対する抗体産生

ハプテンに外来タンパク質を結合することで，動物実験内の抗原提示細胞に取り込まれて，ペプチドに分解され，抗原提示細胞表面の MHC クラスⅡ-ペプチド複合体としてヘルパー T 細胞を活性化できる．

胞の 1 種である**骨髄腫細胞**（**ミエローマ細胞**）を利用する方法がある．B 細胞と骨髄腫細胞を融合させ，無限の増殖能と抗体産生能を併せもつ細胞株を作製する．この融合した細胞は**ハイブリドーマ**と呼ばれている．目的の抗体を産生するハイブリドーマを単離し，そのまま大量培養すれば培養上清からモノクローナル抗体を得られる．またマウスの腹腔内に培養したハイブリドーマを投与し腹水をつくらせ，それを精製すれば多量のモノクローナル抗体が得られる．モノクローナル抗体を産生するハイブリドーマを作製しても，特異性が低く目的の抗原以外にも反応を示す（交叉反応）抗体を産生するようなクローンではあまり意味をもたない．目的の抗原に対してのみ強く結合する特異性の高いクローンを選択することがモノクローナル抗体作製の重要な点でもある．

抗原の投与方法と免疫惹起　抗原の動物への投与法としては，皮下注射，真皮内注射および筋肉注射があげられる．また静脈内注射による血流中への直接注入や経口投与による消化管への吸収も利用される．1 番強い免疫応答が得られるのは皮下注射である．これは投与された抗原がランゲルハンス細胞（樹状細胞）に取り込まれ，局所リンパ節内に効率よく提示されるためと考えられている．

2 度，3 度と抗原を投与すると強い免疫応答が誘導でき，抗体も多く産生されるようになる．産生された抗体は，採血した血清から精製すればポリクローナル抗体として得られる．

D　抗体の精製法

抗体が多く含まれた血清あるいは培地に硫酸アンモニウムを加え塩析により沈殿させ，塩を除いた後に，イオンクロマトグラフィーで精製することができる．またアフィニティクロマトグラフィーでの精製も広く用いられている．抗体の Fc 領域が，スタフィロコッカス *Staphylococcus* 属細菌がつくるプロテイン A あるいはプロテイン G と特異的に結合することから，それらを担体と共有結合して樹脂に固定化したカラムを用いて精製する．抗原が大量に調製でき安定である場合には，抗原を担体に固定したカラムを作製し精製する方法もある．

モノクローナル抗体の作製法

マウスを用いたモノクローナル抗体作製法を例にあげる．

①まず抗原とフロイント完全アジュバントを混和し，マウスの背部に皮下注射する．

②7〜10日後に同じ抗原を同様に追加投与する．

③2〜3日後に脾臓から細胞（B細胞が含まれている）を採取する（**図A**）．

④ポリエチレングリコール polyethylene glycol（PEG）により融合させたハイブリドーマを **HAT培地**（hypoxanthin, aminopterin, thymidineが入った培地）中で培養する（**図B**）．骨髄腫細胞であるミエローマ細胞とB細胞との融合は，PEGという試薬を用いるのが一般的である．正常な細胞は

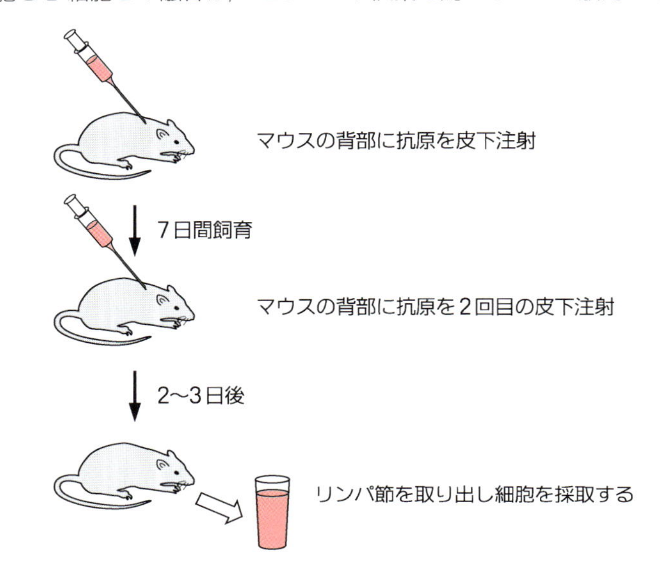

図A　マウスへの抗原投与とリンパ節細胞の採取

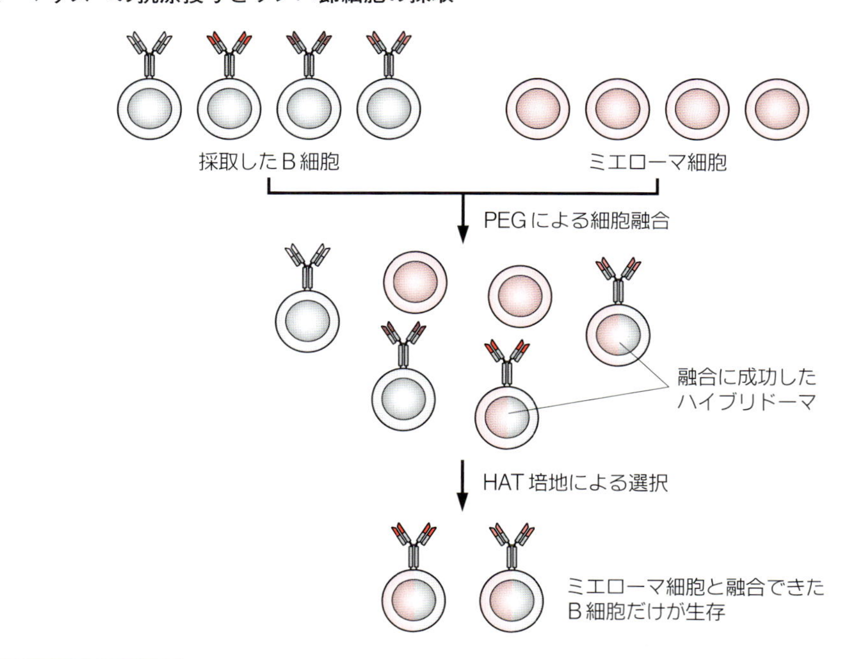

図B　ハイブリドーマの作製

核酸の生合成経路として，*de novo* 経路と，核酸の分解後に生じた核酸塩基を再利用し核酸を生合成するサルベージ経路をもっている．B 細胞は両方の経路による核酸の生合成が可能であるのに対し，ミエローマ細胞はサルベージ経路中で必要な酵素 HGPRT（hypoxanthin-guanine phosphoribosyl transferase）の遺伝子が欠損しているため *de novo* 経路のみで核酸生合成を行っている．HAT 培地中に含まれている hypoxanthin と thymidine はサルベージ経路で必要な物質である．この 2 つの物質を加えることで B 細胞はサルベージ経路による核酸合成が行え，生存できる．HAT 培地中の aminopterin は *de novo* 経路での核酸生合成の阻害剤であり，B 細胞と融合できていないミエローマ細胞は死滅してしまう．また，融合できなかった B 細胞や B 細胞同士融合したものは長期に生存できないため死滅する．HAT 培地中ではミエローマ細胞と B 細胞と融合したハイブリドーマのみ生き残ることができる．

⑤ さらに HAT 培地で増殖したハイブリドーマを 96 穴プレートに 1 穴あたり 0.5 個になるように細胞培養液を希釈していく．すると確率的に 2 穴に 1 個のハイブリドーマ細胞が単離される．このように希釈によりハイブリドーマを単離してハイブリドーマ株を純培養する方法を**限界希釈法**という（**図 C**）．

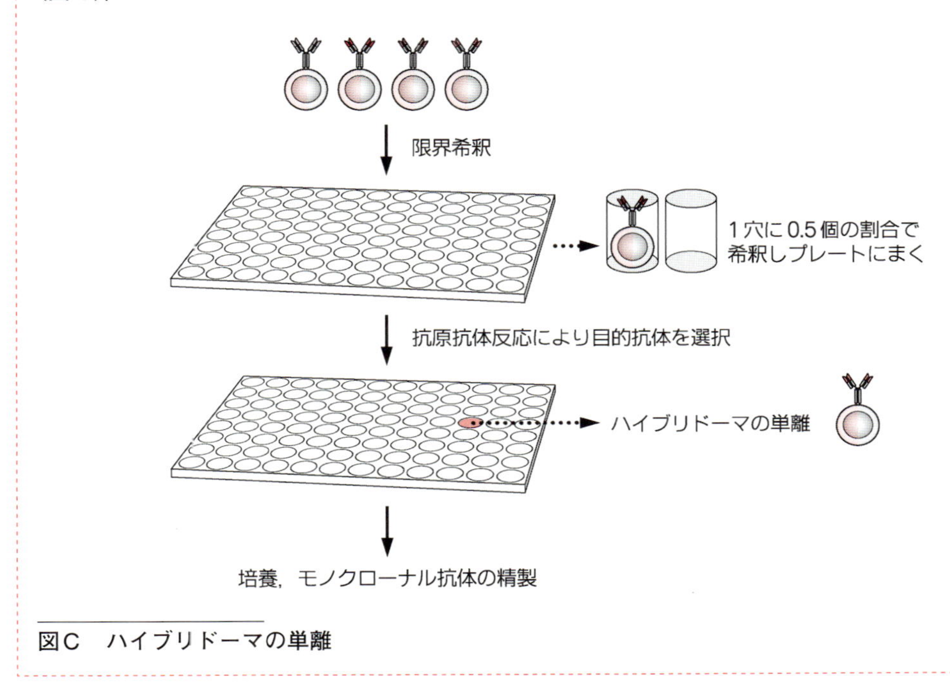

図 C　ハイブリドーマの単離

E モノクローナル抗体とポリクローナル抗体の応用

モノクローナル抗体はエピトープが 1 つであるため，特異性が非常に高く，分子レベルでの研究にすぐれたツールとして用いられる．また薬としても臨床応用されているものはモノクローナル抗体であり，たとえば生体内において受容体のリガンド結合部位に特異的に結合し，アゴニストあるいはアンタゴニストとして作用する抗体も開発されている．一方でポリクローナル抗体は抗原の複数のエピトープに対し結合することができる集団であるため，組織中の抗原の検出のための抽出操作や固定処理あるいは電気泳動などの処理が立体構造に影響した場合においても，反応性が保たれる．したがって，上述した操作や処理を行う場合にはポリクローナル抗体が用いられる．

2. 免疫学的分析法

A イムノアッセイ（抗原抗体反応を利用した代表的な検査方法）

コアカリ到達目標
- 抗原抗体反応を利用した検査方法（ELISA法，ウエスタンブロット法など）を実施できる．

イムノアッセイは，抗体が抗原と特異的に結合する性質を利用した測定方法であり，試料中の微量な抗原や抗体の定量ができる．抗原または抗体を酵素，放射性同位元素，蛍光色素，化学発光物質などで標識することで測定が可能となる．一般的に用いられる抗体はIgGであり，モノクローナル抗体だけでなく用途によってポリクローナル抗体も利用される．ハプテンを認識する抗体を用いることにより薬物など低分子化合物の定量も可能で，血中薬物濃度測定 therapeutic drug monitoring（TDM）にも活用されている．

1) イムノアッセイの原理

a. 競合法と非競合法

イムノアッセイにおける抗原抗体反応では，標識させた抗原あるいは抗体と非標識の抗原あるいは抗体を混ぜて競合させて定量する**競合法**と，標識させた抗原あるいは抗体を直接定量する**非競合法**がある．競合法として，ある試料中の抗原を測定する場合の実験例を**図13-4**にあげる．非競合法は本章「ELISAの操作法」（p218）が該当する．

b. 均一系と不均一系

抗原抗体反応後に遊離型（F：free）のものを除去し，結合型（B：bound）だけを残すことを**B/F分離**という．多くのイムノアッセイはB/F分離を必要とし，それらを総称して**不均一系測定法**（ヘテロジニアスイムノアッセイ）という．一方で，B/F分離を必要としないアッセイ法もあり，**均一系測定法**（ホモジニアスイムノアッセイ）と呼ばれる．これにはハプテンと結合した酵素を用いる方法（enzyme-multiplied immunoassay technique：EMIT法）があり，たとえば酵素の活性部位付近に連結されているハプテンを使用する．抗体がハプテンに結合すると酵素側に影響して活性部位へ基質が結合できなくなり，酵素活性は示さなくなる．したがってB/F分離をせずとも酵素活性の測定から，一般的にハプテン単独を加えた競合法によって定量が可能となる．

2) イムノアッセイの代表的な方法

a. ラジオイムノアッセイ（RIA）

検出したい分子に対し特異的な抗体を用いれば，抗体はそれを捕捉できるが，何かしらの方法でその抗原抗体反応を検出しなければならない．**ラジオイムノアッセイ** radioimmunoassay（**RIA**）は放射性同位元素を利用した方法である．放射性同位元素として ^{3}H, ^{14}C, ^{125}I などが使われ，なかでも感度のよい ^{125}I が最も汎用されている．放射性同位元素で標識された目的の抗体を用いて，抗原抗体反応を起こせば，その放射活性から抗原と結合している抗体を検出することができる．非常に感度が高く生体内のごく微量にしかないホルモンや腫瘍マーカーなどの測定が可能とな

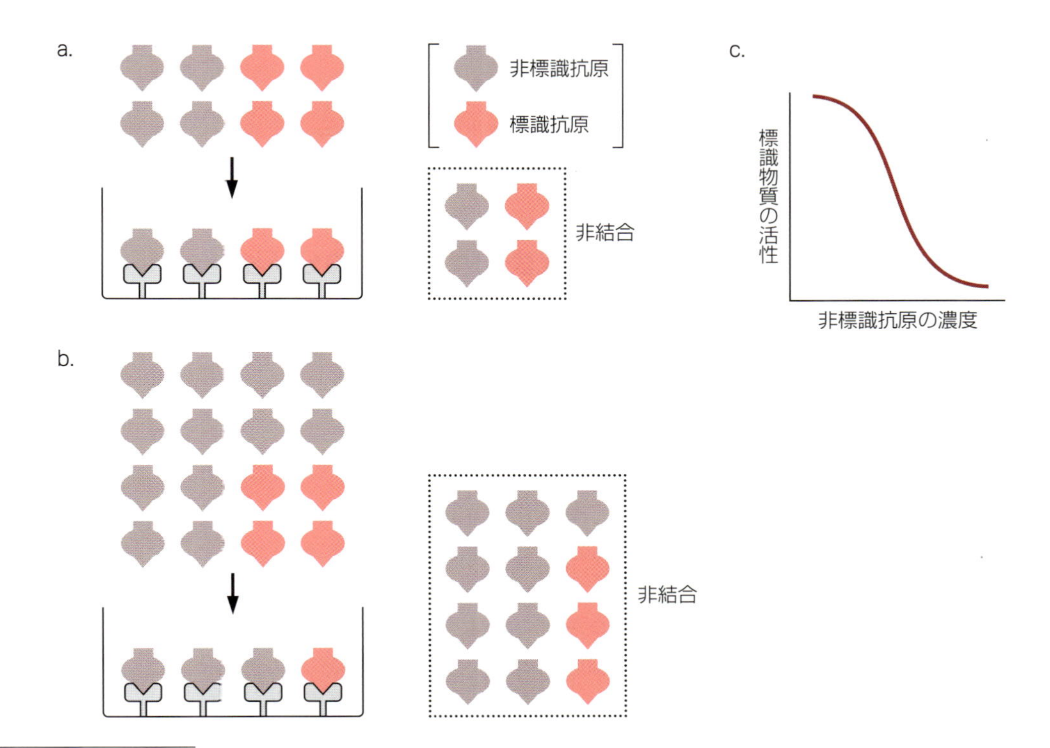

図 13-4　競合法による抗原の定量

測定対象となる抗原と，それに標識物質を結合させた標識抗原を用いる．まず測定対象の抗原に特異的な一定量の抗体を固相化させる．そこに抗原と一定量の標識抗原を加え抗体と結合しなかった抗原を除き（B/F 分離），標識物質の活性を測定する．たとえば標識抗原と等量の非標識抗原を用いた場合には互いに競合した結果，a に示すように抗体に結合する割合は 1：1 となる．非標識抗原を増やすと b のように，非標識抗原の抗体への結合率は高くなり標識物質の活性は下がる．抗原の濃度に対する標識物質の活性を調べることで c のような S 字の標準曲線が得られる．標準曲線を作製した後に，試料中の抗原について同様の操作で標識物質の活性を測定すれば標準曲線より正確な試料中の抗原量が算出できる．

る．用途によって抗原に放射性同位元素標識し抗体反応を検出する場合もある．

b. エンザイムイムノアッセイ

エンザイムイムノアッセイは酵素基質反応を利用した方法である．抗体あるいは抗原をプレートに固相化し抗原あるいは抗体を定量する方法を enzyme-linked immunosorbent assay（**ELISA**）と呼ぶ．たとえばある無色の基質を発色性の基質に変換させるような酵素を目的の抗体に連結させる．この酵素標識抗体を用いて，抗原抗体反応を起こした後に基質を加え，発色度を測定器で読み取る．基質の生成量から酵素量が定量できる．すなわち，抗原と結合している抗体が定量されたことになる．この方法は放射性物質を使わないため簡便で，汎用性も高く，HIV 感染の有無を調べるなど種々の免疫学的な検査や生化学的研究に広く使用されている．また，ほかのエンザイムアッセイとして前述の EMIT 法がある．

c. 蛍光イムノアッセイ（FIA）

蛍光イムノアッセイ fluoroimmunoassay（FIA）は蛍光物質を標識としたイムノアッセイであり，発する蛍光を測定して抗原あるいは抗体を定量するものである．

d. 化学発光イムノアッセイ（LIA）

化学発光イムノアッセイ luminescence immunoassay（LIA）は化学反応により生じる発光を利用したイムノアッセイで，発光物質であるルミノールが広く使われている．

B その他の抗原抗体反応を利用した代表的な免疫学的分析法

抗体は目的の分子に特異的に結合できることから基礎研究用のツールあるいは臨床検査などに幅広く用いられている．それらのうち代表的な検査方法をあげていく．

1) ウエスタンブロッティング（ウエスタンブロット法）

ゲル電気泳動法によって分子量によりタンパク質を分離後，PVDF（ポリフッ化ビニリデン）膜あるいはニトロセルロース膜に転写し，目的タンパク質を特異的な抗体によって検出する方法である．ゲル中で分離したタンパク質を膜に転写すると膜上で抗原抗体反応が可能となる．ゲル電気泳動の際にタンパク質が界面活性剤により変性するため，抗原抗体反応にはポリクローナル抗体を用いるか，変性タンパク質を認識できる抗体を用いる必要がある．細胞抽出液など多くの夾雑タンパク質のなかの少量しかないようなタンパク質を検出する方法としてすぐれ，狂牛病の原因タンパク質であるプリオンの検出にも用いられている．

2) 凝集反応

赤血球や細菌など粒子性の大きな抗原が抗体と結合して凝集体をつくる反応である．この方法は**ABO式血液型**決定に利用されている．

3) 蛍光抗体法

抗体に蛍光色素を直接連結させ，発する蛍光から目的のタンパク質を検出する方法である．蛍光抗体を用いて組織や細胞中の目的のタンパク質の局在などを蛍光顕微鏡により検出することもでき，これは**免疫蛍光顕微鏡法**と呼ばれている．

4) 二次元二重免疫拡散法（ウクテロニー法）

沈降反応を利用して，抗原間の同一性（抗原溶液に含まれる抗原が同じものかどうか），抗原の均一性（抗原溶液に含まれる抗原が単一であるかどうか）の評価に利用される．この方法により，抗原の特徴づけが可能となる（**図13-5**）．

5) 免疫電気泳動法

電気泳動法と抗原抗体反応を組み合わせた方法で，電気泳動法により種々の抗原の電気的な性質を利用して分離し，分離された抗原と抗体間で抗原抗体反応を行う．血清中に含まれる抗体の同定や血清タンパク質の異常を定量的に判定する際に用いられている（**図13-6**）．

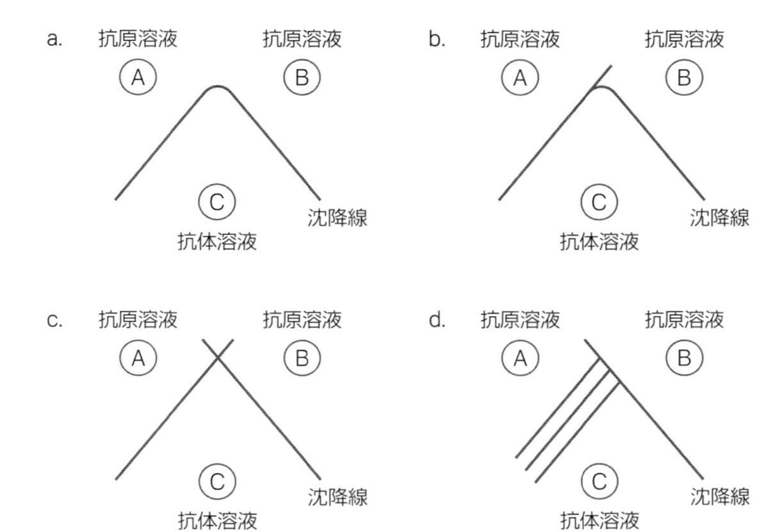

図 13-5　二次元二重免疫拡散法

シャーレに薄く寒天ゲル層を作製し，穴をあけ，抗原溶液と抗体溶液（たとえば抗血清）を加える．抗原と抗体はそれぞれ拡散する．抗原と抗体が結合し，かつ，平衡域に達したところで，沈降反応が起きるのでその場所に線ができる（沈降線）．

a. 沈降線が融合し1本線の場合：抗原溶液Aと抗原溶液Bには同一の抗原が含まれていることになる．

b. 沈降線が部分的に融合している場合：抗原溶液Aと抗原溶液Bには，異なっているが共通のB細胞エピトープをもつ抗原が含まれており，抗体溶液CにはAの抗原に対して別の部分に結合する抗体がもう1種類含まれている．

c. 沈降線が交差している場合：抗原溶液Aと抗原溶液Bには，それぞれが異なる抗原が含まれており，抗体溶液CにはAの抗原へ結合する抗体とBの抗原へ結合する抗体が含まれている．

d. 4本の沈降線が現れた場合：抗原溶液Aには少なくとも3種類の抗原が含まれていることになり，抗体溶液Cには抗原溶液Aの3種類と抗原溶液Bの抗原に結合する抗体が含まれている．抗原溶液Aに存在する3種類の抗原はBの抗原といずれも同一でないことになる．

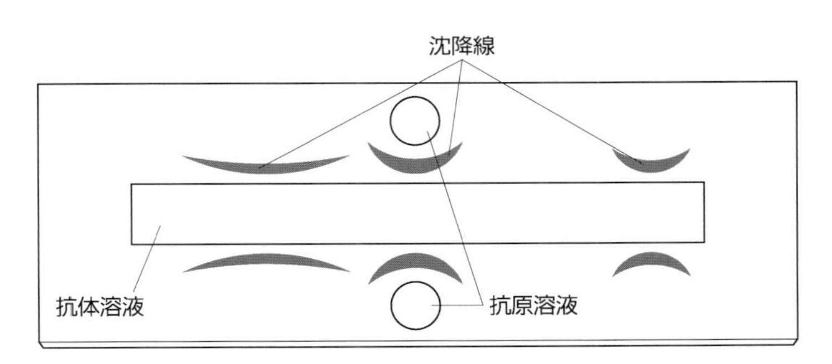

図 13-6　免疫電気泳動法

スライドグラス上にアガロースを重層し，縦方向の真ん中のゲルをくり抜く．次に，抗原溶液を中央に入れ電気泳動を行う．その後，くり抜いたゲルに抗体溶液（抗血清など）を加え，一定時間後に沈降線の有無を調べる．

6) イムノクロマトグラフィー

毛細管現象と抗原抗体反応を利用した方法で，検体を滴下して疾病の有無を迅速に判定する臨床診断に応用されている．一般的なイムノクロマトグラフィーによる臨床検査の原理を示す（**図 13-7**）．検体を滴下すると，あらかじめ金コロイドなどで標識された，対象の抗原と特異的に結合する抗体（標識抗体）と結合し，抗原抗体複合体を形成しながら毛細管現象によってセルロース膜上を移動する．ラインAには対象の抗原に標識抗体とは別の領域に結合する抗体（抗体A）が固相化されて

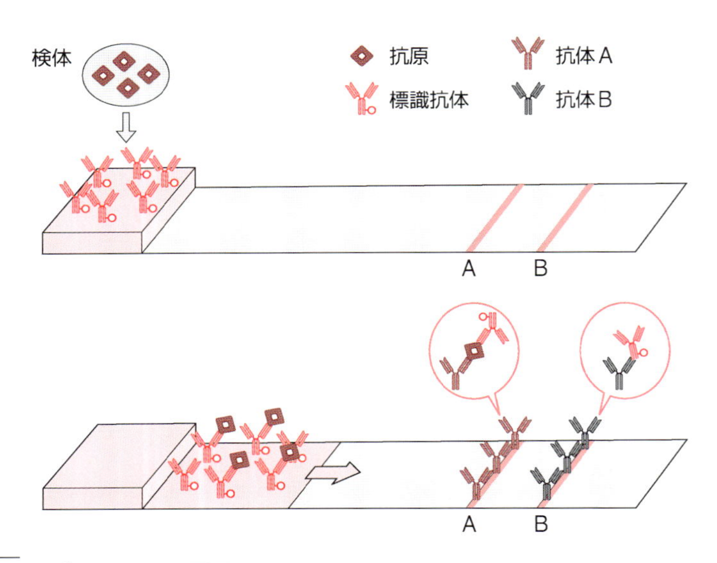

図 13-7　イムノクロマトグラフィーの原理

おり，ラインAに検体が到達すると抗原抗体複合体が抗体Aと結合し，ラインAが標識抗体によって発色される．ラインBには標識抗体に結合する抗体（抗体B）が固相化されており，抗原と結合せずに残った標識抗体がラインBまで移動すると，抗体Bと結合するためラインBは発色する．このように陽性の場合には，ラインAとラインBが発色することになる．一方，検体に対象の抗原がない陰性の場合は，標識抗体がラインAを通過してラインBで標識抗体の移動が止まり，ラインBのみが発色する．この原理は，コロナウイルスやインフルエンザウイルスの抗原検査に用いられている．

C　細胞性免疫の測定法

1)　ELISpot

ELISpot（enzyme-linked immuno-spot）はELISAを応用したもので，プレートに固相化させた抗体に細胞を加え，細胞が産生した分子と結合させる．結合した分子を認識する酵素標識抗体を加え，基質で発色させてそのスポット数を測定する．たとえば活性化したT細胞について，目的とするサイトカインを産生しているか調べることができる．

2)　フローサイトメトリー

リンパ組織には多様多数のリンパ球が存在するが，これらの細胞群について，大きさや形状から分布している細胞種を識別したり，特定の細胞を検出する手法がフローサイトメトリーである（**図 13-8**）．試料となる細胞群を，1個の細胞が入れる細いノズルに高速で通過させ，レーザー光線を照射させる．1つの細胞にレーザー光線があたると，その光は散乱する（散乱光）．レーザー光線を入射したほぼ同じ方向に散乱する前方散乱光と，垂直方向に散乱する側方散乱光を検出器で測定する．

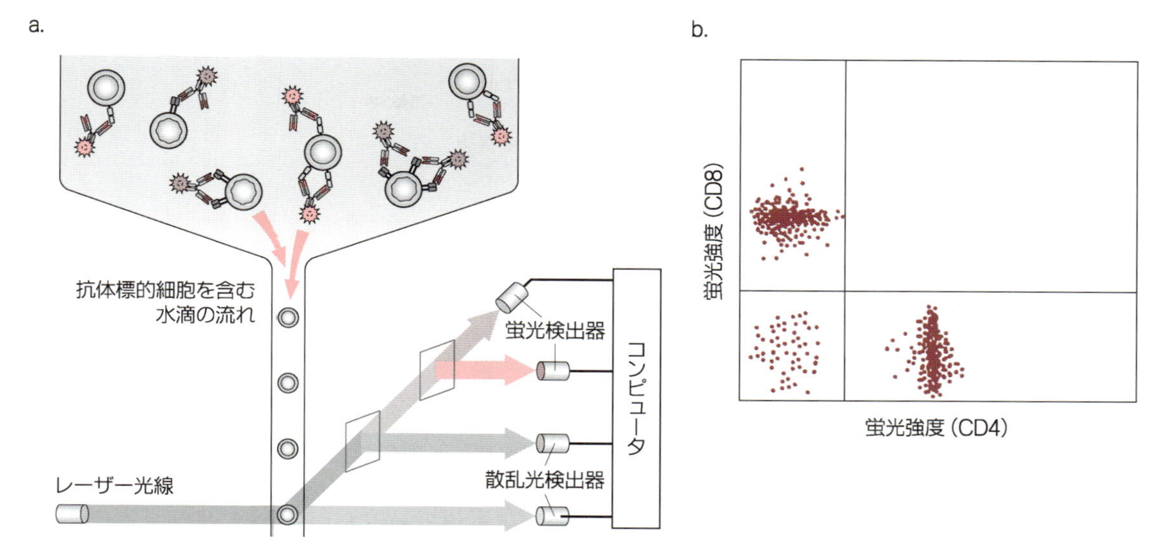

図 13-8　フローサイトメトリー

ある組織中での細胞群からヘルパーT細胞とキラーT細胞の分布を検出したい場合，まず対象の細胞集団に蛍光標識した抗 $CD4^+$ 抗体と別の蛍光色素を標識した抗 $CD8^+$ 抗体を加え反応させる．蛍光色素としては，フルオレセインイソチオシアネート（FITC）やフィコエリスリン（PE）などが用いられる．

a. 抗体と結合した細胞も含め，すべての細胞が1つずつノズルを通過していく．レーザー光線をあてると，細胞の大きさと顆粒性を示す散乱光や，蛍光色素からの励起光が検出され，コンピュータにより解析する．

b. X軸は抗 $CD8^+$ 抗体に標識された色素由来の蛍光強度を示し，Y軸は抗 $CD4^+$ 抗体に標識された色素由来の蛍光強度を示している．左上の分布は $CD4^-CD8^+$ の細胞であり，右下の分布は $CD4^+CD8^-$ の細胞となる．

前方散乱光は細胞周囲の光回折に関係し，その強度は細胞の直径に比例するので細胞の大きさの情報が得られる．側方散乱光では，細胞内部構造との接点で光が屈折あるいは反射するため，顆粒性などの細胞内部構造の情報が得られる．また細胞が蛍光色素と結合している場合には，その蛍光も検出できる．たとえばT細胞は $CD4^+$ を分子表面に発現させているヘルパーT細胞と，$CD8^+$ を発現させているキラーT細胞に大別できるが，蛍光色素を標識した抗 $CD4^+$ 抗体とそれとは別の蛍光色素を標識した抗 $CD8^+$ 抗体を同時に用いることで，細胞群中のヘルパーT細胞とキラーT細胞を区別して同定することが可能となる．フローサイトメトリーは自己免疫疾患や免疫不全症の検査（9章「免疫と病気（成因と機序）」（p133）参照），急性白血病や悪性腫瘍の細胞表面マーカーの検出に用いられる．

3) MHCテトラマーによる検出

T細胞は抗原提示細胞により提示されたMHC分子とペプチドとの複合体に対して，特異的に結合し，活性化される．このMHC-ペプチド複合体を四量体にして安定な形としたのがMHCテトラマーである．アビジンもしくはストレプトアビジンというタンパク質はビオチンと四量体を形成しており，それぞれのサブユニットでビオチンと強く結合する特徴をもっている．特定のMHC分子にビオチンを化学修飾により結合させ，このMHC分子にペプチドを結合させた複合体をストレプトアビジンと反応させるとMHC-ペプチド複合体の四量体が作製できる（**図 13-9**）．四量体となることでT細胞表面の受容体との結合が強くなり，検出できるように

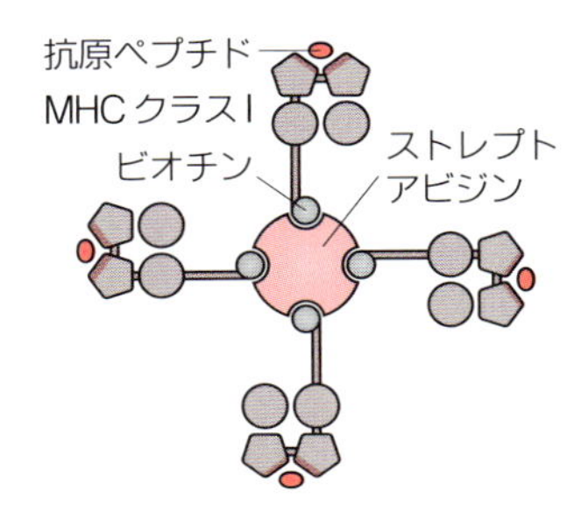

図 13-9　MHC テトラマー

なる．さらに多くの場合はストレプトアビジンに蛍光色素が標識されているので，目的とするMHCテトラマーを用いて，それを特異的に認識するT細胞が補捉でき，フローサイトメトリーによる解析が可能となる．たとえばMHCテトラマーと蛍光標識抗$CD8^{+}$抗体を同時に用いることで，細胞群におけるキラーT細胞の同定とそのなかで標的のエピトープを認識するキラーT細胞が含まれる割合を明らかにすることができる．

D 免疫学的臨床検査

抗原抗体反応を利用して疾患の指標となる生体内物質を測定する検査である．血清を採取し，対象となる物質に対する抗体を用い，イムノアッセイなどによって血清中の対象物質を検出する．自己免疫疾患などでは，自己の成分を抗原として認識し産生される抗体（自己抗体）が診断の対象物質となっている場合が多く，自己抗体を抗原とした抗原抗体反応によってイムノアッセイが行われる．以下に代表的な対象物質をあげ，検査項目と主な疾患を**表 13-1** にまとめる．

1)　C反応性タンパク質（CRP）

C反応性タンパク質 C reactive protein（CRP）はIL-1の刺激により主に肝臓から分泌され，炎症や組織崩壊を伴う疾患の急性期に血中に増加する炎症マーカーの1つである．環状構造をした五量体タンパク質で肺炎レンサ球菌のC多糖体と結合する特徴からCRPという名称が付けられている．CRPは崩壊した細胞や細菌のリン脂質などと結合し，補体の古典的経路を活性化する機能ももっている（2章-3.「補体」（p31）参照）．細菌感染症や自己免疫疾患を含む炎症，心筋梗塞などの組織崩壊，悪性腫瘍などで高い数値を示す．

2)　リウマトイド因子（RF），抗CCP抗体

リウマトイド因子 rheumatoid factor（RF）は自己あるいは変性IgGのFc領域に結合する自己抗体で，主にIgM型であるがIgG型も存在する．関節リウマチの多くで高い数値を示し，関節リウマチの診断マーカーとして頻用されている．しかし，その他の自己抗体がかかわる自己免疫疾患や健常人の一部も陽性となる場合がある．一方，関節リウマチでは，関節滑膜のタンパク質がペプチジルアルギニンデア

表 13-1　代表的な免疫学的臨床検査

対象物質	主な疾患
C 反応性タンパク質	感染症，悪性腫瘍，心筋梗塞
リウマトイド因子	関節リウマチ
抗 CCP 抗体	関節リウマチ
ASO，ASK	溶血性レンサ球菌感染症
抗核酸抗体	全身性エリテマトーデス，進行性全身性硬化症，シェーグレン症候群
抗ミトコンドリア抗体	原発性胆汁性肝硬変
抗 GAD 抗体	1 型糖尿病
抗 AChR 抗体	重症筋無力症

ミナーゼの作用によりアルギニン残基がシトルリン化される現象が見つかっており，このシトルリン化部位を抗原とした自己抗体の抗環状シトルリン化ペプチド抗体 anti-cyclic citrullinated peptide antibody（抗 CCP 抗体）も産生することが知られている．そこで抗 CCP 抗体の検査が，関節リウマチ診断の補助として用いられている．

3)　抗核酸抗体（ANA）

抗核酸抗体 anti-nuclear antibody（ANA）は，真核細胞の核内に含まれる成分に対する自己抗体の総称で，全身性エリテマトーデス（8 章-3．Ⅲ型アレルギー（p129）参照）をはじめとする種々の自己免疫疾患で陽性となる．核内成分は多様に存在するので，それらを抗原とする自己抗体が 20 種類以上同定されている．二本鎖 DNA を抗原とする抗 dsDNA 抗体，非ヒストン核タンパク質を抗原とし発見された患者名由来の抗 Sm 抗体，核膜由来のリン脂質を抗原とする抗リン脂質抗体，シェーグレン症候群 Sjögren syndrome の名称に由来した抗 SS-A 抗体，抗 SS-B 抗体などがある．

4)　ASO，ASK

ASO は溶血性レンサ球菌が産生する毒素のストレプトリジン O に対する抗体 anti-streptolysin O antibody で，ASK は溶血性レンサ球菌が産生する毒素のストレプトキナーゼに対する抗体 anti-streptokinase antibody である．A 群 β 溶血性レンサ球菌感染症の有無の診断に用いられ，ともに感染後約 1 週間より抗体価が上昇し，3〜5 週でピークに達する．

5)　その他の抗体

抗ミトコンドリア抗体 anti-mitochondrial antibody（AMA）は，ミトコンドリア内膜のタンパク質を抗原とする自己抗体であり，原発性胆汁性肝硬変で高い数値を示す．抗グルタミン酸デカルボキシラーゼ抗体 anti-glutamic acid decarboxylase antibody（抗 GAD 抗体）は，自己免疫が発症に関与している 1 型糖尿病で高い数値を示す．抗アセチルコリン受容体抗体 anti-acetylcholine receptor antibody（抗 AChR 抗体）は，自己免疫疾患である重症筋無力症で高い数値を示す．

📖 ELISA，ウエスタンブロッティングの操作法

抗原抗体反応を利用した代表的な検査方法のなかで，とくに汎用されているELISA，ウエスタンブロッティングの具体的な操作法について説明する．

●ELISAの操作法

ELISAには2つの方法がある．

1．1つめはプラスチックプレートに抗原を固相化する方法で，血清中の抗体を定量するときによく用いられる．マウスの血清中の抗原Aに対するIgGの測定について例をあげる（**図A**）．

①固相化：プラスチックプレートに抗原Aを吸着させる．市販のELISA用プレートはタンパク質が吸着しやすい素材が使われているため，プレートにタンパク質溶液を加え一定時間置くだけで吸着できる．

②ブロッキング：ウシ血清アルブミンの希釈液を加え，隙間をウシ血清アルブミン中のタンパク質成分で埋める．ブロッキングをすることで，次に加える抗体のプレートへの非特異的な吸着を阻止する．

③一次抗体添加：抗原Aを投与したマウス血清を加える．洗浄により血清中のほかの抗体やタンパク質は除かれ，抗原に特異的に結合している抗体だけが残る．

④二次抗体添加：アルカリホスファターゼ標識抗マウスIgGウサギ抗体を加える．通常，検出したい抗体の定常部を認識する抗体を用いる．抗マウスIgGウサギ抗体とはマウスIgGの定常部に結合するウサギ由来の抗体で，酵素としてアルカリホスファターゼが連結している．また洗浄により結合していない二次抗体を除く．

⑤基質添加：基質*p*-ニトロフェニルリン酸を加える．アルカリホスファターゼにより*p*-ニトロフェノールとリン酸に分解される．*p*-ニトロフェノールはアルカリ側で黄色を呈するため，405 nm付近の吸光度を測定することで*p*-ニトロフェノールを定量できる．

以上の操作において，既知濃度のマウスIgGを一次抗体として同時に行えば，その検量線から血清中の抗原Aに対する抗体量を測定できる．また二次抗体としてペルオキシダーゼ標識抗体，基質として*o*-フェニレンジアミンもよく使われている．

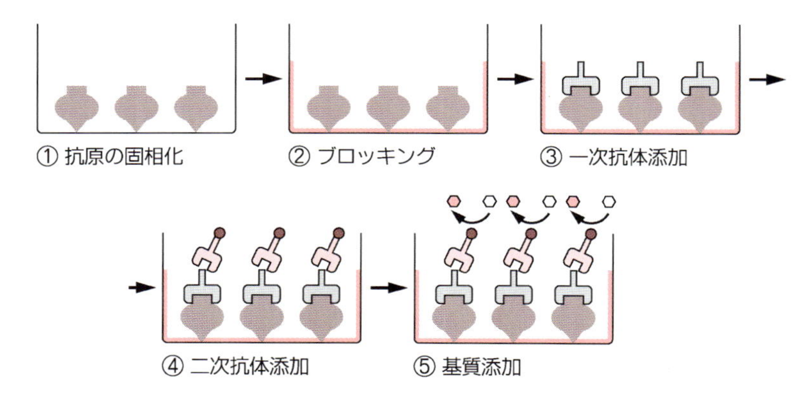

図A　抗原固相化によるELISA

2．2つめはプラスチックプレートに抗体を固相化する方法で，サンドイッチ法と呼ばれており，微量なタンパク質を検出する場合に用いられる．サンドイッチ法による抗原Bの検出について例をあげる（**図B**）．

①固相化：抗原Bを認識するマウスモノクローナル抗体をELISAプレートの穴に加え固相化する．

②ブロッキング：スキムミルクの希釈液を加え，隙間をスキムミルク中のタンパク質成分で埋める．

③抗原添加：抗原Bを加え，固相化されている抗体と結合させる．

④標識抗体添加：抗原Bを認識するアルカリホスファターゼ標識マウスモノクローナル抗体を加える．固相化で用いたモノクローナル抗体と認識部位が異なる抗体を用いなければならない．

⑤基質添加：基質*p*-ニトロフェニルリン酸を加え，*p*-ニトロフェノールの生成量を吸光度により測定する．

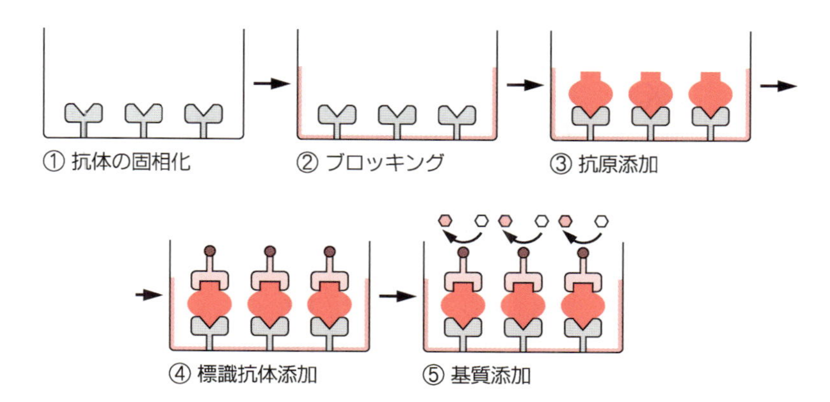

図 B　サンドイッチ法による ELISA
④の標識抗体は，固相化で用いる抗体とは異なるエピトープへ結合する抗体を用いているが，これを非標識抗体とし，図 A ④のように汎用性の高い二次抗体を用いる方法もある．

以上の操作において，検出する抗原 B に特異的に結合する標識抗体を用いている．この方法は直接法と呼ばれ，操作過程が短く行えるという利点がある．一方で，検出したい抗原を投与したマウス血清中の抗体（一次抗体）を反応させた後に，マウス抗体の Fc 領域を認識する標識抗体を用いる方法は間接法と呼ばれている（**図 C**）．これは，標識抗体が汎用できること，また Fc 領域は二量体からなっているので 2 つの標識抗体が結合できるため感度が上がるという利点がある．

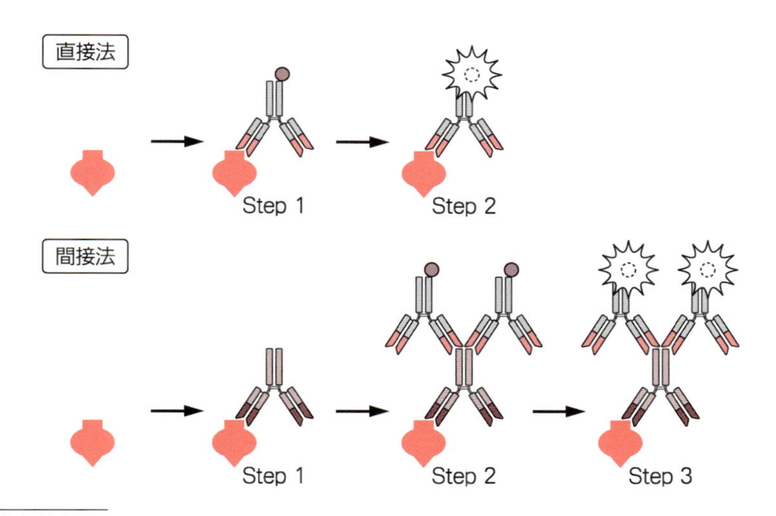

図 C　直接法と間接法

●ウエスタンブロッティングの操作法

ウエスタンブロッティングではゲル電気泳動法によってタンパク質を分離させることから始める．最も広く用いられているのが，負電荷からなる強イオン性界面活性剤の**ドデシル硫酸ナトリウム** sodium dodecyl sulfate（SDS）を用いた**ポリアクリルアミドゲル電気泳動法** polyacrylamide gel electrophoresis（PAGE）で，**SDS-PAGE** と称されている．還元剤でジスルフィド結合を切断したタンパク質に，SDS が結合するとタンパク質の高次構造はほぼ崩壊し鎖状になる．タンパク質 1 g に対し約 1.4 g の SDS が結合するため，一律に負電荷をもつこととなる．すなわち，タンパク質の形状およびアミノ酸組成にかかわらず，分子量に依存した分離が可能となる．雑多なタンパク質溶液から微量な抗原 C を SDS-PAGE（**図 D**）によるウエスタンブロッティングを用いて検出する方法について説明する．

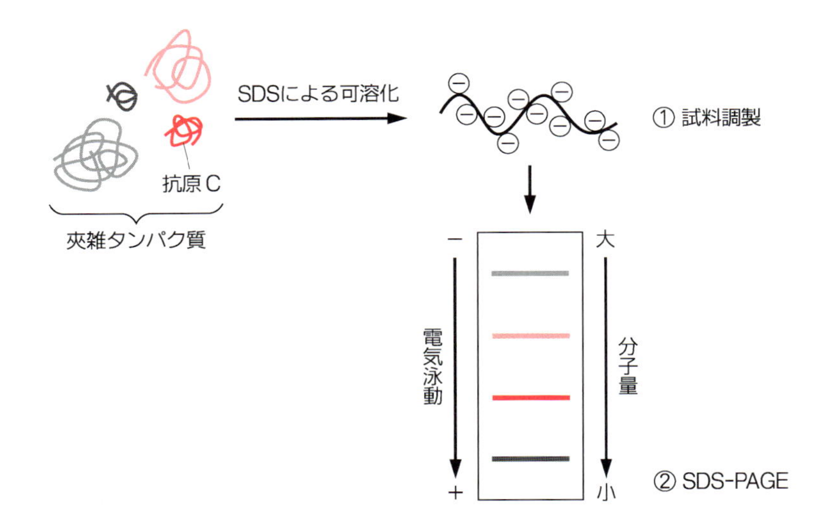

図D　SDS–PAGE

① 試料調製：タンパク質試料にSDSを加える．SDSは分子全体に結合しタンパク質は変性し負電荷を帯びる．
② 電気泳動（SDS-PAGE）：電気泳動により試料をポリアクリルアミドゲル中で分子量の違いで分離させる．
③ 膜への転写：タンパク質をゲルからPVDF膜へ電気的に転写させる．ニトロセルロース膜でも可能である（**図E**）．
④ ブロッキング：ウシ血清アルブミンの希釈液を加え，非特異的なタンパク質の吸着を阻止する（**図F**）．
⑤ 一次抗体添加：抗原Cを認識するマウスIgGポリクローナル抗体を加える．続いて洗浄により結合していない一次抗体を除く（**図F**）．
⑥ 二次抗体添加：アルカリホスファターゼ標識抗マウスIgGウサギ抗体を加える．続いて洗浄により結合していない二次抗体を除く（**図F**）．
⑦ 基質添加：アルカリホスファターゼのジオキセサン系化学発光基質を加える（**図F**）．

化学発光基質がアルカリホスファターゼと反応し，抗原のバンド位置が化学発光するため検出できる．ELISAで用いた発色基質よりも高感度に検出できるためウエスタンブロッティングでは化学発光基質がよく用いられている．また二次抗体としてペルオキシダーゼ標識抗体，基質としてルミノール系化学発光基質もよく使われている．

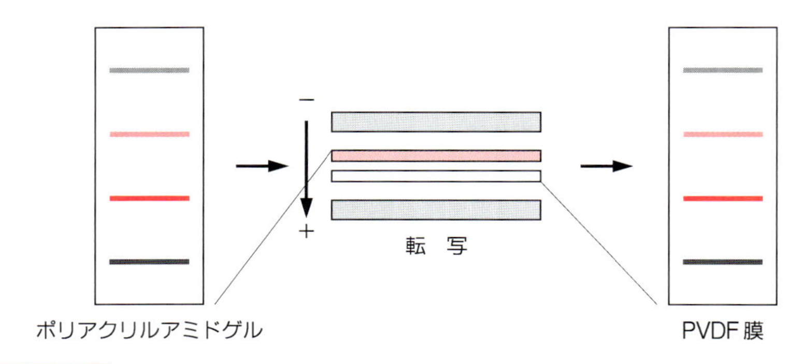

図E　ウエスタンブロッティング（膜への転写）

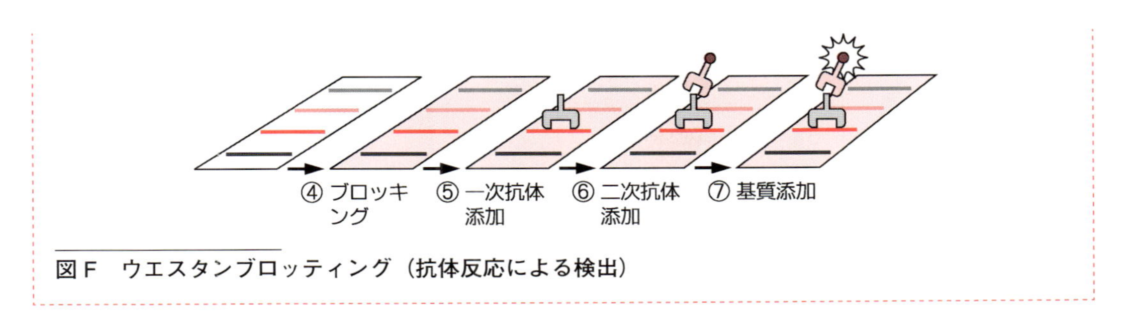

図 F　ウエスタンブロッティング（抗体反応による検出）

第 3 部

免疫と医療

14 免疫関連医薬品 ——詳細な理解をめざして

“免疫”とは，基本的にはその文字が意味するように“疫病”を“免れる”ということであり，細菌やウイルスなどの病原性微生物からわれわれの生命を守る重要な生体防御機構の1つである．免疫機構が機能しなくなると，生体はたちまちに病原性微生物の繁殖の場となり（感染の成立），生命は奪われることになる．**後天性免疫不全症候群**（エイズ，AIDS）がその代表である．

しかし，免疫機構は，われわれの生体に対し必ずしも都合よくばかり働いているわけではない．すなわち，免疫機構は病原菌やウイルスなどの排除のみに働くわけではなく，非自己のタンパク質抗原すべてに対して排除的に働く．たとえば，自己の臓器が機能不全に陥った場合，代用としてほかの人の健康な臓器を移植し，延命を試みるが，免疫機構は移植された臓器を非自己とみなして排除する（**臓器移植後における拒絶反応**）（9章-2.「移植と拒絶反応」（p136）参照）．また，食物として摂取するタンパク質，呼吸器系から侵入するスギ花粉やダニ抗原などの環境中に存在するさまざまな異物抗原に対して抗体IgEが産生されると，食物アレルギー，スギ花粉症，気管支喘息などのアレルギーが発症し，われわれのQOL（quality of life：生活の質）は著しく低下する．ときには全身性アナフィラキシーショックや呼吸困難などが起こり生命は脅かされる．さらに，非自己のタンパク質抗原に対してのみではなく，なんらかの原因によって自己タンパク質抗原に対しても抗体やキラーT細胞（細胞傷害性T細胞：CTL）などが産生されると，これらによって自己の細胞あるいは組織は傷害され，**自己免疫疾患**あるいは**膠原病**◆が発症する（8章「アレルギー」（p119），9章-1.「自己免疫疾患」（p133）参照）．

◆**膠原病**　膠原（コラーゲン）を主な細胞外構成成分とする関節，筋肉，皮膚などに炎症がみられる疾患の総称である．代表的な膠原病として，関節リウマチ，全身性エリテマトーデス，多発性筋炎，強皮症などがある．病因は不明だが，自己抗体産生などの自己免疫機序が考えられている．また，複数の臓器が傷害され，発熱，倦怠感，体重減少などの全身症状を伴う．女性に多く，再燃と寛解を繰り返しながら慢性に経過し，発症に遺伝的要因と環境要因が認められる．

これまで，このようなわれわれの生体に不利益をもたらす免疫応答の制御を目的として多くの医薬品が開発された．臓器移植後の拒絶反応の抑制に対しては**免疫抑制薬**が用いられ，アレルギー疾患には，**化学伝達物質（ケミカルメディエーター）遊離抑制薬**，ヒスタミンあるいはロイコトリエンなどに対する**受容体拮抗薬**，炎症の抑制を目的として**ステロイド性抗炎症薬**が使用される．その他，気管支喘息においては**気管支拡張薬**が用いられる．自己免疫疾患あるいは**関節リウマチ** rheumatoid arthritisに代表される膠原病には免疫抑制薬あるいは**抗リウマチ薬**が使用される．また，関節リウマチにおいては自己抗体あるいは自己反応性T細胞によって組織が傷害を受け，その修復のため炎症が誘導されるが，過度の炎症によって組織傷害はさらに増幅されることから，炎症の抑制を目的として，**非ステロイド性抗炎症薬**およびステロイド性抗炎症薬が用いられる．エイズの治療薬としては，**HIV増殖抑制薬**がある．

1. 免疫抑制薬

免疫抑制薬は臓器移植後にみられる拒絶反応（9章-2.「移植と拒絶反応」(p136)参照）の抑制および関節リウマチなどの膠原病に用いられる．免疫抑制薬の多くはT細胞をはじめとする免疫担当細胞のみならず，正常細胞の増殖反応をも抑制する．たとえば，骨髄細胞の分化・増殖は免疫抑制薬によって抑制され，**白血球減少**，**血小板減少**などの重篤な**副作用**が発現することが少なくない．また，免疫抑制薬の一部はがん細胞の増殖抑制を目的として抗がん薬としても使用される（免疫抑制薬を**付表1**（本章p249）に示す）．

コアカリ到達目標
- 免疫抑制薬の薬理（薬理作用，機序，主な副作用）および臨床適用を説明できる．

A 代謝拮抗薬

1) プリン代謝拮抗薬（アザチオプリン，ミゾリビン，ミコフェノール酸モフェチル）

プリン塩基であるアデニン，グアニン，ヒポキサンチンなどに類似した構造を有するため，核酸の塩基部分に入り込み，異種の核酸をつくることによってDNA合成を阻害し，T細胞やB細胞の分化・増殖を抑制する．腎移植後の拒絶反応の抑制，膠原病などに用いられる．細胞特異性はないため，副作用として骨髄抑制などがある．

2) 葉酸代謝拮抗薬（メトトレキサート）

ジヒドロ葉酸還元酵素と不可逆的に結合し，テトラヒドロ葉酸を枯渇させることにより，チミジル酸およびプリン合成を抑制する（**図14-1**）．また，本代謝系にかかわるアミノ酸代謝を阻害し，タンパク質合成を抑制する．主として細胞周期の**DNA合成期**（**S期**）に作用し，T細胞やB細胞などの分化・増殖を阻害する．関節リウマチおよび白血病などに用いられるが，抗リウマチ作用は抗がん作用を示す用量よりも低い用量で発現する．強力な免疫抑制作用のほかに，関節滑膜増殖抑制

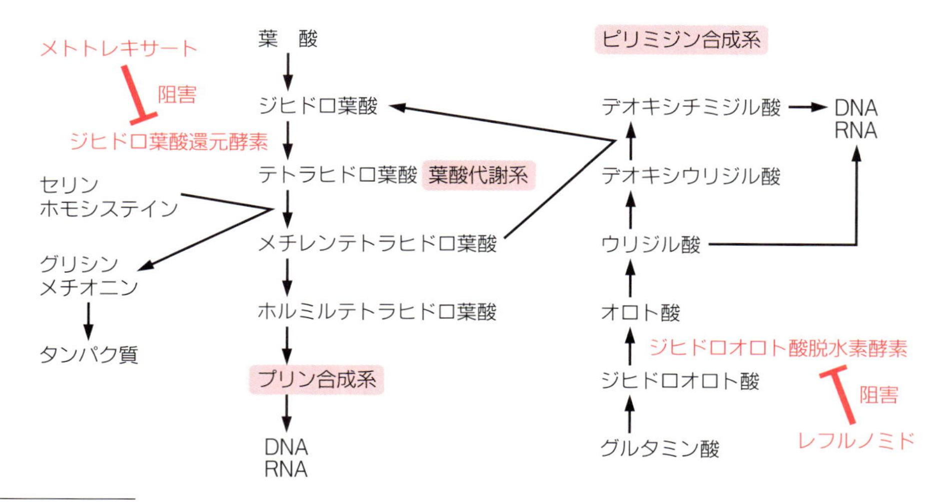

図14-1　メトトレキサートとレフルノミドの作用機序

作用や軟骨・骨破壊抑制作用があるため，現在では関節リウマチ治療における第1選択薬として用いられている．副作用として，間質性肺炎，肝障害，骨髄抑制，腎機能低下などがある．

3) ピリミジン代謝拮抗薬（レフルノミド）

抗リウマチ効果はメトトレキサートと同等である．生体内で活性型となり，**ピリミジン合成系のジヒドロオロト酸脱水素酵素**を阻害し，オロト酸の生成が抑制される．その結果，DNAおよびRNA合成が抑制される（**図14-1**）．血中半減期が長い（15〜18日）のが特徴である．副作用として，間質性肺炎，肝障害，骨髄抑制などがある．

B アルキル化薬

シクロホスファミドは，生体内でチトクロームP450（CYP）により代謝されて活性型となり，核酸におけるグアニンのN-7位を**アルキル化**し，DNA鎖の複製とmRNAへの転写を阻害する．T細胞，B細胞の分化・増殖やマクロファージなどの抗原提示細胞による抗原処理過程を強く抑制する．腎移植後の拒絶反応の抑制に用いる．多発性骨髄腫，悪性リンパ腫，急性白血病，乳がん，肺がんなどの悪性腫瘍にも用いられる．副作用として，骨髄抑制，出血性膀胱炎，間質性肺炎などがある．

C 特異的免疫抑制薬

真菌あるいは細菌が産生する物質のうち，T細胞あるいはB細胞の分化・増殖を比較的特異的に抑制するものが特異的免疫抑制薬である．生物活性物質とも呼ばれている．**シクロスポリン**，**タクロリムス**，**グスペリムス**がある．

1) シクロスポリン（図14-2）

真菌が産生するポリペプチドとして発見された．作用機序として，**ヘルパーT細胞**のシクロスポリン結合タンパク質である**シクロフィリン**と結合して**カルシニューリン**（脱リン酸化酵素）を阻害する（**図14-3**）．その結果，**IL-2**遺伝子に働く転写因子の1つである**NFAT**（nuclear factor of activated T cells，活性化T細胞特異的核内転写因子）の核内移行が阻害され，IL-2合成が抑制される．これによってヘルパーT細胞の分化・増殖が抑制される．腎，肝，骨髄などの移植後の拒絶反応の抑制や自己免疫疾患に用いられる．副作用として，腎障害，肝障害などがある．

2) タクロリムス（図14-2）

放線菌が産生する**マクロライド系抗生物質**である．ヘルパーT細胞の**タクロリムス結合タンパク質**FK506 binding protein（**FKBP**）と結合し，シクロスポリンと同様にカルシニューリンを阻害する（**図14-3**）．その結果，IL-2の産生が抑制され，ヘルパーT細胞の分化・増殖が抑制される．免疫抑制作用はシクロスポリンより

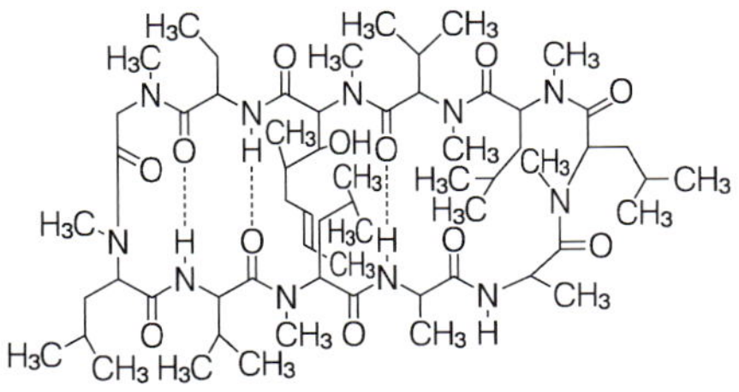

シクロスポリン
Ciclosporin (Cyclosporin A)

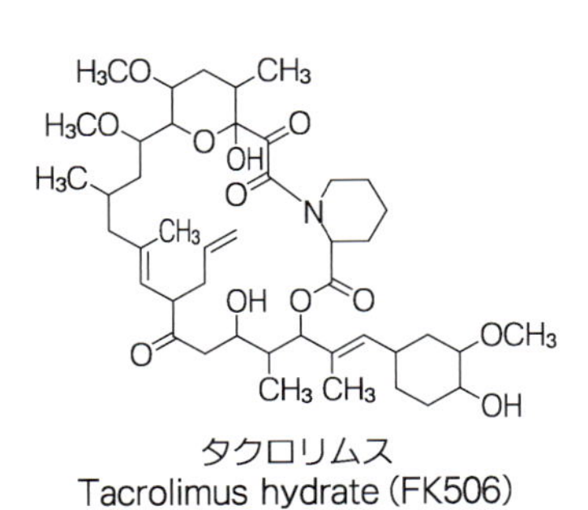

タクロリムス
Tacrolimus hydrate (FK506)

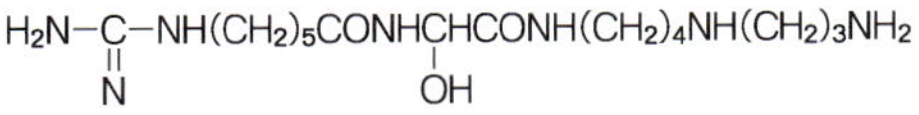

H2N−C(=NH)−NH(CH2)5CONHCH(OH)CONH(CH2)4NH(CH2)3NH2

グスペリムス
Gusperimus

図 14-2　特異的免疫抑制薬

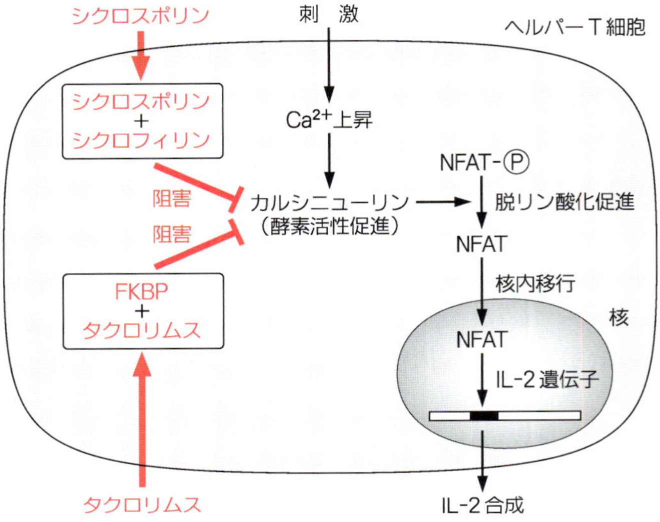

シクロスポリン　刺　激　ヘルパー T 細胞
シクロスポリン + シクロフィリン
Ca2+上昇
NFAT-Ⓟ
阻害
阻害
カルシニューリン（酵素活性促進）
脱リン酸化促進
NFAT
核内移行
核
FKBP + タクロリムス
NFAT
IL-2 遺伝子
タクロリムス
IL-2 合成

図 14-3　シクロスポリンおよびタクロリムスの作用機序

も強力である．腎，肝，骨髄などの移植後の拒絶反応の抑制および関節リウマチに用いられる．副作用として腎障害，心不全，中枢神経障害などがある．

3)　グスペリムス（図 14-2）

バシラス *Bacillus* 属から分離された抗生物質（スペルグアリン）の合成誘導体である．IL-2 産生に影響を与えることなく，キラー T 細胞（細胞傷害性 T 細胞：CTL）および B 細胞の分化・増殖を抑制するが，詳細な作用機序は不明である．腎移植後の拒絶反応の抑制に用いる．副作用として，骨髄抑制，貧血などがある．

> **生物学的製剤の免疫原性**　抗体医薬品を含む生物学的製剤は従来の医薬品では治療が困難な関節リウマチやがんなどに著効を示すことがあるが，本剤自体がタンパク質であるため，投与後に抗体が産生され（生物学的製剤の免疫原性），有効性の低下や有害反応を引き起こす可能性がある．したがって，生物学的製剤はその免疫原性を十分に理解した上で使用する必要がある．

D　生物学的製剤（抗体医薬品）

T 細胞などの免疫担当細胞膜抗原に対する**モノクローナル抗体**を用いることにより，免疫応答は比較的特異的に抑制される．しかし，これまで開発されたモノクローナル**抗体医薬品**の多くは（その一部がマウス由来であることもあり）ヒトに投与すると**中和抗体**が出現し，免疫抑制効果が減弱するとともに，**アナフィラキシー反応**が生じる可能性がある．

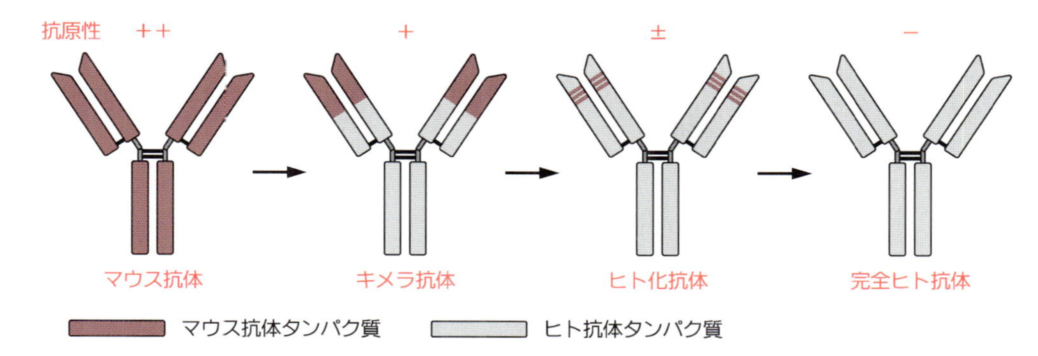

図 14-4　マウス抗体から完全ヒト抗体へ
マウス抗体をヒトに投与すると，中和抗体が出現し，治療効果の減弱およびアナフィラキシー反応が誘導される可能性が高い．現在，遺伝子工学の技術を用いると，キメラ抗体（Fab 領域はマウス由来だが，Fc 領域はヒト由来），ヒト化抗体（相補性決定領域（CDR）はマウス由来だが，ほかはヒト由来），完全ヒト抗体（すべてヒト由来）の作製が可能であり，矢印の順に中和抗体の出現は減少する．

1）　バシリキシマブ

活性化 T 細胞に発現する **IL-2 受容体 α 鎖**（CD25）に対する**キメラ抗体**（**図 14-4**）である．本抗体の投与によって末梢血中の活性化 T 細胞が消失する．腎移植後の急性拒絶反応の抑制に用いる．副作用として，急性過敏症，感染症などがある．

2）　ベリムマブ

可溶型 B リンパ球刺激因子 B lymphocyte stimulator（BLyS）に対するヒトモノクローナル抗体製剤である．BLyS は全身性エリテマトーデス（SLE）において過剰発現しており，本疾患の活動性との相関性が認められる．

E　JAK（ヤヌスキナーゼ Janus kinase）阻害薬

トファシチニブは，JAK（7 章-4.「シグナル伝達」（p112）参照）のうち，主に JAK1 および JAK3 を阻害し，IL-2, IL-4 などのサイトカイン受容体を介した細胞内シグナル伝達を遮断し，リンパ球の活性化・増殖を抑制する．既存治療で不十分な関節リウマチおよび中等症から重症の潰瘍性大腸炎の寛解導入および維持療法に用いられる．副作用として，感染症，白血球減少，間質性肺炎などがある．

2.　抗リウマチ薬（DMARDs）

比較的**遅効性**で，**持続的**な効果があり，関節リウマチに使用される薬物群を**疾患修飾抗リウマチ薬** disease-modifying anti-rheumatic drugs（DMARDs）と総称している．省略して抗リウマチ薬と呼ぶ場合が多い．すべての DMARDs に共通した作用機序は存在しない（DMARDs を**付表 2**（本章 p250）に示す）．

コアカリ到達目標
- 関節リウマチについて，治療薬の薬理（薬理作用，機序，主な副作用），および病態（病態生理，症状等）・薬物治療（医薬品の選択等）を説明できる．

A 免疫調節薬

関節リウマチはなんらかの原因によって自己のタンパク質抗原に対する免疫寛容が破綻し，その結果産生される自己抗体あるいは自己反応性T細胞によって引き起こされる慢性炎症疾患である（9章-1.「自己免疫疾患」（p133）参照）．自己抗原としては，IgG，Ⅱ型コラーゲン，プロテオグリカン，シトルリン化タンパク質◆などがある．この自己免疫異常を是正する薬物が**免疫調節薬**であるが，その詳細な作用機序については不明な点が多く残されている．主な免疫調節薬として，金チオリンゴ酸ナトリウム，オーラノフィン，ペニシラミン，ブシラミン，サラゾスルファピリジンなどがある．

1) 金チオリンゴ酸ナトリウム

筋肉注射剤であり，活動性関節リウマチに対する有効性が比較的高い．マクロファージなどの抗原提示細胞の機能を抑制し，自己免疫系を制御すると考えられている．副作用として，皮膚炎，腎障害，骨髄抑制，間質性肺炎などがある．

2) オーラノフィン

経口金製剤であるため，患者への投与が容易であるという利点がある．金チオリンゴ酸ナトリウムと同様の作用機序で自己抗体の産生などの自己免疫系を制御すると考えられているが，その抗リウマチ作用は弱い．副作用として，下痢，皮膚炎，腎障害，骨髄抑制，間質性肺炎などがある．

3) ペニシラミン

チオール（SH）基によって**リウマトイド因子**◆および**免疫複合体**におけるジスルフィド結合（**S-S結合**）を解離する．また，細胞性免疫系に作用し抗リウマチ作用を発現すると考えられている．重金属の**キレート形成**作用を有するため，**ウィルソン病**◆，鉛，水銀の解毒にも用いられる．副作用として，骨髄抑制，ネフローゼ症候群，重症筋無力症などがある．

4) ブシラミン

関節リウマチに対する有効率は比較的高い．Th1細胞を刺激しIFN-γを誘導することによってTh2細胞からのIL-4産生を抑制し，自己抗体産生を阻害すると考えられている．また，低下している制御性T細胞の機能を活性化する．副作用として，骨髄抑制，ネフローゼ症候群，重症筋無力症などがある．

5) サラゾスルファピリジン

関節リウマチに対する効果は比較的強力である．マクロファージおよびT細胞に作用し，IL-1, IL-2, IL-6などのサイトカイン産生を抑制することによって抗リウマチ作用を発現すると考えられている．副作用として，腎障害，骨髄抑制，皮膚障害，間質性肺炎などがある．

◆**シトルリン化タンパク質**　タンパク質を構成するアミノ酸であるアルギニンがペプチジルアルギニンデイミナーゼによってシトルリンに変換されたものである．タンパク質のシトルリン化は細胞死あるいは炎症によって起こる．最近関節リウマチにおいてシトルリン化されたタンパク質（フィブリン，ビメンチン，Ⅱ型コラーゲンなど）に対する抗体が非常に高い特異性をもって存在することが明らかにされ，現在同疾患の最も有力な自己抗原として病因との関連性が強く疑われている．

◆**リウマトイド因子（RF）**　自己のIgG抗体に対する抗体である．リウマチ因子ともいい，IgG，IgM，IgA，IgEがある．当初，関節リウマチ患者の血清中に存在する特異的な自己抗体であると考えられたが，現在ではほかの疾患にも存在することが明らかにされている．IgM-RFの陽性は関節リウマチの診断基準の1つである．

◆**ウィルソン病**　先天性の銅代謝異常によって，生体内に過剰の銅が蓄積し，発症する．男女両性に出現し，発症は4～60歳と幅広い．小児期には，軽い黄疸や肝障害による腹水貯留をもって発症する場合が多い．10歳以降では，言葉の発声障害，振戦などの神経症状をもって発症する．治療には，生体からの銅排泄を目的として，キレート剤であるペニシラミンを使用する．

B 生物学的製剤（付録2（p284）参照）

関節リウマチ患者の炎症部である関節においては，炎症のみならず，軟骨・骨破壊に重要な役割を果たしているTNF-α, IL-1, IL-6などのサイトカインが多く産生されているが，これらサイトカインは標的細胞膜上の受容体に結合後，シグナル伝達系を介してその作用を発現する（**図14-5a**）．したがって，これらサイトカインに対する中和抗体を用いると，サイトカインと受容体との結合は阻害されるため，炎症および軟骨・骨破壊は抑制される（**図14-5b**）．また，同様に，細胞膜非結合型である可溶性受容体によってサイトカインと細胞膜受容体との結合は阻害され，抗リウマチ作用が発現する（**図14-5c**）．これら中和抗体および可溶性受容体はタンパク質製剤であるため，経口投与は無効であり，点滴静脈内注射あるいは皮下注射で用いられる．関節リウマチに適応される主な生物学的製剤として，TNF-α阻害薬，IL-6阻害薬，細胞標的薬などがある．

1） TNF-α阻害薬

a. インフリキシマブ

インフリキシマブはマウス抗ヒトTNF-α抗体の可変部の遺伝子とヒトIgGの定常部の遺伝子を連結して作製されたキメラ型のモノクローナル抗体である．本抗体はTNF-αと特異的に結合し，本サイトカインの細胞膜受容体への結合を阻害する．その結果，TNF-αの生物学的活性（**表14-1**）は阻害される．しかし，マウス由来領域に対する抗体出現によって，抗リウマチ効果は減弱され，あるいはアナフィラキシー症状が現れる場合がある．したがって，中和抗体産生の抑制および抗リウマチ効果の増強を目的としてメトトレキサートが併用して用いられる．インフリキシマブの抗リウマチ効果および軟骨・骨破壊に対する抑制効果は強い．副作用として，

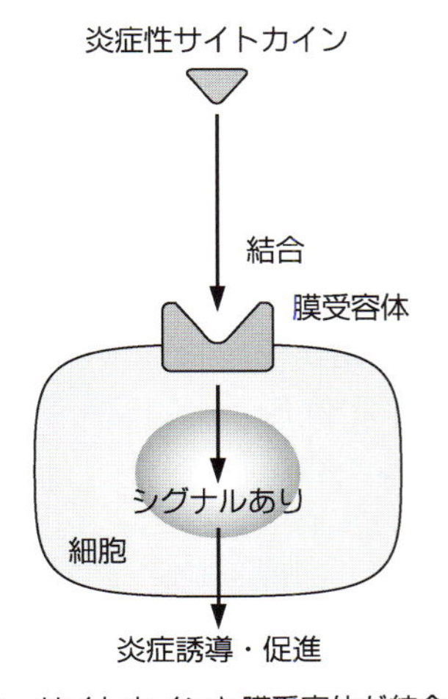

a. サイトカインと膜受容体が結合（正常）

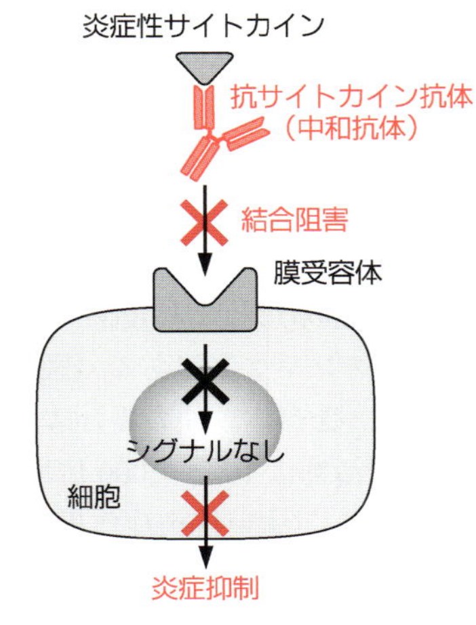

b. 抗サイトカイン抗体によってサイトカインとその受容体との結合が阻害される

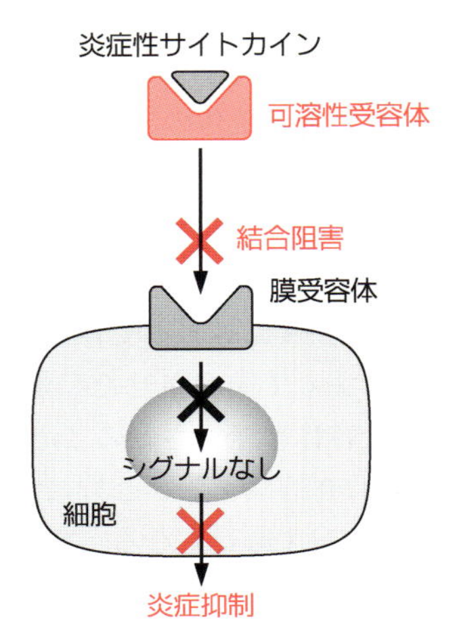

c. 可溶性受容体によってサイトカインとその受容体との結合が阻害される

図14-5 中和抗体および可溶性受容体による炎症性サイトカインの阻害

表 14-1　TNF-α の性質

産生細胞	マクロファージ，単球など
生物学的活性	①炎症性サイトカイン（IL-1，IL-6，IL-8 など）産生の促進 ②アラキドン酸代謝産物（PGE_2 など），活性酸素産生の促進 ③マトリックスメタロプロテアーゼ（MMP）分泌の促進 ④IFN-γ，GM-CSF 産生の促進 ⑤マクロファージ，T 細胞，B 細胞の活性化 ⑥血管内皮細胞などの接着分子の発現・誘導 ⑦破骨細胞の分化・誘導，滑膜細胞増殖の促進など

結核，敗血症，ニューモシスチス肺炎などの感染症およびアナフィラキシーショックなどがある．

b.　アダリムマブ

ファージディスプレイ法によって作製され，定常部遺伝子のみならず可変部遺伝子もヒト由来である完全ヒト抗 TNF-α モノクローナル抗体である．中和抗体の出現は減少したが，メトトレキサートとの併用が推奨されている．副作用として，感染症や血液障害がある．

c.　ゴリムマブ

トランスジェニック法によって作製された第 2 世代の完全ヒト抗 TNF-α モノクローナル抗体である．アダリムマブと比較し，中和抗体の出現はさらに少なく，投与継続率が高い．本剤単独あるいはメトトレキサートと併用して投与される．副作用はアダリムマブと同様である．

d.　セルトリズマブ・ペゴル

ヒト化抗 TNF-α モノクローナル抗体 Fab' をポリエチレングリコール（PEG）に融合させた製剤である．PEG 化によって生体内での安定性が高まり，抗原性が低下するため中和抗体の出現が少ない．本剤単独あるいはメトトレキサートと併用して投与される．副作用はほかの抗 TNF-α 阻害薬と同様である．

e.　エタネルセプト

ヒト TNF-α に対する受容体（分子量 75,000）とヒト IgG1 の Fc 領域とを遺伝子組換えによって結合させた二量体の融合タンパク質である（**図 14-6**）．IgG1 の Fc 領域を受容体に結合させることによって，受容体単独の場合よりも TNF-α への結合能が約 50 倍強まるとともに，生物学的活性は 100〜1,000 倍増加し，また，血中半減期は 5〜8 倍長くなる．TNF-α と結合し，強い抗炎症作用を示す．また，そのタンパク質の構成はすべてヒト由来であるため，ヒトに対して抗原性が低く，中和抗体の出現が少ない．エタネルセプト単独使用も可能であるが，メトトレキサートとの併用でその抗炎症効果はさらに強まる．副作用として，感染症および血液障害などがある．

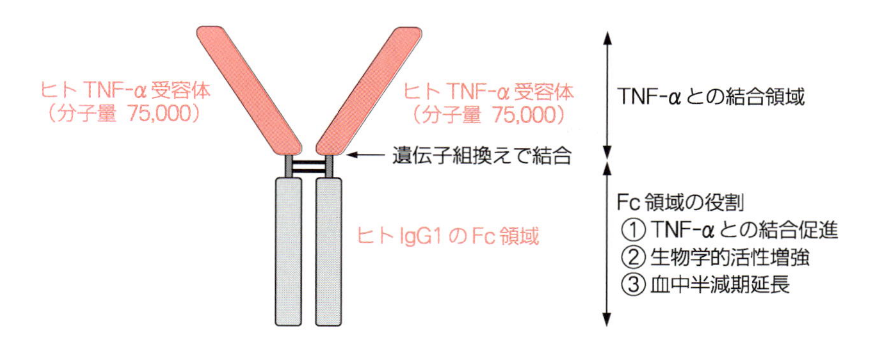

図 14-6　エタネルセプトの構造

2） IL-6 阻害薬

IL-6 受容体に対するヒト化モノクローナル抗体製剤として**トシリズマブ**がある．IL-6 は T 細胞，マクロファージなどのさまざまな細胞から産生されるサイトカインで，B 細胞に作用し形質細胞への分化・成熟を誘導する．また，破骨細胞の活性化による骨吸収（骨破壊）作用などがあり，TNF-α と同様に関節リウマチの病態形成に重要な役割を果たしている．したがって，本抗体は膜結合性および膜非結合性の IL-6 受容体に結合することによって，IL-6 とその受容体への結合を阻害し，抗体産生，骨破壊などを抑制する．副作用として，感染症，間質性肺炎，アナフィラキシー様症状などがある．

3） 細胞標的薬

T 細胞活性化の抑制を目的として開発された生物学的製剤に**アバタセプト**がある．T 細胞の活性化には抗原刺激とともに，抗原提示細胞膜に存在する CD80/CD86 と T 細胞膜の CD28 との結合による補助刺激シグナルが必須である．アバタセプトは CD28 と構造的に相同性を示す CTLA-4 とヒト IgG1 の Fc 領域との融合タンパク質であるが，本融合タンパク質は CD80/CD86 と直接結合することによって CD80/CD86 と CD28 との結合を阻害する．その結果，T 細胞活性化は抑制され，関節リウマチの病態形成にかかわる TNF-α などの炎症性サイトカイン産生は阻害される．副作用として，感染症，アナフィラキシー様症状，間質性肺炎などがある．

C　免疫抑制薬

付表 1（本章 p249）に示した免疫抑制薬のうち，メトトレキサート，レフルノミド，タクロリムスは抗リウマチ薬としても分類されている．関節リウマチにおける自己抗体産生および自己反応性 T 細胞活性化の抑制を目的として用いられる．

3. ステロイド性抗炎症薬（ステロイド）

副腎皮質から分泌されるホルモンには鉱質コルチコイド，糖質コルチコイド，男性ホルモン（アンドロゲン）があり，これらはすべてステロイド骨格をもつが，抗炎症作用および免疫抑制作用を示すのは**糖質コルチコイド**である．糖質コルチコイドにはコルチゾン，ヒドロコルチゾン，コルチコステロンがある．これら天然のステロイドのほかに，より強力な抗炎症作用を有するプレドニゾロン，メチルプレドニゾロン，トリアムシノロン，ベタメタゾン，デキサメタゾンなどの合成ステロイド製剤が開発された（**表 14-2**）．本剤は関節リウマチなどの膠原病および気管支喘息などのアレルギー性炎症疾患をはじめとして，多くの疾患の治療になくてはならない薬物となっている．一方，副作用は比較的軽症なものから重篤なものまで多岐にわたっており，とくに長期間にわたる使用にあたっては十分な注意を要する．

コアカリ到達目標
- 抗炎症薬（ステロイド性および非ステロイド性）および解熱性鎮痛薬の薬理（薬理作用，機序，主な副作用）および臨床適用を説明できる．

A 薬理作用・副作用

ステロイドの生理作用は多彩である（**表 14-3**）．炎症における血管透過性亢進，白血球遊走，サイトカイン産生，プロスタグランジンおよびロイコトリエンなどのアラキドン酸代謝産物の産生などはすべて強く抑制される．また，ステロイドはT細胞由来のIL-2, IFN-γ, IL-4, IL-5などのサイトカイン産生を抑制する．これによって細胞性免疫および抗体産生は抑制される．副作用として，感染症の誘発あるいは

表 14-2　代表的なステロイド性抗炎症薬

作用時間	薬　物	抗炎症作用	Na^+ 貯留能	グリコーゲン増加能	血中半減期 (hr)	生物学的半減期 (hr)
短時間	ヒドロコルチゾン	1[1]	1[1]	1[1]	1.2	8〜12
中時間	プレドニゾロン	4	0.8	0.7	2.5	12〜36
	メチルプレドニゾロン	6	0.5	11	2.8	12〜36
	トリアムシノロン	7	0.1	7	3.3	24〜48
長時間	ベタメタゾン	70	0.1	30	3.5	36〜54
	デキサメタゾン	200	0.1	30	3.5	36〜54

[1] 相対活性の比較のための数値．

表 14-3　ステロイド性抗炎症薬の主な薬理作用

生体系	薬理作用
炎　症	抑制（血管透過性，白血球遊走，炎症性サイトカイン産生，アラキドン酸代謝）
免　疫	抑制（免疫担当細胞由来サイトカイン産生，抗体産生，細胞性免疫） 副作用：感染症
結合組織	抑制（骨形成），促進（骨からの Ca^{2+} 遊離） 副作用：骨粗鬆症，骨折
糖代謝	促進（肝における糖新生），抑制（グルコース利用） 副作用：糖尿病
電解質代謝	促進（血中 Na^+，K^+ 排泄） 副作用：高血圧，浮腫，低カリウム血症
消化器	促進（胃液分泌） 副作用：消化性潰瘍

増悪がある．そのほか，ステロイドの重篤な副作用によって発病あるいは悪化する疾患として，①骨形成抑制と骨からの Ca^{2+} 遊離促進による骨粗鬆症，②肝における糖新生促進とグルコース利用抑制による糖尿病，③ Na^+ 再吸収促進と K^+ 排泄促進による高血圧，浮腫，低カリウム血症，④胃酸分泌促進による消化性潰瘍などがある．

B 作用機序

ステロイドが有する多彩な薬理作用の機序については不明な点が多く残されているが，現在主な抗炎症作用機序として考えられているのは遺伝子を介するものである．すなわち，まずステロイドは親油性を有するため，拡散によって細胞膜を通過し，細胞内に入る．細胞質には熱ショックタンパク質 heat shock protein（HSP）と結合したステロイド受容体が存在するが，ステロイドが受容体に結合することによって HSP は受容体から遊離する．ステロイド-受容体複合体は二量体を形成し，核内に移行する．ステロイド受容体は転写因子としての性質も有するため，DNA の特定部位に結合し，抗炎症タンパク質遺伝子の転写を亢進する（**図 14-7**）．抗炎症タンパク質としてはホスホリパーゼ A_2 を阻害するリポコルチンなどがある（**図 14-8**）．また，ステロイド-受容体複合体は単量体としても作用し，炎症性タンパク質遺伝子の転写に重要な役割を果たしている転写因子（NF-κB および AP-1 など）を抑制する．その結果，TNF-α, IL-1, IL-6 などの炎症性サイトカイン，ケモカイン，細胞接着分子などの産生が抑制される．一方，ステロイドの大量療法，ステロイドパルス療法では，遺伝子を介した作用では説明ができない速さで効果が発現することなどから，遺伝子を介さない機序も存在すると考えられている．

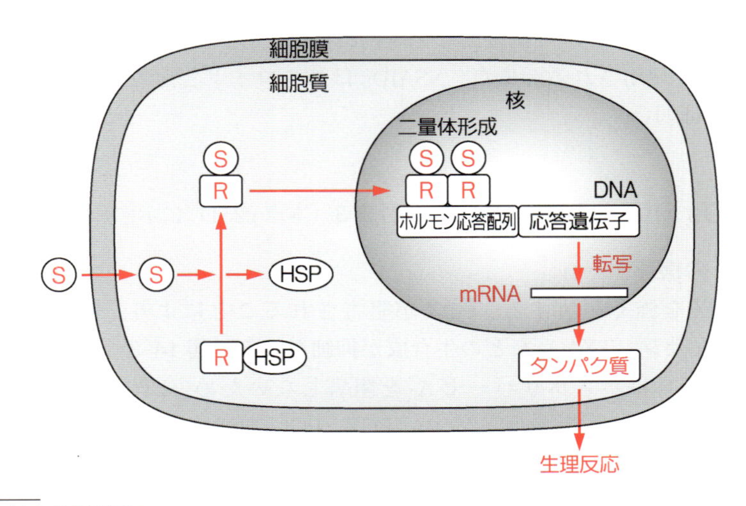

図 14-7　ステロイドの作用機序
S：ステロイド，R：受容体

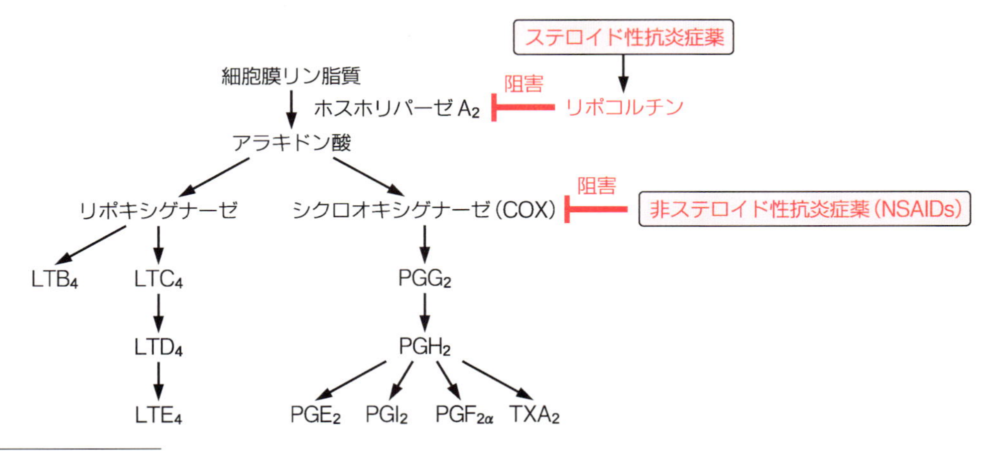

図 14-8　アラキドン酸代謝経路

C　適応疾患

ステロイドが頻用される疾患としては，関節リウマチをはじめとする関節炎疾患，その他の膠原病（全身性エリテマトーデスなど），気管支喘息，アレルギー性皮膚疾患，重症のアレルギー性鼻炎，潰瘍性大腸炎，肝炎，膵炎などがある．

4.　非ステロイド性抗炎症薬（NSAIDs）

ステロイド以外の抗炎症薬で，**シクロオキシゲナーゼ** cyclooxygenase（**COX**）を阻害するものを**非ステロイド性抗炎症薬** non-steroidal anti-inflammatory drugs（**NSAIDs**）と総称している．NSAIDs は**酸性 NSAIDs** と**塩基性 NSAIDs** に大別される．NSAIDs はステロイドと異なり，直接的な免疫抑制作用を有しておらず，消炎，鎮痛，解熱を目的として使用される．また，NSAIDs はステロイドと比較すると，一般にその抗炎症効果は弱い．

> **コアカリ到達目標**
> ▪ 抗炎症薬（ステロイド性および非ステロイド性）および解熱性鎮痛薬の薬理（薬理作用，機序，主な副作用）および臨床適用を説明できる．

A　酸性 NSAIDs（代表的な酸性 NSAIDs を**付表 3**（本章 p251）に示す）

1)　抗炎症作用とその機序

酸性 NSAIDs は COX を強く阻害する．COX が阻害されることにより，PGE_2, PGI_2, $PGF_{2\alpha}$, トロンボキサン（TXA_2）などの生合成が抑制される（**図 14-8**）．ステロイドと異なり，NSAIDs はホスホリパーゼ A_2 を阻害しないため，LTC_4, LTD_4, LTE_4, LTB_4 などの生合成には影響を与えない．PGE_2, PGI_2, $PGF_{2\alpha}$, TXA_2 などの COX 代謝産物は，多くの組織・臓器に対してさまざまな生理作用を示すが（**表 14-4**），血管拡張（血管平滑筋弛緩），血管透過性亢進および疼痛などの炎症反応に関与しているのは，主に PGE_2 および PGI_2 である．したがって，NSAIDs による PGE_2 および PGI_2 産生の抑制は抗炎症作用として現れる．

COX は **COX-1** と **COX-2** とに分類されるが，炎症に関与しているのは COX-2

表 14-4 COX 代謝産物の生理作用

COX 代謝産物	生理作用							
	平滑筋			発痛	視床下部	胃酸分泌	腎血流量	血小板凝集
	血管	気管支	子宮					
PGE_2	弛緩	弛緩	収縮	促進	発熱	抑制	増加（血管拡張）	—
PGI_2	弛緩	—	—	—	—	抑制	増加（血管拡張）	抑制
$PGF_{2\alpha}$	収縮	収縮	—	—	—	—	—	—
TXA_2	収縮	収縮	—	—	—	—	—	促進

表 14-5 COX-1 と COX-2 の比較

	COX-1	COX-2
発現細胞	胃，血小板，腎など（構成酵素）	好中球, マクロファージ, 滑膜細胞など（誘導酵素）
生理的な役割	胃酸分泌抑制，血小板凝集，血圧調節	炎症反応（傷害組織の修復），血管新生など
病態での発現	なし	関節リウマチなどの炎症疾患，悪性腫瘍など
ステロイドによる転写阻害	弱い	強い

である（**表 14-5**）．したがって COX-2 の阻害により炎症は抑制される．一方，COX-1 は炎症非存在下でも胃，腎，血小板などで恒常的に発現されており，本酵素による代謝産物は，胃酸分泌抑制，血圧調節，止血（血小板凝集）などにおいて重要な役割を果たしている．酸性 NSAIDs の多くは COX-1 および COX-2 の両酵素を阻害するため，抗炎症作用のみならず，**胃腸障害**などの副作用をもたらすことが少なくない．しかし，最近開発された**エトドラク**，**メロキシカム**およびセレコキシブは COX-2 を比較的選択的に阻害するため，COX-1 阻害に基づく胃腸障害などは少ない．

2) 適応症

関節リウマチおよび変形性関節症などのリウマチ性炎症疾患，腰痛，術後および抜歯後の消炎・鎮痛，産婦人科疾患の鎮痛，整形外科疾患（肩関節周囲炎など）の消炎・鎮痛，風邪の解熱，血栓症の予防（アスピリンのみ）などに用いられる．

3) 副作用および禁忌

PGE_2 産生の抑制によって胃酸分泌は促進されるため，消化性潰瘍に禁忌である．また，血管拡張の抑制によって腎や肝の血流量は減少するため腎および肝障害者に禁忌である．COX 阻害によって PGE_2, PGI_2 産生は抑制され，ペプチドロイコトリエン（LTC_4, LTD_4 および LTE_4）産生は促進されるため**アスピリン喘息**◆に禁忌である．子宮平滑筋の収縮は抑制されるため，妊娠後期の妊婦に禁忌である．

◆アスピリン喘息　アスピリンを服用すると，一部の気管支喘息患者に発作がみられるため，アスピリン喘息と呼ばれている．発作はアスピリンのみではなく，ほかの NSAIDs を用いた場合でもみられる．発症機序として，COX 阻害による気管支平滑筋弛緩作用を有するプロスタグランジン（PGE_2 など）産生の抑制，あるいはアラキドン酸貯留によるリポキシゲナーゼ活性促進の結果として，気道収縮作用を示すロイコトリエン（LTC_4，LTD_4 など）産生の増加などが考えられている．

B 塩基性 NSAIDs

1) 抗炎症作用とその機序

塩基性 NSAIDs は，酸性 NSAIDs と同様に，抗炎症，鎮痛，解熱作用を示すが，

COX阻害作用はきわめて弱い．したがって，COX阻害に基づく胃腸障害は少ない．塩基性NSAIDsとして**チアラミド塩酸塩**がある（**付表3**（本章p251））．炎症部位でヒスタミン，セロトニンと拮抗するが，その詳細な作用機序は不明である．一般に急性炎症に用い，関節リウマチなどの慢性炎症疾患には用いない．

2)　適応症

手術，外傷後の鎮痛・消炎，腰痛症，膀胱炎，抜歯後の消炎・鎮痛，急性上気道炎の鎮痛などに用いる．

3)　副作用

食欲不振，悪心，発疹，頭痛などがある．

5.　アレルギー治療薬

アレルギーはその発症機序の違いから4つの型に分類される（8章「アレルギー」（p119）参照）．しかし実際には，多くのアレルギー疾患には，これらの4つの型のアレルギー反応が程度の差はあるもののいずれもが関与している．Ⅱ～Ⅳ型アレルギーによる反応がその主たる病因となっている疾患においては，前述の抗炎症薬や免疫抑制薬が用いられる．本項で述べるいわゆるアレルギー治療薬（広義の抗アレルギー薬）は，とくにⅠ型アレルギー反応およびその結果として誘発される症状を抑制する薬物である．**アレルギー性鼻炎**◆・**花粉症**，**じん麻疹**などのアレルギー疾患はⅠ型アレルギー反応の関与が大きく，その治療にはアレルギー治療薬が主に用いられる．一方，**アトピー性皮膚炎**◆や次項で述べる**気管支喘息**はⅠ型アレルギー反応が1つの引き金になるが，さらに炎症反応が生じて病態が悪化していくため，アレルギー治療薬とともに抗炎症薬や，症状を緩和する薬が用いられる．

Ⅰ型アレルギー反応の成立，発症は次のような過程をたどる（**図14-9**）．**抗原（アレルゲン）**曝露により，抗体のなかでもとくに**IgE**が産生されると，このIgEは**肥満細胞**の表面の高親和性IgE受容体に結合する．肥満細胞は細胞内に大型の顆粒を多数もち，この顆粒内に種々のプロテアーゼやヒスタミンを貯蔵している．再び抗原が体内に侵入すると，この肥満細胞上のIgEに結合し，**肥満細胞の脱顆粒**◆を誘発する．このとき放出される**ヒスタミン**は，**ヒスタミンH_1受容体**◆を介して平滑筋収縮，粘液分泌，血管透過性亢進，血管拡張，かゆみなどを誘発する．また，肥満細胞は**ロイコトリエン**や**TXA_2**などの**脂質伝達物質**◆を産生し，さらに**IL-4**などのサイトカインを産生して**Th2反応**を増強し，クラススイッチを促進することにより，IgEの産生を亢進させ，アレルギー反応を増強する．

コアカリ到達目標
- アレルギー治療薬（抗ヒスタミン薬，抗アレルギー薬等）の薬理（薬理作用，機序，主な副作用）および臨床適用を説明をできる．
- 以下のアレルギー疾患について，治療薬の薬理（薬理作用，機序，主な副作用），および病態（病態生理，症状等）・薬物治療（医薬品の選択等）を説明できる．
  アトピー性皮膚炎，蕁麻疹，アレルギー性鼻炎，花粉症．

◆**肥満細胞の脱顆粒**　肥満細胞内の顆粒中にはヒスタミンのほか，キマーゼ，トリプターゼなどのプロテアーゼ，種々の加水分解酵素，ヘパリンなどのグリコサミノグリカンなど多様な因子が含まれている．脱顆粒は，IgEを介して抗原で刺激された場合だけでなく，サブスタンスPなどのペプチドによるGタンパク質共役型受容体刺激によっても誘発される．

◆**アレルギー性鼻炎**　鼻粘膜におけるⅠ型アレルギー反応により誘発される疾患で，反復性のくしゃみ，水性鼻漏，鼻閉を3主徴とする．ヒスタミンはくしゃみや鼻汁の分泌を誘発する．また，ヒスタミンやロイコトリエンは鼻粘膜血管の拡張，うっ血，血管透過性亢進などで鼻閉を誘導する．

◆**アトピー性皮膚炎**　強いかゆみを伴う湿疹を主病変とする疾患で増悪・寛解を繰り返す．多くはアトピー素因をもち，IgEの産生が高く，ダニなどに対するアレルギー反応により誘発される．リンパ球，好酸球，好中球などの浸潤がみられ，強い炎症反応が生じる．治療にはステロイド性抗炎症薬や免疫抑制薬のタクロリムスが主に用いられ，主としてかゆみ止めを目的として抗ヒスタミン薬，抗アレルギー薬が用いられる．

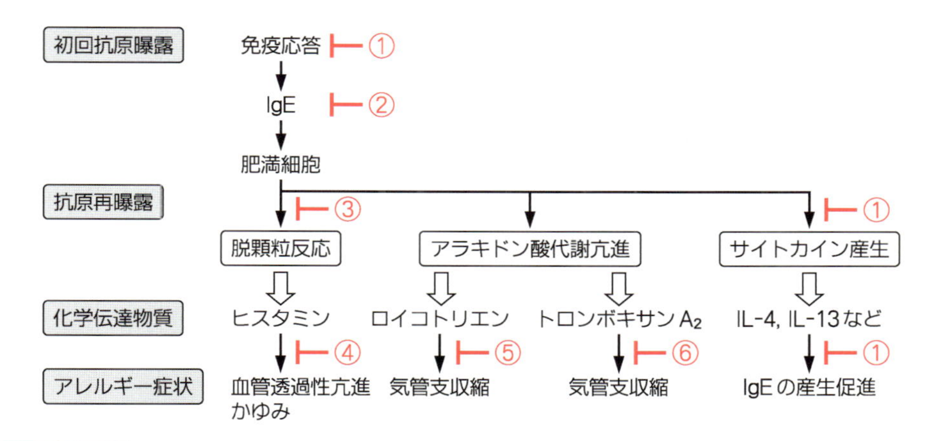

図 14-9 抗アレルギー薬の作用点

Ⅰ型アレルギーの誘発は，抗原による感作と IgE の産生，抗原再曝露による肥満細胞からの化学伝達物質の産生・放出，そして化学伝達物質によるアレルギー症状の誘発という経過をとる．それぞれのステップに対して抑制作用を示す抗アレルギー薬がある．

①サイトカイン産生阻害薬・作用抑制薬，②抗 IgE 抗体，③化学伝達物質遊離抑制薬，④ヒスタミン H_1 受容体拮抗薬，⑤ロイコトリエン受容体拮抗薬，⑥トロンボキサン A_2 受容体拮抗薬

なお，減感作療法では，抗原特異的な免疫応答①を減弱させる．

このようなⅠ型アレルギー反応を抑制するアレルギー治療薬は，その作用機序から大きく 4 つに分類される．すなわち① IgE の産生を抑制する**サイトカイン産生阻害薬**およびサイトカイン作用抑制薬，② IgE の作用を抑制する抗体製剤，③肥満細胞の脱顆粒を抑制する**化学伝達物質遊離抑制薬**，そして④放出されたヒスタミンやロイコトリエン，TXA_2 などの**化学伝達物質の作用発現を抑制する薬物**（図 14-9）である．またとくにスギ花粉症やダニによる鼻炎・気管支喘息に対して，生体がもつ免疫調節機構を利用した減感作療法が行われるようになった．以下，それぞれの薬物について概説する．

◆ヒスタミン受容体 現在 H_1〜H_4 受容体の 4 種類がクローニングされている．H_1 受容体は本文に記載したようにⅠ型アレルギーの発症に大きく関与しているほか，脳のヒスタミン神経において覚醒などに関与している．H_2 受容体は胃酸分泌，H_3 受容体はヒスタミン神経におけるヒスタミン分泌を抑制的に制御している．H_4 受容体は好酸球や肥満細胞に発現しており，アレルギーへの関与が示唆されている．

A サイトカイン産生阻害薬・作用抑制薬

1) サイトカイン産生阻害薬

免疫応答による IL-4 や IL-5 などの Th2 サイトカインの産生を抑制する薬物である．これらの Th2 サイトカインの産生を抑制することにより，IgE の産生を抑制し，IgE を介した肥満細胞からの化学伝達物質の放出を低下させる．このような作用をもつ薬物にスプラタストがある．すでに生じているアレルギー反応に対しては抑制作用を示さず，作用発現まで数週間を要する．

アトピー性皮膚炎においては，ステロイド性抗炎症薬や免疫抑制薬であるタクロリムスが用いられるが，これらの薬物もサイトカイン産生阻害作用がある．

◆ 脂質伝達物質　細胞膜リン脂質に由来する化学伝達物質である．ロイコトリエンおよび TXA_2 のほか，血小板活性化因子（1-アルキル-2-アセチルグリセロホスホコリン）や PGD_2 などがある．血小板活性化因子の産生にはホスホリパーゼ A_2 が関与し，アラキドン酸代謝と密接に関連している．好中球・好酸球の活性化，血管透過性亢進，気道収縮，気道過敏性亢進などの作用がある．PGD_2 はアラキドン酸の COX 代謝物の 1 つであり，とくに肥満細胞が産生する．PGD_2 受容体欠損マウスを用いた解析からアレルギー反応に関与していることが明らかにされたが，その詳細はいまだ不明である．

2) サイトカイン作用抑制薬

炎症・免疫応答にかかわるサイトカインの多くは，チロシンキナーゼのJAKの活性化によりシグナル伝達を行っている(7章参照)．近年，このJAK阻害薬として，トファシチニブ，デルゴシチニブなどが開発され，慢性関節リウマチやアトピー性皮膚炎の治療に用いられている．

B 抗IgE抗体（付録2（p284）参照）

IgEに対する抗体で，その作用を抑制することにより抗アレルギー作用を発現する．オマリズマブが開発され，重症気管支喘息への適応が認められている．

C 化学伝達物質遊離抑制薬

抗原曝露により誘発される肥満細胞の脱顆粒反応を抑制することにより，肥満細胞が顆粒内に貯蔵しているヒスタミンなどの放出を抑制する薬物である．**肥満細胞安定化薬**あるいは狭義の抗アレルギー薬とも呼ばれる．これらの薬物には直接的な抗ヒスタミン作用がないため，抗ヒスタミン薬にみられる眠気などの副作用はない．肥満細胞からの化学伝達物質が放出された後では無効であり，抗原に曝露する前から用いることが必要である．代表的な薬物としてクロモグリク酸ナトリウムやトラニラストがある．その作用機構はCa^{2+}流入の阻害やcAMPの分解酵素ホスホジエステラーゼの阻害によると考えられている．

D 化学伝達物質の作用発現を抑制する薬物

1) ヒスタミンH_1受容体拮抗薬

肥満細胞から放出されたヒスタミンが標的細胞のH_1受容体に結合する段階で拮抗する薬物がヒスタミンH_1受容体拮抗薬（抗ヒスタミン薬）である．**第1世代抗ヒスタミン薬**および**第2世代抗ヒスタミン薬**と呼ばれるヒスタミンH_1受容体拮抗薬があるが，これらは遮断する受容体の特異性，脳への移行性に相違がある．現在では，各抗ヒスタミン薬の脳内のヒスタミンH_1受容体の占有率をポジトロン断層法により計測することが可能となり，その強さから，鎮静性，軽度鎮静性，ならびに非鎮静性に分類されるようになった．さらに**抗ヒスタミン作用**とともに**肥満細胞の脱顆粒抑制作用をもつ薬物**も開発されている．

a. 第1世代抗ヒスタミン薬

強いヒスタミンH_1受容体拮抗作用があるが，脳への移行性があり眠気やインペアード・パフォーマンス◆を誘発し，抗コリン作用により口渇などが強く生じることがある．また，抗コリン作用が強いため緑内障，前立腺肥大，気管支喘息には禁忌である．クロルフェニラミン，ジフェンヒドラミン，クレマスチン，プロメタジン，ホモクロルシクリジン塩酸塩などがある．

◆インペアード・パフォーマンス　脳内に移行した抗ヒスタミン薬はH_1受容体拮抗による薬理作用として鎮静作用を引き起こす．この鎮静作用は眠気として自覚されることが多いが，最近，自覚症状はなくとも精神運動機能（集中力，判断力，作業能率）の低下（インペアード・パフォーマンス）という状態が生じていることが明らかにされてきた．程度に差があるものの，第2世代抗ヒスタミン薬にもこれを誘導するものがあり，注意が必要である．

b. 第2世代抗ヒスタミン薬

第1世代の抗ヒスタミン薬同様に H_1 受容体拮抗作用が強いが，血液脳関門を通過しにくく，中枢への移行が少ないため，眠気や認知障害などの中枢作用が減弱している．抗コリン作用も弱い．セチリジン，レボセチリジン，ロラタジン，フェキソフェナジン，ベポタスチンなどがある．

c. 肥満細胞の脱顆粒抑制作用をもつ抗ヒスタミン薬

主作用である抗ヒスタミン作用とともに肥満細胞の脱顆粒を抑制する作用をもつ薬物である．ケトチフェン，アゼラスチン，オキサトミド，エピナスチンなどがある．

2) 脂質伝達物質受容体拮抗薬・産生阻害薬

アレルギーにかかわる代表的な脂質伝達物質としてロイコトリエンおよび TXA_2 がある．

細胞膜リン脂質からホスホリパーゼ A_2 により遊離したアラキドン酸は COX により代謝され，次いで各種プロスタグランジン合成酵素によりさまざまなプロスタグランジンが，またトロンボキサン合成酵素により TXA_2 が産生される．またアラキドン酸はリポキシゲナーゼにより代謝されてロイコトリエンが産生される．ロイコトリエンにはアナフィラキシー反応を誘発する**ペプチドロイコトリエン**（LTC_4, LTD_4，および LTE_4）と，好中球浸潤を引き起こす LTB_4 がある．

COX 阻害薬（酸性 NSAIDs）は TXA_2 の産生を抑制するが，**アスピリンショック**と呼ばれるアナフィラキシー反応を誘発したり，アレルギー症状を増悪する場合があり，アレルギー疾患には一般に用いられない．このアスピリンショックの機序は明確にはされていないが，COX 阻害薬はアルブミンなどのタンパク質と結合する性質が強いために，ハプテンとして抗原性を示すようになること，COX を抑制することによりリポキシゲナーゼ代謝物であるロイコトリエンの産生を高めること，アレルギー反応抑制性のプロスタグランジンの産生を抑制することなどの理由が考えられている．このような副作用を防ぐために，以下に述べるような TXA_2 の産生を選択的に抑制する合成酵素阻害薬や受容体拮抗薬が開発された．

a. トロンボキサン A_2 受容体拮抗薬・産生阻害薬

TXA_2 の作用あるいは産生を選択的に抑制する薬物である．TXA_2 による鼻粘膜血管透過性亢進や好酸球浸潤作用を抑制する．TXA_2 の作用を抑える **TXA_2 受容体◆拮抗薬**としてセラトロダストやラマトロバン，TXA_2 の産生を抑制する**トロンボキサン合成酵素阻害薬**としてオザグレルがある．

◆ TXA_2 受容体（TP）
G タンパク質共役型受容体である．C 末端部分のみが異なる2つのスプライシングバリアント（TP_α および TP_β）が存在する．血小板の凝集に大きく関与しているほか，さまざまな細胞に発現している．

b. ロイコトリエン受容体拮抗薬

ペプチドロイコトリエン（LTC_4, LTD_4，および LTE_4）は，血管透過性亢進作用，気道平滑筋収縮作用などがある．**ロイコトリエン受容体◆拮抗薬**はペプチドロイコトリエンの受容体に作用してその作用を抑制する薬物で，プランルカスト，モンテルカスト，ザフィルルカストなどがある．

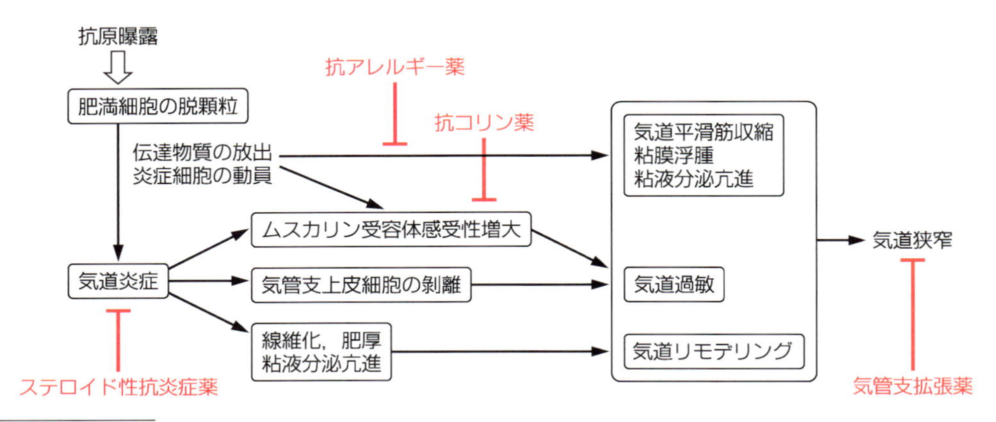

図 14-10　気管支喘息治療薬の作用点

気管支喘息では，慢性の気道炎症とアレルギー反応による気道収縮反応により気道狭窄にいたると考えられる．したがって，気道炎症を抑制するステロイド性抗炎症薬を中心に，アレルギー反応による気道狭窄を防ぐ，あるいは気道を拡張させる薬物が用いられる．

E　減感作療法

減感作療法とは，アレルギー誘発の原因となる抗原を適量，継続して投与することにより，免疫学的な耐性を誘導するものである．そのメカニズムは15章参照．標準化スギ花粉エキス原液シダキュアや治療用ダニアレルゲンエキスがある．いずれも耐性を誘導するには長期間かかり，しかも抗原そのものを使用するために緊急時対応が可能な医療機関で，しかも減感作療法の知識・経験をもつ医師のもとで治療を受ける必要がある．

6.　気管支拡張薬・気管支喘息治療薬

気管支喘息は代表的なアレルギー疾患の1つである．アレルギー性気管支喘息では，Ⅰ型アレルギー反応により放出される化学伝達物質により気管支収縮，粘液分泌や血管透過性亢進により気道狭窄が生じる．また，**好酸球**◆浸潤を主体とする**気道炎症**◆により，通常ほとんど刺激とならない弱い刺激に対しても反応する気道過敏症◆を呈するようになり，さらに気道上皮細胞の剥離や**気道リモデリング**◆が生じて慢性化する（**慢性剝離性好酸球性気管支炎**）（**図 14-10**）．気管支喘息発作により呼吸困難となり死にいたることがある．

気管支喘息治療薬の作用点を**図 14-10** に示す．発作時には，アレルギー反応により誘発されるもののうち，その最も重篤な症状は気道閉塞による呼吸困難である

コアカリ到達目標

- 気管支喘息について，治療薬の薬理（薬理作用，機序，主な副作用），および病態（病態生理，症状等）・薬物治療（医薬品の選択等）を説明できる．

◆気道炎症と気道過敏症　気管支喘息においてはリンパ球，好酸球および肥満細胞の浸潤がみられ，気道粘膜上皮の剥離を誘発する．その結果，上皮直下にある刺激受容体が露出し，わずかな刺激に対しても気道が過敏に反応する気道過敏症が生じる．

◆ ロイコトリエン受容体　ペプチドロイコトリエン受容体には少なくとも2種類の受容体サブタイプ $CysLT_1$ および $CysLT_2$ が存在する．$CysLT_1$ は LTD_4 に，$CysLT_2$ は LTC_4 に最も親和性が高い．しかし，ペプチドロイコトリエンの生理作用は主として $CysLT_1$ を介していると考えられている．LTB_4 の受容体には BLT_1 および BLT_2 がある．いずれも G タンパク質共役型受容体である．

◆ 好酸球　白血球の1つで，寄生虫を傷害する作用や殺菌作用がある．その顆粒内には，組織傷害性がある塩基性顆粒タンパク質を含んでいる．Th2 サイトカインの1つ IL-5 がその分化・成熟に必要である．

ため，**気管支拡張薬**が用いられる．また，気道狭窄を直接的に誘発する化学伝達物質の放出とその作用を抑制する抗アレルギー薬とともに，炎症反応による慢性化を抑制するために**ステロイド性抗炎症薬**が用いられる．

使用目的から，長期管理薬（コントローラー）と発作治療薬（リリーバー）に分けることができる．コントローラーとしてはステロイド性抗炎症薬の吸入薬を中心に長時間作用性の気管支拡張薬を，リリーバーとしては短時間作用性の気管支拡張薬が用いられる．抗アレルギー薬はコントローラーとして用いられ，気管支喘息発作が生じるのを予防する．また最近では重症気管支喘息に抗IgE抗体も用いられる．

◆気道リモデリング 気道炎症によって誘発される気道構造の変化を指し，気道の上皮下線維増生，気管支平滑筋の肥大と過形成，粘液分泌細胞である杯細胞の増生，粘膜下腺の過形成などを特徴とする．これらは気道過敏性の亢進や不可逆的気道閉塞を誘発し，気管支喘息の重症化・難治化の大きな原因である．

A アドレナリン β_2 受容体刺激薬

アドレナリン β_2 受容体刺激薬は気管支平滑筋に発現するアドレナリン β_2 受容体を選択的に刺激して，気管支拡張作用を示す薬物である．気管支喘息発作時の第1選択薬である．アドレナリン β_2 受容体刺激により，細胞内cAMPレベルが上昇し，気管支平滑筋の弛緩を誘導する．リリーバーとして短時間作用性のサルブタモール，プロカテロール，フェノテロールなどが用いられ，コントローラーとして長時間作用性のサルメテロールが用いられる．アドレナリン β_2 受容体刺激薬にはステロイド性抗炎症薬の作用を増強する作用があり，またステロイド性抗炎症薬もアドレナリン β_2 受容体の発現を高めて，相互に作用を増強するために，両者を併用することが多い．

◆アデノシン ATPの分解産物である．A_1〜A_3 受容体の3つに分類され，いずれもGタンパク質共役型受容体である．A_1 受容体は G_i タンパク質と共役し，アデニル酸シクラーゼを抑制し，A_2 受容体は G_s タンパク質と共役してアデニル酸シクラーゼを活性化する．A_3 受容体はホスホリパーゼCを活性化し，細胞内 Ca^{2+} 濃度を上昇させる．A_1 受容体を介して，アドレナリン β 受容体によるcAMPの上昇を抑制し，その平滑筋弛緩作用を抑制する．

B キサンチン類

キサンチン類化合物である**テオフィリン**は気管支喘息発作の予防に広く使用される．その作用機構には諸説がある．従来はホスホジエステラーゼ阻害活性によりcAMPレベルを増加させ気管支平滑筋を拡張させる作用や肥満細胞の脱顆粒を抑制することが考えられた．また，アデノシン◆拮抗作用があり，アデノシン A_1 受容体の拮抗により気管支拡張作用を示すと考えられている．気管支拡張作用だけでなく，好酸球浸潤抑制など抗炎症作用も認められる．またこれらの作用を発現するよりも低濃度でヒストン脱アセチル化酵素を活性化し，ステロイド性抗炎症薬の作用を増強することも明らかにされた．このような理由により，ステロイド性抗炎症薬と併用することが多い．アミノフィリン（テオフィリンとエチレンジアミンの結合体）も用いられる．

📖アレルギーのマスタースイッチ：TSLP thymic stromal lymphopoietin（TSLP）は，主として上皮細胞が産生するサイトカインで，樹状細胞を活性化して，とくにTh2型の免疫応答を誘導する．上皮細胞を破壊して侵入してくる異物に対し，Th2反応が優位なアレルギー反応を誘発するようにスイッチを入れるサイトカインとして注目されている．これまで，気管支喘息やアトピー性皮膚炎に関与していることがさまざまな実験から明らかにされてきている．

C 抗コリン薬（ムスカリン受容体拮抗薬）

アレルギー反応による気道平滑筋の収縮，腺分泌の亢進にはアセチルコリンのムスカリン受容体も関与している．**抗コリン薬**は気管支平滑筋のムスカリン M_3 受容体を阻害し，細胞内 Ca^{2+} 濃度の上昇を抑制して気管支収縮抑制作用を示す．主として吸入薬をリリーバーとして用いる．イプラトロピウム，フルトロピウム，オキシトロピウムなどがある．しかし気管支喘息患者での気道拡張作用はアドレナリン

β_2受容体刺激薬よりも劣っている.

D ステロイド性抗炎症薬

ステロイド性抗炎症薬は強い抗炎症作用を示す（本章-3.「ステロイド性抗炎症薬（ステロイド）」（p234）参照）. 気管支喘息に対しても最近では, 全身的な副作用を抑えるため, 吸入剤（**吸入ステロイド**）が主として用いられる. 好酸球浸潤を強く抑制し, 炎症反応による組織破壊, 気道リモデリングにいたるのを防ぐ作用があり, 気管支喘息悪化を防ぐための第1選択薬になっている. ベクロメタゾン, フルチカゾン, ブデソニドなどが用いられる. 発作時には点滴, 注射あるいは経口投与される.

E 抗アレルギー薬

化学伝達物質遊離抑制薬, ロイコトリエンやTXA_2の拮抗薬および第2世代の抗ヒスタミン薬はコントローラーとして用いられる. 第1世代の抗ヒスタミン薬は抗コリン作用が強く, 気管支喘息が増悪化することがあり, 一般的には用いられない.

7. 免疫学的製剤（抗毒素, 抗血清など）

コアカリ到達目標
- 血清療法と抗体医薬品について概説できる.

抗体が治療に用いられることがある. 抗体には, 抗原の機能を抑制するものがある（中和抗体）. この性質を利用して, ヘビ毒や細菌毒などのタンパク質毒素を特異的に中和する抗体が, 毒素に起因する疾患の治療に用いられる. このような毒素の活性を中和する抗体, もしくは抗体を含む血清を**抗毒素**という. また, 免疫増強を目的として, さまざまな抗原に対する抗体を利用する**免疫グロブリン製剤**もある. 最近では, **分子標的薬**として, 疾患の発症, あるいは増悪化に関与するサイトカインや増殖因子の作用を抑制するモノクローナル抗体が次々に開発されている.

A 抗毒素

現在用いられている抗毒素は, ハブやマムシの毒素や, ボツリヌス菌, ジフテリア菌, 破傷風菌などの毒素に対するものがある. 抗原特異的であるが, 血清病の問題もある. すなわち, 抗毒素の多くはウマを感作して得た血清から調製されており, その抗体はヒトにとっては異物であるため, その抗体に対する免疫応答が生じてI型アレルギーが生じたり, 補体の活性化や免疫複合体の形成により発熱や関節の腫脹, 腎炎などの**血清病**（8章-3. Ａ2）「免疫複合体の沈着による細胞傷害」（p129）参照）が誘発されることがある. したがって, 毒素が原因の疾患のなかでも, 致死性の疾患で, ほかに有効な治療法がない場合にのみ用いられる.

B 免疫グロブリン製剤

ヒトの免疫グロブリン（完全分子型グロブリン）も**低または無γグロブリン血症**◆や重症感染症における免疫増強薬として用いられる．補体の活性化を防ぐため，Fc 領域をペプシンやプラスミンで切除した不完全分子型グロブリン製剤もある．抗原特異的なヒト免疫グロブリンとして，肝炎ウイルスの表面抗原（HBs）に対する抗体である抗 HBs ヒト免疫グロブリンが B 型肝炎発症予防薬として用いられている．

◆無γグロブリン血症　B 細胞の成熟，抗体産生がみられない先天性免疫不全症である．

C モノクローナル抗体製剤（付録 2（p284）参照）

がんや炎症反応に関与するサイトカインや増殖因子の作用を特異的に抑制する，きわめて有効な薬物としてモノクローナル抗体製剤が使われるようになった．TNF-α は強い炎症細胞活性化作用をもつため，その活性を抑制する抗体（インフリキシマブ，エタネルセプト，アダリムマブ）がクローン病◆や関節リウマチの治療薬として用いられている．また，IL-6 に対する抗体（トシリズマブ）など，サイトカインあるいはその受容体に対する抗体，あるいはリンパ球などの表面抗原に対する抗体など，数多くの抗体医薬品が開発されている．また活性化 T 細胞の表面に発現する PD-1 に対する抗体ニボルマブ（商品名：オプジーボ）は，免疫チェックポイント阻害薬として，T 細胞の機能を維持する作用があり，強力な抗悪性腫瘍活性を発現する．また，SARS-CoV-2 のスパイクタンパクに対する抗体カシリビマブおよびイムデビマブを用いた抗体カクテル療法およびソトロビマブ単独投与が COVID-19 の治療ならびに重症化予防として用いられている．

◆クローン病　非特異的慢性炎症性腸疾患で，肉芽腫性炎症を特徴とする．原因不明の炎症性疾患である．

8. HIV 感染症（エイズ，AIDS）治療薬（p147 参照）

コアカリ到達目標
- 後天性免疫不全症候群（AIDS）について，治療薬の薬理（薬理作用，機序，主な副作用），感染経路と予防方法および病態（病態生理・症状等）・薬物治療（医薬品の選択等）を説明できる．

ヒト免疫不全ウイルス（HIV）はレトロウイルス科レンチウイルス属に属する．エンベロープをもち，RNA をゲノムとするウイルスである．HIV のエンベロープに存在する糖タンパク質が **CD4** に親和性が高く，$CD4^+$T 細胞や CD4 を若干発現しているマクロファージに選択的に感染する．この際，**補助受容体**としてケモカイン受容体である CXCR4 や CCR5 が関与している．感染すると，HIV の遺伝情報をもつ RNA が**逆転写酵素**により DNA となり，T 細胞の DNA に組み込まれる（プロウイルス）．この遺伝情報からウイルスを構成するタンパク質前駆体が産生され，さらに **HIV プロテアーゼ**により，適した大きさのタンパク質が合成される．これらのタンパク質などから HIV が組み立てられ，HIV が増殖し，$CD4^+$T 細胞を死滅させる．$CD4^+$T 細胞数が減少した結果，**免疫不全**に陥り，通常かからないような感染症を起こす（**図 14-11**）．HIV 感染症の治療薬には，ウイルスの増殖を抑制する逆転写酵素阻害薬，宿主 DNA への組み込みを抑制するインテグラーゼ阻害薬，HIV プロテアーゼ阻害薬，HIV の侵入を抑制するケモカイン受容体拮抗薬がある（**図 14-11**）．HIV の耐性が誘導されるのを防ぐために，通常は 3 剤以上の併用療法が行われ，これらの配合剤も多く市販されている．また，非ヌクレオシド系逆転写

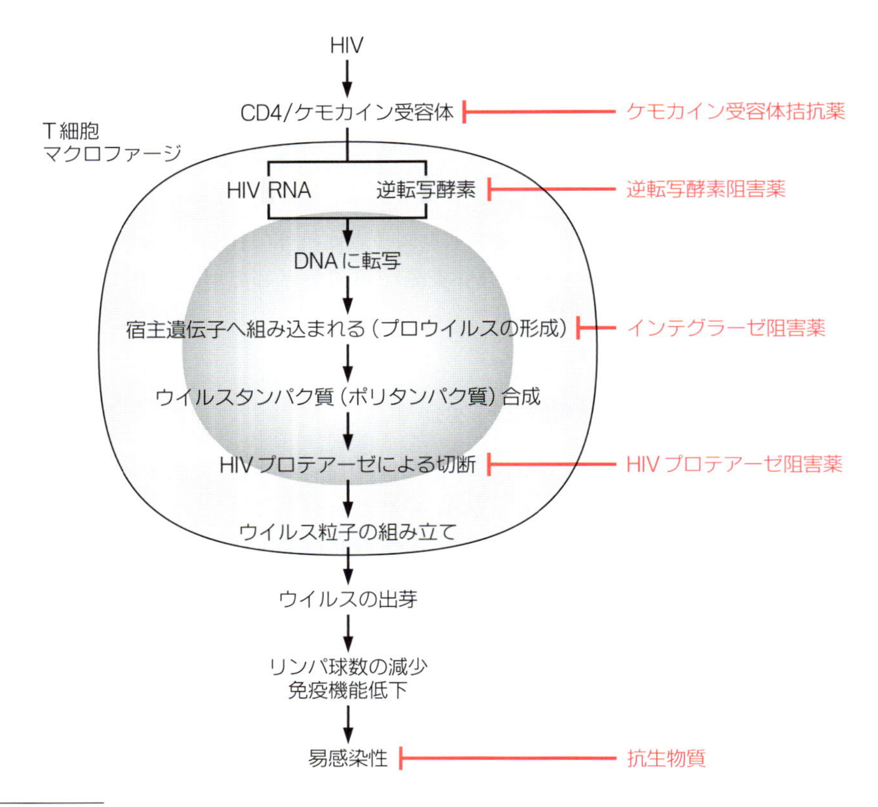

図 14-11　HIV 感染症治療薬の作用点

HIV の増殖過程については本文に記載したが，各ステップを抑制する薬物が開発され，これらを併用することにより，HIV 感染による死亡者数は顕著に減少した．

酵素阻害薬や HIV プロテアーゼ阻害薬には薬物代謝酵素◆を強く抑制するものが多く，併用薬との相互作用に十分注意する必要がある．

◆**薬物代謝酵素**　薬物の多くは肝臓のチトクローム P450（CYP）と総称される酵素により代謝される．プロテアーゼ阻害薬や非ヌクレオシド系逆転写酵素阻害薬には，薬物代謝酵素（CYP3A4 など）を強く抑制するものがあり，その結果ほかの薬剤の効果を増強する場合がある．

A　逆転写酵素阻害薬

逆転写酵素阻害薬は，HIV の遺伝情報をもつ RNA から DNA を合成する逆転写酵素を阻害することにより増殖を抑制する．デオキシヌクレオシド類似体で，細胞内のデオキシヌクレオシドと拮抗して逆転写酵素を阻害するヌクレオシド系逆転写酵素阻害薬としてジドブジン，ジダノシン，ラミブジン，サニルブジン，アバカビル，テノホビル，エムトリシタビンなどがある．また，非ヌクレオシド系逆転写酵素阻害薬はデオキシヌクレオシドとは拮抗せず，逆転写酵素の触媒活性を抑制する薬物であり，ネビラピンやエファビレンツ，エトラビリン，リルピビリンなどがある．

B　インテグラーゼ阻害薬

インテグラーゼは HIV 遺伝子が宿主遺伝子に組み込まれる際に必要な酵素であ

る．このインテグラーゼを阻害してHIVの増殖を抑制する薬物として，ラルテグラビル，ドルテグラビルなどがある．

C HIV プロテアーゼ阻害薬

HIV プロテアーゼを阻害してウイルス遺伝子にコードされたウイルスタンパク質のプロセシングを阻害し，ウイルスの組み立てを抑制する薬物である．インジナビル，サキナビル，リトナビル，ネルフィナビル，ホスアンプレナビル，アタザナビル，ダルナビルなどがある．

D ケモカイン受容体拮抗薬

HIVが細胞に侵入するのを抑制するために，補助受容体の1つであるCCR5の阻害薬マラビロクが用いられている．ただし，マラビロクはCCR5指向性のHIVの細胞内侵入を抑制するが，CXCR4指向性のHIVの侵入は抑制しないため，患者のもつHIVの性質をあらかじめ検査する必要がある．

E 抗生物質

免疫機能低下による日和見感染を予防，あるいは治療するために，抗生物質が用いられる．ニューモシスチス肺炎治療にはスルファメトキサゾールなど，播種性非定型抗酸菌症にはアジスロマイシンやクラリスロマイシン，カンジダ症にはフルコナゾールが用いられている．

9. C 型肝炎治療薬 (p174 参照)

コアカリ到達目標
- ウイルス性肝炎（HAV，HBV，HCV）について，治療薬の薬理（薬理作用，機序，主な副作用）を説明できる．

C型肝炎治療薬として，当初，注射剤である**インターフェロン**（**IFN**）単独，続いてさらなる抗ウイルス効果の増強を目的としてIFNと**リバビリン**との併用が用いられた．IFNには，天然型αおよびβ，遺伝子組換え型α，長時間作用型のPEG-IFN-αがあるが，これらの主な作用機序として，IFN受容体への結合による2′5′-オリゴアデニル酸合成酵素，プロテインキナーゼ，2′-ホスホジエステラーゼなどの抗ウイルスタンパク質誘導，またキラーT細胞，NK細胞，マクロファージなどの免疫担当細胞の活性化によるウイルス感染細胞破壊などがある．リバビリンの作用機序としては，不明な点が多いが，イノシン一リン酸脱水素酵素阻害，RNA依存性RNAポリメラーゼ阻害によるC型肝炎ウイルス（HCV）増殖抑制などが報告されている．しかし，これらの治療効果は満足できるものではなく，また副作用として主にIFNを原因とする発熱，全身性倦怠感，白血球減少症，血小板減少，精神神経症状などがあり，治療継続が困難な場合が少なくなかった．

最近，治療効果のさらなる改善および副作用の軽減を目的として，IFNを必要としない画期的な経口剤である**直接作用型抗ウイルス薬** direct acting antivirals（DAA）が次々と開発され，C型肝炎治療は飛躍的に進歩した（**IFNフリー療法**）．DAAには，

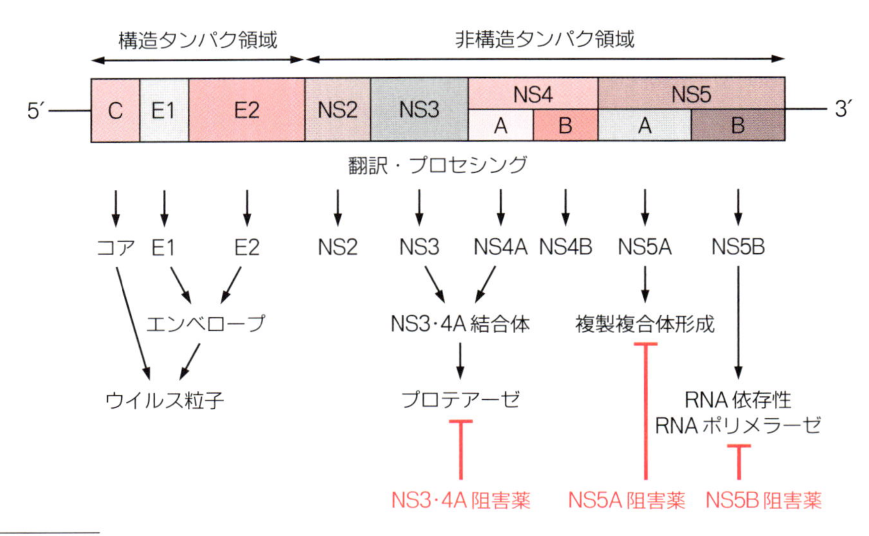

図14-12　HCV RNAによるタンパク質発現と直接作用型抗ウイルス薬（DAA）の作用

NS◆3・4Aプロテアーゼ阻害薬（アスナプレビル，グラゾプレビル），**NS5A阻害薬**（ダクラタスビル，エルバスビル）および**NS5Bポリメラーゼ阻害薬**（ソホスブビル）があり，HCV増殖を直接阻害する（**図14-12**）．NS3・4Aプロテアーゼ阻害薬はHCV増殖に必要なプロテアーゼを阻害し，また，NS5A阻害薬はHCV複製過程において重要な役割を果たす複製複合体形成を抑制する．NS5Bポリメラーゼ阻害薬はHCV複製に必須なNS5Bポリメラーゼ（RNA依存性RNAポリメラーゼ）を阻害する．NS3・4Aプロテアーゼ阻害薬およびNS5A阻害薬は**ジェノタイプ◆1**に対して，NS5Bポリメラーゼ阻害薬はジェノタイプ2に対して用いられる．

さらに，新規NS5A阻害薬レジパスビル/ソホスブビル合剤はジェノタイプ1に対しさらに著効を示すことから，HCV除去によるC型肝炎の治癒率が高まっている．

◆ NS　HCVゲノムの複製に必要な非構造non-structural（NS）タンパク質．HCVは約9,600の塩基長からなる一本鎖のプラス鎖RNAであり，このRNAにコードされる約3,000のアミノ酸からなる巨大な前駆タンパク質はプロセシングを受け，ウイルス粒子を形成する構造タンパク質（コア，E1，E2）と，ウイルス粒子を形成しないが，HCVゲノム複製に必要な一連のNSタンパク質（NS2，NS3，NS4A，NS4B，NS5A，NS5B）が産生される．

◆ ジェノタイプ　遺伝子の塩基配列の類似性から分けられた遺伝子型．HCVは6群に分類され，さらにそれぞれのサブクラスに細分されている．また，これら各遺伝子から産生されるタンパク質に対する抗体の違いから，ジェノタイプではなく，セログループとして分類されることもある．わが国ではlb型が多く約70%を占め，2aおよび2b型はそれぞれ約20%および約10%であり，ほかの遺伝子型は少ない．北米およびヨーロッパではla型が比較的多い．

付表 1 主な免疫抑制薬の種類と特徴

分 類	薬 物	特 徴
代謝拮抗薬 プリン拮抗薬	アザチオプリン	体内でメルカプトプリンに変換され，プリン代謝を阻害 適応：腎移植後における拒絶反応の抑制，膠原病など 副作用：骨髄抑制（白血球減少，血小板減少）など
	ミゾリビン	リンパ球のプリン合成を比較的特異的に抑制 適応：腎移植後における拒絶反応の抑制，膠原病など 副作用：骨髄抑制など
	ミコフェノール酸モフェチル	プリン合成経路のイノシン酸脱水素酵素を阻害し，DNA 合成を抑制 適応：腎・心・肝・肺・膵移植後における拒絶反応の抑制，ループス腎炎など 副作用：骨髄抑制など
葉酸代謝拮抗薬	メトトレキサート	ジヒドロ葉酸還元酵素を阻害し，DNA 合成（S 期）を抑制 適応：関節リウマチ，白血病など 副作用：間質性肺炎，肝障害，腎障害，骨髄抑制など
ピリミジン代謝拮抗薬	レフルノミド	ジヒドロオロト酸脱水素酵素を阻害し，DNA 合成を阻害．メトトレキサートと同等の強い抗リウマチ作用を示す 血中半減期が長い（15〜18 日） 適応：関節リウマチ 副作用：間質性肺炎，肝障害，骨髄抑制など
アルキル化薬	シクロホスファミド	体内で活性型となり，DNA をアルキル化し，DNA 合成抑制 適応：腎移植後の拒絶反応の抑制，多発性骨髄腫，悪性リンパ腫，急性白血病，乳がん，肺がん，膠原病など 副作用：骨髄抑制，出血性膀胱炎，間質性肺炎など
特異的免疫抑制薬	シクロスポリン	真菌が産生するポリペプチド．ヘルパー T 細胞による IL-2 産生を抑制 適応：臓器移植後の拒絶反応の抑制，自己免疫疾患 副作用：腎障害，肝障害など
	タクロリムス	放線菌が産生するマクロライド系抗生物質．ヘルパー T 細胞による IL-2 産生を抑制 適応：臓器移植後の拒絶反応の抑制，関節リウマチ 副作用：腎障害，中枢神経障害，高カリウム血症など
	グスペリムス	バシラス属が産生する抗生物質（スペルグアリン）の誘導体．キラー T 細胞および B 細胞の分化・増殖を抑制 適応：腎移植後の拒絶反応の抑制 副作用：骨髄抑制，貧血など
生物学的製剤（抗体医薬品）	バシリキシマブ	ヒト IL-2 受容体 α 鎖（CD25）に対するモノクローナル抗体 適応：腎移植後の急性拒絶反応の抑制 副作用：急性過敏症反応，感染症など
	ベリムマブ	全身性エリテマトーデスを適応症として承認された B リンパ球刺激因子に対するモノクローナル抗体製剤 適応：既存治療で効果不十分な全身性エリテマトーデス 副作用：感染症，間質性肺炎など
JAK 阻害薬	トファシチニブ	主に JAK1 および JAK3 を阻害し，IL-2，IL-4 などのサイトカイン受容体を介した細胞内シグナル伝達を遮断 適応：関節リウマチ，消化性大腸炎 副作用：感染症，白血球減少，間質性肺炎など

付表2　主な抗リウマチ薬（DMARDs）の種類と特徴

分　類		薬　物	特　徴
免疫調節薬	金化合物	金チオリンゴ酸ナトリウム	マクロファージの食作用抑制（詳細な作用機序は不明），遅効性（効果発現まで3〜6ヵ月間必要），筋注射で使用 副作用：皮膚炎，腎障害，骨髄抑制，間質性肺炎など
		オーラノフィン	経口金製剤 副作用：下痢，皮膚炎，腎障害，骨髄抑制，間質性肺炎など
	SH基	ペニシラミン	免疫グロブリンや免疫複合体のS-S結合を解離，細胞性免疫制御，キレート作用を有するため，ウィルソン病にも使用 副作用：骨髄抑制，ネフローゼ症候群，重症筋無力症など
		ブシラミン	自己抗体産生の抑制，制御性T細胞の活性化 副作用：骨髄抑制，ネフローゼ症候群，重症筋無力症など ペニシラミンよりも重篤な副作用が少ないため長期投与が可能
	その他	サラゾスルファピリジン	T細胞，マクロファージによるサイトカイン産生の抑制，潰瘍性大腸炎にも使用 副作用：骨髄抑制，皮膚障害，間質性肺炎など
生物学的製剤		インフリキシマブ（p231参照）	ヒトTNF-αに対するキメラ型モノクローナル抗体，クローン病にも使用，関節リウマチではメトトレキサートと併用して使用 副作用：感染症（結核，敗血症など），アナフィラキシー反応など
		アダリムマブ（p232参照）	ファージディスプレイ法によって作製された完全ヒト抗TNF-αモノクローナル抗体，メトトレキサートとの併用が推奨されている，中和抗体の出現は少ない 副作用：感染症など
		ゴリムマブ（p232参照）	トランスジェニック法によって作製された第2世代の完全ヒト抗TNF-αモノクローナル抗体，本剤単独あるいはメトトレキサートと併用して使用 副作用：感染症など
		セルトリズマブ・ペゴル（p232参照）	ヒト化抗TNF-αモノクローナル抗体Fab´をPEGに融合させた製剤，本剤単独あるいはメトトレキサートと併用して使用 副作用：感染症など
		エタネルセプト（p232参照）	ヒトTNF-α受容体とヒトIgG-Fcとの融合タンパク製剤，抗原性が弱く，単独投与が可能 副作用：感染症（結核，敗血症など），血液障害など
		トシリズマブ（p233参照）	IL-6受容体に対するヒト化モノクローナル抗体 副作用：感染症，アナフィラキシー反応など
		アバタセプト（p233参照）	ヒトT細胞抗原CD28と構造的に相同性を示すCTLA-4とヒトIgG1のFc領域との遺伝子組換え融合タンパク質，抗原提示細胞（CD80/CD86）とT細胞（CD28）との補助刺激シグナルを阻害しT細胞活性化を抑制 副作用：感染症，アナフィラキシー反応，間質性肺炎など
免疫抑制薬		メトトレキサート	付表1参照
		レフルノミド	付表1参照
		タクロリムス	付表1参照

付表 3 主な非ステロイド性抗炎症薬（NSAIDs）の種類と特徴

NSAIDs	系	薬 物	特 徴
酸 性	サリチル酸	アスピリン	COX を不可逆的にアセチル化し阻害．抗血小板薬としても使用
		サリチル酸ナトリウム	同上（アスピリン）
	インドール酢酸	インドメタシン	強力な抗炎症作用を示すが副作用も強いため外用での使用が多い
		アセメタシン	インドメタシンのプロドラッグ．胃腸障害が少ない
		スリンダク	プロドラッグ．腎障害は比較的少ない
	フェニル酢酸	ジクロフェナク	強力な抗炎症作用を示す．副作用は比較的少ない
		フェンブフェン	プロドラッグ
	プロピオン酸	イブプロフェン	効力と副作用のバランスがよいので使用頻度が高い（胃腸障害が少ない）
		ナプロキセン	イブプロフェンよりも強力．白血球遊走阻止作用を有するため痛風にも適応される
		ロキソプロフェン	プロドラッグで鎮痛作用が強力．胃腸障害などの副作用が少ない
	オキシカム	ピロキシカム	強力な抗炎症作用を示す．半減期が長いため 1 日 1 回服用
		メロキシカム	選択的に COX-2 を阻害．胃腸障害が少ない
	フェナム酸	メフェナム酸	強力な鎮痛作用（歯痛などに用いる）
		フルフェナム酸	同上（メフェナム酸）
	ピラノ酢酸	エトドラク	選択的に COX-2 を阻害．胃腸障害が少ない
塩基性		チアラミド塩酸塩	急性炎症に用い，慢性炎症には用いない．COX 阻害作用はほとんどない．ヒスタミン，セロトニンと拮抗する

15 先端免疫学 ——創薬と医療をめざして

1. 構造生物学と免疫学

構造生物学は生体分子およびその複合体の立体構造を解明することにより，生物現象を構造のイメージをもって理解する学問である．生体分子のなかでも酵素や受容体の本体であるタンパク質および核酸分子が主たる研究対象であり，タンパク質とタンパク質，核酸分子，さらには脂質，糖鎖，生理活性低分子化合物などとの機能的複合体の構造を解明することが中心となる．構造生物学が免疫システムの理解に貢献した代表例は，MHC タンパク質の構造決定であろう（4 章「主要組織適合遺伝子複合体（MHC）」（p59）参照）．なぜ MHC が抗原特異的な免疫誘導を行えるかはブラックボックスであった 1980 年代に，米国のワイリー Wiley らのグループがヒトリンパ芽球腫瘍細胞から MHC タンパク質を精製し，地道な努力により MHC タンパク質の **X 線結晶構造解析**に成功し，MHC が短いペプチド断片を提示できる決定的な証拠を示した．これにより MHC が多様なペプチドを結合できる抗原提示機構がわかり，これを TCR が認識するシステムの基盤が明らかになった．この結果は免疫系の中心である MHC による T 細胞応答の制御の解明に多大なる知見を与えた．本章では，構造生物学的手法の基本的な部分から，最近の動向まで簡潔に概説する．

A タンパク質の立体構造解析

タンパク質を 10^{-10} m（100 億分の 1 メートル：Å）オーダーの原子レベル分解能で詳細に（水素結合はおおよそ 3×10^{-10} m（3 Å）にあたる：**図 15-1a**），あるいはもう少し大まかに 10^{-9}～10^{-7} m（10～1,000 Å）程度（分子量 43,000 の MHC タンパク質で，おおよそ 6～8×10^{-9} m（60～80 Å）にあたる：**図 15-1b**）の分解能で大きなタンパク質あるいはタンパク質複合体の構造的な特徴をつかむことができるいくつかの手法が確立されている．具体的には，MHC の原子分解能での構造決定に用いられた X 線結晶構造解析，ほかに核磁気共鳴解析（**NMR 解析**），**電子顕微鏡解析**などが主にあげられる．まずこれらの解析を行うためには，タンパク質が大量に必要となる．これには遺伝子工学的に大量の組換えタンパク質の調製が通常欠かせない（**図 15-2** に，各手法における簡単な概略を示す）．同時に，迅速に困難な構造決定を可能とする構造解析用のハードウェアとソフトウェアの両面の向上が必須である．

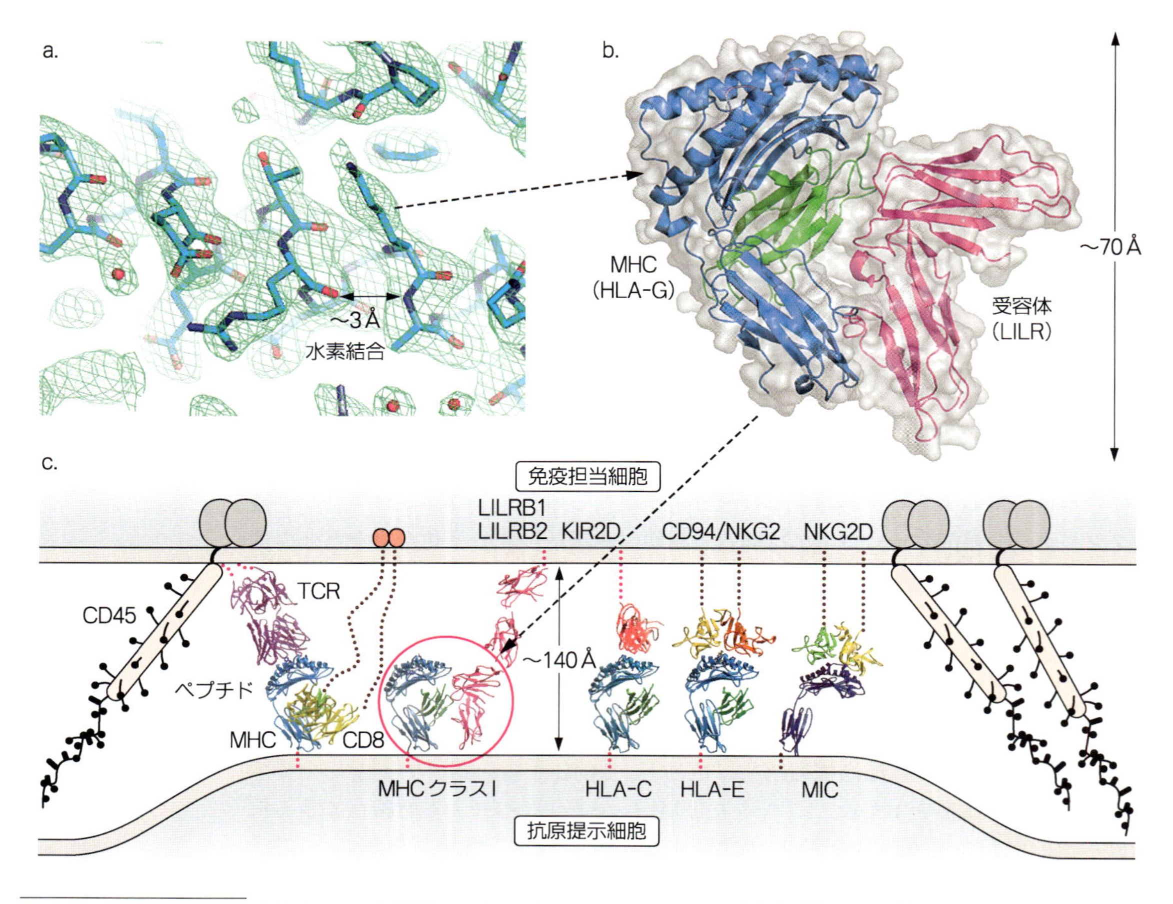

図15-1　免疫シグナル伝達における原子やタンパク質のレベルから細胞間配置までの様子

a.　X線結晶構造解析により決定されたMHCの構造（スティックモデル）と電子密度2Fo-Fcマップ（メッシュ：2.5 Å分解能）．赤，濃青，青はそれぞれ酸素，窒素，炭素原子．

b.　MHCとその受容体（それぞれHLA-G（青・緑）とLILR（ピンク）と呼ばれる）との複合体の立体構造（リボンモデル）．

c.　免疫シナプス（**図15-8**）のモデル．免疫シナプスの中心では比較的丈の短いMHC-TCR, MHC-LILRなどの細胞-細胞間のリガンド-受容体認識が起きる．このときの細胞-細胞間の距離がおおよそ140 Å程度になることが重要であると示唆されている．逆に丈の長いCD45などは外部に押し出される．

B　X線結晶構造解析

原子レベルでの構造決定として有力なX線結晶構造解析は近年めざましい発展をとげ，放射光施設を用いた強力で質のよいX線源とセレノメチオニン誘導体タンパク質を用いた位相決定のルーティーン化および解析ソフトの開発が進んだおかげで，迅速な構造決定が可能となってきた．現在は硫黄原子による位相決定も普及してきた．さらに分子量の大きなもの（リボソームなどの分子量100,000以上の巨大タンパク質（複合体））や翻訳後修飾を受けたものなどの複雑な対象に対しても結晶構造解析が可能となり，原子レベルの情報を与えることができるようになった．原理的には分子量限界のないX線結晶構造解析は具体的に構造をイメージとしてとらえることができるため，1番目の選択肢といえるであろう．

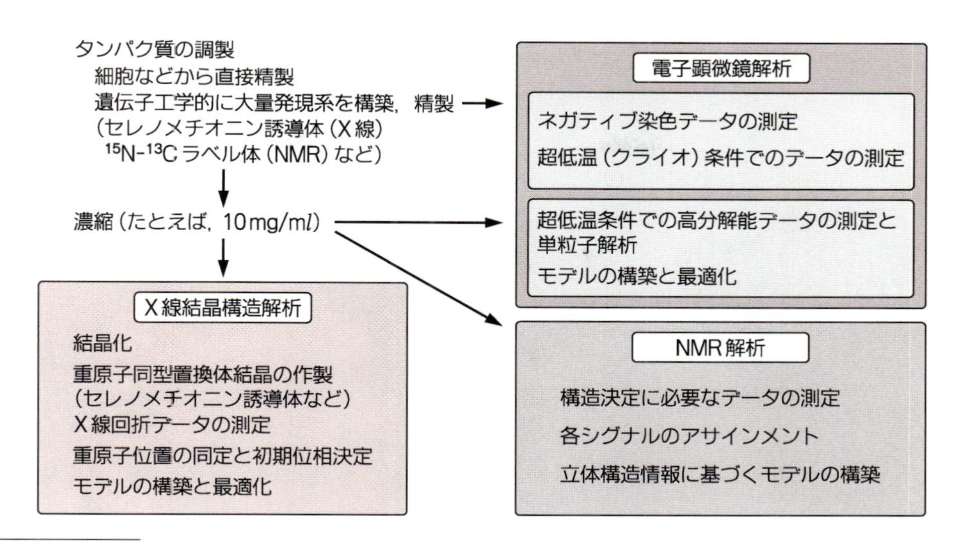

図 15-2　タンパク質の立体構造解析の流れ

C　NMR 解析（核磁気共鳴解析）

それでは，現時点での X 線結晶構造解析の最大の弱点はなんであろうか．それは当たり前のことであるが，結晶化できなければ何も始まらない点である．結晶化には，構造の多様性が問題となるため，常に構造が揺らいでいるものは向かない．これに対して，核磁気共鳴解析 nuclear magnetic resonance（NMR 解析）は分子量限界（通常では，分子量 20,000～30,000 以下，新しい測定手法によりそれ以上も可能となってきている）があるものの，揺らぎの構造的な特徴を明らかにできる．さらに，たとえば受容体タンパク質の NMR スペクトルの各シグナルがどのアミノ酸のどの原子かが同定できると（これをアサインメントと呼ぶ），これにリガンドを添加することにより，シグナルのずれや強度変化を観測すれば，リガンド結合部位を同定できる．これは受容体やリガンド単独の構造がわかっていても，複合体の結晶が入手できない場合に強力な手法となる．当然ながら，リガンド分子のアサインメントができれば，逆に受容体結合部位が同定できることになる．

D　電子顕微鏡解析

これまで，電子顕微鏡は分解能が低いものの，分子量の比較的大きな対象に対して大まかな構造やその多様性をみることができてきた．しかし，最近の電子直接検出カメラ direct electron detector の開発による劇的な装置の改善さらにソフトウェアの発達により，X 線に匹敵するような原子レベル分解能での構造決定の報告が行われるようになってきた．サンプルの必要量が X 線結晶構造解析や NMR 解析に比べ，圧倒的に少なくても解析ができる点も利点である．わが国で 2019 年にパンデミックを引き起こした SARS コロナウイルス 2（SARS-CoV-2）に対する創薬にもウイルス表面のスパイクタンパク質の受容体結合を阻害する中和抗体や RNA 依存

注目の革新的技術：クライオ電子顕微鏡　クライオ電子顕微鏡の開発を先導したジャック，ヨアヒム，リチャードの 3 氏が 2017 年ノーベル化学賞を受賞した．

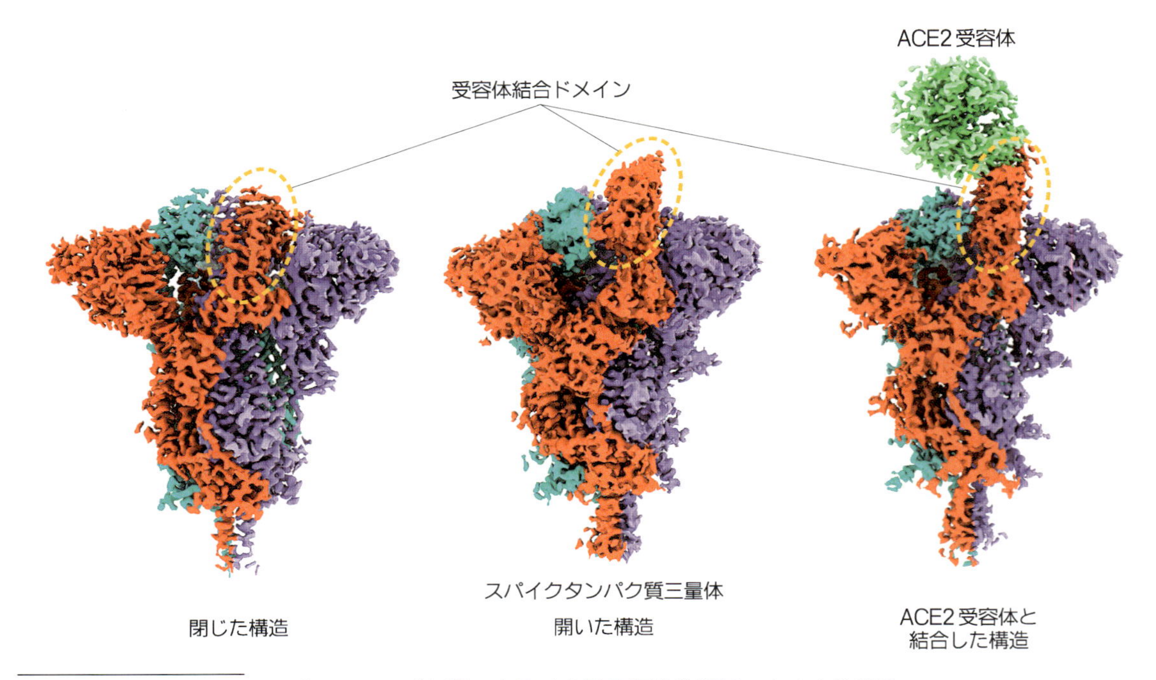

図 15-3　SARS-CoV-2 スパイクタンパク質のクライオ電子顕微鏡解析による立体構造
スパイクタンパク質三量体（赤，紫，青がそれぞれ単量体を表す），上部の受容体結合ドメインが閉じた構造（左），1つ開いた構造（中央），1つ開いた構造にACE2受容体（緑）の結合した構造（右），を表している．
ACE2受容体：アンジオテンシン変換酵素2.
［左からPDBID：6vxx, 6vyb, 7df4］

性RNAポリメラーゼに対する阻害薬の開発に重要な役割を果たした．スパイクタンパク質の全長の立体構造がウイルスの報告から2〜3ヵ月以内に報告される（**図15-3**）という迅速な構造解析にクライオ電子顕微鏡解析が貢献した．革新的な進展がみられるこの技術は全世界的に設備が導入され，主要な手法となったといえる．

E　立体構造解析の生命科学への寄与

これらの立体構造解析の結果は，生物学的なデータを説明できるだけでなく，機能発揮の本質を明らかにすることが期待される．すなわち機能解析などからは統一した説明がつかないものが，原子レベルでの立体構造をイメージできることにより，タンパク質を単なる丸，三角，四角などと表すレベルとは異なる次元で解釈できる．ここに機能の本質が隠されている場合があり，機能解析からは注視されなかった事実が浮かび上がるケースも多い．たとえば，あるMHCタンパク質が，原子レベルで立体構造が決定されていれば，提示できるペプチドの種類の予測が可能となるが，そのなかで予期せぬアンカー残基が同定される場合もある．また，ほかの例として免疫系受容体群を考えると，疾患関連一塩基多型single nucleotide polymorphism（SNP）などによる機能変化の理解に立体構造情報が寄与できる可能性があり，重要な分子基盤を与える．他方，ヒト免疫不全ウイルス（HIV）のプロテアーゼや逆転写酵素などのウイルス増殖に必須のタンパク質群の機能を阻害する抗ウイルス薬

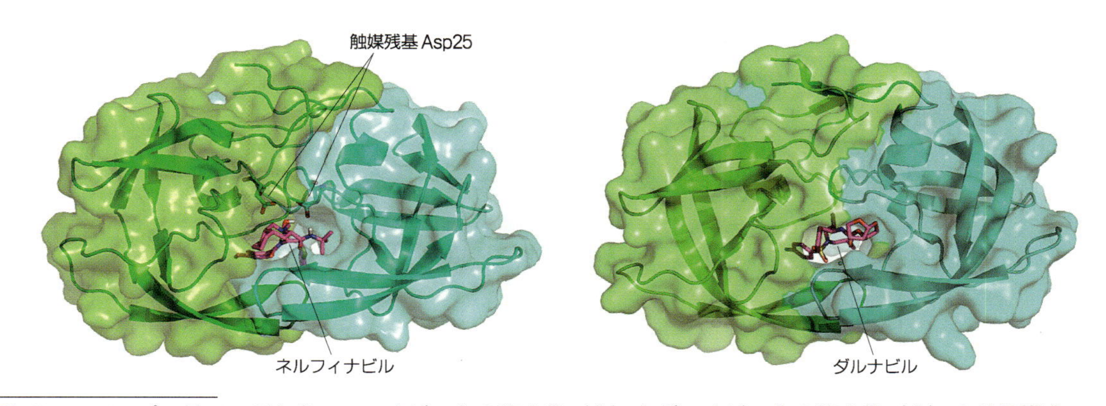

図 15-4　HIV プロテアーゼとネルフィナビルとの複合体（左）とダルナビルとの複合体（右）の結晶構造
HIV プロテアーゼは二量体である．その界面に触媒部位（触媒残基 Asp25）があり，ここにネルフィナビルおよびダルナビルが結合する．

の開発などでみられるように，これらの酵素群の**立体構造を基盤とした薬剤設計** structure-based drug design（SBDD）に進むこともできる．

例として，ここでは HIV プロテアーゼを取り上げる．このプロテアーゼは，特殊なアミノ酸配列である X-X-フェニルアラニン-プロリン-X-X（X は任意のアミノ酸）を認識し，フェニルアラニン-プロリン間のペプチド結合を切断する．ヒトではこのような配列を切断する酵素は知られていないため，副作用の低い薬物を合成できる絶好の標的と考えられた．HIV プロテアーゼの立体構造をもとに活性部位を阻害する薬物を予測・設計し（SBDD），これらのアミノ酸配列に類似したペプチドに近いリード化合物が見出された．その後，薬と HIV プロテアーゼ複合体の構造解析と合成の試行錯誤によるさらなる改良が加えられた結果，ネルフィナビルなどが開発され，臨床で用いられている（**図 15-4 左**）．さらに，最近では立体構造情報に基づいて，触媒残基の主鎖を認識し，選択性と阻害活性をより高めたダルナビルが開発され，HIV 感染症治療薬の第 1 選択薬として用いられるようになっている（**図 15-4 右**）．ダルナビルはプロテアーゼ活性を阻害するだけではなく，プロテアーゼの二量体形成を阻害する活性も同時にもち，耐性化に対応している．SBDD において，効率的に置換基が導入されたことによるものであり，相互作用における発熱量が薬剤の最適化において重要な指標となることが示された例である．

F　構造免疫学―抗体が抗原を見分けるしくみ―

ここでは，医薬品として脚光を浴びている抗体分子と有効な抗体分子を産生させる麻疹ワクチンを取り上げて，立体構造の面からその分子メカニズムを概説する．

抗体分子は 2 章に述べられているように，大小 2 種類のポリペプチド鎖（H 鎖と L 鎖）からなる分子である．構成するすべてのドメインが免疫グロブリンフォールドと呼ばれる，1 対のジスルフィド結合（S-S 結合）により安定化された強固な β バレル構造により形成されている．抗原に対する特異性は，重鎖（H 鎖）の可変部と軽鎖（L 鎖）の可変部から構成される，可変部断片 fragment variable（Fv）と呼

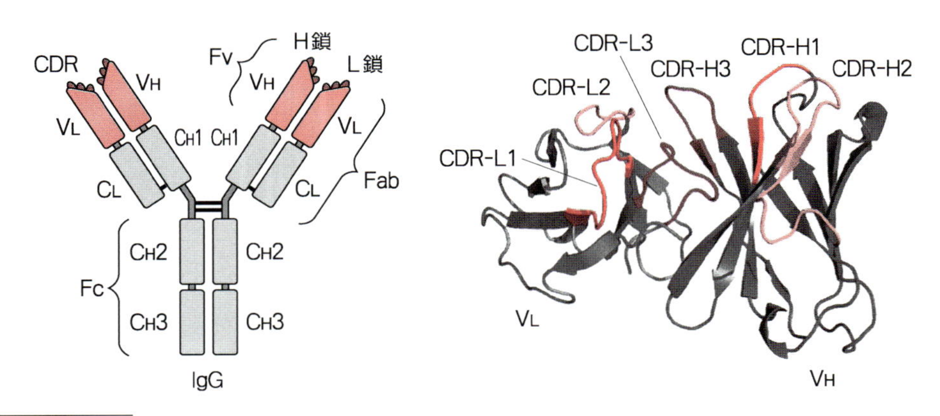

図 15-5　抗体の模式図と結晶構造解析例

H 鎖可変部（VH）と L 鎖可変部（VL）からなる可変部断片（Fv）．逆平行 β シートからなり，そのターン部分にあるループ領域（相補性決定領域（CDR））にあるアミノ酸配列の特異性を変化させて標的抗原を認識する．VH から 3 つ（CDR-H1, H2, H3），VL から 3 つ（CDR-L1, L2, L3）の合計 6 つのループ領域によって抗原を認識する面ができている．

ばれる，N 末端側の分子量約 25,000 の領域により決定される．可変部のなかで，相補性決定領域（CDR：超可変部位ともいう）と呼ばれる，とくに配列変化に富む 6 つのループ（各鎖 3 つずつ）とそれらを連結する 6 つのフレームワーク領域 framework region（FR）から構成されている（**図 15-5**）．

抗体は CDR のアミノ酸配列を変化させることにより，低分子化合物から DNA やペプチド，可溶性タンパク質，ウイルス，細胞表面抗原といった巨大分子まで，さまざまな分子に結合することができる．立体構造解析や物理化学解析によって，アミノ酸側鎖レベル，官能基レベルで抗体が抗原をつかまえるしくみが明らかになってきている．

1)　抗原抗体相互作用の特徴

抗体は CDR を利用して抗原を認識し，結合する．その際，抗原と抗体は形がぴったり合うのが一般的である．これを形状相補性 shape complementarity という．また，静電的な性質が相補的（たとえば抗原が負に帯電していれば，抗体は正に帯電している）であることが多い．これを静電相補性 charge complementarity という．抗原と抗体が結合する面を界面 interface という．抗原と抗体の相互作用における界面には，多くのファンデルワールス相互作用，水素結合，イオン性相互作用，芳香族性相互作用が形成される．実際には，完全な形状相補性，静電相補性が成立しているわけではなく，水分子が界面に多く存在して，抗原や抗体のアミノ酸側鎖や主鎖と水素結合を形成していて，不完全な相補性を調節している（**図 15-6**）．

さまざまな抗体分子の構造が解析されており，抗原の性質によって異なる構造をもっていることが多い．たとえば，抗原が低分子化合物（一般にハプテンという）の場合は，鍵と鍵穴のように，CDR に鍵穴を用意しており，そこに抗原が鍵のようにぴったりとはまり込む形で結合していることが多い．また核酸やペプチド，多糖類に特異的に結合できる抗体は，抗原との結合によって構造変化が起こるいわゆる誘導結合型の分子が多い．また，タンパク質やウイルスのような高分子抗原に特

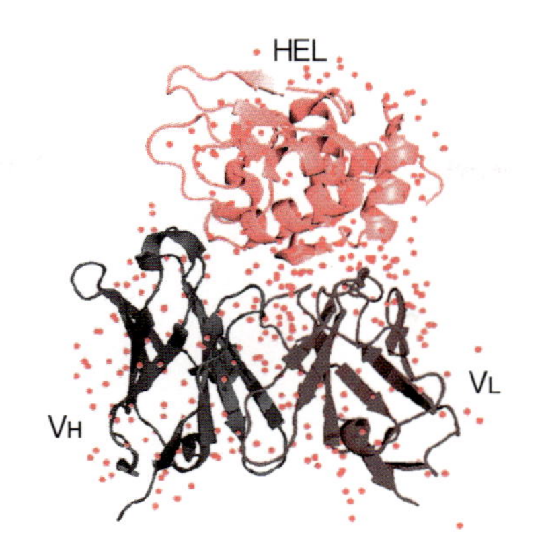

図 15-6　抗原抗体相互作用の結晶構造解析例
ニワトリリゾチーム特異的抗体 HyHEL-10 の Fv と抗原複合体の場合を示した．赤丸は結晶構造中にみられる水分子．

異的に結合する抗体は，比較的平坦な面で抗原の面に結合している．

CDR は二次構造をもたないループと呼ばれる構造をもつ．しかし，その立体構造は，カノニカル構造と呼ばれるごく限られた主鎖の構造しかとらないことが知られている．また，抗体は CDR のアミノ酸配列を変化させることにより多種多様な抗原に結合できることはすでに述べたが，興味深いことに抗原の種類によらず，CDR に存在するアミノ酸の種類には著しい偏りがある．20 種のアミノ酸のうち，チロシン，セリンなど水酸基を側鎖にもつアミノ酸や，アスパラギン酸のようなカルボキシル基を側鎖にもつアミノ酸が CDR での出現頻度が高く，抗原結合において重要な役割を果たすことが多い．立体構造解析から，とくに側鎖に芳香環と水酸基をもつチロシンの重要性が明らかになっている．これは，芳香環や水酸基がファンデルワールス相互作用をしやすいことに加え，水素結合や芳香族性の相互作用（π-π 相互作用◆，カチオン-π 相互作用◆）を形成できるためである．

このように，抗体がもつ抗原特異性はおのおのの CDR のコンフォメーションとその CDR に存在するアミノ酸残基の側鎖の特徴によって決定されているわけである．また，この構造は，抗体が H 鎖，L 鎖の 2 本の鎖から成り立っていることから，この H 鎖と L 鎖の間の相互作用の変化によっても容易に変化させることが可能である．抗体の抗原認識領域に 6 つ存在する CDR の立体的な配置からつくられる面の立体構造はさまざまな要因により規定されていることがわかる．

抗体表面につくられる抗原認識領域面には数多くのアミノ酸残基が存在しているが，実際には，数個の官能基で特異性が決定されていることが多い．このような箇所をホットスポットと呼び，ホットスポットへ変異が導入されると，抗原との親和性が顕著に低下することが知られている．

2)　改変抗体

抗体がもつ性質を改変して，よりすぐれた機能をもたせることができる．このように改変してできる抗体を改変抗体と呼ぶ．抗原認識領域への変異導入による機能改良，フレームワーク領域への変異導入による物性改良などが知られている．また，

◆ π-π（パイパイ）相互作用，カチオン-π 相互作用　芳香族化合物は堅固な平面構造をとり，π 電子が環状で非局在化している．このようなπ電子間の分散力のことを π-π 相互作用という．2 つの芳香環が積み重なった配置で安定化する傾向があり，スタッキング相互作用とも呼ばれる．普通の分子間力よりやや強く，いろいろな分子の立体配座や超分子構造形成に重要であるほか，DNA の二重らせん構造，タンパク質の高次構造形成においても重要な役割を果たしている．

ベンゼンやエチレンのような電子が豊富なπ電子系と近接する陽イオン（カチオン）との間に働く非共有結合性の分子間相互作用をカチオン-π 相互作用という．そのエネルギーは，水素結合や塩橋の強さと同程度あり，とくに，抗体，受容体などのタンパク質や低分子化合物の分子認識において重要な役割を果たす．

創薬における分子設計において，芳香環が堅固な平面構造と豊富なπ電子が利用されることが多く，これらの相互作用が重要な位置づけにある．

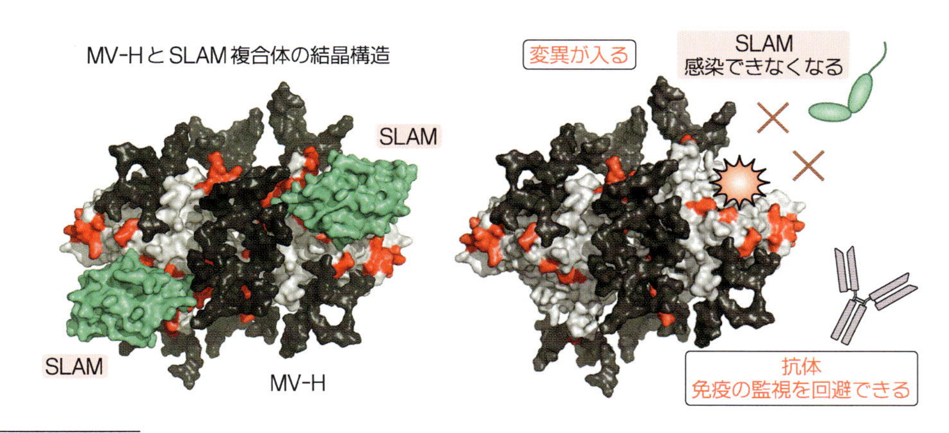

図15-7　麻疹ウイルス表面Hタンパク質（MV-H）と受容体SLAMとの複合体の構造と麻疹ワクチンの有効性の分子基盤

麻疹ウイルスは免疫の監視から逃れようと糖鎖（黒）のない部分（白および赤）に変異を入れて，抗体による排除から逃れようとする．しかし，この変異は受容体SLAM（緑）の結合領域になるので変異がSLAMとの結合を妨げる可能性が高く，ウイルスは感染できなくなる．麻疹ウイルスはこのようにワクチン接種によりジレンマに陥り，免疫の監視を回避する前に最終的に排除される．

医薬品開発では，ヒト抗体のフレームワーク領域にマウス抗体のCDRを移植する．このようにして作製された抗体をとくにヒト化抗体と呼ぶ（**図14-4**参照）．

3)　ワクチンの有効性のしくみ

麻疹は人類史上最も多くの人を殺してきた恐ろしいウイルスの1つである．幸いにも半世紀前にとても有効な生ワクチンが開発され，撲滅をめざすことができるほど効果的に予防できる．しかし，最近まで，何故これほどワクチンが有効なのかはまったくわかっていなかった．筆者らのグループは麻疹ウイルス表面にあるヘマグルチニン(H)タンパク質（MV-H）の立体構造をX線結晶構造解析により明らかにした（**図15-7**）．これによりHタンパク質の表面の多くが糖鎖によりおおわれ，露出した部分がウイルス侵入に必須の受容体signaling lymphocyte activating molecule◆（SLAM, CD150）やNectin4の結合領域となっていることがわかった．

◆ SLAM　免疫担当細胞に発現し，活性化の際の補助刺激分子である．

私たちの体はワクチン接種により抗体を産生するが，私たちがもともともっている糖鎖に対する抗体はできないので，産生される抗体のほとんどが受容体結合部位あるいはその近傍を認識する．すなわち受容体とウイルスの結合を阻害する中和抗体が効率よく産生されるのである．これが麻疹ワクチンの有効性の理由の1つと考えられる．このことは，ほかのワクチンの開発においても糖鎖の制御による有効性の向上にも応用できる可能性がある．

G　構造生物学の展望

最近の**緑色蛍光タンパク質**green fluorescence protein（GFP）などの蛍光標識を利用した観測技術の発達により，タンパク質の細胞内外での動きが詳細にわかるようになってきた．免疫現象で考えると，TCR-MHCの相互作用により誘導されるT細胞と標的細胞間の特徴的な構造体の形成現象がよく知られている．まずT細胞

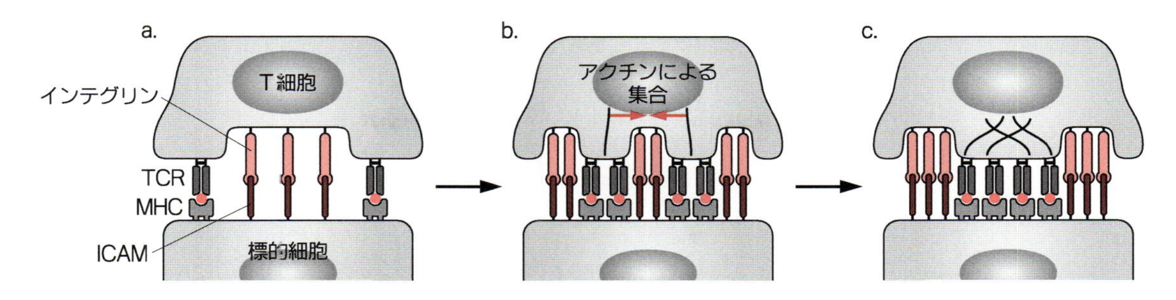

図 15-8　免疫シナプスの形成

a→b→c と進むにつれ，TCR-MHC からの特異的シグナルにより，アクチンの再重合で丈の短い TCR-MHC などが細胞-細胞間の中心に引き寄せられ，免疫シナプスが形成されていく．細胞内外のコミュニケーションの結果，このような特殊な集合体ができる．最新の研究では免疫シナプスにも多数の形態があり（単純に TCR-MHC が中心に集まるというだけではない），それぞれ機能との密接な関係が指摘されている．

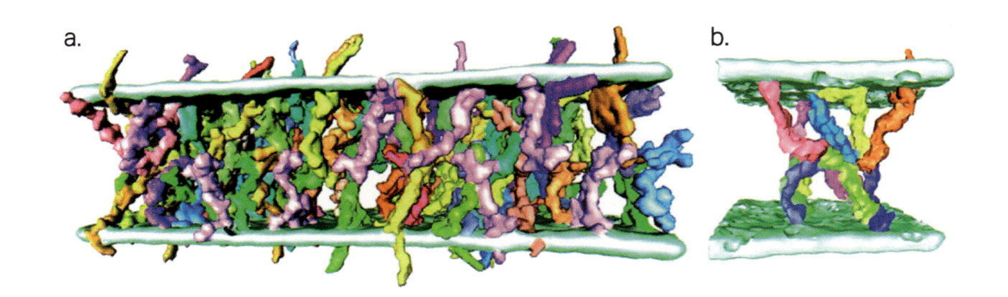

図 15-9　デスモソームの電子線トモグラフィー像

a.　得られたカドヘリン分子の電子線トモグラフィー像．
b.　代表的なカドヘリン間の分子相互作用の例．
[He W et al: *Science* 302, 109-113, 2003 より引用]

がその特異的な抗原を提示する細胞と出合う場合，T 細胞表面に存在する比較的長い分子であるインテグリンなどの細胞表面抗原が細胞-細胞間で接触をする．その後，長さの短い TCR-MHC の特異的認識から活性化シグナルが細胞内に伝達され，細胞骨格を制御するアクチンの再重合が誘導され，結果として TCR-MHC が細胞間の中心に集まるようになる．これを神経細胞のシナプスとなぞらえて，**免疫シナプス** immune synapse と呼ぶ（**図 15-8**）．このような細胞の動的な動きをより詳細なタンパク質間の配置と相互作用から解析を進めることはシグナル伝達の理解としてとても重要である．そこで，原子レベルと細胞レベルをつなぐ重要な手法の 1 つに，**電子線トモグラフィー** electron tomography の手法がある．これは電子顕微鏡を用いて 1 つのサンプルを傾斜して連続的に測定する．これにより低分解能であるが，細胞の薄い切片などを三次元的に再構築して可視化することが可能となってきた．この技術を用いて，各生物学的現象のスナップショットを得ることが期待できる．たとえば，**図 15-9** にデスモソーム desmosome と呼ばれる細胞-細胞間の接着構造の解析例を示す．この細胞間にはカドヘリンと呼ばれる細胞接着分子が多数存在する．この解析により，これまで不明であった細胞表面でのカドヘリンの分子間相互作用がいかに行われているかが明らかとなった．さらに，ほかの例としてニューロンガイダンス因子である reelin 分子の構造解析の例をあげると（**図 15-10**），こ

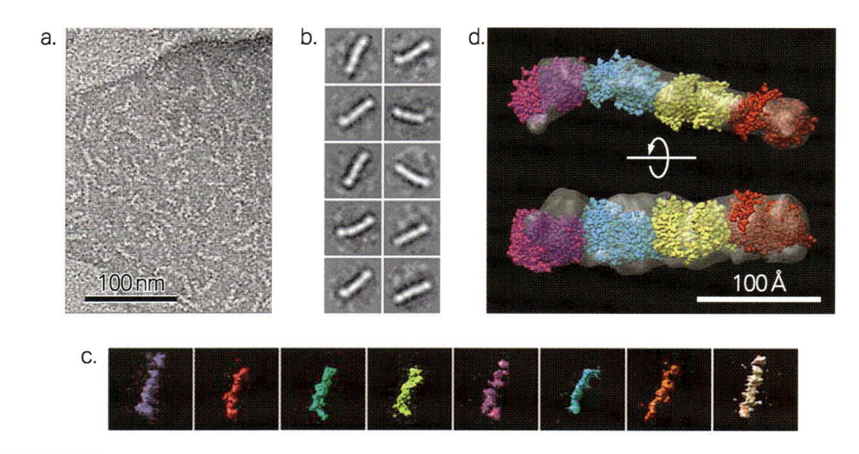

図 15-10　reelin 分子の R3～R6 ドメインの電子線トモグラフィー像

a.　ネガティブ染色による電子顕微鏡像.
b.　a のなかの 1 つひとつの粒子を 10 のクラスに分け，二次元平均化したもの.
c.　各 reelin 分子の電子線トモグラフィー像の構造が似た 10 個を平均化した構造.
d.　X 線結晶構造解析により決定した R3 ドメインを基に R3～R6 のモデルを作製し，電子線トモグラフィー像に合うように配置したもの.
［Nogi et al: *EMBO J.* 25, 3675-3683, 2006 より引用，画像データは高木淳一先生ご提供］

の分子の受容体結合部位は R3～R6 の 4 つのよく似たブロック（これをドメインと呼ぶ）からなる構造を含んでいる．電子線トモグラフィーにより 4 つのドメインを観察したところ，棒状の細長い像がみられた．X 線結晶構造解析で詳細な構造を決定した 1 つのドメイン R3 を用いて，電子線トモグラフィー像に 4 つのドメイン R3～R6 をあてはめた．その結果，R3～R6 ドメインは延びた形をしており，シグナル伝達に重要な構造ユニットの特徴が明らかとなった．このように通常の生化学・細胞生物学の手法からは解析困難な詳細な 1 分子の立体配置およびその構造形態を知ることができる点できわめて強力な実験手法といえる．さらに上述のクライオ電子顕微鏡の著しい進展を基盤に電子線トモグラフィーの手法がより進歩し（単粒子解析と組み合わせ），GFP などで解析された動的なタンパク質の動きをより詳細なスナップショットとしてタンパク質間の相互作用や分子間配置などの解明が進み，生物現象の本質をつかむことが期待できる．生物をタンパク質の相互作用などによるシステムとしてとらえるシステムバイオロジーの理解にも本質的に寄与できる可能性があり，大変注目される手法である（**図 15-10**）.

2.　抗体医薬品

A　抗体医薬品：背景と歴史

抗体の特徴として，多様性，標的に対する高い特異性，強い親和性，そして高い血中安定性の 4 つがあげられる．医薬品という観点でこの特徴をとらえてみよう．抗体の多様性は，抗原に結合する部分（抗原認識領域）におけるアミノ酸を変化させるだけでさまざまな抗原をつかまえる（認識できる）ことによる．これは，応用範囲が広いことを意味している．標的に対する高い特異性は標的以外のところに作用するなどの悪影響を与えない，つまり副作用の惹起につながりにくいことを意味し，より安心した医薬品として用いることが期待できる．強い親和性は疾患原因となるタンパク質の働きを持続的に抑制できる，あるいは促進できることを意味する．最後に，高い血中安定性について，抗体はもともと血中に安定に存在する分子のため，長時間にわたりクリアランスを受けずに薬効を発揮できることから，医薬品として魅力のある分子をつくり出すことが可能となる．

1975年にケーラー Köhler とミルスタイン Milstein によりハイブリドーマを利用したマウスモノクローナル抗体を人工的に生産できる方法が確立された．『魔法の弾丸』として当初，抗体を直接治療に用いる，いわゆるミサイル療法◆が現実のものになると強い期待がかけられた．しかしながら，当初は，マウスに免疫し，得られたマウス抗体をそのままヒトに投与したため，マウス抗体自身が抗原と認識され，アナフィラキシーショックが高頻度で起こり，複数回投与が困難であった．またヒト生体内IgGの半減期が約20日であるのに対して，ヒトに投与されたマウス抗体の半減期は数時間から3日程度であり，血中半減期が短いことも問題となった．このように，多くの開発が失敗に終わっていた．1986年，米国においてマウス抗体 Orthoclone OKT3（ムロモナブ-CD3）が腎移植後の急性拒絶反応の治療薬としてはじめての抗体医薬品として上市されたものの，これらの問題は解決されなかった．

◆**ミサイル療法**　がん細胞に特異的に結合できる物質に抗がん薬などを結合させて，がん細胞のみを狙い撃ちする治療法をいう．用いる物質としてはモノクローナル抗体，分子標的薬のほか，活性化自己リンパ球，樹状細胞，NK細胞などのような細胞があげられる．

しかし，1990年代に入り，バイオテクノロジーの技術的進展により，キメラ抗体やヒト化抗体が確立された．ヒトIgG骨格をもった抗体を遺伝子組換えにより作製・製造することが可能となり，医薬品化に向けて大きな一歩を踏み出したのである（キメラ抗体，ヒト化抗体については**図14-4**（p229）参照）．また当時国際的に取り組まれていたヒトゲノム解析プロジェクトの進展によりゲノム創薬が流行を迎え，そのなかで抗体医薬のターゲットとなりうる疾患・病態に関する分子（抗原）の同定が進んだことから，さまざまな抗体が作製され，1990年代後半になると抗体医薬品の商品化が次々と成功していった．2000年代に入り血液がん治療薬のリツキシマブ（商品名：リツキサン），乳がん治療薬のトラスツズマブ（商品名：ハーセプチン），抗リウマチ薬のインフリキシマブ（商品名：レミケード）などについては，年間売り上げが10億ドルを超える，いわゆるブロックバスター◆になるまでに成長した．その後も続々とキメラ抗体やヒト化抗体が製品化されている．

◆**ブロックバスター**　従来の治療体系を覆すような薬効をもっており，圧倒的な売上高とその売上に比例する莫大な利益を生み出す新薬のことをいう．

さらにファージディスプレイ・ライブラリー法◆のような遺伝子工学的手法やトランスジェニックマウスを用いた完全ヒト抗体作製技術が確立され，より抗原性の低い完全ヒト抗体の開発も進んでいる．2002年には完全ヒト抗体アダリムマブ（商品名：ヒュミラ）が抗リウマチ薬として米国で認可された．今なお抗体医薬品開発の勢いはやむことなく，現在までに世界で100種類以上が許可され，2020年現在で18兆円規模の市場を形成するにいたっている．また世界で900種類以上の抗体医薬品の臨床開発が進行中ともいわれており，現在最も活発に研究および開発が行われている品目の1つといえる．

◆**ファージディスプレイ・ライブラリー法**　バクテリオファージに遺伝子を組み込んでファージ表面にその遺伝子産物を発現させ（これを提示，ディスプレイという），標的に対する結合を観察することで，遺伝子産物が起こす相互作用を検出する．ディスプレイされたタンパク質とそれをコードする遺伝子とがファージ粒子という形で1対1に対応し，目的の遺伝子を容易に得ることができ，かつ増幅できることから，抗体やペプチドの選択に威力を発揮している．

B 抗体医薬品の現状

現在までに日欧米で認可された抗体医薬品を付録2（p284参照）にまとめた．対象疾患はさまざまである．

大別すると主に抗がん薬および免疫調節薬に分類される．抗がん薬として代表的な抗体医薬品としては，リツキシマブ，トラスツズマブ，ゲムツズマブオゾガマイシン，ベバシズマブなどがあげられ，現在標準的治療に使用される医薬品として評価を得ている．また免疫調節薬としてはインフリキシマブ，アダリムマブなど抗リウマチ薬があげられる．多くの臨床データおよび研究結果から抗体のもつ機能と作用機序との関係が明らかになりつつある．

さらに最近では，ニボルマブのような，Tリンパ球を標的とする抗体医薬品である抗PD-1抗体が注目されている．PD-1受容体（CD279ともいう）は活性化Tリンパ球の表面に発現する（**表4-1**参照）．一方PD-1のリガンドであるPD-L1（B7-H1やCD274ともいう）およびPD-L2（B7-DC，CD273ともいう）は，通常抗原提示細胞の表面上に発現する．これらはT細胞応答を抑制・停止させる共同抑制因子として働き，免疫チェックポイントタンパク質と呼ばれている．PD-L1は腫瘍細胞や関連細胞の表面上に強く発現しており，細胞傷害性T細胞上にあるPD-1が結合するとTリンパ球の活動が抑制される．この機構により腫瘍細胞は腫瘍免疫に対する抵抗性を示す．抗PD-1抗体は免疫チェックポイント阻害薬として，このような抵抗性を弱め，腫瘍への免疫応答を維持させる働きを示す．以上のように，ヒトの免疫系を活性化することによるがん治療法を，がん免疫療法と呼び，とくに根治が困難とされてきたがん治療を大幅に進化させている．これまでの化学療法や放射線療法に代わる有力ながん治療法として注目されている．

近年，抗体に類似した特徴をもつ医薬品として，標的分子特異的結合能をもつ受容体タンパク質やペプチドなどを抗体のFc領域と融合させたFc融合タンパク質医薬品の開発も盛んに行われている．たとえば，エタネルセプトはヒト遺伝子組換え可溶性TNF-α受容体-Fc融合タンパク質医薬品であり，TNFを中和する作用をもち，抗リウマチ薬として用いられている．これらは標的分子結合部位のみでは医薬品として開発することが難しいタンパク質やペプチドをFc領域と融合することで血中安定化を図り，臨床応用を可能にした医薬品である．

さらに，最近，薬剤を標的特異的抗体に結合させた抗体薬物複合体anti body-drug conjugate（ADC）が開発，承認された．ミサイル療法がいよいよ実現している．ドラッグデリバリーシステムにおける薬剤の運び手に抗体を使うのである．今後のさらなる発展が期待される．

C 抗体医薬品の展望

抗体，という免疫系で異物認識に重要な役割を果たすタンパク質が治療薬として汎用されるようになった．標的をつかまえる，標的に特異的に作用する，という意味では，医薬品として最も理想的な性質をもっているのが抗体である．数多くの抗体医薬品が医療現場で使われるようになり，臨床試験における安全性への注目と同様に，品質面における安全性も注目されるようになってきている．また，多量に投与する必要があることから患者のQOLを考慮した製剤の開発が求められている．このように，解決すべき点は残されているものの，抗体医薬品の位置づけは確実に高いものになっていくであろう．

今後，同じ標的，同じ適応疾患を有する抗体医薬品との差別化，医薬品としての競争力をもつという観点から，既存の医薬品の薬効を超える抗体の開発，血中動態を調節するような分子設計など，さまざまな改変を施した医薬品の開発が進むであろう．また，抗体の安全性，生産性，品質に影響を与える物性の評価は，低分子医薬品と同じようにその精査の重要性が指摘されてきている．医薬品分析手法の開発，製造プロセスの最適化，製剤設計などがますます重要になるものと思われる．

3. 免疫寛容

A 免疫寛容とは何か

通常，食物として摂取されたタンパク質（たとえば牛肉や魚肉など）に対して免疫反応は起こらない．腸管には，本来抗原であるはずの物質に対して反応しないという免疫学的に特殊な状態が存在する．**免疫寛容** immune tolerance とは，抗原に免疫システムが応答できなくなっている状態のことをいう．免疫システムは外来の異物である抗原（**非自己**）に反応してそれを取り除こうとするが，通常，**自己**の抗原に反応できないようになっている．すなわち，免疫システムは自己に対して寛容になっている．なぜ，自己に対して寛容なのか．どのような方法を用いて，非自己だけに反応して，自己には反応しないようになっているのだろう．

もし，自己に免疫システムが反応したら一体どのようなことが起こるだろうか．自己免疫疾患（9章-1.「自己免疫疾患」（p133）参照）は，免疫システムが自己の細胞に発現する抗原に反応することで生じるさまざまな病態である．自己を容易に攻撃できるような免疫システムは，個体の生存にとって不利である．また，免疫システムがその生物種にとって有利に働くシステムでなければ，種としての存続は難しいだろう．すなわち，自己に対する免疫寛容を獲得した個体，生物種だけが安定に生存することができる．免疫寛容は，脊椎動物で発達した獲得免疫が成立するための基本原理である（3章-3.「獲得免疫」（p49）参照）．

では，免疫システムは自己に対してどのようにして寛容になり，その状態を個体が生存する期間中維持しているのだろうか．抗原を特異的に認識できるのは，抗原受容体を発現するT細胞とB細胞である．これらの細胞が自己の抗原に反応できないようにすることが，免疫寛容の基本となる．そのメカニズムは主として3つある（**表15-1**）．すなわち，①自己反応性T細胞やB細胞が死滅すること（クローン排除），②生体内に生き残っている自己反応性細胞そのものが抗原に反応できないように不活性化されていること（不応答），③別に用意されている制御性T細胞によって自己反応性細胞が抑制されていることである．これらの免疫寛容は，後天的に成立し，維持される．

免疫寛容が病気を治療する立場から障害になる場合がある．がんの治療（9章

表 15-1　T 細胞と B 細胞に誘導される免疫寛容の種類

	T 細胞	B 細胞
中枢リンパ組織（胸腺，骨髄）	クローン排除	クローン排除 受容体編集
末梢リンパ組織（リンパ節，脾臓など）	不応答 クローン排除 制御性 T 細胞	不応答 クローン排除

-4.「がん（悪性腫瘍）」（p148）参照）や臓器移植（9 章-2.「移植と拒絶反応」（p136）参照）がその代表例である．自己の生体内で生じたがん細胞は，もとは自己に由来するので，非自己として認識されにくい．また反対に，他者から提供された細胞，組織，臓器は自己として認識されず，通常非自己として排除される．もし，免疫システムの自己と非自己の認識を人為的にコントロールできれば，われわれにとって不都合な免疫反応によって起こるさまざまな病気を治療することができる．

免疫寛容がどのように誘導され，維持されるのか，また免疫寛容が医療にどのように応用できるのかについて以下に具体的に説明する．

B　免疫寛容のメカニズム

免疫寛容は，2 段階の過程を経て誘導され，破綻しないように厳密にコントロールされている．すなわち，まず中枢性に免疫寛容が誘導され，次に末梢性に免疫寛容が誘導され維持される（**表 15-1**）．ここで中枢とは，具体的に T 細胞では胸腺，B 細胞では骨髄であり，これらの細胞が抗原受容体の再構成を行い，成熟したリンパ球になるために教育されるリンパ組織である（5 章「リンパ球の分化と成熟」（p69），6 章「多様性獲得機構」（p81）参照）．末梢とは，リンパ節や脾臓などの末梢リンパ組織（1 章-1.「免疫担当器官」（p13）参照）であり，中枢リンパ組織で誕生したリンパ球が分布して免疫応答を行う，より広範な場所を指す．

1）　中枢で起こる免疫寛容

中枢性の免疫寛容では，自己抗原に強く反応するリンパ球のクローンがアポトーシスという過程を経て自己抗原特異的に細胞死を起こす．これを，**クローン排除** clonal deletion と呼ぶ．T 細胞と B 細胞は，6 章で説明した遺伝子の再構成の機構を使ってあらゆる抗原に反応できる抗原受容体をランダムにつくる．このときに，外来抗原に反応する抗原受容体を発現する細胞のみならず，自己抗原に反応する受容体を発現する細胞も同時に生まれる．大部分の自己反応性リンパ球は，抗原受容体を発現したばかりの未熟な段階で自己抗原に出合うと死滅する．T 細胞の場合，この過程をとくに**負の選択**（ネガティブセレクション）と呼ぶ（5 章-1. A「T 細胞は胸腺で分化する」（p69）参照）．B 細胞においては例外があることが知られている．一部の自己反応性 B 細胞は，自己抗原に反応したときに死滅せず，BCR の L 鎖だけを新しい遺伝子に置き換えることで自己抗原に反応できない新しい BCR を発現する B 細胞に生まれ変わる．これを**受容体編集** receptor editing という．こ

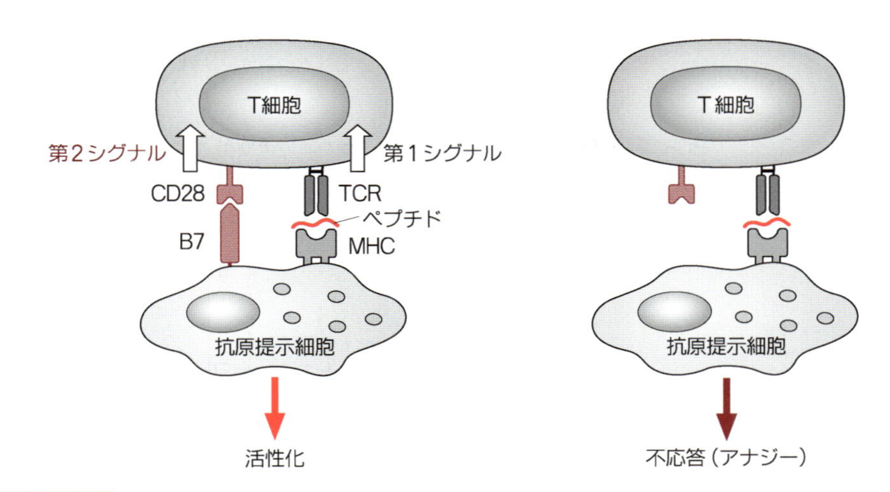

図 15-11 補助刺激シグナルの欠如は T 細胞に不応答を誘導する

$CD8^+$ および $CD4^+$ T 細胞は TCR で抗原提示細胞に発現する MHC クラス I および MHC クラス II それぞれに結合した抗原由来のペプチドを認識する（第 1 シグナル）．さらに，抗原提示細胞上に発現する B7 分子と T 細胞上の CD28 分子の結合が起こる（第 2 シグナル）．両方のシグナルが入力されてはじめて T 細胞は活性化される．T 細胞が第 1 シグナルのみを受け取った場合，T 細胞は不応答に陥る．補助刺激分子である B7 は，B7.1（CD80）と B7.2（CD86）の 2 種類が知られており，CD28 はどちらとも結合することができる．

のようにして，中枢のリンパ組織では，自己反応性の T 細胞や B 細胞が末梢にできるだけ供給されないようにコントロールされている．また胸腺では，後述する制御性 T 細胞（nTreg あるいは tTreg）が分化し，末梢での免疫寛容に関与する．

中枢での免疫寛容の誘導は完全ではないため，末梢においてもなんらかの方法で自己反応性リンパ球に免疫寛容を誘導する必要がある．その 1 つの機構は，**不応答**◆（アナジー anergy あるいは（クローン）アネルギー clonal anergy）と呼ばれる．不応答に陥った T 細胞や B 細胞は，細胞として生存できていても，抗原刺激による細胞増殖や分化のためのシグナルに反応できず，また本来の免疫応答も示せない．

◆不応答　抗原に対して不応答の状態．臨床的には，皮内抗原により誘発される遅延型アレルギー反応を誘発できない状態のことをいう．リンパ球における不応答は，T 細胞や B 細胞のクローンレベルで誘導され，十分な抗原の再刺激に対して応答できない状態のこと．T 細胞については，十分な補助刺激シグナルのない状態で TCR 刺激を受けることにより，B 細胞については，未熟 B 細胞が可溶性抗原により弱く BCR 刺激を受けるときに起こることが実験的に示されている．

2） 末梢で起こる免疫寛容

T 細胞の不応答は，**補助刺激シグナル** costimulatory signal◆が欠如したときに起こる．末梢には，胸腺で生まれて抗原に一度も出合っていないナイーブ T 細胞が存在する．ナイーブ T 細胞は，抗原提示細胞によって十分な抗原刺激を受けると，分化・増殖してエフェクター T 細胞になることができる．エフェクター T 細胞になるためには，TCR からの抗原刺激だけでなく，補助刺激シグナルを受ける必要がある（**図 15-11**）．抗原提示細胞上には B7 と呼ばれる補助刺激シグナルを伝達するための分子，補助刺激分子 costimulatory molecule が存在する．T 細胞上にある CD28 は，B7 分子に結合する受容体であり，B7 と CD28 の結合は T 細胞に補助刺激シグナルを入力する（**図 15-11**，第 2 シグナル）．T 細胞は，CD28 を介した補助刺激シグナルが欠如した状態で TCR 刺激を受けると不応答になる（**図 15-11**）．通常炎症を伴わない環境下では，抗原提示細胞上にある B7 分子の量が不足しており，このような状況で，自己反応性 T 細胞が自己抗原に出合うと不応答に陥る．

B 細胞の場合，T 細胞の助けなしに抗原に出合うと不応答になる．自己反応性 B 細胞が自己抗原により活性化されて IgG 産生細胞へ分化するには，自己抗原が直

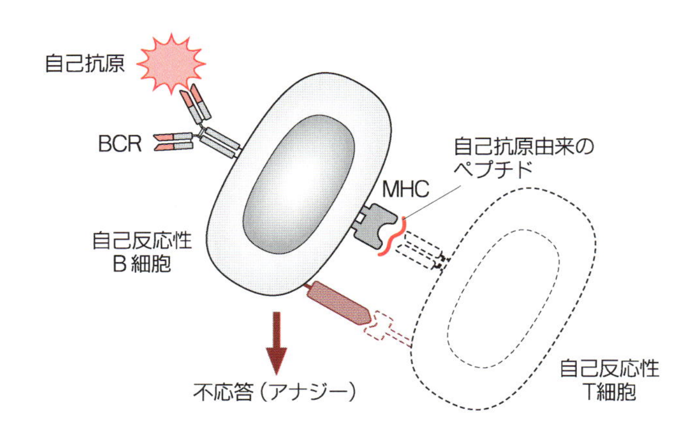

図 15-12　B 細胞の不応答

末梢には自己抗原に反応する BCR をもつ自己反応性 B 細胞が存在する．自己抗原と BCR の結合だけでは，B 細胞は不応答に陥る．B 細胞は抗原提示機能をもつため，BCR を介して抗原が細胞内に取り込まれた後，限定分解を受け，MHC クラスⅡに結合した抗原由来のペプチドが細胞外に提示される．自己抗原ペプチドが提示されても，これを認識して自己反応性 B 細胞を活性化できる自己反応性ヘルパー T 細胞は通常存在しない．T 細胞の免疫寛容が破綻した状況では，自己反応性 B 細胞を活性化することで，自己抗体産生細胞へと導く．

接 BCR に結合することだけでは不十分であり，ヘルパー T 細胞によって活性化される必要がある．自己反応性 B 細胞の活性化を助けることのできる自己反応性のヘルパー T 細胞の反応性は通常免疫寛容の機構により制御されているため，末梢に存在する自己反応性 B 細胞が高親和性の自己抗体を産生するにはいたらない（**図 15-12**）．

不応答とあわせて，クローン排除の機構も末梢で成立している．すでに説明したように，中枢リンパ組織に存在する未熟なリンパ球は，抗原刺激により容易に細胞死を起こす．末梢の成熟リンパ球も多量の抗原に曝露されたり，抗原受容体をより強く刺激されるとアポトーシスによって死滅する．

このように，末梢へ分布するようになったリンパ球は自己抗原に出合うことで，不活性化されたり，細胞死が誘導されることで容易に自己抗原に応答できないようになっている．

さらにもう 1 つの機構によって，末梢に存在する自己反応性 T 細胞は自己抗原に応答できなくなっている．それは，制御性 T 細胞による抑制である．制御性 T 細胞には，さまざまなタイプの細胞群が存在することが知られており，抑制方法も異なる．制御性 T 細胞は，相手側の細胞を何種類かの方法で抑制する．制御性 T 細胞に高発現する **CTLA-4** は，ナイーブ T 細胞に発現する CD28 に比べて，抗原提示細胞に発現する B7 分子との結合力が強いため，CTLA-4 の B7 への優先的な結合により抗原提示細胞上の B7 を奪い取ることで，ナイーブ T 細胞の補助シグナルが抑制される．また制御性 T 細胞に高発現する CD25（IL-2 受容体の α 鎖）は高親和性の IL-2 受容体を構成し，制御性 T 細胞が活性化ナイーブ T 細胞から産生された IL-2 を優先的に消費することで，ナイーブ T 細胞の増殖に必要な IL-2 受容体シグナルを抑制する．制御性 T 細胞から産生される免疫抑制サイトカイン IL-10 と TGF-β は，T 細胞や抗原提示細胞に作用することで免疫反応を抑制する．

制御性 T 細胞は，CD25 を発現する $CD4^{+}$T 細胞である．この細胞を除いた動物

◆**補助刺激シグナル**
リンパ球が抗原に対して活性化，増殖するときに，抗原特異的なシグナル（第 1 シグナル）とは別に必須となるシグナル（第 2 シグナル）．T 細胞の場合，抗原提示細胞上に発現する補助刺激分子を介して T 細胞側に伝達される．たとえば，ナイーブ T 細胞の場合，抗原提示細胞上の B7 分子が T 細胞上の CD28 と結合することで T 細胞側に入力される．B 細胞の場合，T 細胞上に発現する CD40L が B 細胞上の CD40 と結合することで B 細胞側に入力される．これとは逆に，T 細胞を沈静化するシグナルを補助抑制シグナルと呼ぶ．

では，さまざまな自己免疫疾患が自然に発症する．また，この細胞内に特異的に発現する *FOXP3*◆（forkhead box P3）という遺伝子に変異があって機能しなくなっているヒトでは，アレルギーや自己免疫疾患の症状を示すことがわかっている．したがって，CD4$^+$CD25$^+$制御性T細胞の役割は生体内に生存する自己反応性T細胞の活性化を抑制することにより，自己免疫が起こらないように調節することである．

以上のように，免疫システムは非自己を特異的に認識するために，自己に対する免疫寛容を誘導し，維持している．生体内では，容易に免疫寛容が破綻しないように，いくつものメカニズムで自己反応性のリンパ球の活性化が負にコントロールされている．中枢リンパ組織では，自己反応性T細胞やB細胞がクローン排除で除かれること，末梢では，自己抗原に反応した後，不応答の状態に陥ったり，クローン排除により細胞死を起こすこと，さらに末梢での自己反応性T細胞の活性化は第三者である制御性T細胞により制御される．

◆ *FOXP3*　CD4$^+$CD25$^+$制御性T細胞に特異的に発現し，その発生，分化，生存，機能に必須なタンパク質，転写因子．ヒトのIPEX症候群（immune dysregulation, polyendocrinopathy, enteropathy, X-linked）という疾患では，X染色体にコードされる *FOXP3* の遺伝子変異により，制御性T細胞の欠損や，機能低下が認められる．これが原因となって自己免疫疾患が起き，慢性腸炎，難治性アレルギーなども併発する．CD4$^+$CD25$^+$制御性T細胞を特定する重要なマーカー．

C 免疫寛容と治療

免疫寛容という免疫の基本システムを理解し，それを利用して，過剰な免疫応答を抑制しようとする試みがさまざまな形で検討されてきている．自己免疫疾患，アレルギー疾患，移植片拒絶反応などは，ヒトにとって好ましくない方向に免疫反応が過剰に起こった結果生じる病態である．このような免疫に関連する病気では，T細胞が直接的，間接的に多くの免疫反応を誘導したり，増幅しており，病態を悪化させる原因になっている場合が多い．したがって，T細胞の活性化状態をヒトにとって好ましい方向へ調節する手段は治療法として有効であると考えられている．将来有望な治療薬を開発するために満たすべき重要なポイントは，予防的な効果だけでなく現在進行形の病態をコントロールできること，免疫寛容の再誘導により病態の寛解状態がある一定期間あるいは生涯を通じて持続すること，その免疫制御作用によって感染症，発がんなどの副作用を誘発しないことなどである．現在，期待がもたれている治療法として，以下に① TCR-CD3複合体の機能調節薬，② CD28補助刺激シグナル遮断薬，③制御性T細胞，を用いた3つの免疫寛容誘導法を取り上げて説明する．

1) TCR-CD3複合体の機能調節による免疫寛容誘導

TCRと複合体を形成するCD3分子は$\gamma, \delta, \varepsilon, \xi$鎖からなり（図4-8参照），抗原受容体シグナル伝達に重要な役割を果たす．抗CD3ε抗体（Orthclone OKT3，ムロモナブ-CD3）はポリクローナルにT細胞を除去する活性をもち，腎移植における拒絶反応を抑制する目的で開発された．しかし，抗体分子がFc受容体（FcR）へ結合することでTCR-CD3複合体を必要以上に架橋することで強力なシグナルを入力し，T細胞からの過剰なサイトカイン産生（サイトカイン・ストーム◆）を誘導することが重篤な副作用となっていた．抗体のFc領域に存在するFcRとの結合に重要なアミノ酸を変異させることで，FcRとの結合力を大幅に減弱化した抗CD3ε抗体が開発された（テプリズマブなど）．この新しい抗体医薬品のマイトジェン活性◆はムロモナブ-CD3に比較して大幅に低下しており，その投与によって自己反

◆ サイトカイン・ストーム（サイトカイン放出症候群）　病原体などの侵入により，T細胞やマクロファージなどの免疫担当細胞の持続的な活性化が起こり，種々のサイトカインが循環血液中に高濃度で検出される現象．サイトカインの制御機構が破綻することで，作用が全身に及び，好中球活性化，血管内皮傷害，血管拡張などを介してショック状態，多臓器不全にまで進展することがある．敗血症や重症化したインフルエンザウイルス感染症やCOVID-19の個体，腫瘍特異的T細胞輸注療法（CD19標的CAR-T療法）で観察される．

◆ マイトジェン活性　細胞を分裂させる活性（p144参照）．

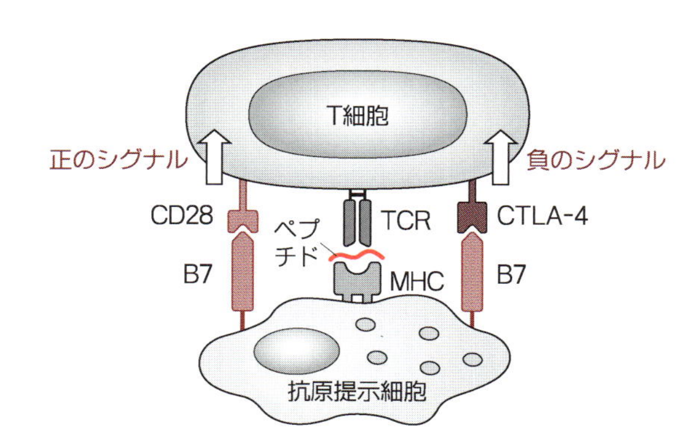

図 15-13　T 細胞は正と負の補助シグナルで調節されている

T 細胞は，TCR からの抗原に特異的なシグナルと CD28 からの補助刺激シグナルで活性化される．T 細胞に十分な刺激が入力されると，CTLA-4 が発現するようになり，CTLA-4 からの補助抑制シグナルによって T 細胞は沈静化する．T 細胞の反応性はこのような ON と OFF の巧妙なしくみで制御されている．

応性 T 細胞に対する細胞死および不応答の誘導，また制御性 T 細胞が増殖，分化する機会を与えることが示唆されている．現在，1 型糖尿病をはじめさまざまな炎症性・自己免疫疾患の治療薬としての治験が行われている．

2）　CD28 補助刺激シグナルの遮断による免疫応答の制御

T 細胞の活性化は，TCR と補助刺激シグナルの 2 つが共同して起こる（**図 15-11**）．上述したように，補助刺激シグナルが欠如した状態で抗原刺激を受けると T 細胞は不応答に陥る．この機序を応用した方法に有効性が示されている．T 細胞の表面には，T 細胞の活性化を正と負に調節するさまざまなタンパク質分子が発現しているが，そのなかでも CD28 という分子は TCR と共同して T 細胞の応答を正に制御する重要な分子である（**図 15-13**）．この CD28 が T 細胞の表面に恒常的に発現していることに対し，CTLA-4 という分子は T 細胞が活性化された後に細胞表面に発現し，T 細胞が過剰に反応しないように負の制御を行う（**図 15-13**）．これら T 細胞上に発現する CD28 と CTLA-4 は，ともに抗原提示細胞上の B7 分子と結合することでそれぞれの機能を果たす．

CTLA-4-Ig（アバタセプト，ベラタセプト）は，CTLA-4 の細胞膜外の部分を IgG の Fc 部分に融合させた人工タンパク質である．CTLA-4 は，CD28 よりも B7 に対してより高い親和性をもっている．CTLA-4 のこの性質を利用してつくられたのが CTLA-4-Ig であり，生体に CTLA-4-Ig を投与すると抗原提示細胞上の B7 分子に結合して T 細胞上の CD28 が B7 に結合できなくなる．抗原提示細胞上の B7 が CTLA-4-Ig におおわれた状態で抗原刺激が加わると，その T 細胞は不応答になる（**図 15-14**）．アバタセプトは，関節リウマチ，若年性特発性関節炎（14 章-2.「抗リウマチ薬」（p229）参照），ベラタセプトは，腎移植片拒絶反応の抑制に用いられている．CTLA-4-Ig はそのほかにも広く，自己免疫疾患症状の改善や移植片の生着を促進する治療薬としての効果が期待され治験が行われている．また，CTLA-4 の機能を保ったまま CD28 による補助刺激シグナルのみを特異的に抑制する抗 CD28 阻害抗体（FR104 や lulizumab）が開発中である．

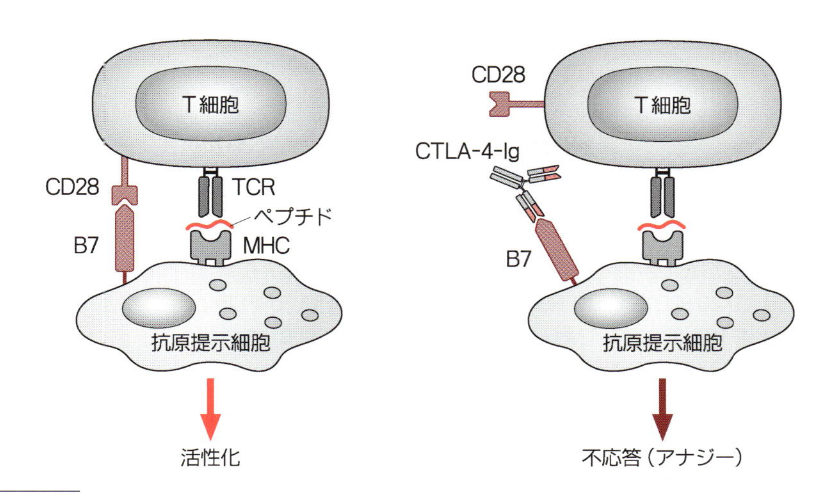

図 15-14 CTLA-4-Ig は B7 と優先的に結合することで，補助刺激シグナルをブロックする
CTLA-4 は，CD28 よりも B7 分子に対する結合力が強い．人工的につくりだした CTLA-4-Ig は，抗原提示細胞上の B7 分子の CD28 に対する結合を効率的に阻害することができる．CTLA-4-Ig による補助刺激シグナルの遮断によって，T 細胞は不応答に陥る．

CD28 シグナルの阻害ではなく，活性化を誘導するアゴニスト抗体（セラリズマブ）のヒトでの第 I 相臨床試験が 2006 年に英国で行われた．サイトカイン・ストームの誘導による多臓器不全により，被験者全員が集中治療室に搬送されるという惨事に発展した（幸いに全員助かった）．この事件から得られる教訓は，アゴニスト抗体の開発には注意を要することと，ヒトと実験動物の免疫系が異なることを十分に理解した上で臨床開発を行うことである．現在，後述する ICOS, OX40, 4-IBB, CD27, GITR などに対するアゴニスト抗体を開発することで，がん治療への応用が試みられている．安全性を確保しながら，革新的な新薬の開発を行うことが望まれている．

T 細胞と抗原提示細胞との間には，CD28-B7，CTLA-4-B7 のペア以外にも T 細胞の反応性を正と負に調節する補助刺激，補助抑制シグナルのペアが多数存在する（**図 15-15**）．たとえば，ICOS, OX40, 4-1BB などは，抗原刺激を受けた活性化エフェクター T 細胞に一過的に発現し，T 細胞の機能を調節する．これらは，T 細胞表面に恒常的に発現する CD28 とは異なった役割をもち，免疫制御の観点から有効な創薬ターゲットになることが動物実験で示されている．すでにいくつかの分子において治験が始まっている．抗 OX40 阻害抗体（KHK4083）はアトピー性皮膚炎の治療薬として開発中である．Fc 融合タンパク質やそれぞれの受容体やリガンドに対する抗体医薬品の有効性が試験されている．

3) 制御性 T 細胞による免疫応答の制御

制御性 T 細胞が末梢で過剰な免疫応答を抑制していることは，免疫寛容の維持にきわめて重要である．たとえば，自己免疫疾患，アレルギー疾患，移植片拒絶反応などは，ヒトにとって好ましくない免疫応答によって生じるため，制御性 T 細胞の作用を増強させることでそれらの病態の改善が期待できる．反対に，制御性 T 細胞が効果的な免疫反応の誘導の障害になる場合もある．腫瘍免疫や感染免疫など

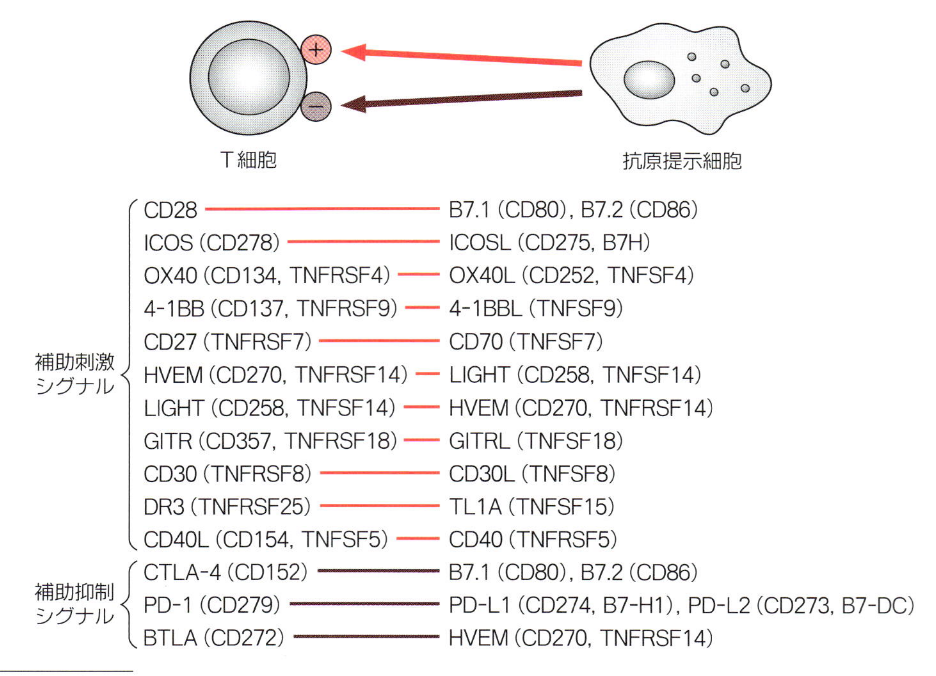

図 15-15　さまざまな補助刺激シグナルと補助抑制シグナル
T 細胞と抗原提示細胞の表面には，さまざまな受容体とリガンドのペアが発現する．それぞれの分子の発現時期，発現細胞，免疫学的役割は異なることが知られている．これらの分子群をターゲットにした免疫制御に関する基礎研究および臨床開発研究が，活発に進んでいる．

はヒトにとって好都合な免疫反応であるが，制御性 T 細胞の作用を減弱させることでさらなる免疫応答の増強が期待できる．このような考え方に立つと，制御性 T 細胞の作用を人為的に強めたり，弱めたりすること自体が治療法として有用であるという結論にいたる．

1990 年代中ごろに $CD4^+CD25^+$ 制御性 T 細胞が発見されると，制御性 T 細胞の重要性が再認識されるようになった．その後，好ましくない免疫反応を人為的に制御する上で，制御性 T 細胞をターゲットにした治療法がきわめて有効であることが現在まで動物実験で示されてきている．

FOXP3 と CD25 を発現する $CD4^+$T 細胞は，末梢に分布する $CD4^+$T 細胞の 5～10％を占め，制御性 T 細胞として機能する．胸腺に由来する内在性 natural Treg（nTreg）あるいは胸腺分化 thymically derived Treg（tTreg）制御性 T 細胞と末梢でナイーブ $CD4^+$T 細胞から分化する誘導性 induced Treg（iTreg）あるいは末梢分化 peripherally derived Treg（pTreg）制御性 T 細胞に大別される．

制御性 T 細胞を患者の体内に移植することで，過剰な免疫応答を抑制できる可能性がある．たとえば，ヒトの臍帯血や末梢血に含まれる CD25 を高発現し CD127（IL-7 受容体）を低発現する $CD4^+$T 細胞群に制御性 T 細胞が高く含有されることが知られている．この細胞を抗 CD3 抗体および抗 CD28 抗体と IL-2 で刺激することで，数百から数千倍にまで細胞数を増加させることが可能である．この体外で増殖させた制御性 T 細胞を用いて，1 型糖尿病などの自己免疫疾患や移植片拒絶反応に対する治験が行われている．これと併せて，ラパマイシン，低用量のIL-2，抗CD3抗体の投与により体内で制御性T細胞を効果的に増殖，生存，活性化させる方法が試験されている．自己抗原に対するキメラ抗原受容体（CAR）遺伝子を導入した制御性T細胞を調製し，これを体内に移植することで自己反応性T細胞の反応性を抑制することも試みられている．そのほかにも制御性T細胞を標的にした抗体医薬品や薬剤の研究開発が進められている．

免疫寛容の誘導，維持機構をさらに進めて解明し，それをもとに，免疫寛容を再誘導するための方法を開発する必要がある．どのように正常な調和状態を再構築できるかが重要な課題となるが，生体反応の可塑性，可逆性を想定すれば，ヒトにとって好ましい方向へと流れを変更することは可能であり，その方策の確立が強く求められている．

4. がんの免疫療法

A 免疫療法とは

免疫細胞や抗体などのさまざまな免疫調節薬を用いて，生体内の免疫機能を目的とする方向へ導く医療を**免疫療法**という．がん患者生体内のがんを攻撃・排除しようとする免疫反応（抗腫瘍免疫）を刺激・増強する免疫療法は，さまざまな疾患に対する治療法のなかで最も盛んに研究・開発されてきた．進行したがんに対しては，標準療法とされる外科療法，化学療法，放射線療法を組み合わせた治療が行われるが，これと比較して侵襲性の低い免疫療法は，第4のがん治療法として期待されている．がんの免疫療法に用いられる薬剤は，主に**表15-2**のように分類されるが，抗腫瘍免疫をより効果的に増強するために，それぞれが単独で使用されるよりもむしろ，いくつかを組み合わせて，あるいは，ほかの治療法と併用して用いられることが多い．近年，抗腫瘍免疫の要となるキラーT細胞（**細胞傷害性T細胞：CTL**）や，これを誘導する**樹状細胞**（**DC**）などの免疫細胞を用いる**細胞療法**が注目されてきたが，最近では，抗腫瘍免疫の誘導・増強を阻む分子機序（**免疫チェックポイント**）を標的として阻害する抗体製剤が臨床試験で著効を示して医薬品として承認されたことから，**免疫抑制解除法**に対する期待が一段と高まってきている．これまでの章（11章など）で免疫療法について記載されているが，ここでは免疫療法の臨床応用の実際について，とくに細胞療法と免疫抑制解除法に焦点をあてて説明する（**図15-16**）．

B 樹状細胞（DC）療法

腫瘍細胞を殺傷する $CD8^+$T細胞や $\gamma\delta$T細胞，NKT細胞などを誘導するためには，樹状細胞などの**抗原提示細胞**上に発現するMHC分子を介した**第1シグナル**と，その介助的役割を果たす**補助刺激分子**（CD80，CD86，CD40など）や細胞接着分子（ICAM-1やLFA-3など）を介した**第2シグナル**が必要である．これらの分子の発現量によって，刺激を受けるT細胞側の質と量は大きく左右され，刺激が不十分

表 15-2　がん免疫療法に用いられる薬剤

分　類	薬剤（例）	特　徴
生体応答調節薬(BRM)（p193 参照）	BCG（結核菌由来），OK-432（A 群溶血性レンサ球菌由来），PSK（担子菌とカワラタケの菌糸体由来），レンチナン（シイタケ由来），ベスタチン（放線菌由来）	特定の免疫細胞に作用するわけではなく，作用機序が明確でない薬剤が多く，免疫反応を増強するためのアジュバントとして，他剤または細胞療法などと併用される場合が多い
サイトカイン（p193 参照）	IL-2，IL-12，GM-CSF，IFN，TNF	IL-2 はリンパ球や NK 細胞，IL-12 は樹状細胞など，特定の免疫細胞に作用して活性化する．血中半減期は短く，高用量または長期間投与すると臓器機能不全や呼吸困難などの重篤な副作用が生じるなどの問題を抱える
ワクチン療法（p153 参照）	腫瘍抗原ペプチド，がん細胞	特定のがん細胞を特異的に攻撃できるリンパ球を効率よく誘導するため，がん細胞が高発現する抗原で特定の HLA 上に結合するようにデザインされた合成ペプチド（CTL エピトープペプチド）が用いられる．しかし，治療対象の患者が HLA タイプで制限されてしまうため，この問題を解決するための一手段として，患者自身から採取した腫瘍組織からがん細胞を分離・不活化して利用することもある
遺伝子療法	Gendicine（p53 遺伝子発現アデノウイルスベクター），Lovaxin（抗原遺伝子を発現するリステリア菌ベクター），TRICOM（補助刺激分子発現トリウイルスベクター）	特定の遺伝子またはそれを組み込んだベクターを用いて，そのタンパクを生体内で一定期間持続的に発現・作用させる．作用機序に基づいて，①がん特異的遺伝子や変異・欠失したがん抑制遺伝子などを標的として，それらの遺伝子を新たに置換，挿入または抑制してがん細胞を死滅に導く方法と，②抗腫瘍免疫を修飾・活性化する方法の 2 つに大別される．従来の治療法に比べてより簡便な処方で済み，患者における侵襲や負担，副作用が低減されることが長年期待されているものの，医薬品として承認されているものは少ない
細胞療法（p273 参照）	樹状細胞，リンパ球，NK 細胞，$\gamma\delta$T 細胞，TCR 遺伝子導入 T 細胞，CAR-T 細胞	患者の末梢血または腫瘍組織から分離した特定の細胞集団をサイトカインなどで刺激した後で患者に輸注して戻す．特定のがん特異的に細胞傷害性を発揮するように遺伝子操作を加えた T 細胞の治療は最近注目されており，世界中で多数の臨床試験が進められている
抗体療法（p153, 264 参照）	抗 HER2 抗体，抗 CTLA-4 抗体，抗 PD-1 抗体，抗 PD-L1 抗体	特定の抗原を認識するモノクローナル抗体で，抗がん薬やアイソトープなどを結合させて用いる場合もある．標的に基づき，①腫瘍細胞に発現するがん抗原を認識する抗体と，②免疫細胞に発現する免疫調節分子を認識する抗体の 2 つに大別される．活性化に伴って T 細胞などに発現する免疫反応抑制分子に対する阻害抗体（免疫チェックポイント阻害薬）が最近注目されており，類似したさまざまな分子群に対する抗体製剤が世界中で臨床開発されている

あるいは不適切である場合には，T 細胞は十分に活性化されずに不応答（アナジー）やアポトーシスに陥り，免疫抑制的な制御性 T 細胞を誘導してしまうこともある．抗原提示細胞のなかで最も高い抗原提示能力を有す樹状細胞は，これらキラー T 細胞を効率よく誘導してがんを効果的に排除できる有効なツールとして，世界中で注目されてきた．生体内に存在する樹状細胞数はきわめて少なく，治療に必要な量を採取するのは長年の間困難であったが，近年の知識や培養技術の進歩により，末梢血や骨髄，臍帯血などから分離した樹状細胞前駆細胞（$CD14^+$細胞や $CD34^+$幹細胞など）を GM-CSF や IL-4 などのサイトカイン刺激によって大量に分化・増殖させることが可能となった．

臨床治療では，一般的に，アフェレーシス（体外循環型の血液分離装置）によっ

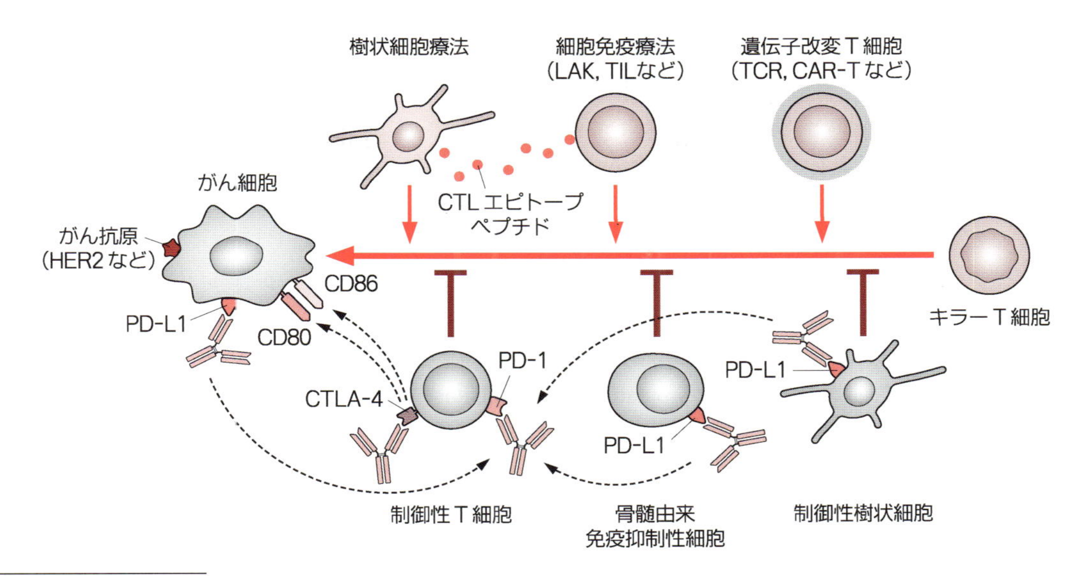

図 15-16　がんの免疫療法
患者体内のがんを免疫力で攻撃・排除するため，活性化や遺伝子改変を施した免疫細胞を輸注して抗腫瘍免疫を増強，あるいは抗腫瘍免疫の誘導を阻む分子を阻害する抗体医薬品を投与して免疫抑制状態を解除する治療が主流となっている．

て患者末梢血から樹状細胞前駆細胞を分離して治療に用いる．通常，治療1回あたり 1×10^6～1×10^7 個の樹状細胞を2週間間隔で4～6回程度接種するが，その投与回数や投与法（静脈内，皮内，皮下注射，リンパ節へ直接，腫瘍内や腫瘍組織周辺へ直接投与）は，患者の状態によって異なる場合が多い．副作用として，発熱や接種部位の炎症による発赤・痛みが生じる場合もあるが，いずれも重篤なケースは報告されていない．

誘導されるキラーT細胞の活性には樹状細胞の質が大きく影響することから，数的な問題だけではなく，樹状細胞の質的改善法も精力的に研究されている．とくに，腫瘍細胞を特異的に認識できるキラーT細胞を誘導する上で最も重要な第1シグナルを入れるMHC-ペプチド複合体の形成，つまり，樹状細胞上に腫瘍抗原を効果的に提示させる方法に関してはさまざまな研究が進められている．ここでは主に，細胞傷害性 $CD8^+$T細胞と，その誘導を補助するヘルパー $CD4^+$T細胞の誘導を目的とした樹状細胞療法について，以下に具体的に述べる．

1)　CTLエピトープペプチドの活用

正常細胞にはほとんど発現せず，特定のがん細胞にのみ高発現する抗原を**腫瘍関連抗原**（TAA）または**腫瘍抗原**という（9章-4.「がん（悪性腫瘍）」(p148) 参照）．この腫瘍関連抗原タンパクのうち，樹状細胞上のMHCに結合するペプチド断片**CTLエピトープペプチド**（MHCクラスⅠには8～9残基，MHCクラスⅡには12～16残基）は，アジュバントなどと混合して接種する**ペプチドワクチン療法**としてだけでなく，樹状細胞培養系に添加してあらかじめMHC-ペプチド複合体を形成させた後に樹状細胞を接種する細胞療法にも使用される．ペプチドワクチンは，抗体医薬品などと比べて製造が簡便であるため，より安価で患者に提供できる利点を有すが，MHC溝にうまく適合するアミノ酸配列を同定することはそれほど容易なことではなく，また，腫瘍関連抗原の種類や適応可能なHLAタイプは一部の患者に限定されてしまうという問題を抱える．その解決策の1つとして近年，MHCクラスⅠ，MHCクラスⅡのペプチド配列を人工的に結合させた“ハイブリッド型ペプチド”の作製や，種々のCTLエピトープペプチドを混ぜて接種する混合ワクチン療法などが試みられている．たとえば，久留米大学では，さまざまなCTLエピトープペプチドに対する免疫反応をあらかじめ調べた上で，最大限の効果が得られるようにがん患者個々人に合わせて数種を混合する“テーラーメイド・ペプチドワクチン療法”が前立腺がんなどに対して試みられている．一方，前立腺がんで高発現する前立腺性酸性ホスファターゼ prostatic acid phosphatase（PAP）抗原ペプチドとGM-CSFで刺激した樹状細胞療法用のシプリューセルTは，治療用がんワクチンとして2010年に米国FDAではじめて承認され，ホルモン療法抵抗性の前立腺がんの治療に用いられている．

2）　全腫瘍細胞の活用

腫瘍関連抗原の一部のみならず，がん細胞が発現するすべての抗原を樹状細胞に提示させるために，腫瘍細胞そのものを用いることも試みられている．たとえば，外科的に採取した腫瘍組織から腫瘍融解物を調製し，まだ貪食能を有する未熟な樹状細胞に加えて培養する．樹状細胞によって消化された腫瘍関連抗原タンパク質がペプチドへと断片化されるため，サイトカイン刺激なども加えることで，腫瘍関連抗原提示能の高い成熟化樹状細胞を用意できる．また，このプロセスを簡略化するため，ポリエチレングリコール（PEG）◆などを利用して樹状細胞と腫瘍細胞を直接融合させる方法も試みられている．融合細胞は，樹状細胞の機能を維持しつつ，腫瘍細胞が発現する抗原すべてを提示する．

◆ポリエチレングリコール（PEG）融合法
PEGは，細胞膜の脂質二重膜構造を緩やかにし，細胞膜同士の接着を誘起する．この原理を応用することで，PEGで処理した細胞同士は，簡便に，しかも，生存率をそれほど損なわずに融合できる．しかし，その融合効率はそれほど高くはない．

3）　アジュバントの活用

樹状細胞を活性化して治療効果を増強するための工夫として，OK-432などの**生体応答調節薬**（**BRM**），GM-CSFやIL-12などのサイトカイン，TLR2を刺激する結核菌細胞壁骨格成分由来のペプチドグリカン，TLR9を刺激する病原菌由来のCpG DNAなどのTLRリガンドなどを含む**アジュバント**が使用されている．樹状細胞の培養時，または，患者に樹状細胞を接種する際に混合して用いられるが，$CD8^+$T細胞や$CD4^+$T細胞に限らず，$\gamma\delta$T細胞，NKT細胞，NK細胞などの誘導効果も増強することが知られている．

C　リンパ球療法

がん患者，とくにがんが進行した末期患者の体内では免疫系が抑制されており，わずかにしか存在しないキラーT細胞（細胞傷害性T細胞：CTL）を樹状細胞移入によって効果的に増殖させることは，困難な場合が多い．そこで，患者の末梢血や腫瘍組織からT細胞を採取し，CD3やCD28を介した刺激やIL-2などのサイトカイン刺激によって試験管内で増殖させてから患者へ戻す**リンパ球療法**が行われている．研究開発当初は，治療に十分なリンパ球数を確保することを重視して，過剰な刺激を加えたり，長期間培養したりする方法が広く行われていたが，この条件で得られるリンパ球は疲弊状態にあることが臨床レベルで確認されて以来，適度な刺激で短期間（5〜7 日間）培養されている．しかし，現実には，質的にすぐれた腫瘍特異的 $CD8^+$ T 細胞を十分量得ることは困難であることから，現在も質的・量的な改善を目指したさまざまな工夫が試みられている．

1) リンホカイン活性化キラー細胞（LAK）療法

リンパ球を活性化することを目的に，まずは，IL-2 で刺激してから患者に輸注して戻す**リンホカイン活性化キラー細胞（LAK）療法**あるいは**養子免疫療法**が開発された．患者に戻された LAK 細胞の活性を維持するために，LAK 輸注と同時に IL-2 を投与する治療も併用される．米国立がん研究所（NCI）を中心とした臨床試験によって，末梢血から得た LAK は腫瘍組織への集積性が低く，顕著な抗腫瘍効果が得られないことが明らかとなり，現在では，次項で述べる腫瘍組織に浸潤したリンパ球を用いる方法に次第に切り替えられている．

2) 腫瘍組織浸潤リンパ球（TIL）療法

LAK 療法効果の改善を期待して，末梢血由来リンパ球の代わりに，**腫瘍組織浸潤リンパ球（TIL）**が用いられている．最近では，腫瘍特異的 $CD8^+$T 細胞の長期生存や記憶 T 細胞への分化時に大きく影響することが知られるヘルパー T 細胞と一緒に共培養したり，腫瘍特異的 $CD8^+$T 細胞の増殖・長期生存を著しく阻害することが知られる $CD4^+CD25^+FOXP3^+CTLA\text{-}4^+$**制御性 T 細胞**を除去した後で培養を開始するなど，工夫が施されている．また，放射線療法は，がん細胞を直接殺傷するだけでなく，制御性 T 細胞を減少させたり，樹状細胞の抗原提示能を増強することが明らかになって以来，TIL 療法の効果増強を目的として，放射線療法が併用されている．

3) T 細胞抗原受容体（TCR）遺伝子導入 T 細胞療法

たとえ高い抗腫瘍活性を有す腫瘍特異的 T 細胞を用意できたとしても，がんの影響によってその活性を維持したまま生体内で生存・増殖させることは困難であり，実際には，高い臨床効果が得られることはきわめてまれである．そこで，最近になって，悪性黒色腫に高発現する MART-1 や gp100 などの抗原に特異的な高親和性を呈す **TCR** の遺伝子をあらかじめリンパ球に導入してから患者に輸注して戻す **TCR-T 療法**が開発された．当初，NCI を中心に悪性黒色腫患者の治療で有効性が示されたが，その後，低親和性の内在性 TCR の反応が影響してしまう問題が発覚し，これを解決するためにさまざまな改良が重ねられた結果，N 末端側に腫瘍関連抗原に特異的なモノクローナル抗体の可変領域の L 鎖（V_L）と H 鎖（V_H）を直列に結合させた単鎖抗体（scFv）を，C 末端側に TCR の ζ 鎖を併せもつ **CAR** の遺伝子を導入した T 細胞（**CAR-T 細胞**）が開発された．CAR-T 細胞では，scFv 領域で腫瘍関連抗原を認識し，その結合シグナルを ζ 鎖を通じて T 細胞内に伝達することで抗腫瘍活性を発揮する．最近では，T 細胞の細胞傷害活性や増殖能をよりいっそう改善するため，scFvとζ鎖の間にCD28や4-1BBなどの補助刺激分子を組み込んだ第2世代，第3世代のCAR-T細胞も開発されている．現在最も臨床治療が活発に進められているのは，濾胞性リンパ腫や慢性リンパ性白血病などに高発現するCD19や，神経芽腫などに高発現するGD2を標的とした**CAR-T療法**である．2017年には，再発または難治性のB細胞性急性リンパ性白血病を対象にノバルティスが開発したCD19分子を標的とするチサゲンレクルユーセル（商品名：キムリア）がCAR-T療法の治療薬としてはじめてFDAで承認され，わが国でも2019年に承認された．現在までに5製品が上市されており，わが国でもアキシカブタゲンシロルユーセル（商品名：イエスカルタ）とリソカブタゲンマラルユーセル（商品名：ブレヤンジ）が2021年に承認されている．白血病治療では，輸注したCAR-T細胞は体内で数年間も生存し続け，40～60％の患者でがんが完全に消失するほど高い有効性が確認されている．しかし，その一方で，有効性の陰で炎症性サイトカインなどが過剰に分泌されてしまうサイトカイン・ストームが生じて肺などの組織が傷害されて死亡してしまうなど，グレード3以上の深刻な副作用が30～40％もみられる．この副作用を軽減するため，NK細胞を使ったCAR-NK療法も最近開発されており，再発または難治性のCD19陽性非ホジキンリンパ腫または慢性リンパ性白血病を対象とした第I/II相試験の中間報告では，サイトカイン・ストームなどの深刻な副作用はみられず，60％以上の患者でがんの消失が報告された．ただし，固形がんの治療では，どちらのCAR細胞療法も有効性はいまだに確立されていない．これは，血液がんとは異なり，がんを攻撃するためにはまずがん組織内に浸潤することが必要であり，しかも，浸潤後にはがん微小環境に溢れるさまざまな因子によって細胞機能が抑制・疲弊してしまうためと考えられており，これらの点の改善が今後期待される．

D　免疫抑制解除法

がん患者では，たとえ抗腫瘍免疫を強力に増強しようとしても，広範に研究されている$CD4^+FOXP3^+$制御性T細胞をはじめ，$CD8^+FOXP3^+$制御性T細胞，$CD11c^+$ MHC II$^{-/low}$制御性樹状細胞，$CD11b^+CD33^+$骨髄由来免疫抑制細胞（MDSC）◆，$CD45^-$間葉系幹細胞 mesenchymal stem cell（MSC）◆など，抗腫瘍免疫反応を抑制するさまざまな細胞集団ががんの進行に伴って患者体内に増加するため，十分な治療効果を得ることは困難な場合が多い．そこで，この免疫抑制状態を解除することで抗腫瘍免疫を増強しようという治療法が世界中で活発に進められている．たとえば，制御性T細胞が高発現するCD25を標的に，緑膿菌外毒素（PE毒素）を付加した抗CD25単鎖Fv抗体（anti-Tac/Fv-PE38）が開発されたり，リンパ球療法において輸注前にあらかじめ$CD25^+$細胞を除去したりする工夫が試みられてきた．しかし，CD25は活性化T細胞や記憶T細胞などにも高発現する分子でもあり，逆に抗腫瘍活性を低下させてしまう危険性が懸念されるほか，たとえ制御性T細胞という単一集団を制御できても，これ以外の免疫抑制細胞群も同時に制御しない限り，全身的な免疫抑制状態を解除することは困難であった．そこで，制御性T細胞などに高発現するCTLA-4やPD-1，がん細胞や制御性樹状細胞，MDSCなどに高発

◆**骨髄由来免疫抑制細胞（MDSC）**　骨髄由来の未成熟な細胞集団で，T細胞の増殖や活性化を強力に阻害する．がんをはじめとする，感染症や自己免疫疾患など，さまざまな病態において増加することが知られている．MDSCとして同定されている細胞集団は，現時点ではヒトとマウスでは異なっており，マウスでは$CD11b^+$ $Gr\text{-}1^+$細胞，ヒトでは$CD11b^+CD33^+$細胞が，その典型的な表現型とされている．

◆**間葉系幹細胞（MSC）**　骨芽細胞や脂肪細胞，筋細胞，軟骨細胞などの間葉系に属する細胞へ分化する能力を有する細胞集団で，再生医療で利用されることが近年期待されている．多分化能以外にも，T細胞や樹状細胞などの機能を強力に阻害するさまざまな免疫抑制活性を有することも明らかにされている．血球共通抗原として知られるCD45を発現していないことは広くコンセンサスが得られているが，MSCにのみ特異的に発現する分子については，いまだに同定されていない．

現するPD-L1など，抗腫瘍免疫反応が活発化することを抑止する分子（免疫チェックポイント分子）の機能を阻害する抗体医薬品（**免疫チェックポイント阻害薬**）が多数開発されている．抗CTLA-4抗体イピリムマブは，抗がん薬耐性のメラノーマ患者でも生存率が有意に延長される高い臨床効果が確認され，2011年に免疫抑制解除薬第1号としてFDAによって承認された．その後，抗CTLA-4抗体以上に高い治療効果を示す抗PD-1抗体ニボルマブ（商品名：オプジーボ）が開発され，抗CTLA-4抗体との併用によって，末期のメラノーマ患者の53％でがん縮小効果が認められた．免疫チェックポイント阻害薬の台頭に伴い，がん治療における免疫抑制解除法の有用性は世界中で認識され，類似抗体が多数作製されるようになり，現在までに2種の抗CTLA-4抗体，4種の抗PD-1抗体，3種の抗PD-L1抗体が臨床治療で承認されている．しかし，臨床エビデンスの集積に伴い，その臨床効果はごく一部の患者に限定的である上，重篤な自己免疫疾患関連の副作用を高頻度に生じるなどのさまざまな問題が顕在化してきた．治療奏効確率を高めるために，この治療に効きそうな患者を事前に選択できるバイオマーカーの探索や，他の薬剤と組み合わせた多剤併用療法の開発などが世界中で進められているが，いまだに有用なものは確立されていない．たとえば，抗PD-1抗体ペムブロリズマブでがん細胞に遺伝子変異のある大腸がん患者を治療すると，約60％で有効性が確認されるが，遺伝子異常のない患者ではまったく効かないことが報告されているが，そもそも遺伝子異常がみられる患者は全体のごく一部にすぎない．また，抗PD-1/PD-L1抗体による治療前に，腫瘍組織におけるがん細胞や浸潤細胞のPD-L1発現レベルがスコア化され，診断基準として採用されているが，必ずしも治療の有効性と相関するわけではなく，その有用性は高いとはいえない．一方，がん患者の免疫系は，持続的な炎症性刺激を受けて多重の免疫抑制ブレーキがかかり，すでに疲弊して機能しない場合も少なくなく，これを担う免疫チェックポイント分子を標的とする抗体製剤もまた次々と開発されている．とくに，LAG-3とTIGITに特異的な阻害抗体製剤は，副作用の少ない次世代のがん免疫治療薬として大いに期待されており，現在までに7種の抗LAG-3抗体，6種の抗TIGIT抗体が臨床開発されている．PD-L1陽性局所進行性非小細胞肺がんを対象に，抗TIGIT抗体チラゴルマブと抗PD-L1抗体アテゾリズマブを組み合わせて治療した第Ⅱ相試験では，アテゾリズマブ単剤治療より有害事象発生率を増加させることはなく，良好な治療成績が報告されている．

E 今後の課題と展望

細胞療法では，治療に用いる細胞の適切な培養法や細胞の質的調整法をはじめ，「医薬品の製造管理及び品質管理の基準」Good Manufacturing Practice（GMP）◆の適合性確立，治療対象となる適切ながん種の選定，臨床試験の的確な計画，投与至適条件（量，ルート，回数，期間など）の確立など，さまざまな問題が依然として山積している．とくに，CAR-T細胞のような遺伝子改変細胞については，世界各国で独自に定めるガイドラインや製造基準に準じて製品化して承認を得ることはきわめて難しいのが現状である．一方，免疫抑制解除法においても，現在開発中の免疫

◆「医薬品の製造管理及び品質管理の基準」(GMP)　医薬品や医療機器，食品などの製造と品質管理に関する国際基準のこと．品質を保証するため，工場などの建屋や敷地，機械設備や施設，原料の保管や流通，製造・加工の工程，品質管理，工程管理，包装，最終製品の品質検査と保管，従業員の衛生管理など，製造と品質管理に関するあらゆることが標準化されることが求められ，基準を満たしていなければならない．

チェックポイント阻害薬は，治療した患者全体の20％ほどにしか奏効せず，どのようながん種や患者に効くのか，この治療に対する反応性を規定する要因はいまだ明らかにされていない．また，自己免疫反応をはじめ，間質性肺炎や甲状腺機能障害，各種臓器不全などの重篤な副作用の発生が問題視されている．さらには，著効を示すと期待されるCAR-T療法も免疫チェックポイント阻害療法も，きわめて高額の医療費を必要とする．これらを広範に普及・定着させるためには，まずは，治療効果や副作用の科学的根拠を深く理解することが必要であろう．

バイオマーカーに基づいた層別化医療の現状

近年の精力的なバイオマーカー探索により，同じがん種の患者でも，がん細胞や免疫細胞の状態や性質，構成比率などの違いによって，同じ薬物療法に対する反応性が異なることが明らかとなっており，治療応答性を示すサブグループを予測して層別化するコンパニオン診断薬の開発は，薬物療法の成功確率を高める上で重要視されている．たとえば，ペムブロリズマブは，腫瘍組織内でPD-L1を発現するがん細胞や免疫細胞を病理学的検査でスコア化したcombined positive score（CPS）が10以上の患者に限定して投与されるため，層別化なしに投与されるニボルマブと比べて，奏効率は高いと報告されている．しかし，CPSが10以上でも治療が奏効しなかったり，逆に，CPSが10以下でも奏効したり，また，治療開始後に耐性を獲得して効かなくなるケースも多く，より精度の高いコンパニオン診断薬の開発が望まれている．一方，いずれのPD-1抗体も二次治療で使用されてきたが，2021年，ニボルマブは治癒切除不能な進行・再発の胃がんで，ペムブロリズマブは根治切除不能な進行・再発の食道扁平上皮がんで，CPSの多寡は関係なく，化学療法と併用する一次治療として承認された．より多くの患者を対象に，免疫状態が少しでもよい早い時期から治療できるため，治療成績を底上げできると大いに期待されている．

がん免疫療法の最新情報

免疫とは，がんや感染症などさまざまな病気の発症や進行から身を守るためにもともと身体に備わっているしくみである．この過剰反応を抑止するためにブレーキをかける役割を果たすのが，制御性T細胞などの免疫抑制的な細胞群で，これらの細胞群が増加するしくみもまた，自己の抗原や細胞を攻撃しないためにもともと身体に備わった生体内機構ある．

しかし，がんを治療する上では，この免疫抑制機構は障害となる．なぜなら，がん細胞を攻撃・排除したいにもかかわらず，多くのがん細胞は自己抗原を発現するため，免疫監視機構から逃れてうまく生存・増殖するからである．CTLA-4やPD-1，PD-L1などの免疫チェックポイント分子に特異的に結合して機能を阻害し，その免疫抑制機構が作動しないように仕向ける免疫チェックポイント阻害薬は，がんに対する攻撃力を増強できる治療薬として，世界中で注目されている．現在は，LAG-3，TIGIT，TIM-3，CD96，KIRなど，実にさまざまな免疫チェックポイント分子を標的にした抗体製剤が臨床開発されており，この他にも，抗体工学技術をうまく活用して，PD-1とCTLA-4を二重標的としたMEDI5752や，PD-L1とTGF-βを二重標的としたM7824などのbispecific抗体薬◆も開発されている．一方で，がん細胞に高発現する抗原を特異的に認識して攻撃するように設計された人工的なキラーT細胞（細胞傷害性T細胞：CTL），とくに，CAR遺伝子を導入したCAR-T細胞もまた，がんに対する攻撃力を補強する治療薬として期待されている．しかし，その治療費は超高額で，抗PD-1抗体療法では1年間で約1,000万円，CAR-T療法では約3,000万円と一般人にとっては受け入れがたい非現実的な治療法にも思える．また，どちらの治療でも，サイトカイン・ストームなどの重篤な副作用が高頻度に生じるため，免疫療法といえどもけっして安全性が高いとはいえない．さらには，CAR-T細胞は，細胞製剤であるがゆえに，製造には3週間もの長い日数を要するため，その間に患者の容態が急変して悪化してしまうことが懸念される．しかも，その製造工程が複雑であることから，実際に治療用に製造できない場合も少なくなく，患者に適切かつ十分には提供できていないのが現状である．細胞製剤を製造するための施設もきわめて限られた医療機関にしか設置されておらず，その治療を受けられる患者の地域性も限定されてしまう．副作用を軽減するためにNK細胞やiPS細胞由来の他家免疫細胞を用いた細胞療法も開発されているが，これらの問題は全て共通している．細胞製剤の開発や改良では，細胞の寿命延長や疲弊化の防止，組織浸潤性の増強など，有効性を高めることだけに注力しがちだが，このような副作用の軽減や製造期間の短縮，確実な治療薬提供，細胞製造施設の普及もまたきわめて重要な課題であり，これらがクリアされることで，地域格差のない医療の提供または外来での投与などが可能となり，患者や家族のさまざまな負担は軽減されると期待される．

◆ **bispecific抗体薬**
一般的な抗体は，1つの抗原分子を標的として認識・結合するが，bispecific抗体とは，最新の遺伝子組み換え技術で1つの抗体で2つの異なる抗原分子を認識・結合できるように人工的に改変された二重特異性を示す．2つの抗原分子を標的とする治療を行う場合，2種類の異なる抗体を併用して投与するよりも，治療費は抑えられ，患者の身体に与える影響，とくに副作用などが抑えられることが期待されることから，経済的かつ身体的な負担が軽減できる治療薬として期待されている．

付録

付録 1　定期の予防接種

令和 4(2022) 年 5 月現在

	対象感染症	接　種			回　数
		対象年齢		標準的な接種年齢	
A[1] 類疾病	ジフテリア 百日咳 破傷風 ポリオ	1 期初回	生後 3〜90 ヵ月に至るまで	生後 3〜12 ヵ月	3 回
		1 期追加	生後 3〜90 ヵ月に至るまで (1 期初回接種 (3 回) 終了後 6 ヵ月以上の間隔をおく)		1 回
		2 期[2]	11〜13 歳未満	11〜12 歳	1 回
	麻疹・風疹	1 期	生後 12〜24 ヵ月に至るまで		1 回
		2 期	5 歳以上 7 歳未満の者であって，小学校就学の始期に達する日の 1 年前の日から当該始期に達する日の前日まで		1 回
	日本脳炎	1 期初回	生後 6〜90 ヵ月に至るまで	3〜4 歳	2 回
		1 期追加	生後 6〜90 ヵ月に至るまで (1 期初回終了後約 1 年をおく)	4〜5 歳	1 回
		2 期	9〜13 歳未満	9〜10 歳	1 回
	結核	1 歳に至るまで		生後 5〜8 ヵ月	1 回
	Hib	初回 3 回	生後 2〜60 ヵ月に至るまで	初回接種開始は生後 2〜7 ヵ月の間	3 回
		追加 1 回			1 回
	肺炎球菌 (小児)	初回 3 回	生後 2〜60 ヵ月に至るまで	初回接種開始は生後 2〜7 ヵ月の間	3 回
		追加 1 回		生後 12〜15 ヵ月	1 回
	水痘	1 回目	生後 12〜36 ヵ月に至るまで	1 回目は生後 12〜15 ヵ月，2 回目は 1 回目から 6〜12 ヵ月経過した時期	1 回
		2 回目			1 回
	ヒトパピローマウイルス	[3]小 6〜高 1 相当の女子		[4]中 1 相当	3 回
	B 型肝炎	1 回目 2 回目 3 回目	1 歳に至るまで	1 回目は生後 2〜9 ヵ月の間に接種し，2 回目は 27 日以上経過した時期，3 回目は 1 回目から 139 日以上経過した時期	3 回
	ロタウイルス	1 回目 2 回目	[5]生後 6〜24 週	初回接種は生後 14 週 6 日までの間	2 回
		1 回目 2 回目 3 回目	[6]生後 6〜32 週		3 回
B[1] 類疾病	インフルエンザ	①65 歳以上の者 ②60 歳以上 65 歳未満であって，心臓，腎臓または呼吸器の機能に自己の身辺の日常生活が極度に制限される程度の障害を有する者およびヒト免疫不全ウイルスにより免疫の機能に日常生活がほとんど不可能な程度の障害を有する者			毎年度 1 回
	肺炎球菌 (高齢者)	①65 歳の者 ②60 歳以上 65 歳未満であって，心臓，腎臓または呼吸器の機能に自己の身辺の日常生活が極度に制限される程度の障害を有する者およびヒト免疫不全ウイルスにより免疫の機能に日常生活がほとんど不可能な程度の障害を有する者 ただし，②に該当する者として既に当該予防接種を受けた者は，①の対象者から除く			1 回

[1] 予防接種法に定められている定期接種の対象疾病を集団予防に重点を置いた「A 類疾病」と個人予防に重点を置いた「B 類疾病」に分けている．A 類疾病では，被接種者に予防接種を受ける努力義務が課せられているが，B 類疾病には，努力義務が課せられていない．

[2] 1 期は DPT ワクチンおよび IPV を接種するが，2 期には DT（ジフテリアと破傷風）ワクチンを接種する．

[3] 12 歳となる日の属する年度の初日から 16 歳となる日の属する年度の末日までの間にある女子

[4] 13 歳となる日の属する年度の初日から当該年度の末日までの間

[5] 経口弱毒生ヒトロタウイルスワクチン

[6] 5 価経口弱毒生ヒトロタウイルスワクチン

［一般財団法人厚生労働統計協会（編）：国民衛生の動向・厚生の指標増刊 69(9)（2022/2023 年版），2022 をもとに作成］

付録 2 日欧米における既承認抗体医薬品

名 称	商品名	構 造	標 的	主な適応疾患	承認年		
					US	EU	日本
マウス抗体							
muromonab-CD3	Orthoclone OKT3	IgG2a	CD3	腎移植後の急性拒絶反応	1986	NA*1	1991
ibritumomab tiuxetan	Zevalin	IgG1 κ（MX-DTPA：^{90}Y 標識）	CD20	B 細胞性非ホジキンリンパ腫	2002	2004	2008
		IgG1 κ（MX-DTPA：^{111}In 標識）		イブリツモマブ チウキセタンの集積部位の確認	2008		2008
iodine 131 Tositumomab	Bexxar	IgG2a λ（^{131}I 標識）	CD20	非ホジキンリンパ腫	2003	NA	NA
catumaxomab	Removab	mIgG2a κ（EpCAM），rIgG2b λ（CD3）	EpCAM, CD3	CD3 がん性腹水	NA	2009	NA
blinatumomab	Blincyto	scFv-scFv	CD19, CD3	急性リンパ性白血病	2014	2015	NA
moxetumomab pasudotox	LUMOXITI	Fv＋Pseudomonas exotoxin	CD22	有毛細胞白血病	2018	NA	NA
キメラ抗体							
abciximab	ReoPro	IgG1（Fab）	GP II b/III a	心筋虚血	1994	NA	NA
rituximab	Rituxan/MabThera	IgG1 κ	CD20	B 細胞性非ホジキンリンパ腫	1997	1998	2001
basiliximab	Simulect	IgG1 κ	CD25	腎移植後の急性拒絶反応	1998	1998	2002
infliximab	Remicade	IgG1 κ	TNF-α	関節リウマチ	1998	1999	2002
cetuximab	Erbitux	IgG1 κ	EGFR	頭頸部がん，結腸・直腸がん	2004	2004	2008
brentuximab vedotin	Adcetris	IgG1（MMAE 修飾）	CD30	ホジキンリンパ腫	2011	2012	2014
siltuximab	Sylvant	IgG1 κ	IL-6	キャッスルマン病	2014	2014	NA
dinutuximab	Unituxin	IgG1 κ	GD2	神経芽細胞腫（小児）	2015	2015	NA
obiltoxaximab	Anthim	IgG1 κ	*B. anthracis* toxin	吸入炭疽	2016	NA	NA
ヒト化抗体							
daclizumab	Zenapax	IgG1 κ	CD25	腎移植後の急性拒絶反応	1997	1999	NA
palivizumab	Synagis	IgG1 κ	RSV F protein	RS ウイルス感染	1998	1999	2002
trastuzumab	Herceptin	IgG1 κ	HER2	転移性乳がん	1998	2000	2001
gemtuzumab ozogamicin	Mylotarg	IgG4 κ（カリケアマイシン修飾）	CD33	急性骨髄性白血病	2000	refused	2005
alemtuzumab	Campath	IgG1 κ	CD52	B 細胞性慢性リンパ性白血病	2001	2001	2014
omalizumab	Xolair	IgG1 κ	IgE	喘息	2003	2005	2009
efalizumab	Raptiva	IgG1 κ	CD11	尋常性乾癬	2003	2004	NA
bevacizumab	Avastin	IgG1 κ	VEGF	結腸・直腸がん	2004	2005	2007
natalizumab	Tysabri	IgG4 κ	α4 インテグリン	多発性硬化症	2004	2006	2014
tocilizumab	Actemra	IgG1 κ	IL-6R	キャッスルマン病，関節リウマチ	2010	2009	2005
ranibizumab	Lucentis	IgG1 κ Fab	VEGF-A	加齢黄斑変性	2006	2007	2009
eculizumab	Soliris	IgG2/4 κ	C5	発作性夜間血色素尿症	2007	2007	2010
certolizumab pegol	Cimzia	Fab′＋PEG	TNF-α	関節リウマチ，重症クローン病	2008	2009	2012
mogamulizumab	Poteligeo	IgG1 κ	CCR4	CCR4 陽性成人 T 細胞白血病リンパ腫	NA	NA	2012
pertuzumab	Perjeta	IgG1 κ	HER2	HER2 陽性手術不能または再発乳がん	2012	2013	2013
trastuzumab emtansine	Kadcyla	IgG1 κ（メイタンシン修飾）	HER2	HER2 陽性転移・再発乳がん	2013	2013	2013
obinutuzumab	Gazyva	IgG1	CD20	慢性リンパ性白血病	2013	2014	NA
vedolizumab	Entyvio	IgG1	α4β7 インテグリン	クローン病	2014	2014	NA
pembrolizumab	Keytruda	IgG4 κ	PD-1	黒色腫	2014	2015	2016
idarucizumab	Praxbind	IgG1 Fab	dabigatran	dabigatran（Pradaxa®）中和	2015	2015	2016
mepolizumab	Nucala	IgG1 κ	IL-5	喘息	2015	2015	2016
elotuzumab	Empliciti	IgG1 κ	SLAMF7	多発性骨髄腫	2015	2016	2016

付録2 （続き）

名称	商品名	構造	標的	主な適応疾患	承認年		
					US	EU	日本
ixekizumab	Taltz	IgG4	IL-17A	尋常性乾癬	2016	2016	2016
reslizumab	Cinqair	IgG4κ	IL-5	喘息	2016	NA	NA
atezolizumab	Tecentriq	IgG1κ（N298A）	PD-L1	尿路上皮がん	2016	NA	NA
ocrelizumab	Ocrevus	IgG1	CD20	多発性硬化症	2017	NA	NA
inotuzumab ozogamicin	BESFONSA	IgG4κ（オゾガマイシン修飾）	CD22	急性リンパ性白血病	2017	2017	2018
emicizumab	HEMLIBRA	IgG4κ（二重特異性）	FIXa, FX	血友病A	2017	2018	2018
benralizumab	Fasenra	IgG1κ（糖鎖改変）	IL-5R αsubunit	気管支喘息	2017	2018	2018
galcanezumab	EMGALITY	IgG4	CGRP	偏頭痛	2018	2018	NA
flemanezumab	AJOVY	IgG2κ	CGRP	片頭痛の予防	2018	2019	NA
tildrakizumab	ILUMYA	IgG1κ	Il-23α（p19）subunit	乾癬	2018	2018	NA
caplacizumab	CABLIVI	VH-linker-VH	von Willebrand factor	血栓性血小板減少性紫斑病	2019	2018	NA
ibalizumab	TROGARZO	IgG4	CD4 domain 2	HIV-1感染	2018	NA	NA
ravulizumab	ULTOMIRIS	IgG2/4	C5	発作性夜間ヘモグロビン尿症	2018	NA	NA
romosozumab	Evenity	IgG2κ	sclerostin	骨粗鬆症	2019	NA	2019
risankizumab	Skyrizi	IgG1κ（Fc改変：237Ala，238Ala）	Il-23α（p19）subunit	乾癬	2019	NA	2019
ヒト抗体							
adalimumab	Humira	IgG1κ	TNF-α	関節リウマチ	2002	2003	2008
panitumumab	Vectibix	IgG2κ	EGFR	結腸・直腸がん	2006	2007	2010
golimumab	Simponi	IgG1κ	TNF-α	関節リウマチ	2009	2009	2011
ustekinumab	Stelara	IgG1κ	IL-12/23p40	乾癬	2009	2009	2011
canakinumab	Ilaris	IgG1κ	IL-1β	クリオピリン関連周期性症候群	2009	2009	2011
ofatumumab	Arzerra	IgG1κ	CD20	慢性リンパ性白血病	2009	2010	2013
denosumab	Prolia/Xgeva	IgG2	RANKL	骨病変，骨粗鬆症	2010	2010	2012
ipilimumab	Yervoy	IgG1κ	CTLA-4	黒色腫	2011	2011	2015
belimumab	Benlysta	IgG1λ	BlyS	SLE	2011	2011	2017
raxibacumab	Raxibacumab	IgG1λ	*B. anthracis* toxin	吸入炭疽，肺炭疽	2012	NA	NA
ramucirumab	Cyramza	IgG1	VEGFR2	胃がん	2014	2014	2015
nivolumab	Opdivo	IgG4	PD-1	悪性黒色腫	2015	2015	2014
secukinumab	Cosentyx	G1/κ	IL-17A	尋常性乾癬，関節症性乾癬	2015	2015	2014
evolocumab	Repatha	IgG2	PCSK9	高コレステロール血症	2015	2015	2019
alirocumab	Praluent	IgG1	PCSK9	高コレステロール血症	2015	2015	2017
necitumumab	Portrazza	IgG1κ	EGFR	非小細胞性肺がん	2015	2016	2015
daratumumab	Darzalex	IgG1κ	CD38	多発性骨髄腫	2015	2016	NA
brodalumab	Lumicef, Siliq	IgG2κ	IL17R	尋常性乾癬	2017	NA	2017
olaratumab	Lartruvo	IgG1	PDGFR	軟部肉腫	2016	2016	NA
bezlotoxumab	Zinplava	IgG1	*C. difficile* toxin B	クロストリジウム・ディフィシル感染症	2017	2017	2017
avelumab	Bavencio	IgG1λ	PD-L1	メルケル細胞がん	2017	NA	2018
durvalumab	Imfinzi	IgG1κ	PD-L1	尿路上皮がん	2017	NA	2018
dupilumab	Dupixent	IgG4	IL-4Rα	アトピー性皮膚炎	2017	NA	NA
bezlotoxumab	ZINPLAVA	IgG1κ	*C. difficile* toxin B	クロストリジウム・ディフィシル感染症の再発抑制	2016	2017	2017
guselkumab	TREMFYA	IgG1λ	IL-23	尋常性乾癬	2017	2017	2018
sarilumab	KEVZARA	IgG1κ	IL-6R α subunit	関節リウマチ	2017	2017	2017

付録 2 （続き）

名　称	商品名	構　造	標　的	主な適応疾患	承認年		
					US	EU	日本
burosumab	CRYSVITA	IgG1κ	FGF23	X 染色体遺伝性低リン血症	2018	2018	2019
erenumab	AIMOVIG	IgG2	CGRP receptor	偏頭痛	2018	2018	2021
lanadelumab	TAKHZYRO	IgG1κ	kallikrein	遺伝性血管性浮腫	2018	2018	2022
emapalumab	GAMIFANT	IgG1	IFNγ	血球貧食症候群	2018	NA	NA
抗体に類似した特徴をもつ医薬品							
etanercept	Enbrel	TNFR＋Fc	TNF-α, LTα	関節リウマチ	1998	2000	2005
alefacept	Amevive	LFA3＋Fc	CD2	尋常性乾癬	2003	NA	NA
abatacept	Orencia	CTLA-4＋改変 Fc	CD80/CD86	関節リウマチ	2005	2007	2010
rilonacept	Arcalyst	IL-1R＋IL-1RAcP＋Fc	IL-1	クリオピリン関連周期熱症候群	2008	2009	NA
belatacept	Nulojix	改変 CTLA-4＋改変 Fc	CD80/CD86	腎移植拒絶の防止	2011	2011	NA
aflibercept	Eylea	VEGFR1R2＋Fc	VEGF	加齢黄斑変性	2011	2012	2012
romiplostim	NPLate	改変 Fc＋TPO アゴニストペプチド	TPOR	血小板減少性紫斑病	2008	2009	2011
dulaglutide	Trulicity	GLP-1 アナログ＋改変 IgG4 Fc	GLP-1R	2 型糖尿病	2014	2014	2015
asfotase alfa	Strensiq	アルカリホスファターゼ＋Fc		低ホスファターゼ症	NA	NA	2015
efraloctocog alfa	Eloctate	F. Ⅷ＋Fc		血液凝固第Ⅷ因子欠乏患者における出血傾向	NA	NA	2014
eftrenonacog alfa	Alprolix	F. Ⅸ＋Fc		血液凝固第Ⅸ因子欠乏患者における出血傾向	NA	NA	2014

*1 NA：not approved（未承認）

●本書における薬学教育モデル・コアカリキュラム対応一覧

平成 25 年度改訂版 薬学教育モデル・コアカリキュラム		対応項
C8　生体防御と微生物 GIO　生体の恒常性が崩れたときに生ずる変化を理解できるようになるために，免疫反応による生体防御機構とその破綻，および代表的な病原微生物に関する基本的事項を修得する．		
(1) 身体をまもる GIO　ヒトの主な生体防御反応としての免疫応答に関する基本的事項を修得する．		
①生体防御反応	1. 異物の侵入に対する物理的，生理的，化学的バリアー，および補体の役割について説明できる．	3 章-2-A 2 章-3
	2. 免疫反応の特徴（自己と非自己の識別，特異性，多様性，クローン性，記憶，寛容）を説明できる．	5 章
	3. 自然免疫と獲得免疫，および両者の関係を説明できる．	3 章-1
	4. 体液性免疫と細胞性免疫について説明できる．	3 章-3
②免疫を担当する組織・細胞	1. 免疫に関与する組織を列挙し，その役割を説明できる．	1 章-1
	2. 免疫担当細胞の種類と役割を説明できる．	1 章-2
	3. 免疫反応における主な細胞間ネットワークについて説明できる．	7 章-1
③分子レベルで見た免疫のしくみ	1. 自然免疫および獲得免疫における異物の認識を比較して説明できる．	3 章-2,3 4 章-4
	2. MHC 抗原の構造と機能および抗原提示での役割について説明できる．	4 章
	3. T 細胞と B 細胞による抗原認識の多様性（遺伝子再構成）と活性化について説明できる．	6 章
	4. 抗体分子の基本構造，種類，役割を説明できる．	2 章-1
	5. 免疫系に関わる主なサイトカインを挙げ，その作用を概説できる．	7 章
(2) 免疫系の制御とその破綻・免疫系の応用 GIO　免疫応答の制御とその破綻，および免疫反応の臨床応用に関する基本的事項を修得する．		
①免疫応答の制御と破綻	1. 炎症の一般的症状，担当細胞および反応機構について説明できる．	7 章-3
	2. アレルギーを分類し，担当細胞および反応機構について説明できる．	8 章
	3. 自己免疫疾患と免疫不全症候群について概説できる．	9 章-1 9 章-3
	4. 臓器移植と免疫反応の関わり（拒絶反応，免疫抑制剤など）について説明できる．	9 章-2
	5. 感染症と免疫応答との関わりについて説明できる．	10 章
	6. 腫瘍排除に関与する免疫反応について説明できる．	9 章-4
②免疫反応の利用	1. ワクチンの原理と種類（生ワクチン，不活化ワクチン，トキソイド，混合ワクチンなど）について説明できる．	11 章-1
	2. モノクローナル抗体とポリクローナル抗体について説明できる．	13 章-1
	3. 血清療法と抗体医薬について概説できる．	14 章-7 15 章-2
	4. 抗原抗体反応を利用した検査方法（ELISA 法，ウエスタンブロット法など）を実施できる．（技能）	13 章-2
E2　薬理・病態・薬物治療 GIO　患者情報に応じた薬の選択，用法・用量の設定および医薬品情報・安全性や治療ガイドラインを考慮した適正な薬物治療に参画できるようになるために，疾病に伴う症状などの患者情報を解析し，最適な治療を実施するための薬理，病態・薬物治療に関する基本的事項を修得する．		
(2) 免疫・炎症・アレルギーおよび骨・関節の疾患と薬 GIO　免疫・炎症・アレルギーおよび骨・関節に作用する医薬品の薬理および疾患の病態・薬物治療に関する基本的知識を修得し，治療に必要な情報収集・解析および医薬品の適正使用に関する基本的事項を修得する．		
①抗炎症薬	1. 抗炎症薬（ステロイド性および非ステロイド性）および解熱性鎮痛薬の薬理（薬理作用，機序，主な副作用）および臨床適用を説明できる．	14 章-3 14 章-4
	2. 抗炎症薬の作用機序に基づいて炎症について説明できる．	7 章-3

②免疫・炎症・アレルギー疾患の薬，病態，治療	1．アレルギー治療薬（抗ヒスタミン薬，抗アレルギー薬等）の薬理（薬理作用，機序，主な副作用）および臨床適用を説明できる．	14 章-5
	2．免疫抑制薬の薬理（薬理作用，機序，主な副作用）および臨床適用を説明できる．	14 章-1
	3．以下のアレルギー疾患について，治療薬の薬理（薬理作用，機序，主な副作用），および病態（病態生理，症状等）・薬物治療（医薬品の選択等）を説明できる． アトピー性皮膚炎，蕁麻疹，接触性皮膚炎，アレルギー性鼻炎，アレルギー性結膜炎，花粉症，消化管アレルギー，気管支喘息	8 章-1 14 章-5
	5．アナフィラキシーショックについて，治療薬の薬理（薬理作用，機序，主な副作用），および病態（病態生理，症状等）・薬物治療（医薬品の選択等）を説明できる．	8 章-1
	7．以下の臓器特異的自己免疫疾患について，治療薬の薬理（薬理作用，機序，主な副作用），および病態（病態生理，症状等）・薬物治療（医薬品の選択等）を説明できる． バセドウ病，橋本病，悪性貧血，アジソン病，1 型糖尿病，重症筋無力症，多発性硬化症，特発性血小板減少性紫斑病，自己免疫性溶血性貧血，シェーグレン症候群	9 章-1
	8．以下の全身性自己免疫疾患について，治療薬の薬理（薬理作用，機序，主な副作用），および病態（病態生理，症状等）・薬物治療（医薬品の選択等）を説明できる． 全身性エリテマトーデス，強皮症，多発筋炎/皮膚筋炎，関節リウマチ	9 章-1 14 章-2 14 章-3
	9．臓器移植（腎臓，肝臓，骨髄，臍帯血，輸血）について，拒絶反応および移植片対宿主病（GVHD）の病態（病態生理，症状等）・薬物治療（医薬品の選択等）を説明できる．	9 章-2
③骨・関節・カルシウム代謝疾患の薬，病態，治療	関節リウマチについて，治療薬の薬理（薬理作用，機序，主な副作用），および病態（病態生理，症状等）・薬物治療（医薬品の選択等）を説明できる．	14 章-2
（4）呼吸器系・消化器系の疾患と薬 GIO　呼吸器系・消化器系に作用する医薬品の薬理および疾患の病態・薬物治療に関する基本的知識を修得し，治療に必要な情報収集・解析および医薬品の適正使用に関する基本的事項を修得する．		
①呼吸器系疾患の薬，病態，治療	1．気管支喘息について，治療薬の薬理（薬理作用，機序，主な副作用），および病態（病態生理，症状等）・薬物治療（医薬品の選択等）を説明できる．	8 章-1 14 章-6
（7）病原微生物（感染症）・悪性新生物（がん）と薬 GIO　病原微生物（細菌，ウイルス，真菌，原虫），および悪性新生物に作用する医薬品の薬理および疾患の病態・薬物治療に関する基本的知識を修得し，治療に必要な情報収集・解析および医薬品の適正使用に関する基本的事項を修得する．		
④ウイルス感染症およびプリオン病の薬，病態，治療	4．ウイルス性肝炎（HAV，HBV，HCV）について，治療薬の薬理（薬理作用，機序，主な副作用），感染経路と予防方法および病態（病態生理（急性肝炎，慢性肝炎，肝硬変，肝細胞がん），症状等）・薬物治療（医薬品の選択等）を説明できる．	14 章-9
	5．後天性免疫不全症候群（AIDS）について，治療薬の薬理（薬理作用，機序，主な副作用），感染経路と予防方法および病態（病態生理，症状等）・薬物治療（医薬品の選択等）を説明できる．	14 章-8
（8）バイオ・細胞医薬品とゲノム情報 GIO　医薬品としてのタンパク質，遺伝子，細胞を適正に利用するために，それらを用いる治療に関する基本的知識を修得し，倫理的態度を身につける．併せて，ゲノム情報の利用に関する基本的事項を修得する．		
③細胞，組織を利用した移植医療	2．摘出および培養組織を用いた移植医療について説明できる．	9 章-2
	3．臍帯血，末梢血および骨髄に由来する血液幹細胞を用いた移植医療について説明できる．	9 章-2
	4．胚性幹細胞（ES 細胞），人工多能性幹細胞（iPS 細胞）を用いた細胞移植医療について概説できる．	9 章-2

令和４年度改訂版 薬学教育モデル・コア・カリキュラム		対応項
学修目標	学修事項	
C　基礎薬学 C-2　医薬品及び化学物質の分析法と医療現場における分析法 C-2-7　医療現場における分析法		
1）検体試料を分析前に適切に処理する必要性を説明する． 3）医療現場で用いられる分析法の目的と原理，操作法の概略と特徴を説明する．	（1）検体試料の前処理法【1)】 （3）代表的な免疫学的測定法【3)】	13 章
C-4　薬学の中の医薬品化学 C-4-5　代表的疾患の治療薬とその作用機序		
1）化学構造をもとに，疾患治療薬と標的分子との相互作用を説明する．	（6）免疫･炎症･アレルギー系疾患の医薬品【1)】	14 章
C-7　人体の構造と機能及びその調節 C-7-9　リンパ系と免疫		
1）リンパ系を構成する器官の構造と機能を説明する． 2）免疫担当細胞による免疫応答について説明する．	（1）一次及び二次リンパ器官【1)】 （2）主なリンパ管の名称と位置【1)】 （3）自然免疫と獲得免疫【2)】 （4）主なサイトカインと関与する細胞間ネットワーク【2)】 （5）抗体分子及びT細胞抗原受容体の多様性【2)】 （6）抗原認識と免疫寛容及び自己免疫【2)】 （7）免疫担当細胞の体内循環【2)】	1～6 章， 7 章 1・2， 15 章-3
D　医療薬学 D-2　薬物治療につながる薬理・病態 D-2-10　免疫・炎症・アレルギー系の疾患と治療薬		
1）免疫・炎症・アレルギー系疾患の発症メカニズムを生体の恒常性と関連付けた上で，異常反応としての病態を説明する． 2）治療薬の作用メカニズムと病態を関連付けて説明する． 3）治療薬の作用メカニズムと有害反応（副作用）を関連付けて説明する． 4）疾患治療における薬物治療の一般的な位置づけ及び同種・同効薬の類似点と相違点を把握し，疾患へ適用する根拠を説明する．	（1）花粉症，アナフィラキシー【1)，2)】 （2）関節リウマチ，全身性エリテマトーデス，拒絶反応，移植片対宿主病【1)，2)】 （3）主な治療薬【2)，3)，4)】	7 章-3， 8～9 章， 14 章
D-2-12　呼吸器系の疾患と治療薬		
1）呼吸器系疾患の発症メカニズムを生体の恒常性と関連付けた上で，異常反応としての病態を説明する． 2）治療薬の作用メカニズムと病態を関連付けて説明する．	（1）気管支喘息，慢性閉塞性肺疾患，かぜ症候群，肺炎【1)，2)】 （2）主な治療薬【2)，3)，4)】	14 章-6
D-2-15　感染症と治療薬		
1）感染症の原因となる病原体，感染経路や発症メカニズムを生体の恒常性と関連付けた上で，異常反応としての病態を説明する． 2）治療薬の作用メカニズムと病態を関連付けて説明する．	（1）ウイルス感染症，細菌感染症，真菌感染症，寄生虫病【1)，2)】 （2）呼吸器感染症，消化器感染症，尿路感染症，性感染症，皮膚感染症，神経系感染症，感覚器感染症，全身性感染症【1)，2)】	10～11 章
D-2-16　悪性腫瘍（がん）と治療薬		
2）治療薬の作用メカニズムと病態を関連付けて説明する．	（3）主な治療薬【2)，3)，4)】	9 章-4， 15 章-2･4
D-2-18　遺伝子治療，移植医療，遺伝子組換え医薬品		
1）遺伝子治療や移植医療のメカニズム，方法，その手順を把握し，疾患へ適用する根拠を説明する． 3）遺伝子組換え医薬品の特徴やその作用メカニズムを説明し，その有害反応（副作用）との関連を説明する．	（1）遺伝子治療，移植医療【1)，2)】 （2）遺伝子組換え医薬品	9 章-2， 15 章-2

和文索引

アジュバント　184, 188, 205, 276
アスピリン喘息　237
アドレナリンβ_2受容体刺激薬　243
アナジー　267
アナフィラキシー　121
　——症状　231
　——ショック　119
　——反応　228
アナフィラトキシン　122, 129
アネルギー　267
アルキル化薬　227
アルツス反応　130
アレルギー　119
　——反応　104
　Ⅰ型——　121
　Ⅱ型——　126
　Ⅲ型——　129
　Ⅳ型——　131
　Ⅴ型——　127
　食物——　126
　即時型——　121
　薬物——　126
アレルギー性鼻炎　236
アレルギー性皮膚疾患　236
アレルギー治療薬　238
アレルゲン　2, 119
アンカー残基　64

移行免疫　199
移植　136
移植抗原　138
移植片拒絶反応　59, 137
移植片対宿主反応（GVHR）　55, 137
移植片対宿主病（GVHD）　55, 141
Ⅰ型インターフェロン　161
1型ヘルパーT細胞（Th1）　9
一次免疫応答　183
遺伝子改変T細胞　155
　——療法　155
遺伝子組換え　232
遺伝子座　61
遺伝子療法　274
イムノアッセイ　210
イムノクロマトグラフィー　213
インターフェロン（IFN）　101, 194, 247
インターロイキン（IL）　101
インテグラーゼ阻害薬　246
インバリアント鎖（Ii鎖）　65
インフルエンザ　1
　——ワクチン　186
インフルエンザ菌　190

ウイルス　104, 173
ウイルス性肝炎　102
ウイルスベクターワクチン　182
ウエスタンブロッティング　212
ウエスタンブロット法　212

エイズ（AIDS）☞後天性免疫不全症候群
エオタキシン　108
エピトープ　21
エフェクター細胞　52, 96
エフェクターT細胞　9, 162
エリスロポエチン（EPO）　106
塩基性NSAIDs　237
エンザイムイムノアッセイ　211
炎症　34, 109, 161
炎症性サイトカイン　110, 161, 235
炎症伝達物質　111
エンドサイトーシス　186
エンドソーム　65, 186

黄色ブドウ球菌　170
オプソニン化　34, 55
オプソニン作用　26, 34

化学的バリアー　39
化学伝達物質遊離抑制薬　240
化学発光イムノアッセイ（LIA）　212
核磁気共鳴解析（NMR解析）　253
獲得免疫　7, 37, 49, 95, 103, 162, 166
カチオン-π相互作用　259
活性化自己リンパ球移入療法　195
活性化T細胞　97
カテプシン群　65
カノニカル構造　259
可変部断片（Fv）　257
顆粒球　19
顆粒球コロニー刺激因子（G-CSF）　107
顆粒球マクロファージコロニー刺激因子（GM-CSF）　107
がん（悪性腫瘍）　148, 265
関節リウマチ　225
感染　159
感染防御免疫　159
がん免疫療法　2, 264
間葉系幹細胞（MSC）　278

記憶細胞　8, 96
記憶B細胞　76
記憶T細胞　74
気管支拡張薬　242
気管支関連リンパ組織（BALT）　165
気管支喘息　125, 234
　——治療薬　242
キサンチン類　243
寄生虫　104, 175
偽膜性大腸炎　169
キメラ抗原受容体（CAR）　155, 273
キメラ抗体　229, 263
逆転写酵素阻害薬　246
急性糸球体腎炎　129
競合法　210
凝集反応　212
胸腺　10, 69, 95, 201
胸腺分化制御性T細胞（tTreg）　272
共優性　61
局所性アナフィラキシー　124
拒絶反応　136, 197
キラーT細胞　8, 17, 49, 57, 163, 273
均一系測定法　210

グッドパスチャー症候群　128
クライオ電子顕微鏡　256
クラススイッチ　87
グランザイム　18, 44
クリプト　165
クリプトコッカス属　175
クロスプレゼンテーション　65, 162, 172
クローン選択説　86
クローン排除　265

蛍光イムノアッセイ（FIA）　211
蛍光抗体法　212
形質細胞　49, 76, 233
形質細胞様樹状細胞　161, 173
形状相補性　258
血液型不適合輸血　128
結核　172
結核菌　188
血管アドレシン細胞接着分子（MAdCAM）　167

血管透過性亢進 129
血小板 226
血小板活性化因子（PAF） 112
血清病型反応 130
血中安定性 262
結膜関連リンパ組織（CALT） 165
ケモカイン 101, 108, 235
ケモカイン受容体拮抗薬 247
ケラチン 7
限界希釈法 209
減感作療法 242
原発性免疫不全症候群 144

抗アセチルコリン受容体抗体（抗AChR 抗体） 217
抗アレルギー薬 244
好塩基球 19
抗炎症作用 236
抗核酸抗体（ANA） 217
抗環状シトルリン化ペプチド抗体（抗CCP 抗体） 217
抗がん薬 264
抗菌ペプチド 159, 165
抗グルタミン酸デカルボキシラーゼ抗体（抗 GAD 抗体） 217
抗血清 244
抗原 21
抗原抗体反応 28
抗原提示細胞 18, 49, 60, 95, 122, 201, 273
抗原認識領域 262
膠原病 225, 234
抗原プロセシング 65
抗コリン薬 243
好酸球 7, 19, 175
甲状腺機能亢進症 127
抗生物質 247
構造生物学 253
構造免疫学 257
抗体 21, 205
抗体依存性細胞傷害作用（ADCC） 22, 55
抗体医薬品 22, 228, 262
抗体産生細胞 49
抗体薬物複合体（ADC） 264
抗体療法 274
好中球 7, 19, 41, 161
好中球細胞外トラップ（NETs） 175
後天性免疫不全症候群（エイズ，AIDS） 9, 147, 225
抗毒素 244
高内皮細静脈（HEV） 78, 97
抗ミトコンドリア抗体（AMA） 217
抗リウマチ薬（DMARDs） 229
抗リン脂質抗体 217
抗 dsDNA 抗体 217
抗 IgE 抗体 240
高 IgM 症候群 88
抗 Sm 抗体 217
抗 SS-A 抗体 217
抗 SS-B 抗体 217
呼吸バースト 42
骨髄 10, 75
——抑制 226
骨髄細胞 226
骨髄腫細胞 207
骨髄由来免疫抑制細胞（MDSC） 278
古典的マクロファージ活性化 163
コロニー刺激因子（CSF） 107

細菌 102, 170
再興感染症 177
サイトカイン 101, 231, 274
——のトランスシグナル機構 116
サイトカイン作用抑制薬 240
サイトカイン産生阻害薬 239
サイトカイン・ストーム 174, 269, 278
サイトカイン放出症候群 269
サイトカイン療法 193
細胞外寄生(性)細菌 170
細胞周期 226
細胞傷害 129
細胞傷害性 T 細胞（CTL） 8, 17, 49, 57, 163, 273
細胞傷害性 T リンパ球抗原 4（CTLA-4） 56, 133, 154, 268, 278
細胞製剤 281
細胞性免疫 9, 49, 163, 234
細胞内寄生(性)細菌 57, 103, 171
細胞内 DNA センサー（CDS） 160
細胞標的薬 233
細胞免疫療法 192
細胞溶解 34, 127
細胞療法 273
酸性 NSAIDs 236

ジェノタイプ 248
シグナル伝達 101, 112, 231
シクロスポリン 227
自己 265
自己抗原 230
自己抗原応答性 75
自己抗体 204, 230
自己反応抗体 204
自己反応性 T 細胞 233
自己-非自己認識 2
自己免疫疾患 119, 133, 225, 265
自己免疫性溶血性貧血 128
脂質伝達物質受容体拮抗薬 241
脂質伝達物質受容体産生阻害薬 241
システイン 109
ジスルフィド（S-S）結合 109
自然免疫 7, 37, 95, 102, 159, 165
自然リンパ球（ILC） 38, 47, 166
ジフテリア 188
ジフテリア菌 188
弱毒ウシ型結核菌（BCG）ワクチン 173, 188
重症筋無力症 127
宿主対移植片反応（HVGR） 137
樹状細胞 8, 18, 96, 160, 273
樹状細胞（DC）療法 194, 273
腫瘍壊死因子（TNF） 61
腫瘍（がん）免疫療法 153
腫瘍関連抗原（TAA） 149, 275
腫瘍拒絶抗原（TRA） 150
腫瘍抗原 149, 275
腫瘍細胞 150, 191
腫瘍組織浸潤リンパ球（TIL）療法 194, 277
主要組織適合遺伝子複合体（MHC） 44, 59
受容体編集 266
腫瘍特異抗原（TSA） 150
鼻咽頭関連リンパ組織（NALT） 165
小胞体アミノペプチダーゼ（ERAP1） 65
食細胞 34, 41, 126
食作用 41
新型コロナウイルス感染症（COVID-19） 177, 191, 269
真菌 175
新生児溶血性貧血 128
親和性 262

水痘帯状疱疹ウイルス 190
水痘ワクチン 190
ステロイド性抗炎症薬（ステロイド） 234, 244
スパイクタンパク質 191
スーパー抗原 67
スフィンゴシン 1-リン酸受容体（S1PR） 162

制御性 T 細胞（Treg） 11, 17, 50, 105, 265, 278
生体応答調節薬（BRM） 193, 274
生体監視機構 148
静電相補性 258
生物学的製剤 228
生理的バリアー 39
赤血球凝集素（HA） 186
接触型過敏症 131
接着分子 78
セロトニン 112
繊維状赤血球凝集素（FHA） 188
全身性アナフィラキシー 124
全身性エリテマトーデス（SLE） 129, 229
先天性免疫不全症候群 144

臓器移植 225, 266
相補性決定領域（CDR） 258
即時型反応 123
続発性免疫不全症候群 145

第 1 シグナル 268

体液性免疫　9, 49, 163
代謝拮抗薬　226
胎盤　197
第 2 シグナル　268
対立遺伝子　61
タクロリムス　227
多型性　61
多重性　61
脱顆粒　122
ダブルネガティブ T 細胞　70
多様性　262
　――獲得機構　81

遅延型反応　123
中枢リンパ組織　13
中和　55
腸管関連リンパ組織（GALT）　165
腸内細菌叢　168

ツィンカーナーゲル　1
通常型樹状細胞　161
ツベルクリン型過敏症　132

定住性マクロファージ　41
ディフィシル菌　169
ディフェンシン　102, 159
適応免疫　37
デーデルライン桿菌　159
電子顕微鏡解析　253
電子線トモグラフィー　261
転写因子　235

同種異系移植（アログラフト）　197
トキソイド　182
特異性　262
特異的免疫抑制薬　227
突然変異　148
ドナー　59, 137
利根川進　1
ドハーティー　1
トランスフェリン　160
トロンボキサン A_2 受容体拮抗薬　241
トロンボキサン A_2 受容体産生阻害薬　241
トロンボポエチン（TPO）　107
貪食細胞　41

内在性制御性 T 細胞（nTreg）　267
ナイーブ（未感作）T 細胞　9, 73, 96, 203
ナイーブ B 細胞　75
ナチュラルキラー（NK）細胞　8, 18, 43, 65, 161
生ワクチン　181

2 型ヘルパー T 細胞（Th2）　9
肉芽腫形成型過敏症　132
二次元二重免疫拡散法（ウクテロニー法）　212
二次免疫応答　183
二次リンパ器官　96
日本脳炎　189
　――ワクチン　189
日本脳炎ウイルス　189
乳酸菌細菌叢　159
妊娠　197

ネオアンチゲン　154
ネガティブセレクション　72, 266
熱ショックタンパク質（HSP）　235
粘膜関連インバリアント T 細胞（MAIT）　166
粘膜関連リンパ組織（MALT）　15, 78, 165
粘膜免疫　164

ノイラミニダーゼ（NA）　186
ノンコーディング RNA（ncRNA）　150

肺炎球菌　191
　――ワクチン　171, 191
肺炎レンサ球菌　170, 191
敗血症　269
肺サーファクタントタンパク質　160
肺サーファクタントプロテイン A, D　169
ハイブリドーマ　207, 263
バセドウ病　127
パターン認識受容体（PRRs）　45, 160
白血球　16, 226
パネート細胞　160
パーフォリン　18, 44
ハプテン　21, 121, 206, 258
ハプロタイプ　61, 197
パラ百日咳菌　177

非競合法　210
非自己　265
ヒスタミン　112
ヒスタミン H_1 受容体拮抗薬　240
非ステロイド性抗炎症薬（NSAIDs）　236
ヒストプラズマ　175
脾臓　15
ヒト化抗体　260
非特異的可溶性因子　39
ヒトパピローマウイルス（HPV）　190
　――ワクチン　190
ヒト免疫不全ウイルス（HIV）　9, 147, 256
ヒト MHC　61
肥満細胞　20, 119, 160
百日咳　177, 188
百日咳菌　177, 188
病原体　102
日和見感染症　144
ピリミジン代謝拮抗薬　227

ファゴサイトーシス　41
ファゴソーム　41
ファージディスプレイ・ライブラリー法　263
風疹　189
　――ワクチン　189
風疹ウイルス　189
不応答　265
不活化ワクチン　184
不均一系測定法　210
物理的バリアー　39
負の選択　266
ブラジキニン　112
プリン代謝拮抗薬　226
フレームワーク領域（FR）　258
プロウイルス　148
フローサイトメトリー　214
プロスタグランジン E_2（PGE_2）　111
ブロックバスター　263
プロテアソーム　62
プロテイン A　207
プロテイン G　207
分泌型 IgA　199
分泌タンパク質　101

ヘパリン　108
ペプチドワクチン療法　275
ヘマグルチニン　260
ヘルパー T 細胞　49, 61, 104, 227

ポジティブセレクション　72
母子免疫　199
補助刺激　96, 271
　――分子　267, 273
補助刺激シグナル　233, 267, 270
補助抑制シグナル　268
ホスファチジルイノシトール　66
ホスホリパーゼ C-γ　66
補体　31, 40, 55, 127, 162
　――受容体　46
ホットスポット　259
ポリオワクチン　185
ポリクローナル抗体　205
ポリ Ig 受容体　167
本庶佑　2

マイクロリボ核酸（miRNA） 150
マイトジェン 269
マウス 61
マクロファージ 7, 18, 41, 97, 131, 160, 188
マクロファージコロニー刺激因子（M-CSF） 107
麻疹 189
——ワクチン 189
麻疹ウイルス 189, 260
マスト細胞 20
末梢分化制御性 T 細胞（pTreg） 272
末梢リンパ組織 14
マラリア原虫 176
マンノース結合レクチン（MBL） 46
マンノース受容体 46

ミエローマ細胞 207
ミサイル療法 263
ミッシングセルフ機構 43
密着結合 165
ミニ移植 157

ムスカリン受容体拮抗薬 243
ムチン 165
ムロモナブ-CD3 269

免疫回避機構 152
免疫（学的）記憶 1, 49, 96
免疫学的製剤 244
免疫監視機構 150
免疫寛容 230, 265
中枢で起こる—— 266
末梢で起こる—— 267
免疫グロブリン（Ig） 22
免疫グロブリンスーパーファミリー 60
免疫グロブリン製剤 245
免疫蛍光顕微鏡法 212
免疫原性 21, 206
免疫シナプス 254, 261
免疫担当器官 13
免疫担当細胞 16
免疫チェックポイント 2, 273
——タンパク質（分子） 152, 264
免疫チェックポイント阻害薬 155, 279
免疫調節薬 230, 264
免疫電気泳動法 212
免疫反応性 206
免疫賦活化療法 191
免疫複合体 129, 230
免疫不全 143
免疫抑制解除法 273
免疫抑制薬 142, 226
免疫療法 273

モノカイン 18, 101
モノクローナル抗体 205, 228
モノクローナル抗体製剤 245

誘導性制御性 T 細胞（iTreg） 272

溶血性貧血 199
葉酸代謝拮抗薬 226
養子免疫療法 154, 192, 277
予防接種 181, 283

ラクトフェリン 7, 160
ラジオイムノアッセイ（RIA） 210
ラングハンス巨細胞 172
ランゲルハンス細胞 122

リウマトイド因子（RF） 216
リソソーム 41
リソソーム酵素 188
リゾチーム 7, 159
立体構造を基盤とした薬剤設計（SBDD） 257
緑色蛍光タンパク質（GFP） 260
リンパ球 9, 49, 69, 78
——系細胞 17
——ホーミング 78
リンパ球療法 276
リンパ節 9, 14, 96
リンホカイン 101
リンホカイン活性化キラー細胞（LAK）療法 194, 277

涙道関連リンパ組織（TALT） 165

レシピエント 59, 137

ロイコトリエン受容体拮抗薬 241
ロイコトリエン B_4（LTB_4） 112
老化 197
濾胞性 T 細胞（T_{FH}） 17, 51

ワクチン 181, 260
ワクチン関連麻痺（VAPP） 186
ワクチン療法 274

欧文索引

$\alpha 4\beta 7$ インテグリン　167
A 群溶血性レンサ球菌　170
A 類疾病　283
ABO 式血液型　200, 212
AID 酵素　88
AIDS（エイズ）☞後天性免疫不全症候群
allergen ☞アレルゲン
allergy ☞アレルギー
anchor 残基　64
anergy　267
anti-acetylcholine receptor antibody（抗 AChR 抗体）　217
antibody ☞抗体
antibody-dependent cellular cytotoxicity（ADCC）☞抗体依存性細胞傷害作用
antibody-drug conjugate（ADC）　264
anti-cyclic citrullinated peptide antibody（抗 CCP 抗体）　217
antigen　21
antigen presenting cell（APC）☞抗原提示細胞
anti-glutamic acid decarboxylase antibody（抗 GAD 抗体）　217
anti-mitochondrial antibody（AMA）　217
anti-nuclear antibody（ANA）　217
APRIL（a proliferation-inducing ligand）　167
Arthus 反応　130
ASK（anti-streptokinase antibody）　217
ASO（anti-streptolysin O antibody）　217

B

β_2 ミクログロブリン　60
b 型インフルエンザ菌（Hib）ワクチン　190
B 型肝炎　189
　——ワクチン　189
B 型肝炎ウイルス（HBV）　189
B 型肝炎母子感染防止事業　190
B 細胞　9, 17, 75, 201
B 細胞エピトープ　66, 81, 205
B 類疾病　283
B/F 分離　210
B7　267
B7 ファミリー　57
BAFF（B cell activating factor）　167
basophil　19
B cell antigen receptor（B 細胞抗原受容体：BCR）　17, 49, 81, 191, 205
BCG（Bacillus Calmette-Guérin）ワクチン☞弱毒ウシ型結核菌ワクチン
biological response modifier（BRM）☞生体応答調節薬
bispecific 抗体薬　281
bone marrow ☞骨髄
Bordetella holmesii　177
bronchus-associated lymphoid tissue（BALT）　165

C 型肝炎　247
C 型肝炎ウイルス（HCV）　174
C 型肝炎治療薬　247
C3a　112
C3b　162
C5 転換酵素　33
C5a　112
CAR-T 細胞　277
CAR-T 療法　156, 269, 278
CC ケモカイン　109
CCL2　108
CCL5　108
CCL7　108
CCL11　108
CCL25　167
CCR9　167
CD（cluster of differentiation）抗原　68
CD3　66, 269
CD4（抗原）　61, 201
CD4$^+$CD25$^+$制御性 T 細胞　272
CD4($^+$)T 細胞　96, 131
CD8（抗原）　60, 201
CD8 T 細胞　96
CD25　268
CD28　56, 267
CD40　53
CD80　56
CD86　56
charge complementarity　258
chimeric antigen receptor（CAR）☞キメラ抗原受容体
clonal anergy　267
clonal deletion　266
complement-dependent cytotoxicity（CDC）　22
congenital immunodeficiency syndrome　144
conjunctiva-associated lymphoid tissue（CALT）　165
coronavirus disease 2019（COVID-19）☞新型コロナウイルス感染症
costimulatory molecule ☞補助刺激分子
costimulatory signal ☞補助刺激シグナル
C reactive protein（C 反応性タンパク質：CRP）　216
CTL エピトープペプチド　275
CXC ケモカイン　109
CXCL1　108
CXCL8　108
CXCL10　108
CXCL12　108
cytokine ☞サイトカイン
cytotoxic T lymphocyte（CTL）☞細胞傷害性 T 細胞
cytotoxic T-lymphocyte antigen-4（CTLA-4）☞細胞傷害性 T リンパ球抗原 4

D

dendritic cell（DC）療法☞樹状細胞療法
disease-modifying anti-rheumatic drugs（DMARDs）　229
Doherty　1
donor ☞ドナー
DPT-IPV ワクチン　188

E-セレクチン　111
electron tomography　261
ELISpot（enzyme-linked immuno-spot）　214
endoplasmic reticulum aminopeptidase（ERAP1）　65
enzyme-linked immunosorbent assay（ELISA）　211
eosinophil ☞好酸球
epitope　21
erythropoietin（EPO）　106

Fc 融合タンパク質医薬品　264
filamentous hemagglutinin（FHA）　188
fluoroimmunoassay（FIA）　211
FOXP3（forkhead box P3）　269
fragment variable（Fv）　257
framework region（FR）　258
Fyn　66

$\gamma\delta$ 型 T 細胞 75, 159
graft rejection reaction 137
graft-versus-host disease（GVHD）☞移植片対宿主病
graft-versus-host reaction（GVHR）☞移植片対宿主反応
granulocyte colony-stimulating factor（G-CSF） 107
granulocyte macrophage colony-stimulating factor（GM-CSF） 107
granzyme ☞グランザイム
green fluorescence protein（GFP） 260
GROα（growth related oncogene-α） 108
gut-associated lymphoid tissue（GALT） 165

H-2 抗原 59
hapten ☞ハプテン
HAT 培地 208
heat shock protein（HSP） 235
hemagglutinin（HA） 186
heparin 108
Hib ワクチン 171
high endothelial venule（HEV）☞高内皮細静脈
HIV 感染症（エイズ，AIDS）治療薬 245
HIV プロテアーゼ 257
HIV プロテアーゼ阻害薬 247
HLA（human leukocyte antigen） 59, 198
host-versusgraft reaction（HVGR） 137
human immunodeficiency virus（HIV）☞ヒト免疫不全ウイルス
human papillomavirus（HPV） 190

ICAM-1 111
IFN フリー療法 247
IFN-α 104, 161
IFN-β 104, 161
IFN-γ 104, 111
IFN-λ 104
IgA 27, 201
IgD 27
IgE 27, 122
IgG 25, 199
IgM 26, 201
ILC3 169
IL-1 101, 108
IL-2 101, 194, 268
——受容体 268
IL-3 107
IL-4 104
IL-5 105
IL-6 101
——阻害薬 233
IL-7 108
IL-8 108
IL-10 104, 268
IL-12 104
IL-13 104
IL-15 101
IL-17 105
immune synapse ☞免疫シナプス
immune tolerance ☞免疫寛容
immunodeficiency 144
immunogenic ☞免疫原性
immunoglobulin（Ig） 22
immunological escape 152
immunological surveillance 148
induced Treg（iTreg） 272
innate lymphoid cell（ILC）☞自然リンパ球
interface 258
interferon（IFN）☞インターフェロン
interleukin（IL） 101
invariant chain（Ii 鎖） 65
IP-10（γ-interferon-inducible protein-10） 108
IPEX 症候群（immune dysregulation, polyendocrinopathy, enteropathy, X-linked） 269
IκB 110

J

JAK 229
JAK 阻害薬 229
janus kinase-signal transducers and activator of transcription（JAK-STAT）シグナル伝達系 113

keratin 7
KIR（CD158） 66

L-セレクチン 95
lactoferrin ☞ラクトフェリン
LAG-3 279
LAT 66
Lck 66
LILR（CD85） 66
luminescence immunoassay（LIA） 212
lymphokine activated killer cell（LAK）療法☞リンホカイン活性化キラー細胞療法
lysozyme ☞リゾチーム

M

M（microfold）細胞 166
macrophage ☞マクロファージ
macrophage colony-stimulating factor（M-CSF） 107
major histocompatibility complex（MHC）☞主要組織適合遺伝子複合体
MAP キナーゼ経路 66
MCP-1（monocyte chemotactic protein 1） 108
MCP-3 108
mesenchymal stem cell（MSC） 278
MHC 197, 253
——クラスⅠ 60, 96
——クラスⅡ 60, 96
——クラスⅢ領域 61
——の多型性 64
MHC 拘束性 62
MHC テトラマー 215
micro RNA（マイクロリボ核酸：miRNA） 150
missing self 機構 43
monokine ☞モノカイン
mRNA ワクチン 178
mucosa-associated lymphoid tissue（MALT）☞粘膜関連リンパ組織
mucosal-associated invariant T cell（MAIT） 166

nasal-associated lymphoid tissue（NALT） 165
natural killer（NK）細胞☞ナチュラルキラー細胞
natural Treg（nTreg） 267
neuraminidase（NA） 186
neutrophil ☞好中球
neutrophil extracellular traps（NETs） 175
NFκB 110
NKT 細胞 18
NOD（nucleotide binding domain）-like receptor（NOD 様受容体：NLR） 46, 160
non-cording RNA（ncRNA） 150
non-steroidal anti-inflammatory drugs（NSAIDs） 236
nuclear magnetic resonance（NMR 解析） 253

opsonin 作用☞オプソニン作用

π-π 相互作用 259
pathogen-associated molecular patterns（PAMPS） 45, 160
pattern recognition receptors（PRRs）☞パターン認識受容体
PD-1（programmed cell death 1） 2, 154, 278
——受容体 264
PD-L1 279
perforin ☞パーフォリン
peripherally derived Treg（pTreg） 272
PGE_2 112
phagosome 41
platelet activating factor（PAF） 112

primary immunodeficiency syndrome 144
proteasome 62
provirus 148

QOL（quality of life：生活の質） 225, 265

radioimmunoassay（RIA） 210
RAG 酵素 88
RANTES（regulated on activation normal T expressed and secreted） 108
Ras 66
receptor editing 266
recipient ☞レシピエント
regulatory T cell（Treg）☞制御性 T 細胞
Rh 抗原 199
rheumatoid arthritis 225
rheumatoid factor（RF） 216
RIG（retinoic acid-inducible gene）-like receptor（RIG 様受容体：RLR） 46, 160

SARS コロナウイルス 2（SARS-CoV-2） 178, 191, 255
SDF-1（stromal cell-derived factor-1） 108
secondary immunodeficiency syndrome 145
shape complementarity 258
SLP-76 66
sphingosine-1-phosphate receptor（S1PR） 162
SRS-A（slow reacting substance of anaphylaxis：遅反応性アナフィラキシー物質） 123
structure-based drug design（SBDD） 257
systemic lupus erythematosus（SLE）☞全身性エリテマトーデス

T 細胞 9, 17, 69, 88, 131, 203
T 細胞依存性抗原 53, 163
T 細胞エピトープ 62
T 細胞抗原受容体（TCR） 49, 88
T 細胞抗原受容体（TCR）遺伝子導入 T 細胞療法 277
T 細胞の選択 10
T 細胞非依存性抗原 53, 163, 191
TAP 62
T cell antigen receptor（TCR） 49, 62, 201, 253, 277
——遺伝子の再構成 71
TCR-CD3 複合体 66
TCR-T 療法 155
tear duct-associated lymphoid tissue（TALT） 165
T_{FH} 11
TGF-β 105, 268
Th1 17, 50, 105, 203
Th2 17, 50, 105, 203
Th17 11, 50, 105, 204
thrombopoietin（TPO） 107
thymically derived Treg（tTreg） 272
thymus ☞胸腺
TIGIT 279
TNF-α（tumor necrosis factor α） 101, 108, 232
TNF-α 阻害薬 231
Toll-like receptor（Toll 様受容体：TLR） 46, 193
transplantation antigen 138
transporter associated with antigen processing 62
tTreg 267
tumor antigen ☞腫瘍抗原
tumor-associated antigen（TAA）☞腫瘍関連抗原
tumor-infiltrating lymphocyte（TIL）療法☞腫瘍組織浸潤リンパ球
tumor rejection antigen（TRA） 150
tumor-specific antigen（TSA） 150

vaccine ☞ワクチン
vaccine associated paralytic polio（VAPP） 186

X 線結晶構造解析 253

ZAP-70 66
Zinkernagel 1

薬系　免疫学（改訂第４版）［電子版付］

2007年10月１日　第１版第１刷発行
2012年９月15日　第２版第１刷発行
2018年２月５日　第３版第１刷発行
2021年３月１日　第３版第４刷発行
2022年12月25日　第４版第１刷発行
2024年２月20日　第４版第２刷発行

編集者　植田　正，前仲勝実
発行者　小立健太
発行所　株式会社　南　江　堂
〒113-8410　東京都文京区本郷三丁目42番６号
☎(出版)03-3811-7236　(営業)03-3811-7239
ホームページ　https://www.nankodo.co.jp/
印刷・製本　小宮山印刷工業
装丁　アメイジングクラウド

Pharmaceutical Immunology

定価は表紙に表示してあります．
落丁・乱丁の場合はお取り替えいたします．
ご意見・お問い合わせはホームページまでお寄せください．

Printed and Bound in Japan
ISBN 978-4-524-40411-7